KB132487

한권으로끝내기

한끝

통합편

중등 국어 2

필수 갈래 개념과 함께, 2015 개정 교육 과정의 학습 목표 내용을 모두 담았습니다.

교과서를 분석하여 2학년 학습 목표를 학습하는데 가장 적절한 지문을 선별하였습니다.

학습 목표와 학습 활동을 충실히 반영하여 시험 출제 빈도가 높은 객관식 문제, 서술형 문제를 출제하였습니다.

학습한 개념을 문제에 적용해 보고, 중요 지문에서 다시 확인하는 체계적인 구성을 갖추었습니다.

1 차근차근 개념 이해

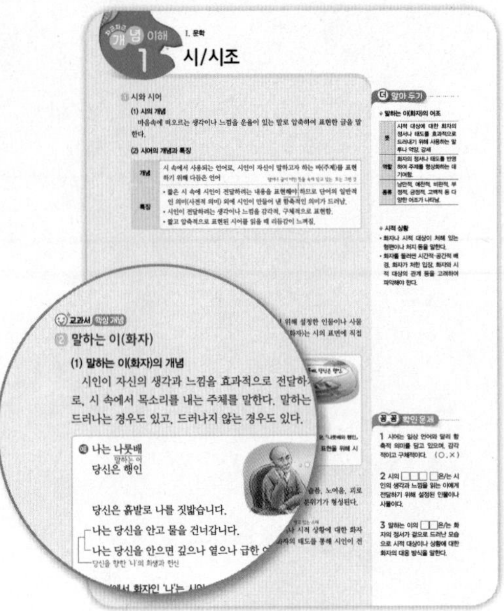

- 국어 교과서의 학습 목표와 관련된 개념과 함께 핵심 갈래 개념을 제시하고, 중학교 2학년 수준에서 필수적으로 익혀야 하는 내용을 설명하였습니다.

2 바로바로 개념 적용

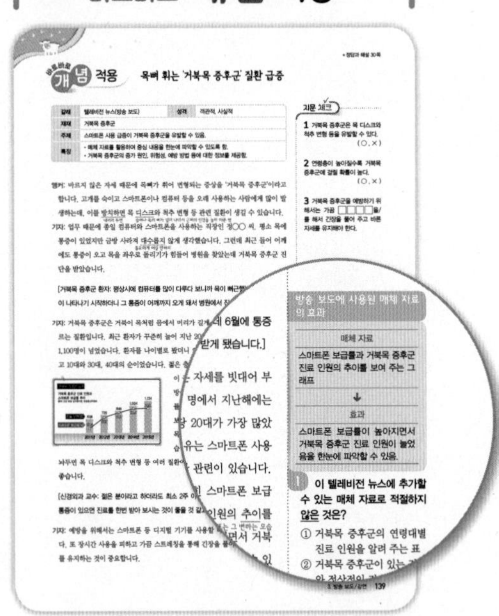

- 개념에 대한 이해를 돕기 위해 실제 교과서 지문에 개념을 적용하여 설명하고, 이를 문제로 제시하였습니다.

문법에는 이런 코너가..

3

토닥토닥 실력 쌓기

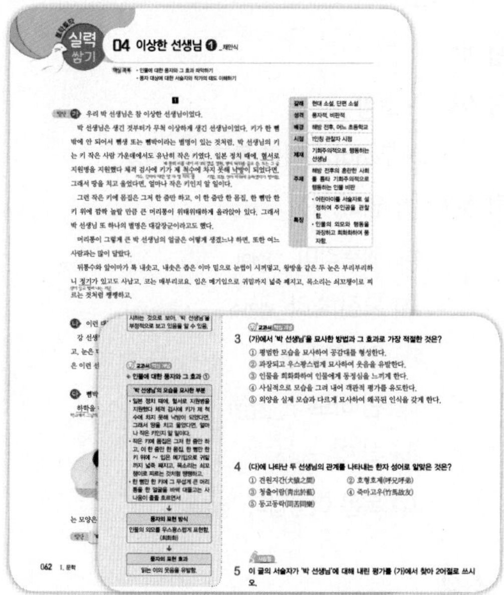

• 교과서 학습 목표를 성취하기에 적절한 지문을 선택하고 시험에 꼭 나오는 내용을 엄선하여 교과서 핵심 개념 문제로 출제하였습니다. 또한, 중학교 서술형 문제에 적응할 수 있도록 서술형 문제를 출제하였습니다.

기초튼튼 학습 활동 문제

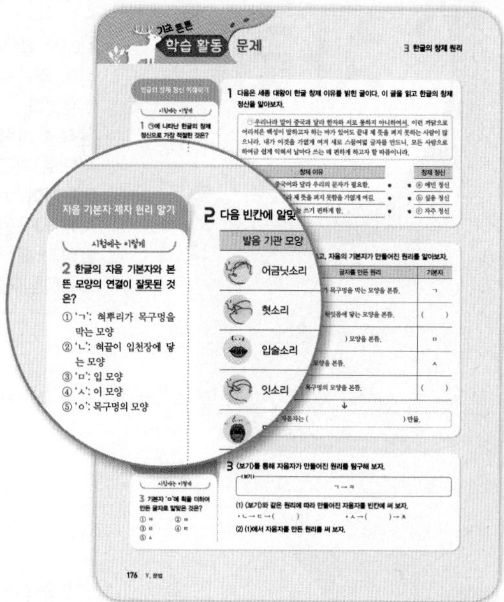

• 교과서에 나오는 학습 활동 문제로 앞에서 이해한 문법 개념을 확인할 수 있도록 하였습니다.

비상 안전 퀴즈

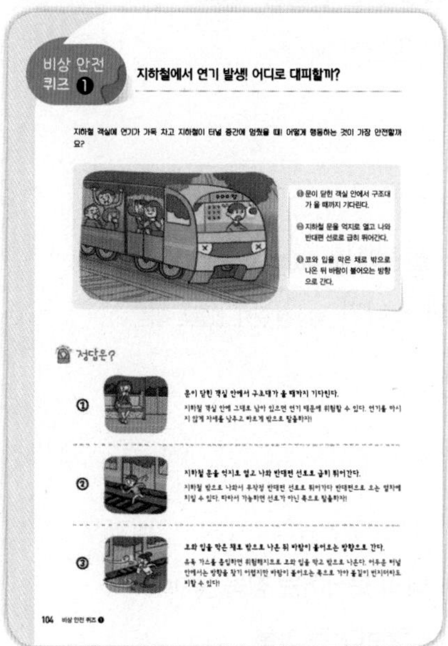

• 일상생활에서 언제나 발생할 수 있는 비상 상황에 어떻게 대처하는 게 좋을지에 대한 상식을 퀴즈 형식으로 제시하였습니다.

쏙쏙 문법 정리

• 핵심 문법 개념을 한눈에 볼 수 있게 정리하였습니다.

이 책의

차례

I 문학

Ⅱ 읽기

교과서 핵심 개념

글에 사용된 다양한 설명 방법을 파악하며 읽는다.

1. 설명하는 글

교과서 핵심 개념

- 매체에 드러난 다양한 표현 방법과 글쓴이의 의도를 평가하며 읽는다.
- 글쓴이의 삶에 대한 관점과 견해가 드러난 글을 읽고 읽기의 가치와 중요성을 깨닫는다.

2. 주장하는 글

Ⅲ 듣기·말하기

교과서 핵심 개념

상대의 감정에 공감하며 적절하게 반응하는 대화를 나누면서 서로 의미를 공유한다.

1. 대화

교과서 핵심 개념

- 듣기·말하기는 의미 공유의 과정임을 이해한다.
- 핵심 정보가 잘 드러나도록 내용을 구성하여 발표한다.

2. 연설/발표

교과서 핵심 개념

매체 자료의 효과를 판단하며 듣는다.

3. 방송 보도/강연

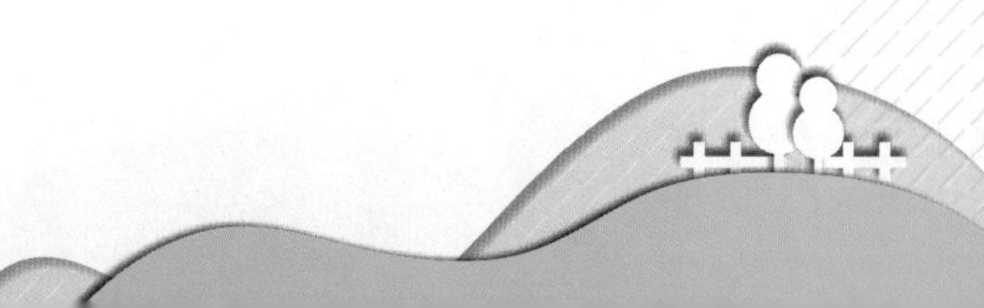

이 책의

차례

I

문학

		비상	미래엔	천재(박)	천재(노)	동아	지학사	창비	금성
1 시/시조	01 엄마 걱정			★	★				
	02 귀뚜라미		★						
	03 모진 소리			★					
	04 먼 후일	★		★	★				
	05 넌 바보다		★						
	06 봄 길	★							
	07 독은 아름답다			★					
2 소설	01 동백꽃		★	★	★				★
	02 사랑손님과 어머니					★		★	
	03 흑설 공주						★		
	04 이상한 선생님	★							
	05 양반전			★	★	★	★		★
3 극	01 소나기			★					
4 수필	01 열보다 큰 아홉						★		
	02 흙을 밟고 싶다				★				
	03 맛있는 책, 일생의 보약			★	★				

시/시조

1 시와 시어

(1) 시의 개념

마음속에 떠오르는 생각이나 느낌을 운율이 있는 말로 압축하여 표현한 글을 말한다.

(2) 시어의 개념과 특징

개념	시 속에서 사용되는 언어로, 시인이 자신이 말하고자 하는 바(주제)를 표현하기 위해 다듬은 언어
특징	• 짧은 시 속에 시인이 전달하려는 내용을 표현해야 하므로 단어의 일반적인 의미(사전적 의미) 외에 시인이 만들어 낸 함축적인 의미가 드러남. • 시인이 전달하려는 생각이나 느낌을 감각적, 구체적으로 표현함. • 짧고 압축적으로 표현된 시어를 읽을 때 리듬감이 느껴짐.

함축적: 말이나 글이 어떤 뜻을 속에 담고 있는. 또는 그런 것

교과서 핵심 개념

2 말하는 이(화자)

(1) 말하는 이(화자)의 개념

시인이 자신의 생각과 느낌을 효과적으로 전달하기 위해 설정한 인물이나 사물로, 시 속에서 목소리를 내는 주체를 말한다. 말하는 이(화자)는 시의 표면에 직접 드러나는 경우도 있고, 드러나지 않는 경우도 있다.

예 나는 나룻배 (나룻배: 말하는 이)
당신은 행인

당신은 흙발로 나를 짓밟습니다.
나는 당신을 안고 물을 건너갑니다.
나는 당신을 안으면 깊으나 옅으나 급한 여울이나 건너갑니다.
(당신을 향한 '나'의 희생과 헌신)

– 한용운, 「나룻배와 행인」

→ 이 시에서 화자인 '나'는 시인 자신이 아니라 사물인 '나룻배'로, 효과적인 표현을 위해 시인이 적절한 화자를 설정한 것임.

(2) 말하는 이(화자)의 정서

화자가 어떤 상황이나 사물을 접했을 때 느끼게 되는 기쁨, 슬픔, 노여움, 괴로움 등의 감정과 마음속에 일어나는 생각으로, 이에 따라 시적 분위기가 형성된다.

(3) 말하는 이(화자)의 태도

화자의 정서가 겉으로 드러난 모습으로, 시적 대상이나 시적 상황에 대한 화자의 현실 인식 자세 및 대응 방식을 말한다. 나아가 화자의 태도를 통해 시인이 전달하고자 하는 바가 무엇인지 파악할 수 있다.

시적 대상: 시의 주제를 구현하는 데 직접적으로 관련을 맺고 있는 소재

더 알아 두기

◆ 말하는 이(화자)의 어조

뜻	시적 대상에 대한 화자의 정서나 태도를 효과적으로 드러내기 위해 사용하는 말투나 억양, 강세
역할	화자의 정서나 태도를 반영하여 주제를 형상화하는 데 기여함.
종류	낭만적, 예찬적, 비판적, 부정적, 긍정적, 고백적 등 다양한 어조가 나타남.

◆ 시적 상황

- 화자나 시적 대상이 처해 있는 형편이나 처지 등을 말한다.
- 화자를 둘러싼 시간적·공간적 배경, 화자가 처한 입장, 화자와 시적 대상의 관계 등을 고려하여 파악해야 한다.

꼼꼼 확인 문제

1 시어는 일상 언어와 달리 함축적 의미를 담고 있으며, 감각적이고 구체적이다. (○ , ×)

2 시의 □□□ □은/는 시인의 생각과 느낌을 읽는 이에게 전달하기 위해 설정된 인물이나 사물이다.

3 말하는 이의 □□은/는 화자의 정서가 겉으로 드러난 모습으로 시적 대상이나 상황에 대한 화자의 대응 방식을 말한다.

교과서 핵심 개념

3 운율

(1) 운율의 개념

시를 읽을 때 느껴지는 말의 가락으로, 시의 음악성을 드러낸다.

(2) 운율 형성 방법

예

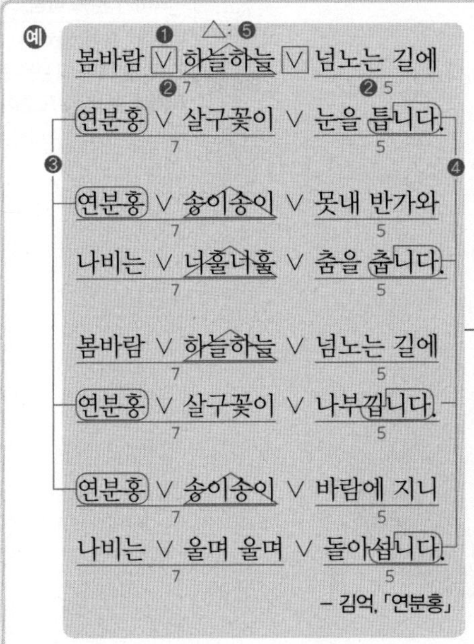

시를 읽을 때 한 호흡으로 끊어 읽는 단위

❶ **끊어 읽는 단위(음보)의 반복**
– 한 행을 끊어 읽는 단위가 세 마디(3음보)로 반복되어 운율을 형성함.

❷ **글자 수의 반복**
– 행마다 규칙적으로 7자와 5자의 글자 수를 반복하여 운율을 형성함.

❸ **같거나 유사한 소리 또는 단어나 구절 등의 반복**
– '연분홍'이라는 말의 반복으로 운율이 느껴짐.

❹ **같거나 비슷한 문장 구조의 반복**
– 각 연의 끝에서 '-ㅂ니다'의 구조를 반복하여 운율을 형성함.

❺ **음성 상징어(의성어, 의태어)의 사용**
– '하늘하늘, 송이송이, 너훌너훌'처럼 모양을 흉내 낸 단어는 대체로 4자이기 때문에 읽었을 때 음악적 효과가 느껴짐.

4 심상

(1) 심상의 개념

시를 읽을 때, 머릿속에 떠오르는 모양, 빛깔, 소리, 맛, 냄새, 감촉 등의 느낌을 의미한다.

(2) 심상의 종류

구분	내용
시각적 심상	눈으로 빛깔, 모양, 명암 등을 느끼는 듯한 심상 예 꽃들이 하얗게 날아오른다.
청각적 심상	귀로 소리를 느끼는 듯한 심상 예 은은하게 퍼지는 새벽 종소리
후각적 심상	코로 냄새를 느끼는 듯한 심상 예 아침에 / 산 너머서 오는 버스 / 비린내 난다.
미각적 심상	혀로 맛을 느끼는 듯한 심상 예 메마른 입술에 쓰디쓰다.
촉각적 심상	피부로 촉감을 느끼는 듯한 심상 예 밥티처럼 따스한 별들
공감각적 심상	한 감각을 다른 감각으로 옮겨 둘 이상의 감각이 한데 어우러진 심상 예 우리들의 입 속에서는 푸른 휘파람 소리가 나거든요. → '휘파람 소리'라는 청각적 심상을 '푸르다'는 시각적 심상으로 전이함.

더 알아 두기

◆ 운율의 뜻

운율은 '운(韻)'과 '율(律)'이라는 두 가지 요소가 합쳐진 것으로, '운'은 특정한 위치에 동일한 음운이 반복되는 현상을 가리키고, '율'은 동일한 소리 덩어리가 일정하게 반복되는 현상을 가리킨다.

◆ 운율의 종류

구분	내용
내재율	겉으로 드러나지 않는 율격으로, 일정한 규칙 없이 시의 내면에 흐르는 운율. 주로 자유시에 나타남.
외형률	겉으로 드러나는 율격으로, 음보나 글자 수 등의 규칙적 반복을 통해 생기는 운율. 주로 정형시에 나타남.

◆ 운율의 효과

- 시에서 호흡을 부드럽게 해 줄 뿐만 아니라 음악을 듣는 듯한 즐거움을 준다.
- 작품의 독특한 어조를 이루고, 시의 정서와 분위기를 효과적으로 드러내 준다.

꼼꼼 확인 문제

4 운율은 시를 읽는 재미를 느끼게 하고 시의 정서와 분위기를 강조하는 효과를 준다. (○, ×)

5 '묏버들 가려 꺾어 보내노라 님에게 / 자시는 창밖에 심어 두고 보고서.'는 ☐음보의 반복으로 운율을 형성한다.

6 하나의 감각을 다른 종류의 감각으로 전이시켜 표현하는 심상을 (촉각적, 공감각적) 심상이라 한다.

교과서 핵심 개념

5 시의 개성적인 발상과 표현

문학 작품에서 작가는 말하고자 하는 바를 효과적으로 전달하기 위하여 다양한 표현을 사용하는데, 특히 반어, 역설, 풍자는 대상을 바라보는 작가의 태도가 강조되는 표현 방식이다.

(1) 반어

① 반어의 개념

표현의 효과를 높이기 위하여 실제로 표현하고자 하는 뜻과 반대되는 말이나 상황으로 표현하는 방법을 말한다.

② 반어의 효과

- 우회적인 표현 방법으로 의미를 전하여 강한 인상을 남길 수 있다.
- 그 안에 담긴 진심을 강조하고 의미를 좀 더 생생하게 전달할 수 있다.
- 사용하는 맥락에 따라 대상을 비꼬거나 비판하는 뜻을 담을 수도 있다.

예 나 보기가 역겨워
가실 때에는
죽어도 아니 눈물 흘리우리다.

– 김소월, 「진달래꽃」

표현(표면적 의미)	반대	실제(내면적 의미)
죽어도 눈물 흘리지 않겠다.	↔	임이 떠나면 몹시 울겠다.

→ 실제 속마음과 반대로 표현하여 임이 떠나지 않기를 바라는 화자의 마음을 더욱 절실하고 강하게 전달할 수 있음.

(2) 역설

① 역설의 개념

겉으로는 뜻이 모순되고 앞뒤가 맞지 않는 표현이지만 그 속에 진리를 담고 있는 표현 방법을 말한다.

② 역설의 효과

- 모순된 의미를 제시함으로써 강한 인상을 줄 수 있다.
- 표현 방식을 낯설게 제시하여 참신한 느낌을 줄 수 있다.
- 읽는 이에게 신선한 충격을 주어 숨겨진 진리나 삶의 가치를 깨닫게 할 수 있다.

예 아아, 님은 갔지마는 나는 님을 보내지 아니하였습니다.

– 한용운, 「님의 침묵」

'님은 갔지마는'	모순	'님을 보내지 아니하였습니다.'
'님'이 나에게서 떠남.	↔	'님'을 보내지 않고 '님'과 함께하고 있음.

→ 사랑하는 사람과 이별을 했음에도 불구하고, 화자의 사랑은 변하지 않을 것이라는 의지를 역설을 통해 절실하게 표현함.

더 알아 두기

◆ 반어와 역설의 공통점과 차이점

공통점	• 화자의 의도나 정서를 더욱 강하고 인상 깊게 전달하기 위해 사용함. • 표현된 내용과 숨겨진 의미가 서로 다름.
차이점	반어는 표현 자체가 모순되지 않지만, 역설은 표현 자체에 논리적 모순이 있음.

꼼꼼 확인 문제

7 실제로 말하고자 하는 바와 반대로 표현하는 방법은 (반어, 역설)이다.

8 '찬란한 슬픔의 봄'이라는 시구에는 반어 표현이 사용되었다. (○, ×)

9 □□은/는 겉으로는 앞뒤가 맞지 않는 모순된 표현이지만 그 속에 진리를 담고 있는 표현 방법으로, 읽는 이에게 신선한 충격을 주어 삶의 진리를 깨닫게 하는 효과가 있다.

(3) 풍자

① 풍자의 개념

사실을 과장하거나 왜곡하고, 비꼬아서 표현하여 웃음을 유발함으로써, 현실의 부정적 현상이나 모순을 폭로하는 표현 방법을 말한다.

② 풍자의 효과

- 웃음을 유발함으로써 읽는 이와의 공감대를 형성할 수 있다.
- 직접 말하기 어려운 불합리나 사회의 부조리를 에둘러 비판할 수 있다.
- 읽는 이로 하여금 대상에 대한 비판적인 의식을 갖게 할 수 있다.

예 달리기를 하면 발목 삘까 봐 / 조깅을 한다.

땀이 나 / 찬물로 씻으면 피부병 걸릴까 봐 / 냉수로 샤워만 한다.

– 서정홍, 「우리말 사랑 1」

표현상 특징		비판의 대상
'발목 삘까 봐, 피부병 걸릴까 봐'와 같이 비꼬고 있음.	→	습관적으로 외래어나 한자어를 쓰는 모습

→ 고유어에 대응하는 의미의 외래어나 한자어를 사용하여, 습관적으로 외래어나 한자어를 쓰는 모습을 풍자함.

교과서 핵심 개념

6 문학 작품의 재구성

(1) 문학 작품의 재구성의 개념

단순히 원작의 일부를 변형하는 것이 아니라, 원작을 읽고 자신의 관점에서 작품의 내용, 표현, 형식, 갈래, 맥락, 매체 등을 바꾸어 쓰는 것을 말한다. 문학 작품에 자신의 생각과 느낌을 더해 새로운 창작 활동으로 나아갈 수 있다.

(2) 재구성된 작품과 원작을 비교하며 감상하는 방법

- 재구성된 작품이 원작과 비교하여 내용, 표현, 형식 등에서 어떤 점이 달라졌는지 파악해 본다.
- 원작을 재구성하는 데 바탕이 된, 작가의 새로운 관점이나 상상을 생각해 본다.
- 재구성된 작품과 원작을 각각 있는 그대로 감상하고, 작품이 담고 있는 저마다의 가치에 대해 생각해 본다.

㉮ 내가 그의 이름을 불러 주기 전에는
그는 다만
하나의 몸짓에 지나지 않았다.

내가 그의 이름을 불러 주었을 때
그는 나에게로 와서
꽃이 되었다.

– 김춘수, 「꽃」

㉯ 내가 그의 단추를 눌러 주기 전에는
그는 다만
하나의 라디오에 지나지 않았다.

내가 그의 단추를 눌러 주었을 때
그는 나에게로 와서
전파가 되었다.

– 장정일, 「라디오와 같이 사랑을 끄고 켤 수 있다면」

→ (나)의 작가는 (가)의 운율과 문장 구조 등 형식적인 면은 그대로 가져다 쓰되, 내용과 주제 의식을 바꾸어 표현함으로써 (가)에서 말하는 존재론적 탐구라는 주제 의식을 (나)에서는 가벼운 사랑의 풍조에 대한 비판으로 바꾸고 있음.

더 알아 두기

◆ 반어, 역설, 풍자로 표현된 작품을 읽는 방법

- 문학 작품에 사용된 표현의 효과는 무엇인지, 표현이 주제 형성에 어떻게 기여하는지를 살펴보면서 읽어야 한다.
- 작품의 전체 맥락을 고려하고, 표현에 숨겨진 작가의 의도, 대상을 바라보는 작가의 태도 등을 파악하면서 읽어야 한다.

◆ 풍자와 해학의 공통점과 차이점

	풍자	해학
공통점	웃음을 유발함.	
차이점	• 대상에 대한 비웃음을 동반함. • 대상을 향해 냉소, 조롱을 담아 비판하는 것으로 공격성이 있음.	• 대상에 대해 연민을 느끼게 함. • 익살스럽고 품위가 있는 표현으로 대상에 대한 공격성이 없음.

꼼꼼 확인 문제

10 풍자는 인물의 부정적인 면모나 사회의 부조리한 모습을 넌지시 (비판, 은폐)하는 기능을 한다.

11 조선 후기 사설시조에는 현실의 모순과 불합리에 대한 비판이나 부패한 양반 계층에 대한 풍자 등이 형상화된 작품이 많다. (○ , ×)

12 문학 작품을 읽고 자신의 관점에서 작품의 내용, 표현, 형식, 갈래, 맥락, 매체 등을 바꾸어 쓰는 것을 □□□(이)라고 한다.

바로바로 개념 적용   고향 _백석

갈래	현대시, 자유시, 서정시	성격	서정적, 서사적
운율	내재율	제재	고향
주제	고향과 아버지에 대한 그리움		
특징	• 인물 간의 대화 형식을 통해 시상을 전개함. • 시각적, 촉각적 심상을 활용하여 화자의 정서를 드러냄. • 차분하고 담담한 어조로 고향과 혈육에 대한 그리움을 환기함.		

나는 북관(北關)에 혼자 앓어누워서
'함경도'의 다른 이름
어느 아츰 의원을 뵈이었다 ▶ 1~2행: 북관에서 병이 들어 의원에게 진찰을 받는 '나'
'아침'의 방언
의원은 여래(如來) 같은 상을 하고 관공(關公)의 수염을 드리워서
'부처'를 달리 이르는 말 / '관우'를 높여 부르는 말
먼 옛적 어느 나라 신선 같은데
새끼손톱 길게 돋은 손을 내어
묵묵하니 한참 맥을 집더니
문득 물어 고향이 어데냐 한다 ▶ 3~7행: '나'에게 고향을 묻는 의원
평안도 정주라는 곳이라 한즉
그러면 아무개 씨 고향이란다
그러면 아무개 씰 아느냐 한즉
의원은 빙긋이 웃음을 띠고
막역지간(莫逆之間)이라며 수염을 쓴다 ▶ 8~12행: 아무개 씨와 막역지간이라는 의원
서로 거스르지 않는 사이라는 뜻으로, 허물이 없는 아주 친한 사이를 이르는 말
나는 아버지로 섬기는 이라 한즉
의원은 또다시 넌즈시 웃고
말없이 팔을 잡어 맥을 보는데 ▶ 13~15행: 따스한 정으로 진맥하는 의원
손길은 따스하고 부드러워
고향도 아버지도 아버지의 친구도 다 있었다
▶ 16~17행: 의원의 손길을 통해 향수를 달래는 '나'

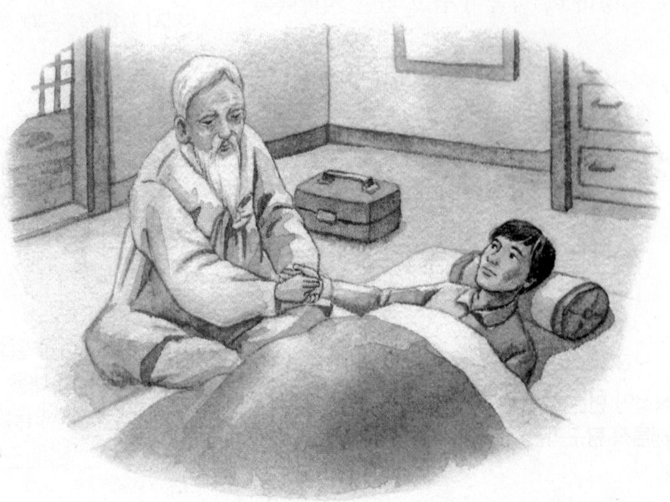

지문 체크

1 이 시의 화자는 작품 표면에 드러나 있다. (○, ×)

2 이 시의 □□□ □은/는 '나'가 아버지로 섬길 만큼 '나'와 가까운 사이이며, '나'와 의원을 이어 주는 역할을 한다.

3 화자의 아버지와 의원은 막역한 친구 사이이다. (○, ×)

말하는 이의 상황과 정서

화자의 상황	타향(북관)에서 홀로 병을 앓다 의원을 찾음.

↓

의원과 '나'의 대화

화자는 의원과의 대화를 통해 의원이 자신이 아버지로 모시는 이의 친구임을 확인하고, 자신이 떠나온 고향을 떠올림.

↓

화자의 정서	고향과 가족에 대한 그리움을 느낌.

1 이 시의 화자에 대한 설명으로 적절하지 않은 것은?

① 타향에서 혼자 앓아누워 외로움을 느끼고 있다.
② 떠나온 고향에 대한 상실감으로 쓸쓸해하고 있다.
③ 의원의 손길에서 따뜻함과 친근감을 느끼고 있다.
④ 고향이나 가족을 그리움의 대상으로 인식하고 있다.
⑤ 의원과의 만남을 통해 고향과 가족을 떠올리고 있다.

• 정답과 해설 02쪽

두꺼비 파리를 물고 _작자 미상

갈래	사설시조	성격	풍자적, 우의적, 해학적
운율	외형률	제재	두꺼비, 파리, 백송골
주제	탐관오리의 이중성 비판		
특징	탐관오리의 횡포와 허장성세를 두꺼비, 파리, 백송골에 빗대어 우의적으로 풍자함.		

허장성세: 실속은 없으면서 큰소리치거나 허세를 부림.

두꺼비 파리를 물고 두엄 위에 치달아 안자

건넛산 바라보니 백송골이 떠 있거늘 가슴이 섬뜩하여 풀떡 뛰어 내닫다가 두엄 아래 자빠지거고

모쳐라 날랜 나일망정 어혈 질 뻔하여라. ▶ 탐관오리의 횡포와 허장성세에 대한 풍자

두엄: 풀, 짚 또는 가축의 배설물 따위를 썩힌 거름
백송골: 백송고리. 맷과의 하나. 매 종류 가운데 몸이 크며 성질이 굳세고 날쌔어 사냥하는 데 쓰임.
모쳐라: '마침'의 옛말
어혈: 타박상 따위로 살 속에 피가 맺힘. 또는 그 피

지문 체크

4 '두꺼비'는 '백송골'이 나타나기 전과 나타난 이후로 행태가 달라지고 있다. (○, ×)

5 시적 대상인 '파리'의 목소리를 그대로 제시함으로써 표현 효과를 높이고 있다. (○, ×)

6 이 시조에서 형식상 반드시 글자 수를 지켜 써야 하는 부분은 '□□□'이다.

시조에 반영된 세태와 주제의 형상화 방식

이 시조에 반영된 사회상

탐관오리들의 부정부패와 횡포가 극심하여 백성들의 원성이 높아지던 시기

↓

백송골	막강한 권력을 가지고 있는 중앙 고위 관료
두꺼비	지방의 탐관오리 또는 부패한 양반
파리	힘없는 백성

↓

주제 형상화 방식

'두꺼비의 횡포와 허장성세'를 웃음을 동반한 날카로운 비판 의식을 바탕으로 풍자함.

2 이 시조의 표현상 특징으로 가장 적절한 것은?

① 같은 어구를 반복하여 운율을 형성하고 있다.
② 대상을 희화화하여 당대의 세태를 풍자하고 있다.
③ 반어를 사용하여 주제를 인상적으로 그려 내고 있다.
④ 청유형 어미를 사용하여 독자의 공감을 유도하고 있다.
⑤ 다양한 심상을 사용하여 대상을 감각적으로 표현하고 있다.

01 엄마 걱정 _기형도

핵심 콕콕 • 화자의 상황과 정서 파악하기
• 화자의 관점이 주제에 미치는 영향 파악하기

❶ 열무 삼십 단을 이고
시장에 간 우리 엄마
안 오시네, 해는 시든 지 오래
나는 찬밥처럼 방에 담겨
아무리 천천히 숙제를 해도
엄마 안 오시네, 배춧잎 같은 발소리 타박타박
안 들리네, 어둡고 무서워
금 간 창틈으로 고요히 빗소리
빈방에 혼자 엎드려 훌쩍거리던

❷ 아주 먼 옛날
지금도 내 눈시울을 뜨겁게 하는
그 시절, 내 유년의 윗목

눈시울: 눈가의 속눈썹이 난 곳
유년: 어린 시절
윗목: 온돌방에서 아궁이로부터 먼 쪽의 방바닥. 불길이 잘 닿지 않아 아랫목보다 상대적으로 차가운 쪽

갈래	현대시, 자유시, 서정시
성격	애상적, 회상적
운율	내재율
제재	유년 시절의 기억
주제	시장에 간 엄마를 걱정하고 기다리던 어린 시절을 떠올리며 느끼는 슬픔
특징	• 구체적인 상황 제시를 통해 화자의 심리를 섬세하게 나타냄. • 비유를 통해 화자의 정서를 효과적으로 드러냄.

콕콕 정리

◆ 이 시의 구성

1연	유년 시절	엄마가 시장에 감.
		'나'가 집에서 혼자 숙제를 하며 엄마를 기다림.
2연	현재	'나'가 유년 시절을 회상함.

교과서 핵심 개념

◆ 시구에 드러난 화자의 정서

- 아무리 천천히 숙제를 해도
- 어둡고 무서워
- 빈방에 혼자 엎드려 훌쩍거리던

↓

외로움, 슬픔, 무서움, 기다림

교과서 핵심 개념

◆ 어린 시절을 바라보는 화자의 관점

- 내 눈시울을 뜨겁게 하는
- 내 유년의 윗목

↓

자신의 어린 시절을 외롭고 서글픈 시기로 바라봄.

◆ 시의 분위기를 조성하는 시구와 그 의미

해는 시든 지 오래	엄마가 시장에 간 뒤 시간이 오래 흘렀고, 엄마를 기다리는 '나'의 상황 또한 오래 지속되었음을 나타냄.
찬밥처럼 방에 담겨	빈방에 덩그러니 있는 '나'의 외롭고 서글픈 마음이 나타남.
배춧잎 같은 발소리 타박타박	지치고 고된 엄마의 모습, 그런 엄마를 걱정하는 '나'의 마음이 나타남.
고요히 빗소리	고요한 빗소리 때문에 '나'의 외로움이 고조됨.
유년의 윗목	차갑고 시리게 느껴졌던 자신의 어린 시절의 외로움을 나타냄.

1 이 시를 읽고 떠올린 장면으로 적절하지 않은 것은?

① 시장 구석에서 열무를 파는 엄마와 아이의 모습
② 비 오는 날 빈방에서 어린아이가 엎드려 우는 장면
③ 어린 시절을 떠올리며 눈시울을 적시는 사람의 모습
④ 빈방에 덩그러니 앉아 엄마를 기다리는 아이의 모습
⑤ 어두컴컴한 빈방에서 어린아이가 혼자 숙제를 하는 장면

교과서 핵심 개념

2 이 시에서 느껴지는 화자의 주된 정서로 가장 적절한 것은?

① 부끄러움 ② 외롭고 쓸쓸함 ③ 그립고 애잔함
④ 속상하고 화남 ⑤ 평화롭고 고요함

교과서 핵심 개념

3 이 시의 화자가 자신의 어린 시절을 바라보는 관점으로 가장 적절한 것은?

① 가난했던 어린 시절을 잊어버리고 싶어 한다.
② 엄마와 함께할 수 있었던 시간으로 추억한다.
③ 서글펐던 자신의 어린 시절을 떠올리며 연민을 느낀다.
④ 현재의 고단한 삶에 지쳐 어린 시절로 돌아가고 싶어 한다.
⑤ 지금과 달리 순수하고 해맑았던 자신의 어린 시절을 그리워한다.

4 이 시를 감상한 후, 적절한 반응을 보인 학생을 모두 찾아 묶은 것은?

> 주원: 이 시는 '현재-과거-현재'의 순서로 시상이 전개되고 있군.
> 준우: '고요히 빗소리'로 인해 화자가 느끼는 고독감이 더욱 고조되고 있어.
> 미나: 가슴 시리게 적적한 화자의 처지를 '찬밥처럼 방에 담겨'로 빗대어 표현했네.
> 시후: '배춧잎 같은 발소리'로 장사를 마친 엄마가 가벼운 발걸음으로 돌아오는 모습을 나타냈군.
> 제니: '안 오시네'를 반복하여 운율을 형성하고 엄마를 기다리는 화자의 간절한 마음을 강조했어.

① 주원, 미나 ② 준우, 시후 ③ 시후, 제니
④ 주원, 시후, 제니 ⑤ 준우, 미나, 제니

서술형

5 화자가 자신의 유년 시절이 차갑고 시린 느낌을 주는 시절이었음을 비유적으로 표현한 구절을 찾아 3어절로 쓰시오.

02 귀뚜라미 _나희덕

핵심 콕콕 • 화자의 상황과 처지 파악하기
• 화자가 말하고자 하는 바 파악하기

갈래	현대시, 자유시, 서정시
성격	비유적, 미래 지향적
운율	내재율
제재	귀뚜라미
주제	자신의 노래가 감동을 줄 수 있기를 소망함.
특징	• 귀뚜라미를 의인화하여 주제를 효과적으로 표현함. • 다른 대상과 대조하여 화자의 처지와 소망을 구체적으로 드러냄.

❶ 높은 가지를 흔드는 매미 소리에 묻혀
내 ㉠울음 아직은 노래 아니다.

❷ 차가운 바닥 위에 토하는 울음,
풀잎 없고 이슬 한 방울 내리지 않는
지하도 콘크리트 벽 좁은 틈에서
숨 막힐 듯, 그러나 나 여기 살아 있다
귀뚜르르 뚜르르 보내는 타전 소리가
누구의 마음 하나 울릴 수 있을까.

타전: 전보나 무전을 침.

❸ 지금은 매미 떼가 하늘을 찌르는 시절
그 소리 걷히고 맑은 가을이
어린 풀숲 위에 내려와 뒤척이기도 하고
계단을 타고 이 땅 밑까지 내려오는 날
발길에 눌려 우는 내 울음도
누군가의 가슴에 실려 가는 노래일 수 있을까.

콕콕 정리

교과서 핵심 개념

◆ 화자가 처한 상황

'나' = 귀뚜라미

↓

계절	여름
장소	지하도 콘크리트 벽 좁은 틈
처지	울고 있음.

◆ '울음'과 '노래'의 차이

울음	• 차가운 바닥 위에 토하는 것 • 누구의 마음 하나 울리기 어려운 것 • 발길에 눌려 우는 것
노래	• 누군가의 마음을 울릴 수 있는 것 • 누군가의 가슴에 실려 가는 것

화자가 '내 울음 아직은 노래 아니다.'라고 말한 이유는 여름에는 매미 떼가 우는 소리 때문에 '나'의 울음이 노래가 되어 사람들에게 전해지지 어렵기 때문이다.

◆ 매미와 귀뚜라미의 대조적 의미

매미		귀뚜라미
밝은 낮, 높은 곳에서 큰 소리를 내는 강한 존재	↔	어두운 밤, 낮은 곳에서 구슬픈 소리를 내는 연약한 존재

교과서 핵심 개념

◆ 현재 화자가 소망하는 미래

현재		미래
여름	→	맑은 가을
매미 떼가 하늘을 찌르는 소리를 냄.	→	매미 떼 소리가 걷힘.
자신의 울음소리가 다른 소리에 묻혀 노래가 되지 못함.	→	자신의 울음이 누군가의 가슴을 울리는 노래가 되길 바람.

교과서 핵심 개념

1 이 시의 화자에 대한 설명으로 가장 적절한 것은?

① 화자와 시인이 일치한다.
② 화자는 매미를 동경하고 있다.
③ 화자는 귀뚜라미를 관찰하고 있다.
④ 화자는 소망과 의지를 지닌 존재이다.
⑤ 화자는 현재의 절망적 상황에 좌절하고 있다.

2 ㉠과 관련 있는 내용이 아닌 것은?

① 생존하고 있다는 표시이다.
② 발길에 눌려 우는 울음을 의미한다.
③ 화자가 현재 처한 상황을 나타낸다.
④ 사람들에게 감동을 줄 수 있는 소리이다.
⑤ 매미 소리에 묻혀 사람들에게 전해지기가 어렵다.

교과서 핵심 개념

3 이 시의 화자를 보며 떠올린 사람으로 거리가 가장 먼 것은?

① 새로운 길을 가려고 도전하는 사람
② 부정적 상황을 극복하고자 하는 의지를 지닌 사람
③ 자기가 노력한 것에 대해 결실을 맺고자 하는 사람
④ 힘든 처지에서도 희망을 잃지 않고 꿈을 위해 노력하는 사람
⑤ 목소리가 큰 사람들의 말이 다른 이의 말을 덮는 세상에서 진실한 목소리를 내는 사람

서술형

4 다음 ⓐ와 ⓑ에 들어갈 알맞은 말을 〈조건〉에 맞게 쓰시오.

> 이 시의 화자는 사람이 아닌 (ⓐ)된 존재로, 3연 마지막 행을 중심으로 볼 때, 화자는 누군가에게 (ⓑ) 존재가 되길 바라고 있다.

조건
• 문맥이 자연스럽게 이어지도록 쓸 것
• ⓐ는 3음절의 표현 방식으로, ⓑ는 해당 시구를 해석하여 쓸 것

03 모진 소리 _황인숙

핵심 콕콕
- 화자의 관점과 말하려는 바 파악하기
- 이 시를 창조적·비판적으로 재구성하기

❶ 모진 소리를 들으면
마음씨나 말씨나 행동이 몹시 쌀쌀맞고 독한
내 입에서 나온 소리가 아니더라도
내 귀를 겨냥한 소리가 아니더라도
모진 소리를 들으면
가슴이 쩌엉한다.
얼음장이나 굳은 물질 따위가 급자기(매우 급히) 갈라지는 소리가 난다.
온몸이 쿡쿡 아파 온다
누군가의 온몸을
가슴속부터 쩡 금 가게 했을
모진 소리

❷ 나와 헤어져
덜컹거리는 지하철에서
고개를 수그리고
내 모진 소리를 자꾸 생각했을
내 모진 소리에 무수히 정 맞았을
돌에 구멍을 뚫거나 돌을 쪼아서 다듬는 데 쓰는 쇠로 만든 연장
누군가를 생각하면
모진 소리,
늑골에 정을 친다
가슴 부위를 이루는 활 모양의 뼈. '갈비뼈'라고도 함.
쩌어엉 세상에 금이 간다.

갈래	현대시, 자유시, 서정시
성격	비유적, 감각적
운율	내재율
제재	모진 소리
주제	모진 소리는 나와 타인과 세상을 아프게 함.
특징	• 모진 소리가 마음에 상처를 주는 것을 감각적으로 표현함. • 의성어나 의태어를 사용하여 모진 소리에 상처 받는 마음을 인상적으로 표현함.

콕콕 정리

◆ 이 시의 구성

1연	모진 소리를 들으면 마음이 아픔.
2연	모진 소리는 나와 타인과 세상을 아프게 함.

교과서 핵심 개념

◆ '모진 소리'에 대한 화자의 관점

가슴이 쩌엉한다.
온몸이 쿡쿡 아파 온다

모진 소리는 나를 아프게 함.

↓

누군가의 온몸을
가슴속부터 쩡 금 가게 했을

모진 소리는 타인을 아프게 함.

↓

쩌어엉 세상에 금이 간다.

모진 소리는 세상을 아프게 함.

화자는 '모진 소리'가 나와 타인과 세상을 아프게 한다고 노래하며, '모진 소리'가 마음에 주는 상처와 말이 사람과 사회에 미치는 영향력에 대해 말하고자 하였다.

교과서 핵심 개념

◆ 이 시를 재구성할 때 고려해야 할 점

어떤 갈래로 쓸 것인가?	나는 원작처럼 시를 쓸 거야.
어떤 주제를 담을 것인가?	따뜻한 말을 들으면 세상이 따뜻해진다는 점을 전하고 싶어.
어떤 형식으로 쓸 것인가?	원작의 구조를 유지해서 두 연으로 써야겠어.
어떻게 표현할 것인가?	'쩌어엉'이라는 시어를 꽃이 핀 모양을 나타내는 '화알짝'으로 바꿔 써야지.

1 이 시에 대한 설명으로 가장 적절한 것은?

① 반어법을 사용하여 주제를 강조하고 있다.
② 절망적 상황을 자연물을 통해 구체적으로 표현하고 있다.
③ 화자의 감정을 감탄사를 활용하여 생생하게 표현하고 있다.
④ 의성어, 의태어를 사용하여 주제를 효과적으로 전하고 있다.
⑤ 대상을 의인화하여 말하고자 하는 바를 인상적으로 전달하고 있다.

교과서 핵심 개념

2 '모진 소리'에 대한 화자의 생각으로 가장 적절한 것은?

① 자신을 채찍질하기 위한 소리이다.
② 타인의 마음에 상처를 주는 소리이다.
③ 세상을 변화시키고자 하는 의도가 담긴 소리이다.
④ 에둘러 표현하지 않고 직설적으로 내뱉는 소리이다.
⑤ 부정적 의미를 담고 있지만 영향력을 지니지 못하는 소리이다.

교과서 핵심 개념

3 〈보기〉는 이 시를 재구성하여 창작한 작품이다. 이 시와 〈보기〉의 공통점으로 가장 적절한 것은?

보기

행복하다고 말하는 동안은
나도 정말 행복해서
마음에 맑은 샘이 흐르고

고맙다고 말하는 동안은
고마운 마음 새로이 솟아올라
내 마음도 더욱 순해지고

아름답다고 말하는 동안은
나도 잠시 아름다운 사람이 되어
마음 한 자락이 환해지고

좋은 말이 나를 키우는 걸
나는 말하면서
다시 알지

① 전체적으로 밝고 활기찬 분위기를 형성하고 있다.
② 과거의 경험을 회상하여 주제 의식을 드러내고 있다.
③ 대비되는 의미의 시어를 사용하여 시상을 전개하고 있다.
④ 음성 상징어를 활용하여 대상을 인상적으로 표현하고 있다.
⑤ 말이 지닌 영향력에 대해 생각해 보는 기회를 제공하고 있다.

서술형

4 다음의 시구를 통해 시인이 궁극적으로 전하고자 하는 바를 10자 내외로 쓰시오.

• 가슴이 쩌엉한다. / 온몸이 쿡쿡 아파 온다
• 누군가의 온몸을 / 가슴속부터 쩡 금 가게 했을
• 늑골에 정을 친다 / 쩌어엉 세상에 금이 간다.

04 먼 후일 _김소월

핵심 콕콕 • 이 시의 운율 형성 요소 파악하기
• 반어 표현을 반복적으로 사용한 의도 파악하기

❶ 먼 훗날 당신이 찾으시면
그때에 내 말이 '잊었노라'

❷ 당신이 속으로 나무라면
'무척 그리다가 잊었노라'

❸ 그래도 당신이 나무라면
'믿기지 않아서 잊었노라'

❹ 오늘도 어제도 아니 잊고
먼 훗날 그때에 '잊었노라'

갈래	자유시, 서정시
성격	서정적, 애상적, 민요적
운율	내재율
제재	이별
주제	떠난 임에 대한 그리움
특징	• 미래의 상황을 가정하여 화자의 정서를 드러냄. • 반어법을 사용하여 임을 잊지 못하는 마음을 효과적으로 드러냄. • 3음보의 율격, 같은 시어의 사용, 동일한 문장 구조의 반복을 통해 운율을 형성함.

콕콕 정리

◆ 이 시의 구성

1연	먼 후일 임과 만날 때의 반응
2연	임이 나무랄 때의 반응
3연	임이 계속 나무랄 때의 반응
4연	임을 잊지 못하는 애절한 마음

◆ 화자의 상황과 정서

'먼 훗날 당신이 찾으시면'
미래에 '당신'이 화자 자신을 찾을 것이라고 가정하고 있음.

상황	현재 화자는 '당신'과 이별한 상황에 처해 있음.
정서	• 임과의 이별로 인한 안타까움. • 이별한 임에 대한 간절한 그리움.

교과서 핵심 개념

◆ 이 시의 운율 형성 요소와 그 효과

3음보의 율격	먼 훗날∨당신이∨찾으시면 그때에∨내 말이∨'잊었노라'
같은 시어의 반복	• 먼 훗날 • 당신이 • 나무라면 • 잊었노라
같은 문장 구조의 반복	~면 ~ 잊었노라

↓

• 시를 읽을 때 리듬감이 느껴짐.
• 애상적인 분위기와 그리움의 정서를 심화시킴.

교과서 핵심 개념

◆ '잊었노라'에 나타난 반어 표현과 그 효과

표면적 의미	↔	내포적 의미
'당신'을 잊었다.	반어적 표현	'당신'을 잊을 수 없다.

↓

화자가 자신의 속마음을 반대로 표현하여 '당신'을 잊을 수 없는 애틋하고 간절한 심정이 강조됨.

1 이 시의 화자에 대한 설명으로 적절하지 않은 것은?

① 사랑하는 임과 이별한 슬픔에 빠져 있다.
② 임과 재회할 상황을 가정하여 말하고 있다.
③ 떠난 임을 애절한 마음으로 그리워하고 있다.
④ 임이 부재하는 상황에 안타까움을 느끼고 있다.
⑤ 자신을 잊어버린 임을 나무라다가 체념하고 있다.

교과서 핵심 개념

2 이 시의 운율에 관한 설명으로 알맞지 않은 것은?

① 각 행을 세 마디로 끊어 읽을 수 있다.
② 같은 시어의 반복으로 운율을 형성하고 있다.
③ 가정형 문장을 반복하여 운율을 형성하고 있다.
④ 대조적 시어의 대구를 통해 운율을 형성하고 있다.
⑤ 동일한 문장 구조를 반복하여 리듬을 형성하고 있다.

교과서 핵심 개념

3 〈보기〉의 밑줄 친 '잊었노라'에 대해 나눈 의견 중 적절하지 않은 것은?

보기
• 그때에 내 말이 '잊었노라' • '무척 그리다가 잊었노라'
• '믿기지 않아서 잊었노라' • 먼 후일 그때에 '잊었노라'

① 화자의 의도를 반대로 표현한 게 인상 깊어.
② 임을 결코 잊지 못한다는 의미가 숨겨져 있어.
③ 화자의 애틋하고 간절한 심정을 부각하고 있어.
④ 모순된 표현 이면에 화자의 속마음을 담아내고 있어.
⑤ 같은 단어를 반복하여 그리움의 정서를 심화하고 있어.

4 이 시에 사용된 주된 표현 방법을 활용한 말로 적절한 것은?

① (동생과 다투다) 그만 싸우자, 우리.
② (계속 밤늦게 귀가하는 딸에게) 잘한다, 잘해.
③ (좋아하는 친구에게 고백하며) 너 없는 나는 사막이야.
④ (친구에게서 어이없는 말을 듣고) 내가 웃지만 웃는 게 아니야.
⑤ (용돈을 넉넉히 주신 어머니께) 봄눈처럼 포근한 우리 엄마, 사랑해요!

서술형

5 이 시에서 다음 설명에 해당하는 시구를 찾아 4어절로 쓰시오.

이 시구에는 줄곧 '당신'을 잊지 못하고 그리워했다는 화자의 본심이 드러나 있음.

05 넌 바보다 _신형건

핵심 콕콕 • 이 시에 담긴 경험과 깨달음 파악하기
• 반어 표현의 특징과 효과 파악하기

1 씹던 껌을 아무 데나 퉤, 뱉지 못하고
종이에 싸서 쓰레기통으로 달려가는
너는 참 바보다.
개구멍으로 쏙 빠져나가면 금방일 것을
(개구멍: 담이나 울타리 또는 대문의 밑에 개 따위가 드나들 정도로 터진 작은 구멍)
비잉 돌아 교문으로 다니는
너는 참 바보다.
얼굴에 검댕 칠을 한 연탄장수 아저씨한테
(검댕: 그을음이나 연기가 엉겨 생기는, 검은 물질)
쓸데없이 꾸벅, 인사하는
너는 참 바보다.
호랑이 선생님이 전근 가신다고
(전근: 근무하는 곳을 옮김.)
계집애들도 흘리지 않는 눈물을 찔끔거리는
너는 참 바보다.
그까짓 게 뭐 그리 대단하다고
민들레 앞에 쪼그리고 앉아 한참 바라보는
너는 참 바보다.
내가 아무리 거짓으로 허풍을 떨어도
(허풍: 실제보다 지나치게 과장하여 믿음성이 없는 말이나 행동)
눈을 동그랗게 뜨고 머리를 끄덕여 주는
너는 참 바보다.
바보라고 불러도 화내지 않고
씨익 웃어 버리고 마는 너는
정말 정말 바보다.

2 —그럼, 난 뭐냐?
그런 네가 좋아서 그림자처럼
네 뒤를 졸졸 따라다니는
나는?

갈래	자유시, 서정시
성격	서정적, 반어적, 교훈적
운율	내재율
제재	바보 같은 '너'
주제	바르게 살아가는 '너'를 본받고 싶은 마음
특징	• 친구를 관찰한 경험을 바탕으로 시상을 전개함. • 같은 시구의 반복을 통해 운율을 형성함. • 화자의 마음을 반어적으로 표현하여 '너'의 바른 행동을 강조함.

콕콕 정리

◆ 이 시의 구성

1연	착하고 바르게 생활하는 '너'
2연	'너'를 좋아하고 본받고 싶은 '나'

◆ '나'가 관찰한 '너'의 모습과 '너'에 대한 '나'의 태도

'나'가 관찰한 '너'의 모습
• 씹던 껌을 종이에 싸서 쓰레기통에 버림. • 개구멍으로 나가지 않고 빙 돌아 교문으로 다님. • 얼굴에 검댕 칠을 한 연탄장수 아저씨한테 인사를 함. • 선생님이 전근 가신다고 눈물 흘림. • 보잘것없는 민들레에 관심을 보임. • 친구의 허풍도 진심을 다해 들어 줌. • 바보라고 놀려도 웃음으로 받아넘김.

↓

'너'에 대한 '나'의 태도
'나'는 '너'를 좋아하고, '너'를 본받고 싶어 하며, '너'와 함께 있고 싶어 함.

교과서 핵심 개념

◆ 이 시에 사용된 반어 표현

표현
'너는 참 바보다.'

↕ 반대로 표현

속마음
• '너'는 좋은 아이이다. • '너'는 정직하고 따뜻하고 순수한 아이이다.

↓

'나'의 속마음을 반대되게 표현하여 표현하고자 하는 바를 강조함.

교과서 핵심 개념

◆ 반복을 통한 운율 형성

시구 '너는 참 바보다.'를 반복함.

↓

말하고자 하는 바를 강조하고 시에 안정감을 주며 리듬감을 형성함.

교과서 핵심 개념

1 이 시에 대한 설명으로 알맞은 것끼리 바르게 묶인 것은?

> ㄱ. '나'는 '너'의 여러 행동들을 관찰하여 나열하고 이를 긍정적으로 평가하고 있다.
> ㄴ. 표현하고자 하는 내용을 반대되게 나타내어 강조하는 표현 방법을 사용하고 있다.
> ㄷ. 읽는 이에게 대상에 대한 비판 의식을 갖게 하며 웃음으로 공감대를 형성하고 있다.
> ㄹ. '나'의 속마음을 처음부터 직접적으로 표현하여 '너'가 좋은 사람이라는 것을 강조하고 있다.

① ㄱ, ㄴ ② ㄱ, ㄷ ③ ㄱ, ㄹ ④ ㄴ, ㄹ ⑤ ㄷ, ㄹ

2 이 시의 화자의 눈에 비친 '너'의 모습으로 알맞지 않은 것은?

① 쪼그려 앉아 민들레를 한참 바라보는, 세심하고 따뜻한 아이
② 장난스럽게 거짓으로 허풍을 떨어서 친구를 웃게 만드는 아이
③ 친구의 놀림도 대수롭지 않게 웃어넘기는, 밝고 수더분한 아이
④ 개구멍을 두고 빙 돌아 교문으로 다니는, 규칙을 잘 지키는 아이
⑤ 연탄장수 아저씨를 지나치지 않고 인사하는, 착하고 순수한 아이

교과서 핵심 개념

3 이 시의 주된 표현 방법이 사용된 시구가 아닌 것은?

① 두 볼에 흐르는 빛이 / 정작으로 고와서 서러워라.
② 나 보기가 역겨워 / 가실 때에는 / 죽어도 아니 눈물 흘리우리다.
③ 오늘도 그대를 사랑하는 일보다 / 기다리는 일이 더 행복하였습니다.
④ 배앓이를 하던 날 납작 엎드렸던 / 아랫목이 차디찬 물살에 갇힌다 해도 나는 나는 서럽지 않다.
⑤ 내 그대를 생각함은 항상 그대가 앉아 있는 배경에서 해가 지고 바람이 부는 일처럼 사소한 일일 것이나

서술형

4 〈보기〉에서 설명하는 내용에 해당하는 시구를 찾아 쓰시오.

> 보기
> • '너'를 좋아하는 '나'의 마음을 반어적으로 드러냄.
> • 자신이 표현하고자 하는 바를 강조하고, 운율을 형성함.

06 봄 길 _ 정호승

핵심 콕콕
- 이 시의 상징적 의미와 표현상 특징 파악하기
- 역설 표현의 의미와 그 효과 이해하기

㉠ ┌ 길이 끝나는 곳에서도
   └ 길이 있다
길이 끝나는 곳에서도
ⓐ길이 되는 사람이 있다
ⓑ스스로 봄 길이 되어
끝없이 걸어가는 사람이 있다
강물은 흐르다가 멈추고
새들은 날아가 돌아오지 않고
ⓒ하늘과 땅 사이의 모든 꽃잎은 흩어져도
보라
사랑이 끝난 곳에서도
ⓓ사랑으로 남아 있는 사람이 있다
스스로 사랑이 되어
ⓔ한없이 봄 길을 걸어가는 사람이 있다

갈래	자유시, 서정시
성격	의지적, 긍정적, 희망적
운율	내재율
제재	봄 길
주제	시련을 극복하고 스스로 사랑을 찾기 위해 노력하는 삶의 태도
특징	• 대조적인 상황을 제시하여 희망의 의미를 강조함. • 단정적인 어조를 사용하여 확신에 찬 태도를 드러냄. • 유사한 시구를 반복하여 주제를 강조하고 운율을 형성함.

콕콕 정리

◆ 이 시의 구성

1~6행	절망적인 상황에서도 희망을 잃지 않는 사람이 있음.
7~9행	사랑이 끝난 절망적인 상황이 찾아옴.
10~14행	사랑이 끝난 곳에서도 사랑을 베푸는 사람이 있음.

◆ '봄 길'의 의미

• 만물이 소생하는 생명의 계절 '봄'
• 미래와 가능성의 의미를 내포한 '길'

↓

긍정적 가능성, 희망적 가치를 의미함.

◆ 화자가 바라는 삶의 태도

• 절망적 상황에서 희망과 사랑을 찾는 삶
• 다른 사람이 걸어갈 길을 만들기 위해 기꺼이 희생하는 삶

교과서 핵심 개념

◆ 역설 표현의 의미와 효과

역설 표현	의미
길이 끝나는 곳에서도 / 길이 있다	절망적인 상황에서도 희망이 있음.
길이 끝나는 곳에서도 / 길이 되는 사람이 있다	절망적인 상황에서도 희망을 잃지 않는 사람이 있음.
사랑이 끝난 곳에서도 / 사랑으로 남아 있는 사람이 있다	희망이 없는 곳에서도 다른 이에게 사랑을 베푸는 사람이 있음.

이 시는 모순된 표현을 사용하여 그 안에 담긴 희망과 사랑의 의미와 그 가치를 깨닫게 한다.

◆ 시구의 대조적 의미

긍정적(희망적)	• 길이 되는 사람 • 사랑으로 남아 있는 사람 • 한없이 봄 길을 걸어가는 사람
↕	
부정적(절망적)	• 길이 끝나는 곳 • 강물은 흐르다가 멈추고 • 새들은 날아가 돌아오지 않고 • 모든 꽃잎은 흩어져도

교과서 핵심 개념

1 이 시에 대한 설명으로 적절하지 않은 것은?

① 역설적 표현을 사용하여 주제 의식을 강조하고 있다.
② 유사한 시구를 반복하여 통일성과 리듬감을 주고 있다.
③ 단정적 어조의 명령형 어미를 통해 시상을 전환하고 있다.
④ '강물', '새' 등과 같은 자연물을 통해 희망적 가치를 전하고 있다.
⑤ '봄 길'이라는 소재를 통해 따뜻하고 포근한 분위기를 조성하고 있다.

2 이 시의 화자가 생각하는 바람직한 삶의 태도로 보기 어려운 것은?

① 절망적 상황 속에서도 희망을 찾는 태도
② 욕심을 버리고 자연과 함께 살아가려는 태도
③ 사회적 약자를 대상으로 위안을 주고 봉사하는 태도
④ 계속되는 실패 속에서도 다시 일어나 도전하는 태도
⑤ 다른 사람이 걸어갈 길을 만들기 위해 기꺼이 희생하는 태도

교과서 핵심 개념

3 ㉠의 표현을 통해 얻을 수 있는 효과로 가장 알맞은 것은?

① 시어의 생략을 통해 시적 여운을 준다.
② 감각적 표현을 통해 대상의 속성을 강조한다.
③ 규칙적인 끊어 읽기로 운율감을 느끼게 한다.
④ 비슷한 문장 구조의 반복으로 안정감을 형성한다.
⑤ 모순된 표현 안에 담긴 깊은 의미를 한 번 더 생각하게 한다.

4 ⓐ~ⓔ 중, 그 의미가 다른 하나는?

① ⓐ ② ⓑ ③ ⓒ ④ ⓓ ⑤ ⓔ

서술형

5 이 시에 사용된 주된 표현 방법이 쓰인 시구를 모두 찾아 그 기호를 쓰시오.

ㄱ. 이것은 소리 없는 아우성
ㄴ. 울어 보렴 목 놓아 울어나 보렴 오랑캐꽃
ㄷ. 널따란 바다처럼 너그러워질 수는 없을까
ㄹ. 나는 아직 기다리고 있을 테요, 찬란한 슬픔의 봄을
ㅁ. 아아, 님은 갔지마는 나는 님을 보내지 아니하였습니다

07 독은 아름답다 _함민복

핵심 콕콕 • 이 시의 모순된 표현에 담긴 의미 파악하기
• 역설 표현을 활용한 시 감상하기

❶ 은행나무 열매에서 구린내가 난다
똥이나 방귀 냄새와 같이 고약한 냄새
주의해 주세요 구린내가 향기롭다

❷ 밤톨이 여물면서 밤송이가 따가워진다
날카롭게 찌르는 가시가 너그럽다

❸ 복어알을 먹으면 죽는다
복어의 독이 복어의 사랑이다

❹ 자식을 낳고 술을 끊은 친구가 있다
친구의 독한 마음이 아름답다

갈래	자유시, 서정시
성격	일상적, 감각적, 역설적
운율	내재율
제재	은행나무 열매, 밤송이, 복어알, 친구
주제	자식에 대한 부모의 사랑은 가치 있고 아름다움.
특징	• 역설을 통해 주제를 강조함. • 일상에서 접할 수 있는 소재에서 발견한 가치를 노래함. • 부정적으로 인식되는 사물의 속성을 긍정적 속성으로 전환시켜 형상화함.

콕콕 정리

◆ 이 시의 구성

1연	은행나무 열매의 구린내가 향기로움.
2연	밤송이의 날카롭게 찌르는 가시가 너그러움.
3연	복어의 독이 복어의 사랑임.
4연	술을 끊은 친구의 독한 마음이 아름다움.

교과서 핵심 개념

◆ 이 시에 쓰인 표현법 – 역설

개념	겉보기에는 모순이지만 대상에 관한 통찰을 통해 얻은 진실을 담고 있는 표현 방법
효과	• 모순된 표현 속에 깊은 뜻이 숨어 있어 한 번 더 생각해 보게 함. • 이치에 맞지 않는 것처럼 보이지만 삶의 진리를 담고 있어 그 의미를 효과적으로 강조함. • 독자의 주의를 끌고 참신한 느낌을 줄 수 있음.

교과서 핵심 개념

◆ 모순된 표현에 담긴 의미

모순된 표현	의미
구린내가 향기롭다	구린내가 은행의 열매를 지켜 주기 때문에 향기로움.
날카롭게 찌르는 가시가 너그럽다	가시가 밤송이를 보호하고 있기 때문에 너그러움.
복어의 독이 복어의 사랑이다	복어의 독이 복어의 알을 보호하기 때문에 사랑임.
친구의 독한 마음이 아름답다	자식을 위해 술을 끊었기 때문에 아름다움.

이 시는 '은행나무 열매', '밤송이', '복어알', '친구'와 같은 일상에서 접할 수 있는 소재를 활용하여, 각각이 지닌 부정적 특성이 결국 소중한 대상을 보호하기 위한 것이라는 의미를 강렬하게 전하고 있다.

1 이 시에서 말하고자 하는 바로 가장 알맞은 것은?

① 생명을 이어 나가기 위해서는 독이 반드시 필요하다.
② 자식을 향한 부모의 사랑은 본능적이며 가치가 있다.
③ 인간은 알지 못하는 대자연의 이치를 순리대로 따라야 한다.
④ 모든 사물은 긍정적 속성과 부정적 속성을 함께 지니고 있다.
⑤ 일상생활을 관찰하며 대상을 낯설게 보려는 노력을 해야 한다.

교과서 핵심 개념

2 이 시의 시구 중, 겉보기에 모순된 표현이 사용되지 않은 것은?

① 구린내가 향기롭다
② 밤송이가 따가워진다
③ 친구의 독한 마음이 아름답다
④ 복어의 독이 복어의 사랑이다
⑤ 날카롭게 찌르는 가시가 너그럽다

교과서 핵심 개념

3 이 시에 대한 감상으로 적절하지 않은 것은?

① 구린내가 은행나무 열매를 지켜 주기 때문에 향기롭다고 표현한 것 같아.
② 화자는 밤송이가 가시로 밤톨을 너그럽게 감싸고 있다고 여기는 것 같아.
③ 복어의 독은 복어의 알을 보호하기 위한 것이라는 깊은 뜻이 숨어 있네.
④ 자식을 소중하게 여기는 친구의 마음을 직설적으로 드러내고 있어.
⑤ 대상의 부정적 특징에서 가치를 발견하는 시인의 통찰력이 놀라워.

서술형

4 〈보기〉는 자신의 경험을 시로 바꿔 쓴 것이다. 이 시에 사용된 주된 표현 방법이 사용된 시구를 〈보기〉의 시에서 찾아 쓰시오.

보기

예고 없이 장대비가 내렸던 날이었어. 아빠께서 우산이 없는 나를 마중하러 나오셔서 큰 소리로 내 이름을 부르셨어. 오랜 시간 기다리셨는지 아빠의 손은 차가웠어. 그렇지만 나를 위해 우산을 들고 기다려 주신 아빠를 본 내 마음은 따뜻해졌어.

→

아빠 손

갑자기 내린 장대비
우산 없이 막 뛰어가는데
멀리서 나를 부르는
아빠의 목소리
반가운 마음에 덥석 잡은
아빠의 손
차갑지만 따뜻한 손

2 소설

1 소설의 개념과 특성

(1) 소설의 개념

현실 세계에 있을 법한 일을 작가가 상상하여 꾸며 쓴 이야기이다.

(2) 소설의 특성

허구성	실제 있었던 일이 아니라 작가가 상상을 통해 꾸며 낸 이야기임.
산문성	줄글 형태의 산문으로 표현함.
진실성	꾸며 낸 이야기이지만 인생의 진리와 삶의 진솔한 모습을 담음.
모방성	허구의 이야기지만 현실 세계를 반영함.
서사성	사건의 내용이 일정한 시간의 흐름에 따라 전개됨.
예술성	문체, 표현 기법 등을 통해 예술적 아름다움과 감동을 전함.

2 인물

(1) 인물의 개념

작품에 등장하는 사건과 행동의 주체로, 이야기를 이끌어 나가기 위해 작가가 창조한 가상의 존재를 말한다.

(2) 인물의 성격 제시 방식

직접 제시	개념	서술자가 인물의 성격이나 심리를 직접 설명해 줌.
	특징	• 인물의 성격을 분석하고 제시할 때 서술자의 주관이 개입함. • 서술자가 직접 알려 주기 때문에 독자의 상상력을 제한할 수 있음.
간접 제시	개념	인물의 행동, 대화, 외양 묘사를 통해 성격이나 심리를 짐작하게 함.
	특징	• 인물의 성격을 생생하고 구체적으로 드러내어 극적 효과를 줌. • 서술자가 직접 나서지 않기 때문에 독자의 상상력을 자극할 수 있음.

예 "그 꽃은 어디서 났니? 퍽 곱구나."
하고 어머니가 말씀하셨습니다. 그러나 나는 갑자기 말문이 막혔습니다. '이걸 엄마 드리려고 유치원서 가져왔어.' 하고 말하기가 어째 몹시 부끄러운 생각이 들었습니다. 그래 잠깐 망설이다가

"응, 이 꽃! 저, 사랑 아저씨가 엄마 갖다 주라고 줘."
하고 불쑥 말했습니다. 그런 거짓말이 어디서 그렇게 툭 튀어나왔는지 나도 모르지요.

꽃을 들고 냄새를 맡고 있던 어머니는 내 말이 끝나기가 무섭게 몹시 놀란 사람처럼 화닥닥하였습니다. 그러고는 금시에 어머니 얼굴이 그 꽃보다 더 빨갛게 되었습니다. 그 꽃을 든 어머니 손가락이 파르르 떠는 것을 나는 보았습니다.

– 주요섭, 「사랑손님과 어머니」

→ 서술자인 '나'는 자신의 심리(부끄러움, 망설임)를 직접 제시한 반면, '어머니'의 심리(놀람, 부끄러움)는 '어머니'의 행동 및 외양 묘사를 통해 간접적으로 제시함.

더 알아 두기

◆ 소설의 3요소

주제	작품을 통해 작가가 나타내고자 하는 중심 생각
구성	일정한 흐름에 따라 배열된 이야기의 짜임새. '인물, 사건, 배경'이 이에 해당됨.
문체	작품에서 사용한 작가만의 독특한 글투나 표현 방식

◆ 인물의 심리 및 태도

인물의 심리는 인물의 마음의 움직임이나 상태를 의미하고, 인물의 태도는 인물이 어떤 대상이나 상황을 대하는 자세를 의미한다.

꼼꼼 확인 문제

1 소설은 작가 자신이 직접 경험한 사건을 사실적으로 표현한 이야기이다. (○, ×)

2 작품 속에 등장하여 사건을 이끄는 주체로서 작가에 의해 창조된 존재를 □□(이)라고 한다.

3 '미나는 배려심과 이해심이 많은 친구이다.'는 인물의 성격을 (직접, 간접)적으로 제시하는 방식이다.

교과서 핵심 개념

3 시점

(1) 시점의 개념

소설에서 서술자가 사건을 바라보는 위치나 관점 및 태도를 말한다. 서술자의 위치에 따라 1인칭 시점과 3인칭 시점으로 나뉜다.

(2) 시점의 종류

• 1인칭 시점: 서술자가 소설 속에 '나'로 등장하는 경우
• 3인칭 시점: 서술자가 소설 속에 등장하지 않는 경우

1인칭 주인공 시점	1인칭 관찰자 시점

• 소설 속 주인공인 '나'가 자신의 이야기를 직접 서술함. • 주인공인 '나'의 심리를 구체적으로 표현하므로 주인공의 내면을 표현하는 데 효과적임.	• 소설 속 인물인 '나'가 주인공의 행동과 사건을 관찰하여 서술함. • 서술자가 관찰한 내용만 전달하므로 주인공의 심리나 사건의 진실이 정확히 드러나지 않음.

3인칭 관찰자 시점	전지적 작가 시점

• 소설 밖의 서술자가 객관적인 태도로 인물의 행동이나 사건을 관찰하여 서술함. • 서술자는 겉으로 드러나는 사실만을 독자에게 전달하므로 이야기를 읽는 독자의 상상력이 개입할 부분이 많음.	• 소설 밖의 서술자가 모든 것을 아는 입장에서 사건의 속사정과 인물들의 심리까지 서술함. • 서술자가 신과 같은 입장에서 사건이나 인물을 구체적으로 서술하기 때문에 독자의 상상력이 제한될 수 있음.

4 갈등과 구성 단계

(1) 갈등의 개념과 역할

개념	인물의 마음속 또는 인물과 인물 사이에서 일어나는 대립과 충돌, 인물과 환경 사이의 모순과 대립을 의미하는 것으로, 인물 내부의 심리적 고민, 인물 간의 가치관이나 성격 차이, 사회 제도나 자연과 인간의 대립 등으로 발생함.
역할	• 인물의 성격과 가치관을 드러냄. • 독자의 관심과 흥미를 불러일으킴. • 사건을 전개시키고 극적 긴장감을 더해 줌. • 갈등의 전개와 해결 과정을 통해 자연스럽게 주제를 드러냄.

더 알아 두기

◆ 서술자의 개념

이야기 속에서 작가가 내세운 대리인으로, 작가를 대신하여 허구적 이야기를 전달하는 사람을 말한다.

◆ 갈등의 종류

내적 갈등	한 인물의 마음속에서 서로 반대되는 두 가지 심리가 대립되는 갈등
외적 갈등	• 인물과 인물의 갈등: 인물과 인물 사이의 성격이나 가치관이 대립하여 발생하는 갈등 • 인물과 사회의 갈등: 인물이 자신이 속한 사회 제도나 이념 등과 충돌하면서 발생하는 갈등 • 인물과 자연/운명의 갈등: 인물이 자연 현상이나 자신에게 주어진 운명과 대립하면서 발생하는 갈등

꼼꼼 확인 문제

4 '나'가 작품 속의 주인공으로 등장하여 자신의 이야기를 직접 전달하는 것은 (1인칭 주인공, 1인칭 관찰자) 시점에 해당한다.

5 전지적 작가 시점의 소설은 독자의 상상력이 개입할 여지가 가장 많다. (○, ×)

6 소설을 감상할 때에는 인물이 겪는 갈등의 전개 과정을 파악하고 작가가 말하고자 하는 바를 생각해 본다. (○, ×)

(2) 소설의 구성 단계

일반적으로 사건의 전개 양상에 따라 '발단–전개–위기–절정–결말'의 5단계로 나뉜다. 이는 갈등의 원인, 생성, 발전, 그리고 갈등의 첨예한 대립과 해소의 과정을 드러낸다.

발단	전개	위기	절정	결말
			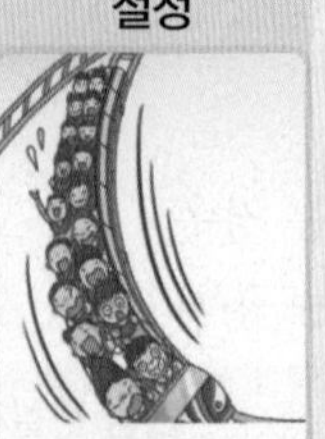	
• 인물, 배경 소개 • 사건의 실마리 제시	• 사건의 발전 • 갈등의 시작	• 갈등의 심화 • 긴장감 조성	• 갈등의 최고조 • 해결의 실마리 제시	• 갈등의 해소 • 사건의 마무리

5 소재와 배경

(1) 소재

개념	작가가 이야기를 전개할 때 의도적으로 사용하는 재료로, 작가가 말하고자 하는 의미를 효과적으로 드러내기 위해 선택하는 일이나 사물 등을 말함.
역할	• 인물의 행동이나 심리를 상징적으로 드러냄. • 인물 간의 갈등을 일으키거나 갈등을 해소하는 계기가 됨. • 작품의 주제를 암시하거나 배경을 효과적으로 형상화함.

(2) 배경

개념	소설 속 인물이 행동하고 사건이 발생하는 시간적, 공간적, 시대적·사회적 환경(장소)을 의미함.
역할	• 인물의 행동이나 사건을 사실적으로 보이게 함. • 소설의 전반적인 분위기를 조성하여 주제를 암시하기도 함. • 인물의 심리를 드러내거나 앞으로 전개될 사건의 방향을 알 수 있게 함.

교과서 핵심 개념

6 소설의 개성적 발상과 표현

(1) 반어

실제로 표현하고자 하는 뜻과는 반대되는 말이나 상황으로 표현하는 방법이다.

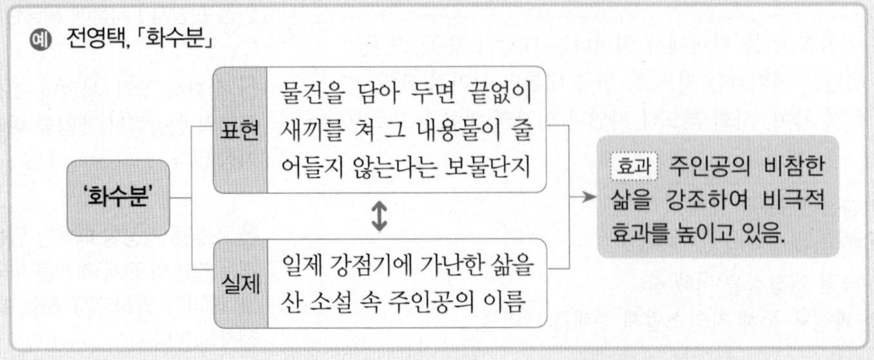

더 알아 두기

◆ 배경의 종류

자연적 배경	사건이 일어나는 구체적인 시간, 인물이 행동하고 사건이 일어나는 특정한 공간
사회적 배경	인물을 둘러싸고 있는 정치, 경제, 민족 등의 사회적·역사적 상황
상황적 배경	인물이 처해 있는 실존적인 상황
심리적 배경	인물의 심리 상황이나 독특한 내면 의식

◆ 반어의 종류

언어적 반어	겉으로 드러나는 말과 실제 속뜻 사이에 상반된 관계가 있는 말을 활용한 반어
상황적 반어	결과가 예상한 것과 다른 상황으로 전개되는 반어

◆ 반어의 효과

있는 그대로 말하는 것보다 강한 인상을 줄 수 있고, 그 안에 담긴 진심을 강조할 수 있다. 또한 사용하는 맥락에 따라 대상을 비꼬거나 비판하는 뜻을 담을 수도 있다.

꼼꼼 확인 문제

7 소설의 구성 단계 중에서 갈등이 해소되며 사건의 마무리가 이루어지는 단계는 (발단, 전개, 위기, 절정, 결말)이다.

8 작가는 특정한 소재나 배경을 통해 앞으로 일어날 일을 독자에게 암시하기도 한다. (○, ×)

9 동생과 놀다 화분을 깨뜨렸는데 할머니께서 "잘했다."라고 말씀하신 것은 (반어, 역설)적 표현이다.

(2) 역설

겉으로는 앞뒤가 맞지 않는 모순된 표현이지만 그 속에는 진리를 담고 있는 표현 방법이다.

예 지는 것이 이기는 것이다.
(모순된 표현)

의미	아량 있고 너그럽게 대하면서 양보하는 것이 도덕적으로 승리하는 것이다.	→	효과 서로 옳고 그름을 따지며 다투는 것보다 상대에게 양보하는 것이 더 바람직하다는 삶의 진리를 깨닫게 함.

(3) 풍자

사회의 부조리나 인물의 부정적인 모습을, 웃음을 유발하는 표현으로 넌지시 비판하는 표현 방법이다.

예 채만식, 「이상한 선생님」

'박 선생님'	외모	키가 한 뼘밖에 안 되어서 뼘생 또는 뼘박, 머리가 엄청 커서 대갈장군이라는 별명을 가짐.	→	효과 '박 선생님'의 모습을 우스꽝스럽게 표현함으로써, 사회적 혼란기에 시류에 편승하며 살아가는 기회주의자를 효과적으로 비판함.
	말과 행동	해방 전에는 일본은 찬양했다가, 해방 후에는 미국을 찬양함.		

교과서 핵심 개념

7 문학 작품의 재구성

(1) 문학 작품을 재구성할 때 고려해야 할 점

- 어떤 갈래 및 매체로 표현할 것인가?
  예 시를 소설로 바꾸기, 웹툰을 드라마로 제작하기
- 어떤 내용 및 주제를 담을 것인가?
  예 줄거리나 인물의 성격 바꾸기, 새로운 인물 삽입하기, 주제 변형하기
- 사회·문화적 맥락을 바꾸어 쓸 것인가?
  예 작품 속의 시대나 사회·문화적 배경 바꾸기
- 어떤 형식으로, 어떻게 표현할 것인가?
  예 작품의 서술 방식이나 시점 등의 형식 바꾸기

(2) 문학 작품을 재구성하는 활동의 의의

비판적이고 창조적인 재구성 활동을 통해	• 문학 작품을 깊이 이해하는 능력을 기를 수 있다. • 내용, 형식, 갈래, 맥락, 매체 등에 대해 좀 더 잘 알 수 있다. • 새로운 것을 상상하고 조직하여 표현하는 능력을 기를 수 있다. • 재구성된 작품을 원작과 비교하여 감상하면서 다양한 관점과 가치를 이해하고 존중하는 태도를 기를 수 있다.

더 알아 두기

◆ **역설의 효과**
읽는 이가 그 안에 담긴 의미를 스스로 찾게 함으로써 내면의 의미를 강조할 수 있다. 또한 읽는 이에게 신선한 충격을 줌으로써 삶의 진리를 깨닫게 한다.

◆ **풍자의 효과**
대상을 비꼬거나 우스꽝스럽게 표현하여 웃음을 유발함으로써 개인이나 사회의 부조리, 어리석음을 폭로하며 부정적인 대상을 비판적으로 바라볼 수 있게 해 준다.

꼼꼼 확인 문제

10 역설은 서로 반대되는 말로 표현하지만 그 속에 진리를 담고 있는 표현 방법이다. (○, ×)

11 풍자는 웃음 뒤에 있는 부정적인 현실을 비판적으로 바라보는 통찰력을 갖게 하는 효과가 있다. (○, ×)

12 문학 작품을 재구성할 때 사회·문화적 □□을/를 고려하여 작품 속의 시대를 조선에서 현대로 바꾸어 쓸 수 있다.

바로바로 개념 적용 내가 그린 히말라야시다 그림 _성석제

갈래	단편 소설, 성장 소설	성격	고백적, 서사적
배경	현대~과거, 어느 작은 군	시점	1인칭 주인공 시점의 교차
제재	초등학교 사생 대회		
주제	선택의 갈림길에 놓인 아이들이 겪는 갈등과 성장		
특징	• '현재 – 과거 – 현재'의 순서로 이야기가 전개됨. • 한 사건을 바라보는 서로 다른 두 서술자의 시점이 교차로 나타남.		

앞부분의 줄거리 ⋙ 한국에서 가장 유명한 화가인 〈0〉의 '나'는 자신의 재능을 늘 스스로 의심해 왔다. 가난한 농부의 가정에서 자란 〈0〉의 '나'는 아버지가 학창 시절 그림에 재능이 있었다는 사실을 알게 된 후 자신이 아버지로부터 재능을 물려받았다고 믿는다. 초등학교 3학년 때, 4학년 이상이 참가하는 사생 대회에 다른 학생 대신 나가 성의 없이 그린 그림이 장원이 된 뒤에는, 자기의 재능에 더욱 확신을 하고 미술반에서 남들이 그림을 그릴 때에도 놀면서 아무런 노력을 하지 않는다.

한편, 〈1〉의 '나'는 부유한 가정에서 태어나 학교 수업 이외에도 피아노와 그림 과외를 받는다.

〈0〉의 '나'와 〈1〉의 '나'는 같은 초등학교에 다니지만 말을 걸거나 아는 체하는 사이가 아니다. 둘은 4학년이 되어서 학교 대표로 군 단위의 사생 대회에 나간다. 이번에도 〈0〉의 '나'가 장원을 차지한다.

〈1〉

절정

가 나는 한 번도 상 같은 건 받아 본 적 없어. 학교 다닐 때 그 흔한 개근상도 못 받았으니까. 상에 욕심을 부려 본 적도 없었어. 내게는 모자란 게 없어서 그랬는지도 몰라. 어릴 때는 부유한 집안에서 단 하나밖에 없는 딸로 사랑을 받으며 자랐고 여자 대학에서 가정학을 공부하다가 판사인 남편을 중매로 만나서 결혼했지. 내가 권력이나 돈을 손에 쥔 건 아니라도 그런 것 때문에 불편한 적도 없어. 아이들은 예쁘고 별문제 없이 잘 자라 주었지. 큰아이가 중학교부터 미국에 가서 공부할 때는 적응에 힘이 들었지만 결국 학생 회장까지 지내서 신문에도 여러 번 났지. 나는 상을 못 받았지만 내가 타고난 행운, 삶 자체가 상이다 싶어.

▶ '나⑴'의 행복한 삶

나 그렇지만 단 한 번 상을 받을 뻔한 적은 있지. 스스로의 실수 때문에 못 받은 거니까 누구를 원망할 수도 없지만. 그 실수를 인정하고 내가 받을 상이 남에게 간 것을 바로잡을 수 있었을까. 할 수 있었을지도 몰라. 아버지에게 이야기했다면. 아니면 천수기 선생님한테라도.

왜 안 했을까. 그때 나를 스쳐 가던 그 아이, 그 아이의 표정 때문인지도 몰라. 땟국물이 흐르던 목덜미, 전신에서 풍겨 나던 뭔가 찌든 듯한 그 냄새, 그 너절한(허름하고 지저분한) 인상이 내 실수와 잘못된 과정을 바로잡는 게 귀찮은 일이라는 생각을 하게 했을 거야. 어쩌면 그 결과로 한 아이가 가지게 될지도 모르는 씻지 못할 좌절감이 내게도 약간 느껴졌는지도 모르지. 상관없어. 나는 그런 상하고는 담을 쌓고 살아도 행복해. 그런 스트레스를 받는 것 자체가 싫어. 왜 내가 그렇게 살아야 하는데?

▶ 상을 받을 뻔한 적이 있었으나 귀찮음 때문에 잘못을 바로잡지 않은 '나⑴'

지문 체크

1 이 글은 인물들의 심리보다는 행동 묘사 위주로 서술하고 있다. (○, ×)

2 〈1〉의 '나'는 상을 받을 뻔한 적이 있었으나 귀찮음 때문에 잘못을 바로잡지 않았다. (○, ×)

3 〈1〉의 '나'가 현재의 시점에서 자신의 과거를 ☐☐하고 있는 것으로 보아 이 글이 역순행적 구성을 취하고 있음을 알 수 있다.

이 글의 서술상 특징

〈0〉의 '나'	〈1〉의 '나'
〈0〉의 서술자, 주인공	〈1〉의 서술자, 주인공

↓

이 글은 1인칭 주인공 시점의 서술자 두 명이 교차하며 이야기를 서술함으로써 두 서술자가 겪은 동일한 사건에 대한 각자의 심리와 대응이 효과적으로 드러남.

1 이 글의 서술상 특징으로 가장 알맞은 것은?

① 두 명의 서술자가 교차하면서 이야기를 전개한다.
② 주인공의 회상을 통해 현재와 과거를 대조하여 제시한다.
③ 순수한 어린이를 서술자로 내세워 서정적 분위기를 부각한다.
④ 작품 밖의 서술자가 독자에게 인물에 대해 직접적으로 설명한다.
⑤ 작품 속 인물이 관찰자의 입장에서 사건을 객관적으로 전달한다.

〈0〉

다 나는 천천히 그림이 전시된 곳으로 걸어갔지. 내 그림은 맨 안쪽에 걸려 있었지. 입선작 여덟 점을 지나서 특선작 세 점을 지나고 나서 황금색 종이 리본을 매달고 좀 떨어진 곳에, 검정색 붓글씨로 '壯元(장원)'이라고 크게 쓰인 종이를 거느리고, 다른 작품보다 세 뼘쯤 더 높이. 초등학교에 다니는 아이들이라면 우러러볼 수밖에 없는 높이에.

그런데, 그런데, 그런데, 그런데 그 그림은 내가 그린 그림이 아니었어. 풍경은 내가 그린 것과 비슷했지만 절대로, 절대로 내가 그린 그림이 아니야. 아버지가 사 준 내 오래된 크레파스에는 진작에 떨어지고 없는 회색이 히말라야시다 가지 끝 앞부분에 살짝 칠해져 있는 그림이었어. 나는 가슴이 후들후들 떨려서 두 손으로 가슴을 가렸어. 사방을 둘러봤지만 아무도 없었어. 나는 까치발을 하고 손을 최대한 쳐들어서 그림 뒷면의 번호를 확인했어. 네모진 칸 안에 쓰인 숫자는 분명히 124였어. 124, 북한에서 무장간첩을 훈련시킨 그 124군 부대의 124. 그렇지만 그건 내 글씨가 아니었어.

히말라야시다: 개잎갈나무. 높이는 30미터 정도이고, 잎은 끝이 뾰족함.
무장간첩: 전투에 필요한 장비를 갖춘 간첩

▶ 장원작이 자신의 그림이 아님을 알게 된 '나(0)'

라 누가, 왜 제 번호를 쓰지 않고 내 번호를 썼을까. 실수로? 이런 실수를 하고, 제가 받을 상을 다른 사람이 받았다는 걸 알면 가만히 있을까. 그렇지는 않을 거야. 다른 학교에 다니는 아이라서 제 실수를 모르고 있는 거겠지.

아니야. 그 그림은 구도로 봐서 내가 그렸던 바로 그 장소에서 아주 가까운 데서 그린 그림이었어. 그 그림을 그린 아이는 천수기 선생님과 함께 다니던 그 아이인 게 틀림없었어. 그러니까 나와 같은 학교에 다니는 아이라는 거지. 그러면 그 아이는 제가 그린 그림을 봤을 거야. 그런데 왜? 왜 아무 말을 하지 않은 거지? 상품이 필요 없어서? 번호를 잘못 쓴 실수 때문에 처벌을 받을까 봐? 나라면? 나라면 가만히 있었을까?

구도: 그림에서 모양, 색깔, 위치 따위의 짜임새

▶ 천수기 선생님과 함께 다니던 여자아이가 그림의 주인임을 알게 된 '나(0)'

마 내가 주 선생님을 찾아가서 말해야 했을까. 이건 내 그림이 아니라고. 다른 사람이 그린 그림이라고. 나는 그 사람만 한 재능이 없다고. 실수를 바로잡아 달라고. 나는 그렇게 하지 못했어. 주 선생님의 품에 안겨 울지만 않았더라도 찾아갈 수 있었어. 가능성이 높지는 않지만. 내 더러운 눈물로 주 선생님의 흰옷을 더럽히지만 않았더라도.

그림의 주인이 선생님을 찾아가서 그 그림이 자기 것이라고 주장한다면 부정할 도리는 없었겠지. 하지만 내가 먼저 선생님을, 주 선생님이든 천 선생님이든, 아버지도 할아버지도, 그 누구도 찾아갈 수 없었어.

▶ 아무에게도 사실을 말하지 못한 '나(0)'

결말

바 그 뒤부터 나는 늘 나를 의심하면서 살았어. 누군가 나보다 뛰어난 재능을 가지고 있고 누군가 나와 똑같은 대상을 두고 훨씬 더 뛰어난 작품을 그렸고, 앞으로도 더 뛰어난 작품을 그릴 수 있다는 생각을 벗어나 본 적이 없어. 그러니까 어떤 작품이라도, 그게 포스터물감으로 그리는 반공 포스터라도 내가 가진 능력 전부를, 그 이상을 쏟아부어야 했지. 언제나, 어디서나. 그 결과가 오늘의 나일까. 의심의 결과, 좌절의 결과, 누군가 내 비밀을 알고 있다는 생각의 결과.

▶ 그 일이 있은 후 자신의 재능을 의심하여 최선을 다한 '나(0)'

지문 체크

4 〈0〉의 '나'는 〈1〉의 '나'가 장원인 그림의 주인임을 안 이후로 〈1〉의 '나'를 자신의 경쟁자로 의식하고 있다. (○, ×)

5 (다)~(마)에서 두드러지는 갈등 양상은 〈0〉의 '나'가 겪는 내적 갈등이다. (○, ×)

두 주인공의 상반된 처지

〈1〉의 '나'	• 성별: 여자 • 어릴 적 가정 환경: 부유함. • 현재 하는 일: 가정주부 • 성격: 귀찮은 일은 싫어하고 쉽게 체념하며 욕심이 없음.
〈0〉의 '나'	• 성별: 남자 • 어릴 적 가정 환경: 가난함. • 현재 하는 일: 화가 • 성격: 자신의 재능을 의심하여 끊임없이 노력함.

↓

사생 대회의 수상자가 바뀌었지만 〈1〉의 '나'는 귀찮다는 이유로, 〈0〉의 '나'는 창피함과 자신에게 기대한 사람들을 실망시킬 수 없다는 이유로 진실을 밝히지 않음.

2 이 글의 등장인물에 대한 설명으로 알맞지 않은 것은?

① 〈0〉의 '나'와 〈1〉의 '나'는 같은 장소에서 비슷한 풍경을 그렸다.
② 〈1〉의 '나'는 자신의 그림에 번호를 잘못 적어 상을 받지 못했다.
③ 〈1〉의 '나'는 천수기 선생님과 함께 다니며 그림을 그렸던 여자아이였다.
④ 〈0〉의 '나'는 주 선생님의 품에 안겨 울면서 수상자가 바뀐 사실을 털어놓았다.
⑤ 〈0〉의 '나'는 사생 대회 사건 후로 자신의 재능을 의심하며 몇 배로 노력했다.

바로바로 개념 적용

운수 좋은 날 _현진건

갈래	단편 소설, 사실주의 소설	성격	사실적, 비극적, 반어적
배경	일제 강점기(1920년대), 도시		
시점	전지적 작가 시점(부분적으로 3인칭 관찰자 시점)		
제재	인력거꾼 '김 첨지'의 하루	주제	일제 강점기 하층민의 비참한 삶
특징	• 상황적 반어를 통해 비극성을 심화함. • 비속어와 사투리를 사용하여 하층민의 삶을 생생하게 그려 냄.		

발단

가 새침하게(날씨가 조금 쌀쌀하게) 흐린 품이 눈이 올 듯하더니 눈은 아니 오고 얼다가 만 비가 추적추적 내리는 날이었다.

이날이야말로 동소문(옛 서울의 여덟 성문 중의 하나인 홍화문의 다른 이름. 혜화문) 안에서 인력거꾼(주로 사람을 태우는 수레를 끄는 일을 직업으로 하는 사람) 노릇을 하는 김 첨지에게는 오래간만에도 닥친 운수 좋은 날이었다. 문안(사대문 안)에(거기도 문밖은 아니지만) 들어간답시는 앞집 마마님을 전찻길까지 모셔다드린 것을 비롯으로 행여나 손님이 있을까 하고 정류장에서 어정어정하며 내리는 사람 하나하나에게 거의 비는 듯한 눈결(마음이 눈에 드러난 상태)을 보내고 있다가 마침내 교원(학교에서 학생을 가르치는 사람)인 듯한 양복쟁이를 동광학교(東光學校)까지 태워다 주기로 되었다.

▶ 오랜만에 운수 좋은 날을 맞은 '김 첨지'

나 첫 번에 삼십 전, 둘째 번에 오십 전 — 아침 댓바람(아주 이른 시간)에 그리 흉치 않은 일이었다. 그야말로 재수가 옴 붙어서 근 열흘 동안 돈 구경도 못 한 김 첨지는 십 전짜리 백동화 서 푼, 또는 다섯 푼이 찰깍하고 손바닥에 떨어질 제 거의 눈물을 흘릴 만큼 기뻤었다. 더구나 이날 이때에 이 팔십 전이란 돈이 그에게 얼마나 유용한지 몰랐다. 컬컬한 목에 모주(술을 거르고 남은 찌꺼기에 물을 타서 걸러 낸 막걸리) 한잔도 적실 수 있거니와 그보다도 앓는 아내에게 설렁탕 한 그릇도 사다 줄 수 있음이다.

▶ 많은 돈을 벌게 되어 기뻐하는 '김 첨지'

전개

다 그러고 집을 나올 제 아내의 부탁이 마음이 켕기었다 — 앞집 마마한테서 부르러 왔을 제 병인은 그 뼈만 남은 얼굴에 유일의 생물 같은, 유달리 크고 움푹한 눈에 애걸하는 빛을 띠며,

"오늘은 나가지 말아요. 제발 덕분에 집에 붙어 있어요. 내가 이렇게 아픈데……."

라고 모깃소리같이 중얼거리고 숨을 거르렁거르렁하였다. 그때에 김 첨지는 대수롭지 않은 듯이,

"압다, 젠장맞을, 별 빌어먹을 소리를 다 하네. 맞붙들고 앉았으면 누가 먹여 살릴 줄 알아." / 하고 홀쩍 뛰어나오려니까 환자는 붙잡을 듯이 팔을 내저으며,

"나가지 말라도 그래. 그러면 일찍이 들어와요."

하고 목멘 소리가 뒤를 따랐다.

▶ 일을 나가지 말라고 말하던 아내가 생각난 '김 첨지'

라 이윽고 끄는 이의 다리는 무거워졌다. 자기 집 가까이 다다른 까닭이다. 새삼스러운 염려가 그의 가슴을 눌렀다. / "오늘은 나가지 말아요. 내가 이렇게 아픈데!"

이런 말이 잉잉 그의 귀에 울렸다. 그리고 병자의 움쑥 들어간 눈이 원망하는 듯이

지문 체크

1 이 글에서 ☐은/는 어둡고 음산한 분위기를 조성하며, 작품의 비극적 결말을 암시하는 역할을 한다.

2 '인력거꾼', '전찻길', '백동화' 등은 작품의 시대적 배경을 알 수 있게 하는 소재이다. (○, ×)

3 '김 첨지'의 아내는 '김 첨지'가 빨리 일을 나가 생활비를 벌기를 원했다. (○, ×)

'김 첨지'의 심리와 상황

'김 첨지'	• 아내가 병이 들었지만 약 한 첩을 쓸 수 없음. • 설렁탕 한 그릇을 마음대로 살 수 없음. • 병을 앓고 있는 아내에 대한 걱정 때문에 집이 가까워질수록 불안해함.

궁핍하고 비참한 '김 첨지'의 삶을 사실적으로 그려 냄.

1 '김 첨지'에 대한 설명으로 알맞지 않은 것은?

① 가장으로서 책임감이 있다.
② 겉으로 쌀쌀해 보이지만 속정이 있다.
③ 병을 앓고 있는 아내가 걱정돼 집이 가까워질수록 불안해한다.
④ 오랜만에 아침부터 연거푸 손님을 맞아 돈을 벌게 되어 기뻐한다.
⑤ 자신의 힘든 삶을 몰라주는 아내에게 서운함을 느끼며 돈벌이에 나선다.

자기를 노리는 듯하였다. 그러자 엉엉하고 우는 개똥이의 곡성을 들은 듯싶다. 딸꾹딸꾹하고 숨 모으는 소리도 나는 듯싶다…….

곡성: 곡하는 소리

▶ 계속되는 행운에 대한 기쁨과 아내에 대한 불안감이 교차하는 '김 첨지'

위기 **마** 웃음소리들은 높아졌다. 그러나 그 웃음소리들이 사라지기 전에 김 첨지는 훌쩍훌쩍 울기 시작하였다. 치삼은 어이없이 주정뱅이를 바라보며,

"금방 웃고 지랄을 하더니 우는 건 또 무슨 일인가?"

김 첨지는 연해 코를 들여마시며, / "우리 마누라가 죽었다네."

"뭐, 마누라가 죽다니, 언제?" / "이놈아, 언제는, 오늘이지."

"에끼, 미친놈, 거짓말 말아." / "거짓말은 왜? 참말로 죽었어 참말로……. 마누라 시체를 집에 뻐들쳐 놓고 내가 술을 먹다니, 내가 죽일 놈이야, 죽일 놈이야."

하고 김 첨지는 엉엉 소리를 내어 운다. / 치삼은 흥이 조금 깨어지는 얼굴로,

"원, 이 사람이, 참말을 하나, 거짓말을 하나? 그러면 집으로 가세, 가."

하고 우는 이의 팔을 잡아당기었다.

치삼의 잡는 손을 뿌리치더니 김 첨지는 눈물이 글썽글썽한 눈으로 싱그레 웃는다.

"죽기는 누가 죽어?" / 하고 득의가 양양.

"죽기는 왜 죽어? 생때같이 살아만 있단다. 그년이 밥을 죽이지. 인제 나한테 속았다, 인제 나한테 속았다." / 하고, 어린애 모양으로 손뼉을 치며 웃는다.

생때같이: 아무 탈 없이 멀쩡히

▶ 아내가 죽었다며 불길한 예감을 하는 '김 첨지'

절정 **바** 김 첨지는 취중에도 설렁탕을 사 가지고 집에 다다랐다. 집이라 해도 물론 셋집이요, 또 집 전체를 세 든 게 아니라 안과 뚝 떨어진 행랑방 한 칸을 빌려 든 것인데 물을 길어 대고 한 달에 일 원씩 내는 터이다. 만일 김 첨지가 주기를 띠지 않았던들 한 발을 대문 안에 들여놓았을 제 그곳을 지배하는 무시무시한 정적 — 폭풍우가 지나간 뒤의 바다 같은 정적에 다리가 떨리었으리라. 쿨룩거리는 기침 소리도 들을 수 없다. 그르렁거리는 숨소리조차 들을 수 없다.

주기: 술기운

▶ 설렁탕을 사 들고 집에 돌아온 '김 첨지'

결말 **사** 발로 차도 그 보람이 없는 걸 보자 남편은 아내의 머리맡으로 달려들어 그야말로 까치집 같은 환자의 머리를 꺼들어 흔들며,

꺼들어: 잡아 쥐고 당겨서 추켜들어

"이년아, 말을 해, 말을! 입이 붙었어? 이년!" / "……."

"으응, 이것 봐, 아무 말이 없네." / "……."

"이년아, 죽었단 말이냐, 왜 말이 없어?" / "……."

"으응, 또 대답이 없네. 정말 죽었나 보이."

이러다가 누운 이의 흰창이 검은창을 덮은, 위로 치뜬 눈을 알아보자마자,

"이 눈깔! 이 눈깔! 왜 나를 바라보지 못하고 천장만 보느냐? 응."

하는 말끝엔 목이 메었다. 그러자 산 사람의 눈에서 떨어진 닭똥 같은 눈물이 죽은 이의 뻣뻣한 얼굴을 어룽어룽 적신다. 문득 김 첨지는 미친 듯이 제 얼굴을 죽은 이의 얼굴에 한데 비비대며 중얼거렸다. / "설렁탕을 사다 놓았는데 왜 먹지를 못하니, 왜 먹지를 못하니? 괴상하게도 오늘은 운수가 좋더니만……."

▶ 아내의 죽음으로 통곡하는 '김 첨지'

지문 체크

4 '김 첨지'가 술에 취해 울었다 웃었다 실성한 사람처럼 행동하는 모습에서 불길한 예감이 드러나고 있다. (○, ×)

5 □□□은/는 아내에 대한 '김 첨지'의 애정이 담겨 있는 것으로 사건의 비극성을 심화하는 소재이다.

이 글에 사용된 표현 방법의 특징

운수 좋은 날	여느 날과 달리 많은 돈을 벌게 된 날
↕ 반대	
운수 나쁜 날	병든 아내가 죽은 불행한 날

↓

이 작품의 제목과 결말에서 반어를 활용하여 일제 강점기 하층민으로서 '김 첨지'의 비참한 삶과 비극적 주제를 효과적으로 부각함.

2 **작품의 제목을 고려할 때, 이 글의 결말에 대한 설명으로 알맞은 것은?**

① 극적 반전을 통해 행복한 결말을 암시한다.
② 반어적 상황을 통해 작품의 비극적 정서를 심화한다.
③ 새로운 사건 전개를 통해 갈등 해결의 실마리를 제시한다.
④ 비속어 사용을 통해 하층민의 삶을 사실적으로 보여 준다.
⑤ 인물의 성격을 직접 제시하여 주인공의 부도덕성을 풍자한다.

01 동백꽃 ① _김유정

핵심 콕콕
• 서술자의 특성 및 효과 이해하기
• 등장인물의 성격과 심리 파악하기

갈래	현대 소설, 농촌 소설
성격	향토적, 해학적, 서정적
배경	1930년대, 강원도 농촌 마을
시점	1인칭 주인공 시점
제재	동백꽃, 닭싸움, 감자
주제	산골 젊은 남녀의 순박한 사랑
특징	• 순박하고 어수룩한 '나'를 서술자로 설정하여 작품의 해학성을 높임. • '닭싸움'을 중심으로 한 갈등의 흐름을 역순행적 구성으로 전개함.

발단 **가** 오늘도 또 우리 수탉이 막 쪼이었다. 내가 점심을 먹고 나무를 하러 갈 양으로 나올 때이었다. 산으로 올라서려니까 등 뒤에서 푸드득푸드득 하고 닭의 횃소리(날짐승이 크게 날갯짓을 하면서 탁탁 치는 소리)가 야단이다. 깜짝 놀라며 고개를 돌려 보니 아니나 다르랴. 두 놈이 또 얼리었다(둘 이상의 사람이나 짐승이 한데 섞여 어우러졌다.).

점순네 수탉(은 대강이(머리)가 크고 똑 오소리같이 실팍하게(보기에 매우 실하게) 생긴 놈)이 덩저리(몸집) 작은 우리 수탉을 함부로 해내는 것이다. 그것도 그냥 해내는(상대편을 여지없이 이겨 내는) 것이 아니라 푸드득하고 면두('볏'의 방언)를 쪼고 물러섰다가 좀 사이를 두고 또 푸드득하고 모가지를 쪼았다. 이렇게 멋을 부려 가며 여지없이 닦아 놓는다. 그러면 이 못생긴 것은 쪼일 적마다 주둥이로 땅을 받으며 그 비명이 킥, 킥 할 뿐이다. 물론 미처 아물지도 않은 면두를 또 쪼이어 붉은 선혈(몸에서 막 흘러나온 붉은 피)은 뚝뚝 떨어진다.

나 이걸 가만히 내려다보자니 내 대강이가 터져서 피가 흐르는 것같이 두 눈에서 불이 버쩍 난다. 대뜸 지게막대기를 메고 달려들어 점순네 닭을 후려칠까 하다가 생각을 고쳐먹고 헛매질로 떼어만 놓았다.

이번에도 점순이가 쌈을 붙여 놨을 것이다. 바짝바짝 내 기를 올리느라고 그랬음에 틀림없을 것이다. ㉠고놈의 계집애가 요새로 들어서서 왜 나를 못 먹겠다고 고렇게 아르렁거리는지 모른다.

발단 | 오늘, '점순'은 자신의 수탉과 '나'의 수탉 사이에 □□□을 붙이며 '나'의 닭을 괴롭힘.

전개 1 **다** 나흘 전 감자 쪼간(어떤 사건이나 일)만 하더라도 나는 저에게 조금도 잘못한 것은 없다.

계집애가 나물을 캐러 가면 갔지 남 울타리 엮는데 쌩이질(한창 바쁠 때에 쓸데없는 일로 남을 귀찮게 구는 짓. 본말은 '씨양이질')을 하는 것은 다 뭐냐. 그것도 발소리를 죽여 가지고 등 뒤로 살며시 와서 / "얘! 너 혼자만 일하니?" 하고 긴치 않은 수작(남의 말이나 행동, 계획을 낮잡아 이르는 말)을 하는 것이다.

어제까지도 저와 나는 이야기도 잘 않고 서로 만나도 본척만척하고 이렇게 점잖게 지내던 터이련만 오늘로 갑작스레 대견해졌음은 웬일인가. 항차('황차(況且)'의 변한말. '하물며'의 뜻) 망아지만 한 계집애가 남 일하는 놈 보고…….

"그럼 혼자 하지 떼루 하디?" / 내가 이렇게 내뱉은 소리를 하니까

"너 일하기 좋니?" / 또는 / "한여름이나 되거던 하지 벌써 울타리를 하니?"

잔소리를 두루 늘어놓다가 남이 들을까 봐 손으로 입을 틀어막고는 그 속에서 깔깔댄다. 별로 우스울 것도 없는데 날씨가 풀리더니 이놈의 계집애가 미쳤나 하고 의심하였다. 게다가 조금 뒤에는 즈 집께를 할금할금(곁눈으로 살그머니 계속 할겨 보는 모양) 돌아다보더니 행주치마의 속으로 꼈던 바른손(오른손)을 뽑아서 나의 턱 밑으로 불쑥 내미는 것이다. 언제 구웠는지 아직도 더운 김이 확 끼치는 ㉡굵은 감자 세 개가 손에 뿌듯이 쥐였다.

㉢"느 집엔 이거 없지?" 하고 생색 있는 큰소리를 하고는 제가 준 것을 남이 알면 큰일 날 테니 여기서 얼른 먹어 버리란다. 그리고 또 하는 소리가 / "너, 봄 감자가 맛있단다."

"난 감자 안 먹는다. 너나 먹어라."

나는 고개도 돌리려 하지 않고 일하던 손으로 그 감자를 도로 어깨 너머로 쑥 밀어 버렸다.

라 그랬더니 그래도 가는 기색이 없고, 그뿐만 아니라 쌔근쌔근하고 심상치 않게 숨소리가 점점 거칠어진다. 이건 또 뭐야 싶어서 그때에야 비로소 돌아다보니 나는 참으로 놀랐다. 우리가 이 동리에 들어온 것은 근 삼 년째 되어 오지만 ㉣여지껏 가무잡잡한 점순이의 얼굴이 이렇게까지 홍당무처럼 새빨개진 법이 없었다. 게다 눈에 독을 올리고 한참 나를 요렇게 쏘아보더니 나중에는 눈물까지 어리는(눈에 눈물이 조금 괴는) 것이 아니냐. 그리고 바구니를 다시 집어 들더니 이를 꼭 악물고는 엎더질 듯 자빠질 듯 논둑으로 휑하니 달아나는 것이다.

어쩌다 동리 어른이 / "너 얼른 시집을 가야지?" 하고 웃으면

㉤"염려 마서유. 갈 때 되면 어련히 갈라구……."

이렇게 천연덕스레 받는 점순이였다. 본시 부끄럼을 타는 계집애도 아니거니와 또한 분하다고 눈에 눈물을 보일 얼병이도 아니다. 분하면 차라리 나의 등어리를 바구니로 한번 모질게 후려 쌔리고 달아날지언정.

얼병이: '얼뜨기'의 사투리. 겁이 많고 어리석으며 다부지지 못하고 어수룩하고 얼빠져 보이는 사람을 낮잡아 이르는 말

콕콕 정리

◆ 이 글의 구성 방식

(가), (나)	현재 – '오늘도 또 우리 수탉이 막 쪼이었다. ~'
(다), (라)	과거 – '나흘 전 감자 쪼간만 하더라도 나는 ~'

현재에서 과거로 시간을 거슬러 사건이 전개되는 역순행적 구성 방식임.

교과서 핵심 개념

◆ 이 글의 서술자와 시점

'나' = 서술자
'나'가 작품 속 주인공으로 등장하여 이야기를 전달하는 1인칭 주인공 시점임.

↓

1인칭 주인공 시점의 특징
• '나'의 생각과 심리 변화가 구체적으로 드러남. • '나'의 눈에 비친 '점순'의 행동만 관찰될 뿐, '점순'의 속마음은 직접적으로 드러나지 않음. • '점순'의 심리와 행동에 담긴 의도를 제대로 파악하지 못함.

◆ '점순'과 '나'의 갈등 발생의 원인

'점순'	'나'에게 감자 세 개를 주며 호감을 표현함.
↕	
'나'	'점순'의 호감을 눈치채지 못하고 감자를 거절함.

1 **이 글에 대한 설명으로 적절하지 않은 것은?**

① 비속어와 사투리의 사용으로 현장감을 살리고 있다.
② 인물의 행동과 대화에서 인물의 성격이 드러나고 있다.
③ 농촌 마을을 배경으로 하여 향토적 분위기를 자아내고 있다.
④ 일제 강점기 산골 마을의 피폐한 삶을 구체적으로 드러내고 있다.
⑤ 현재에서 과거로 시간이 전환되는 역순행적 구성이 나타나고 있다.

교과서 핵심 개념

2 **이 글의 서술자에 대한 설명으로 가장 적절한 것은?**

① 서술자가 다른 사람의 심리를 자세히 알려 주고 있다.
② 서술자가 다른 사람의 삶을 객관적으로 관찰하고 있다.
③ 서술자인 '나'가 자신의 이야기를 생생하게 진술하고 있다.
④ 서술자인 '나'가 중심인물이 겪은 사건을 추측하여 드러내고 있다.
⑤ 서술자가 모든 것을 아는 입장에서 사건의 속사정을 전달하고 있다.

3 **㉠~㉤에 대한 이해로 알맞지 않은 것은?**

① ㉠: '점순'의 마음을 모르는 '나'의 순박한 성격이 드러난다.
② ㉡: '나'를 향한 '점순'의 계급적 우월감을 나타내는 소재이다.
③ ㉢: '점순'의 의도와 달리 '나'의 자존심을 상하게 하는 말이다.
④ ㉣: 호의를 거절당한 '점순'의 무안하고 수치스러운 마음을 나타낸다.
⑤ ㉤: 당돌하고 활달한 '점순'의 평소 성격을 알 수 있게 하는 말이다.

01 동백꽃 ❷

마 그런데 고약한 그 꼴을 하고 가더니 그 뒤로는 나를 보면 잡아먹으려고 기를 복복 쓰는 것이다.

설혹 주는 감자를 안 받아먹은 것이 실례라 하면, 주면 그냥 주었지 "느 집엔 이거 없지?"는 다 뭐냐. 그렇잖아도 즈이는 마름(마름: (옛날에) 땅 주인을 대신하여 농지를 관리하는 사람)이고 우리는 그 손에서 배재(배재: 마름과 소작인이 주고받는 소작권 위임 문서)를 얻어 땅을 부치므로(부치므로: 논밭을 이용하여 농사를 지으므로) 일상 굽실거린다. 우리가 이 마을에 처음 들어와 집이 없어서 곤란으로 지낼 제, 집터를 빌리고 그 위에 집을 또 짓도록 마련해 준 것도 점순네의 호의였다. 그리고 우리 어머니, 아버지도 농사 때 양식이 달리면 점순네한테 가서 부지런히 꾸어다 먹으면서 인품 그런 집은 다시없으리라고 침이 마르도록 칭찬하곤 하는 것이다. 그러면서도 열일곱씩이나 된 것들이 수군수군하고 붙어 다니면 동리의 소문이 사납다고(사납다고: 상황이나 사정 따위가 순탄하지 못하고 나쁘다고) 주의를 시켜 준 것도 또 어머니였다. 왜냐하면 내가 점순이하고 일을 저질렀다가는 점순네가 노할 것이고, 그러면 우리는 땅도 떨어지고 집도 내쫓기고 하지 않으면 안 되는 까닭이었다. / 그런데 이놈의 계집애가 까닭 없이 기를 복복 쓰며 나를 말려 죽이려고 드는 것이다.

> **전개 1** 나흘 전, '나'는 □□를 주는 '점순'의 호의를 거절함.

전개 2 **바** 눈물을 흘리고 간 그담 날 저녁나절이었다. 나무를 한 짐 잔뜩 지고 산을 내려오려니까 어디서 닭이 죽는 소리를 친다. 이거 뉘 집에서 닭을 잡나 하고 점순네 울 뒤로 돌아오다가 나는 고만 두 눈이 뚱그렇다. 점순이가 즈 집 봉당(봉당: 안방과 건넌방 사이의 마루를 놓을 자리에 마루를 놓지 않고 흙바닥 그대로 둔 곳)에 홀로 걸터앉았는데, 아, 이게 치마 앞에다 우리 씨암탉을 꼭 붙들어 놓고는

"이놈의 닭! 죽어라. 죽어라." / 요렇게 암팡스레(암팡스레: 몸은 작아도 야무지고 다부진 면이 있게) 패 주는 것이 아닌가. 그것도 대가리나 치면 모른다마는 아주 알도 못 낳으라고 그 볼기짝께를 주먹으로 콕콕 쥐어박는 것이다.

나는 눈에 쌍심지가 오르고 사지가 부르르 떨렸으나 사방을 한번 휘돌아보고야 그제서 점순이 집에 아무도 없음을 알았다. 잡은 참 지게막대기를 들어 울타리의 중턱을 후려치며

"이놈의 계집애! 남의 닭 알 못 낳으라구 그러니?" 하고 소리를 빽 질렀다.

그러나 점순이는 조금도 놀라는 기색이 없고 그대로 의젓이 앉아서 제 닭 가지고 하듯이 또 죽어라, 죽어라 하고 패는 것이다. 이걸 보면 내가 산에서 내려올 때를 겨냥해 가지고 미리부터 닭을 잡아 가지고 있다가 네 보란 듯이 내 앞에서 쥐어지르고(쥐어지르고: 주먹으로 힘껏 내지르고) 있음이 확실하다.

그러나 나는 그렇다고 남의 집에 뛰어 들어가 계집애하고 싸울 수도 없는 노릇이고 형편이 썩 불리함을 알았다. ㉠<u>그래 닭이 맞을 적마다 지게막대기로 울타리나 후려칠 수밖에 별도리가 없다.</u> 왜냐하면 울타리를 치면 칠수록 울섶(울섶: 울타리를 만드는 데 쓰는 섶나무)이 물러앉으며 뼈대만 남기 때문이다. 하나 아무리 생각하여도 나만 밑지는 노릇이다.

사 "아, 이년아! 남의 닭 아주 죽일 터이냐?" / 내가 도끼눈을 뜨고 다시 꽥 호령을 하니까 그제서야 울타리께로 쪼르르 오더니 울 밖에 섰는 나의 머리를 겨누고 닭을 내팽개친다. / "예이, 더럽다! 더럽다!"

"더러운 걸 널더러 입때 끼고 있으랬니? 망할 계집애 년 같으니." 하고 나도 더럽단 듯이 울타리께를 휭하니 돌아내리며 약이 오를 대로 다 올랐다라고 하는 것은, 암탉이 풍기는 서슬(서슬: 강하고 날카로운 기세)에 나의 이마빼기에다 물찌똥을 찍 갈겼는데, 그걸 본다면 알집만 터졌을 뿐 아니라 골병은 단단히 든 듯싶다.

그리고 나의 등 뒤를 향하여 나에게만 들릴 듯 말 듯한 음성으로

"이 바보 녀석아!" / "얘! 너 배냇병신이지?"

그만도 좋으련만 / "얘! 너 느 아버지가 고자라지?"

"뭐? 울 아버지가 그래 고자야?" 할 양으로 열벙거지(열벙거지: '열화'를 속되게 이르는 말. 매우 급하게 치밀어 오르는 화증)가 나서 고개를 홱 돌리어 바라봤더니 그때까지 울타리

위로 나와 있어야 할 점순이의 대가리가 어디 갔는지 보이지를 않는다. 그러다 돌아서서 오자면 아까에 한 욕을 울 밖으로 또 퍼붓는 것이다. ㉡욕을 이토록 먹어 가면서도 대거리 한마디 못하는 걸 생각하니 돌부리에 채어 발톱 밑이 터지는 것도 모를 만치 분하고 급기야는 두 눈에 눈물까지 불끈 내솟는다.

(대거리: 상대편에게 맞서서 대듦. 또는 그런 말이나 행동)

아 그러나 점순이의 침해는 이것뿐이 아니다. / 사람들이 없으면 틈틈이 즈 집 수탉을 몰고 와서 우리 수탉과 쌈을 붙여 놓는다. 즈 집 수탉은 썩 험상궂게 생기고 쌈이라면 회를 치는 고로 으레 이길 것을 알기 때문이다. 그래서 툭하면 우리 수탉이 면두며 눈깔이 피로 흐드르하게 되도록 해 놓는다. 어떤 때에는 우리 수탉이 나오지를 않으니까 요놈의 계집애가 모이를 쥐고 와서 꼬여 내다가 쌈을 붙인다.

(회를 치는: 생선이나 고기 따위로 회를 만든다는 뜻이나, 여기서는 '아주 능숙한'의 뜻으로 쓰임.)

전개 2 사흘 전, '□□'은 자신의 마음을 몰라주는 '나'를 원망하여 '나'의 닭을 괴롭힘.

콕콕 정리

교과서 핵심 개념

◆ 서술자 '나'의 특성과 효과

서술자 '나'의 특성
• 눈치 없고 둔하며, 아직 사랑의 감정에 눈뜨지 못함. • '점순'의 말과 행동에 담긴 의도를 제대로 파악하지 못하고 자신이 판단한 대로 서술함.

'나'를 서술자로 설정한 효과
'점순'의 이성적 관심을 알아채지 못하는 '나'의 어수룩한 모습을 통해 웃음을 유발하고, '산골 소년 소녀의 순박한 사랑'이라는 주제를 효과적으로 전달함.

◆ '닭싸움'의 역할

• '나'와 '점순'의 갈등을 심화시키는 매개체이다.
• '나'에게 호의를 거절당한 '점순'의 분풀이 수단이다.
• '나'에 대한 '점순'의 애정을 반어적으로 드러내는 소재이다.

◆ '나'와 '점순'의 관계

'나'	• 소작농의 아들 • 계층 간의 차이로 '점순'에게 열등감과 위화감을 느끼고 있음.

↕

'점순'	• 마름의 딸 • 방어적인 '나'에게 공격적으로 대할 수 있는 사회적 배경을 갖고 있음.

교과서 핵심 개념

1 이 글의 서술자를 '나'로 설정하여 얻을 수 있는 효과로 적절하지 <u>않은</u> 것은?

① 작품의 주제를 효과적으로 전달할 수 있다.
② 작품 전체적으로 해학적인 분위기를 띠게 한다.
③ '나'는 모르는 '점순'의 속마음을 상상하며 읽을 수 있다.
④ '나'와 '점순'의 내적 갈등을 구체적으로 드러낼 수 있다.
⑤ 눈치 없는 '나'를 통해 사춘기 소년 소녀의 사랑을 더 순수하게 느끼게 한다.

2 '닭싸움'에 대한 설명으로 알맞지 <u>않은</u> 것은?

① '나'와 '점순' 사이의 갈등을 드러내고 심화시키고 있다.
② '나'에 대한 '점순'의 애정을 반어적으로 드러내고 있다.
③ '나'가 '점순'에게 느끼는 미묘한 감정을 보여 주고 있다.
④ '나'의 관심을 끌고자 하는 '점순'의 마음이 반영되어 있다.
⑤ 자신의 호의를 거절당한 '점순'이 '나'에게 복수하기 위해 하는 행동이다.

3 ㉠과 ㉡에서 알 수 있는 '나'의 생각으로 가장 적절한 것은?

① '점순이를 괴롭히면 우리 부모님이 감옥에 갈지도 몰라.'
② '점순이가 당차고 영악한 아이인 걸 처음부터 알았으니 참아야지.'
③ '나 같은 소작인의 아들은 마름네 자식에게 괴롭힘을 당하는 게 당연해.'
④ '점순이는 마름 집 딸이니 함부로 대했다간 땅도 뺏기고 집에서도 쫓겨날 거야.'
⑤ '점순이의 어머니가 점순이와 붙어 다니지 말라고 주의를 주셨으니 어쩔 수 없지.'

01 동백꽃 ③

읽기 **자** 이렇게 되면 나도 다른 배채를 차리지 않을 수 없다. 하루는 우리 수탉을 붙들어 가지고 넌지시 장독께로 갔다. 쌈닭에게 고추장을 먹이면 병든 황소가 살모사를 먹고 용을 쓰는 것처럼 기운이 뻗친다 한다. ㉠장독에서 고추장 한 접시를 떠서 닭 주둥아리께로 들이밀고 먹여 보았다. 닭도 고추장에 맛을 들였는지 거스르지 않고 거진 반 접시 턱이나 곧잘 먹는다.

배채: 어떤 일을 하기 위한 꾀

그리고 먹고 금세는 용을 못 쓸 터이므로 얼마쯤 기운이 돌도록 홰 속에다 가두어 두었다.

홰: 새장이나 닭장 속에 새나 닭이 앉을 수 있게 가로질러 놓은 막대기. 여기서는 '닭장'을 이름.

밭에 두엄을 두어 짐 져 내고 나서 쉴 참에 그 닭을 안고 밖으로 나왔다. 마침 밖에는 아무도 없고 점순이만 즈 울 안에서 헌 옷을 뜯는지 혹은 솜을 타는지 웅크리고 앉아서 일을 할 뿐이다.

두엄: 풀, 짚 또는 가축의 배설물 따위를 썩힌 거름

나는 점순네 수탉이 노는 밭으로 가서 닭을 내려놓고 가만히 맥을 보았다. 두 닭은 여전히 얼리어 쌈을 하는데 처음에는 아무 보람이 없다. 멋지게 쪼는 바람에 우리 닭은 또 피를 흘리고 그러면서도 날갯죽지만 푸드득 푸드득하고 올라 뛰고 뛰고 할 뿐으로 제법 한 번 쪼아 보도 못한다.

맥을 보았다: 일이 돌아가는 형편을 살폈다.

그러나 한번은 어쩐 일인지 용을 쓰고 펄쩍 뛰더니 발톱으로 눈을 하비고 내려오며 면두를 쪼았다. 큰 닭도 여기에는 놀랐는지 뒤로 멈씰하며 물러난다. 이 기회를 타서 작은 우리 수탉이 또 날쌔게 덤벼들어 다시 면두를 쪼니 그제서는 감때사나운 그 대갱이에서도 피가 흐르지 않을 수 없다.

하비고: 손톱이나 날카로운 물건 따위로 조금 긁어 파고
멈씰하며: '멈칫하며'의 방언
감때사나운: 억세고 사나운
흐르지 않을 수 없다: 원래는 '징그러워'보다 작은 느낌을 주는 말이지만, 여기서는 '고소해'의 뜻으로 쓰임.

ⓐ옳다. 알았다. 고추장만 먹이면은 되는구나 하고 나는 속으로 아주 쟁그라워 죽겠다. 그때에는 뜻밖에 내가 닭쌈을 붙여 놓는 데 놀라서 울 밖으로 내다보고 섰던 점순이도 입맛이 쓰지 살을 찌푸렸다.

살: 주름이나 구김으로 생기는 금

나는 두 손으로 볼기짝을 두드리며 연방

"잘한다! 잘한다!" 하고 신이 머리끝까지 뻗치었다.

차 그러나 얼마 되지 않아서 나는 넋이 풀리어 기둥같이 묵묵히 서 있게 되었다. 왜냐면 큰 닭이 한 번 쪼인 앙갚음으로 호들갑스레 연거푸 쪼는 서슬에 우리 수탉은 찔끔 못 하고 막 곯는다. 이걸 보고서 이번에는 ㉡점순이가 깔깔거리고 되도록 이쪽에서 많이 들으라고 웃는 것이다.

나는 보다 못하여 덤벼들어서 우리 수탉을 붙들어 가지고 도로 집으로 들어왔다. ⓑ고추장을 좀 더 먹였더라면 좋았을걸 너무 급하게 쌈을 붙인 것이 퍽 후회가 난다. 장독께로 돌아와서 다시 턱 밑에 고추장을 들이댔다. 흥분으로 말미암아 그런지 당최 먹질 않는다.

나는 하릴없이 닭을 반듯이 눕히고 그 입에다 궐련 물부리를 물리었다. 그리고 고추장 물을 타서 그 구멍으로 조금씩 들이부었다. 닭은 좀 괴로운지 킥킥 하고 재채기를 하는 모양이나 그러나 당장의 괴로움은 매일같이 피를 흘리는 데 댈 게 아니라 생각하였다.

하릴없이: 달리 어떻게 할 도리가 없이
궐련: 얇은 종이로 가늘고 길게 말아 놓은 담배
물부리: 담배를 끼워서 빠는 물건

그러나 한 두어 종지가량 고추장 물을 먹이고 나서는 나는 고만 풀이 죽었다. 싱싱하던 닭이 왜 그런지 고개를 살며시 뒤틀고는 손아귀에서 빼드러지는 것이 아닌가. 아버지가 볼까 봐서 얼른 홰에다 감추어 두었더니 오늘 아침에서야 겨우 정신이 든 모양 같다.

빼드러지는: 굳어서 뻣뻣하게 되는

읽기 '나'는 수탉에게 □□□을 먹여 닭싸움을 붙이지만 결국 '점순'네 수탉에게 짐.

콕콕 정리

교과서 핵심 개념

◆ 서술자에 따라 달라지는 글의 내용 및 효과

1인칭 주인공 시점	→	전지적 작가 시점
• 서술자가 작품 속 '나'임. • '점순'의 의도를 파악하지 못하고 '점순'의 말과 행동만 서술함.	→	• 서술자가 작품에 등장하지 않음. • 모든 등장인물의 행동 및 심리까지 서술함.

↓

달라질 때의 효과

'나'가 서술자일 때에 비해 독자들이 사건을 좀 더 잘 이해할 수 있고, 인물의 심리도 자세히 파악할 수 있으나, 해학적인 분위기가 덜해짐.

◆ '나'의 심리 변화

수탉에게 고추장을 먹일 때

기대감

'나'의 수탉이 반격을 했을 때

기쁨, 통쾌함, 신남

↓

'나'의 수탉이 계속 당할 때

실망감, 허탈감, 좌절감

◆ '나'와 '점순'의 성격

'나'

• '점순'이 자신을 좋아한다는 것을 알아채지 못함.
• 닭에게 고추장을 먹이면 기운이 뻗친다는 말을 믿고 고추장을 먹임.
• '나'의 닭이 진 이유가 고추장을 덜 먹였기 때문이라고 생각함.

순진하고 어수룩함.

'점순'

• '나'에게 애정이 있으나 이를 알아채지 못하는 '나'를 괴롭힘.
• '나'의 집 수탉을 꼬여 내어 싸움을 붙이고, 자신의 닭이 이기자 '나'의 관심을 끌고자 일부러 크게 웃음.

당차고 집요하면서도 영악한 면이 있음.

교과서 핵심 개념

1 이 글의 서술자를 〈보기〉와 같이 바꾸었을 때, 달라지는 효과로 가장 적절한 것은?

보기
• 서술자는 등장인물의 심리와 행동을 모두 알고 있는 전지전능한 존재이다. • 서술자는 작품에 직접 등장하지 않는다. • '나'는 서술자에서 이름을 가진 등장인물로 바뀐다.

① 독자는 주인공인 '나'에게 친근감을 느낄 수 있다.
② 서술자는 '나'의 눈에 비친 세계만을 서술할 수 있다.
③ 서술자는 객관적인 위치에서 인물의 말과 행동을 관찰할 수 있다.
④ 독자는 '나'가 전해 주는 내용을 근거로 하여 폭넓게 상상할 수 있다.
⑤ 독자가 모든 인물의 심리를 자세히 파악하게 되어 해학적 효과가 줄어들 수 있다.

2 (자), (차)에 나타난 '나'의 심리 변화로 적절한 것은?

① 분노 – 초조함 – 부러움
② 기대감 – 기쁨 – 실망감
③ 우월감 – 통쾌함 – 만족감
④ 불안감 – 좌절감 – 서러움
⑤ 절망감 – 설렘 – 어리둥절함

3 '나'와 '점순'이 각각 ㉠과 ㉡의 행동을 한 이유를 바르게 연결한 것은?

	'나'가 ㉠과 같이 행동한 이유	'점순'이 ㉡과 같이 행동한 이유
①	'점순'네 닭을 꼬여 내기 위해	닭싸움이 역전된 것이 통쾌해서
②	고추장의 효능을 시험하기 위해	'나'가 보인 행동이 마냥 귀여워서
③	'나'의 닭을 강하게 조련하기 위해	고추장의 효능이 없다는 걸 알아서
④	'점순'네 닭과의 싸움에서 이기기 위해	'나'를 더 약 올려 관심을 끌기 위해
⑤	닭싸움에서 진 닭에게 벌을 주기 위해	마름 집 딸의 권력을 과시하기 위해

서술형

4 ⓐ, ⓑ를 통해 알 수 있는 '나'의 성격을 2어절로 쓰시오.

01 동백꽃 ④

절정 **카** 그랬던 걸 이렇게 오다 보니까 또 쌈을 붙여 놨으니 이 망할 계집애가 필연 우리 집에 아무도 없는 틈을 타서 제가 들어와 홰에서 꺼내 가지고 나간 것이 분명하다.

나는 다시 닭을 잡아다 가두고 염려는 스러우나 그렇다고 산으로 나무를 하러 가지 않을 수도 없는 형편이었다.

소나무 삭정이(살아 있는 나무에 붙어 있는, 말라 죽은 가지)를 따며 가만히 생각해 보니 암만해도 고년의 목쟁이(목덜미를 이루고 있는 뼈를 낮춰 이르는 말)를 돌려놓고 싶다. 이번에 내려가면 망할 년 등줄기를 한번 되게 후려치겠다 하고 싱둥겅둥(건성건성) 나무를 지고는 부리나케 내려왔다.

거지반(거의 절반 가까이) 집께 다 내려와서 나는 호드기(봄철에 물오른 버드나무 가지의 껍질을 고루 비틀어 뽑은 껍질이나 짤막한 밀짚 토막 따위로 만든 피리) 소리를 듣고 발이 딱 멈추었다. 산기슭에 널려 있는 굵은 바윗돌 틈에 노란 동백꽃(여기에 나오는 동백꽃은 '생강나무꽃'의 방언임.)이 소보록하니 깔리었다. 그 틈에 끼여 앉아서 점순이가 청승맞게시리 호드기를 불고 있는 것이다. 그보다 더 놀란 것은 그 앞에서 또 푸드득푸드득 하고 들리는 닭의 횃소리다. 필연코 요년이 나의 약을 올리느라고 또 닭을 집어내다가 내가 내려올 길목에다 쌈을 시켜 놓고 저는 그 앞에 앉아서 천연스레 호드기를 불고 있음에 틀림없으리라.

타 나는 약이 오를 대로 다 올라서 두 눈에서 불과 함께 눈물이 퍽 쏟아졌다. 나무 지게도 벗어 놀 새 없이 그대로 내동댕이치고는 지게막대기를 뻗치고 허둥지둥 달려들었다.

가차이('가까이'의 방언) 와 보니 과연 나의 짐작대로 우리 수탉이 피를 흘리고 거의 빈사지경(거의 죽게 된 처지나 형편)에 이르렀다. 닭도 닭이려니와 그러함에도 불구하고 눈 하나 깜짝 없이 고대로 앉아서 호드기만 부는 그 꼴에 더욱 치가 떨린다. 동리에서도 소문이 났거니와 나도 한때는 걱실걱실히(성질이 너그러워 말과 행동을 시원스럽게 하는 모양) 일 잘하고 얼굴 이쁜 계집애인 줄 알았더니 시방(지금) 보니까 그 눈깔이 꼭 여우 새끼 같다.

[A]

나는 대뜸 달려들어서 나도 모르는 사이에 큰 수탉을 단매(단 한 번 때리는 매)로 때려 엎었다. 닭은 푹 엎어진 채 다리 하나 꼼짝 못 하고 그대로 죽어 버렸다. 그리고 나는 멍하니 섰다가 점순이가 매섭게 눈을 흡뜨고(눈알을 위로 굴리고 눈시울을 위로 치뜨고) 닥치는 바람에 뒤로 벌렁 나자빠졌다. / "이놈아! 너 왜 남의 닭을 때려죽이니?"

"그럼 어때?" 하고 일어나다가 / "뭐 이 자식아! 누 집 닭인데?" 하고 복장(가슴의 한복판)을 떼미는 바람에 다시 벌렁 자빠졌다. 그러고 나서 가만히 생각을 하니 분하기도 하고 무안도 스럽고, 또 한편 일을 저질렀으니 인젠 땅이 떨어지고 집도 내쫓기고 해야 될는지 모른다.

절정 '나'는 죽을 지경에 이른 자기 집 수탉을 보고 화가 나서 '점순'네 수탉을 □□□□.

결말 **파** 나는 비슬비슬 일어나며 소맷자락으로 눈을 가리고는 얼김에 엉 하고 울음을 놓았다. 그러다 점순이가 앞으로 다가와서 / "그럼 너 이담부텀 안 그럴 터냐?" 하고 물을 때에야 비로소 살길을 찾은 듯싶었다. 나는 눈물을 우선 씻고 뭘 안 그러는지 명색도 모르건만 / "그래!" 하고 무턱대고 대답하였다.

"요담부터 또 그래 봐라. 내 자꾸 못살게 굴 터니?" / "그래그래, 인젠 안 그럴 테야!"

"닭 죽은 건 염려 마라. 내 안 이를 테니."

그리고 뭣에 떠다밀렸는지 나의 어깨를 짚은 채 그대로 픽 쓰러진다. 그 바람에 나의 몸뚱이도 겹쳐서 쓰러지며 한창 피어 퍼드러진 노란 동백꽃 속으로 폭 파묻혀 버렸다.

알싸한(매운맛이나 독한 냄새 따위로 콧속이나 혀끝이 알알한) 그리고 향긋한 그 냄새에 나는 땅이 꺼지는 듯이 온 정신이 고만 아찔하였다.

"너 말 마라?" / "그래!"

조금 있더니 요 아래서

"점순아! 점순아! 이년이 바느질을 하다 말구 어딜 갔어?" 하고 어딜 갔다 온 듯싶은 그 어머니가 역정이 대단히 났다.

점순이가 겁을 잔뜩 집어먹고 꽃 밑을 살금살금 기어서 산 아래로 내려간 다음, 나는 바위를 끼고 엉금엉금 기어서 산 위로 치빼지 않을 수 없었다.
냅다 달아나지

결말 '나'와 '점순'은 □□□ 속에 파묻히며 화해함.

콕콕 정리

◆ '나'의 심리 및 태도 변화

'나'는 화가 나서 '점순'네 수탉을 때려죽인 후 '점순'네에 미움을 사서 땅을 뺏길까 봐 두려워함.

앞으로 자신의 호의를 거절하지 않을 거냐는 '점순'의 물음에 '나'가 영문도 모른 채 무턱대고 수용하자, '점순'은 '나'가 닭을 죽인 사실을 이르지 않겠다고 함.

'나'는 '점순'의 적극적인 애정 표현을 눈치채지 못하고 '점순'과 함께 동백꽃 속으로 파묻히며 미묘한 감정을 느낌.

교과서 핵심 개념

◆ 서술자 '나'의 특성에 따른 해학성

결말에서 서술자 '나'는 '뭘 안 그러는지 명색도 모르건만', '뭣에 떠다밀렸는지 나의 어깨를 짚은 채 그대로 픽 쓰러진다.' 등과 같이 '점순'의 말과 행동의 의도를 파악하지 못하고 있음.

'나'의 우둔함이 독자의 웃음을 유발하고, 해학적인 분위기를 조성함.

◆ '동백꽃'의 역할

- 낭만적이고 서정적인 분위기를 조성한다.
- '나'와 '점순'이 화해하는 분위기를 조성한다.
- '나'와 '점순'의 사랑이 싹트게 될 것을 암시한다.

1 이 글을 통해 알 수 있는 내용으로 알맞지 않은 것은?

① '나'는 '점순'네 닭을 때려죽이고 두려움을 느끼고 있다.
② '점순'은 '나'의 울음을 보고 원망의 감정을 누그러뜨리고 있다.
③ '나'는 '점순'에게 진심으로 용서를 구하며 화해를 이끌어 내고 있다.
④ '나'는 '점순'의 말과 행동에 담긴 의미를 모르고 어리둥절해하고 있다.
⑤ '점순'은 '나'를 쓰러뜨리면서 자신의 감정을 적극적으로 표현하고 있다.

교과서 핵심 개념

2 [A]의 서술자를 '점순'으로 바꾸어 서술하였다고 할 때, 그 내용이 적절하지 않은 것은?

① 대뜸 달려든 갑돌이는 우리 집 수탉을 지게막대기로 단번에 때려 엎었다. ② 우리 집에서 가장 크고 힘이 센 수탉이 단매에 죽어 버리다니 순간 나도 모르게 다리에 힘이 빠졌다. ③ 집에는 뭐라 말해야 할지 눈앞이 캄캄해졌고, 내 마음도 몰라주고 닭싸움에 정색하고 달려든 갑돌이 녀석에게 화가 났다. ④ 내가 눈이 찢어져라 째려보며 따져 드니 갑돌이 녀석은 뒤로 벌렁 나자빠졌다. ⑤ 갑돌이는 무안하기도 하고 분하기도 하면서 한편으론 땅도 떨어지고 집도 내쫓길 게 걱정됐다.

3 〈보기〉의 빈칸에 들어갈 알맞은 말을 찾아 2어절로 쓰시오.

| 보기 |

(   )은/는 '나'와 '점순' 사이에 화해의 분위기를 조성하며 두 사람의 풋풋한 사랑이 시작됨을 암시한다.

실력 점검 실전 문제 01 동백꽃

1~4 다음 글을 읽고, 물음에 답하시오.

가 오늘도 또 우리 수탉이 막 쪼이었다. 내가 점심을 먹고 나무를 하러 갈 양으로 나올 때이었다. 산으로 올라서려니까 등 뒤에서 푸드득푸드득 하고 닭의 횃소리가 야단이다. 깜짝 놀라며 고개를 돌려 보니 아니나 다르랴. 두 놈이 또 얼리었다.

나 나흘 전 감자 쪼간만 하더라도 나는 저에게 조금도 잘못한 것은 없다. / 계집애가 나물을 캐러 가면 갔지 남 울타리 엮는데 쌩이질을 하는 것은 다 뭐냐. 그것도 발소리를 죽여 가지고 등 뒤로 살며시 와서

"얘! 너 혼자만 일하니?" 하고 긴치 않은 수작을 하는 것이다. / 어제까지도 저와 나는 이야기도 잘 않고 서로 만나도 본척만척하고 이렇게 점잖게 지내던 터이련만 오늘로 갑작스레 대견해졌음은 웬일인가.

다 "느 집엔 이거 없지?" 하고 생색 있는 큰소리를 하고는 제가 준 것을 남이 알면 큰일 날 테니 여기서 얼른 먹어 버리란다. 그리고 또 하는 소리가

"너 봄 감자가 맛있단다."

"난 감자 안 먹는다. 니나 먹어라."

나는 고개도 돌리려 하지 않고 일하던 손으로 그 감자를 도로 어깨 너머로 쑥 밀어 버렸다.

라 그랬더니 그래도 가는 기색이 없고, 그뿐만 아니라 쌔근쌔근하고 심상치 않게 숨소리가 점점 거칠어진다. 이건 또 뭐야 싶어서 그때에야 비로소 돌아다보니 나는 참으로 놀랐다. 우리가 이 동리에 들어온 것은 근 삼 년째 되어 오지만 여지껏 가무잡잡한 점순이의 얼굴이 이렇게까지 홍당무처럼 새빨개진 법이 없었다. 게다 눈에 독을 올리고 한참 나를 요렇게 쏘아보더니 나중에는 눈물까지 어리는 것이 아니냐.

마 설혹 주는 감자를 안 받아먹은 것이 실례라 하면, 주면 그냥 주었지 "느 집엔 이거 없지?"는 다 뭐냐. 그렇잖아도 즈이는 마름이고 우리는 그 손에서 배재를 얻어 땅을 부치므로 일상 굽실거린다. 우리가 이 마을에 처음 들어와 집이 없어서 곤란으로 지낼 제, 집터를 빌리고 그 위에 집을 또 짓도록 마련해 준 것도 점순네의 호의였다.

바 이거 뉘 집에서 닭을 잡나 하고 점순네 울 뒤로 돌아오다가 나는 고만 두 눈이 뚱그렜다. 점순이가 즈 집 봉당에 홀로 걸터앉았는데, 아, 이게 치마 앞에다 우리 씨암탉을 꼭 붙들어 놓고는 / "이놈의 닭! 죽어라. 죽어라."

요렇게 암팡스레 패 주는 것이 아닌가.

---

1 이 글의 구성상 특징으로 알맞은 것은?

① 외부 이야기 속에 내부 이야기가 들어 있다.
② 현재에서 과거로 돌아가 사건을 전개하고 있다.
③ 어른이 된 주인공이 어린 시절을 회상하고 있다.
④ 같은 장소에서 동시에 일어난 일을 서술하고 있다.
⑤ 서로 관련 없는 사건들을 병렬적으로 나열하고 있다.

2 이 글의 시점에 대한 설명으로 적절한 것은?

① 소설 밖 서술자가 관찰자의 위치에서 서술한다.
② 두 명의 서술자가 교차하며 이야기를 전달한다.
③ 소설 속 주인공 '나'가 자신의 내면을 직접 서술한다.
④ 소설 속 인물 '나'가 주인공에 대한 이야기를 전달한다.
⑤ 소설 밖 서술자가 모든 상황을 꿰뚫어 구체적으로 전달한다.

3 이 글의 등장인물에 대한 설명으로 알맞지 <u>않은</u> 것은?

① '나'는 가난한 소작농의 아들이다.
② '점순'은 '나'에게 이성적인 관심이 있다.
③ '나'는 어수룩하고 순박한 시골 청년이다.
④ '점순'은 자신의 호의를 무시한 '나'에게 야속함을 느낀다.
⑤ '나'는 '점순'의 마음을 알면서도 신분 차이 때문에 외면한다.

서술형

4 이 글에서 다음과 같은 역할을 하는 소재를 찾아 2음절로 쓰시오.

> '나'에 대한 '점순'의 관심과 애정이 담긴 소재이자 '나'와 '점순'이 갈등하게 되는 원인이 된다.

5~8 **다음 글을 읽고, 물음에 답하시오.**

가 거지반 집께 다 내려와서 나는 호드기 소리를 듣고 발이 딱 멈추었다. 산기슭에 널려 있는 굵은 바윗돌 틈에 노란 동백꽃이 소보록하니 깔리었다. 그 틈에 끼여 앉아서 점순이가 청승맞게시리 호드기를 불고 있는 것이다. 그보다 더 놀란 것은 그 앞에서 또 푸드득푸드득 하고 들리는 닭의 횃소리다. 필연코 요년이 나의 약을 올리느라고 또 닭을 집어내다가 내가 내려올 길목에다 쌈을 시켜 놓고 저는 그 앞에 앉아서 천연스레 호드기를 불고 있음에 틀림없으리라.

나 가차이 와 보니 과연 나의 짐작대로 우리 수탉이 피를 흘리고 거의 빈사지경에 이르렀다. 닭도 닭이려니와 그러함에도 불구하고 눈 하나 깜짝 없이 고대로 앉아서 호드기만 부는 그 꼴에 더욱 치가 떨린다. 동리에서도 소문이 났거니와 나도 한때는 걱실걱실히 일 잘하고 얼굴 이쁜 계집애인 줄 알았더니 시방 보니까 그 눈깔이 꼭 여우 새끼 같다.

다 "이놈아! 너 왜 남의 닭을 때려죽이니?"

"그럼 어때?" 하고 일어나다가

"뭐 이 자식아! 누 집 닭인데?" 하고 복장을 떼미는 바람에 다시 벌렁 자빠졌다. 그러고 나서 가만히 생각을 하니 분하기도 하고 무안도 스럽고, 또 한편 일을 저질렀으니 인젠 땅이 떨어지고 집도 내쫓기고 해야 될는지 모른다.

라 나는 비슬비슬 일어나며 소맷자락으로 눈을 가리고는 얼김에 엉 하고 울음을 놓았다. 그러다 점순이가 앞으로 다가와서

㉠"그럼 너 이담부텀 안 그럴 터냐?" 하고 물을 때에야 비로소 살길을 찾은 듯싶었다. 나는 눈물을 우선 씻고 뭘 안 그러는지 명색도 모르건만

"그래!" 하고 무턱대고 대답하였다.

㉡"요담부터 또 그래 봐라. 내 자꾸 못살게 굴 터니?"

"그래그래, 인젠 안 그럴 테야!"

"닭 죽은 건 염려 마라. 내 안 이를 테니."

그리고 뭣에 떠다밀렸는지 나의 어깨를 짚은 채 그대로 픽 쓰러진다. 그 바람에 나의 몸뚱이도 겹쳐서 쓰러지며 한창 피어 퍼드러진 ⓐ노란 동백꽃 속으로 폭 파묻혀 버렸다. / 알싸한 그리고 향긋한 그 냄새에 나는 땅이 꺼지는 듯이 온 정신이 고만 아찔하였다.

5 **이 글의 서술자가 독자에게 웃음을 주는 이유로 가장 적절한 것은?**

① 다소 우스꽝스러운 생김새 때문에
② '점순'에게 과장된 말투를 사용하기 때문에
③ 영악한 '점순'을 대하는 태도가 통쾌함을 주기 때문에
④ 마름 집 딸인 '점순'에게 쩔쩔매며 굽실거리는 모습 때문에
⑤ '점순'의 마음을 눈치채지 못하고 엉뚱하게 반응하기 때문에

6 **이 글을 읽은 후의 감상으로 알맞지 않은 것은?**

① '나'의 집 닭을 집어내어 싸움을 붙이는 걸 보니 '점순'은 집요한 성격이야.
② '점순'은 '나'의 관심을 끌기 위해 닭싸움을 시키고 호드기를 불고 있는 거지.
③ '나'의 닭은 '나'처럼 소극적이고 약한데, '점순'의 닭은 '점순'처럼 적극적이고 강하네.
④ '나'는 '점순'이 일 잘하고 얼굴이 예쁘다고 생각했는데 닭싸움을 계기로 생각이 변했어.
⑤ '나'가 '점순'네 닭을 때려죽이고 당당하게 대응하는 모습에서 피지배 계층의 저항 정신이 느껴졌어.

7 **㉠, ㉡에 담긴 '점순'의 속마음으로 적절한 것은?**

① 내 앞에서 약한 모습 보이지 마.
② 앞으로는 내 호의를 거절하지 마.
③ 이제 내가 시키는 대로 일해야 해.
④ 더 이상 우리 집 닭을 괴롭히지 마.
⑤ 내가 닭싸움을 시킨 것을 원망하지 마.

8 **ⓐ의 역할로 적절하지 않은 것은?**

① 향토적이고 서정적인 분위기를 형성한다.
② '나'와 '점순'의 서로 다른 처지를 보여 준다.
③ '나'와 '점순' 간의 갈등이 해소되는 전환점이 된다.
④ '나'가 '점순'을 향한 미묘한 감정 변화를 느꼈음을 암시한다.
⑤ '나'와 '점순' 사이에 생겨난 풋풋한 사랑을 감각적으로 표현한다.

02 사랑손님과 어머니 ① _주요섭

핵심 콕콕 • 서술자의 특성이 글에 미치는 영향 파악하기
• 등장인물의 성격 및 사고방식 차이 파악하기

갈래	현대 소설, 순수 소설
성격	서정적, 낭만적, 심리적
시점	1인칭 관찰자 시점
배경	1930년대, 어느 시골 마을
제재	어머니와 사랑손님의 사랑
주제	사랑과 보수적 윤리 사이에서 갈등하는 어머니와 사랑손님의 사랑과 이별
특징	• 어른들의 애정과 심리를 어린아이의 눈을 통해 그려 냄. • 전통적인 윤리관 속에서 갈등하는 인물의 심리가 잘 드러남.

발단 **가** 나는 금년 여섯 살 난 처녀 애입니다. 내 이름은 박옥희이고요. 우리 집 식구라고는 세상에서 제일 예쁜 우리 어머니와 나, 이렇게 단 두 식구뿐이랍니다. 아차 큰일 났군, 외삼촌을 빼놓을 뻔했으니.

지금 중학교에 다니는 외삼촌은 어디를 그렇게 싸돌아다니는지 집에는 끼니때 외에는 별로 붙어 있지를 않으니까 어떤 때는 한 주일씩 가도 외삼촌 코빼기도 못 보는 때가 많으니까요, 깜박 잊어버리기도 예사지요, 무얼.

예사: 보통 있는 일

우리 어머니는, 그야말로 세상에서 둘도 없이 곱게 생긴 우리 어머니는, 금년 나이 스물네 살인데 과부랍니다. 과부가 무엇인지 나는 잘 몰라도, 하여튼 동리 사람들이 나더러 '과부 딸'이라고들 부르니까, 우리 어머니가 과부인 줄을 알지요.

과부: 남편을 잃고 혼자 사는 여자

나 큰외삼촌이 나를 보더니 "옥희야." 하고 부르겠지요.

"옥희야, 이리 온. 와서 이 아저씨께 인사드려라." / 나는 어째 부끄러워서 비슬비슬하니까, 그 낯선 손님이

"아, 그 애기 참 곱다. 자네 조카딸인가?" / 하고 큰외삼촌더러 묻겠지요. 그러니까 큰외삼촌은

"응, 내 누이의 딸……. 경선 군의 유복녀 외딸일세." / 하고 대답합니다.

유복녀: 태어나기 전에 아버지를 여읜 딸

"옥희야, 이리 온, 응! 그 눈은 꼭 아버지를 닮았네그려." / 하고 낯선 손님이 말합니다.

"자, 옥희야, 커단 처녀가 왜 저 모양이야. 어서 와서 이 아저씨께 인사드려라. 네 아버지의 옛날 친구신데, 오늘부터 이 사랑에 계실 텐데, 인사 여쭙고 친해 두어야지."

나는 낯선 손님이 사랑방에 계시게 된다는 말을 듣고 갑자기 즐거워졌습니다.

사랑방: 집의 안채와 떨어져 있는, 바깥주인이 거처하며 손님을 접대하는 방

발단 '나'(옥희)의 가족과, 낯선 손님이 □□□에 하숙하게 된 사연을 소개함.

전개 **다** 그래 가만히 앉아서 점심 잡숫는 걸 구경하고 있노라니까, 아저씨가

"옥희는 어떤 반찬을 제일 좋아하노?"

하고 묻겠지요. 그래 삶은 달걀을 좋아한다고 했더니, 마침 상에 놓인 삶은 달걀을 한 알 집어 주면서 나더러 먹으라고 합니다. / 나는 그 달걀을 벗겨 먹으면서,

"아저씨는 무슨 반찬이 제일 맛나요?" / 하고 물으니까, 아저씨는 한참이나 빙그레 웃고 있더니,

"나도 삶은 달걀." / 하겠지요. 나는 좋아서 손뼉을 짤깍짤깍 치고,

짤깍짤깍: 작고 단단한 물체가 조금 가볍게 자꾸 맞부딪치는 소리 또는 그 모양

"아, 나와 같네, 그럼. 가서 어머니한테 알려야지." / 하면서 일어서니까, 아저씨가 꼭 붙들면서,

"그러지 마라." / 그러시겠지요. 그래도 나는 한번 맘을 먹은 다음엔 꼭 그대로 하고야 마는 성미지요. 그래 안마당으로 뛰어 들어가면서,

성미: 성질, 마음씨, 비위, 버릇 등을 통틀어 이르는 말

"엄마, 엄마, 사랑 아저씨도 나처럼 삶은 달걀을 제일 좋아한대." / 하고 소리를 질렀지요.

"떠들지 마라." / 하고 어머니는 눈을 흘기십니다. / 그러나 사랑 아저씨가 달걀을 좋아하는 것이 내게는 썩 좋게 되었어요. 그다음부터는 어머니가 달걀을 많이씩 사게 되었으니까요.

라 나는 아저씨가 아주 좋았어요. 그렇지만 외삼촌은 가끔 툴툴하는 때가 있었어요. 아마 아저씨가 마음에 안 드나 봐요. 아니, 그것보다도 아저씨 상 심부름을 꼭 외삼촌이 하게 되니까, 그것이 싫어서 그러나 봐요. 한 번은 어머니와 외삼촌이 말다툼하는 것까지 내가 들었어요. 어머니가

"야, 또 어디 나가지 말고 사랑에 있다가, 선생님 들어오시거든 상 내가야지."

하고 말씀하시니까, 외삼촌은 얼굴을 찡그리면서,

"제길, 남 어디 좀 볼일이 있는 날은 으레 끼니때에 안 들어오고 늦어지니……."

(으레: 틀림없이 언제나)

하고 툴툴하겠지요. 그러니까 어머니는 / "그러니 어쩌겠니? 너밖에 사랑 출입할 사람이 어디 있니?"

"누님이 좀 상 들고 나가구려. 요새 세상에 내외합니까?"

(내외: 남의 남녀 사이에 서로 얼굴을 마주 대하지 않고 피함.)

어머니는 갑자기 얼굴이 발개지시고, 아무 대답도 없이 그냥 외삼촌을 향하여 눈을 흘기셨습니다.

콕콕 정리

교과서 핵심 개념

◆ 이 글의 서술자와 시점

서술자 '나'
• 이름: 박옥희 • 나이: 여섯 살 • 가족 관계: '어머니'(스물 네 살의 과부), '외삼촌'(중학생)

1인칭 관찰자 시점
어린아이인 '나'의 시선을 통해 주인공인 '아저씨'와 '어머니'를 관찰하여 이야기하듯이 서술함.

◆ '어머니'와 '외삼촌'의 가치관 차이

'어머니'	남녀가 내외해야 한다고 여김. → 전통적, 봉건적

'외삼촌'	요즘 세상에 남녀가 내외하지 않아도 된다고 여김. → 진보적, 개방적

◆ '달걀'의 의미와 역할

달걀	• '나'가 좋아하는 달걀을 '아저씨'도 좋아한다고 함. → '나'와 '아저씨'가 친해지는 계기 • '아저씨'가 달걀을 좋아한다고 하자 '어머니'가 달걀을 많이 삼. → '아저씨'에 대한 '어머니'의 관심과 정성

1 이 글에 대한 설명으로 가장 적절한 것은?

① 구어체와 경어체로 이야기하듯이 서술하고 있다.
② 사투리와 비속어의 사용으로 현장감을 드러내고 있다.
③ 주인공이 과거에 자신이 들은 이야기를 전달하고 있다.
④ 어른들의 속물적인 모습을 간접적으로 돌려서 비판하고 있다.
⑤ 사건을 요약하여 제시함으로써 긴장감을 긴박하게 드러내고 있다.

교과서 핵심 개념

2 이 글의 서술자에 대한 설명으로 알맞은 것끼리 모두 골라 바르게 묶은 것은?

ㄱ. 순수하고 천진난만한 여섯 살 어린아이이다.
ㄴ. '나' 이외의 인물들의 심리를 정확히 파악하여 전달하고 있다.
ㄷ. 작품 속 주인공인 '나'가 자신의 이야기를 직접 서술하고 있다.
ㄹ. '나'가 자신의 입장에서 인물들의 행동을 관찰하여 전달하고 있다.

① ㄱ, ㄴ ② ㄱ, ㄷ ③ ㄱ, ㄹ ④ ㄴ, ㄹ ⑤ ㄷ, ㄹ

3 (라)에서 드러나는 '어머니'와 '외삼촌'의 사고방식으로 적절한 것은?

	'어머니'		'외삼촌'
①	긍정적	↔	부정적
②	개방적	↔	봉건적
③	보수적	↔	진보적
④	이상적	↔	현실적
⑤	외향적	↔	내향적

서술형

4 이 글에서 '나'와 '아저씨'가 친해지는 계기이자, '아저씨'에 대한 '어머니'의 관심을 나타내는 소재를 찾아 2음절로 쓰시오.

02 사랑손님과 어머니 ❷

마 한참 후에 아저씨하고 손목을 잡고 내려오는데, ㉠유치원 동무들을 만났습니다.

"옥희가 아빠하고 어디 갔다 온다, 응." / 하고 한 동무가 말하였습니다. 그 아이는 우리 아버지가 돌아가신 줄을 모르는 아이였습니다. 나는 얼굴이 빨개졌습니다. 그때 나는 얼마나 이 아저씨가 정말 우리 아버지였더라면 하고 생각했는지 모릅니다. 나는 정말로 한 번만이라도, / "아빠!" / 하고 불러 보고 싶었습니다. 그러고 그날, 그렇게 아저씨하고 손목을 잡고 골목골목을 지나오는 것이 어찌도 재미가 좋았는지요.

나는 대문까지 와서, / "난 아저씨가 우리 아빠라면 좋겠다."
하고 불쑥 말했습니다. 그랬더니 아저씨는 얼굴이 홍당무처럼 빨개져서 나를 몹시 흔들면서,

[A] "그런 소리 하면 못써." / 하고 말하는데, 그 목소리가 몹시도 떨렸습니다. 나는 아저씨가 몹시 성이 난 것처럼 보여서, 아무 말도 못하고 안으로 뛰어 들어갔습니다.

전개 '나'(옥희)는 사랑손님인 '아저씨'와 점점 친해지고 '아저씨'가 □□이기를 바람.

위기 **바** 예배당에 가서 찬미하고 기도하다가 기도하는 중간에 갑자기 나는 '혹시 아저씨도 예배당에 오지 않았나?' 하는 생각이 나서 눈을 뜨고 고개를 들어 ㉡남자석을 바라보았습니다. 그랬더니 하, 바로 거기에 아저씨가 와 앉아 있겠지요. 그런데 아저씨는 어른이면서도 눈 감고 기도하지 않고 우리 아이들처럼 눈을 번히 뜨고 여기저기 두리번두리번 바라봅니다. 나는 얼른 아저씨를 알아보았는데 아저씨는 나를 못 알아보았는지 내가 빙그레 웃어 보여도 웃지도 않고 멀거니 보고만 있겠지요. 그래 나는 손을 흔들었지요. 그러니까 아저씨는 얼른 고개를 숙이고 말더군요. 그때에 어머니는 내가 팔 흔드는 것을 깨닫고 두 손으로 나를 붙들고 끌어당기더군요. 나는 어머니 귀에다 입을 대고, "저기 아저씨도 왔어." 하고 속삭이니까 어머니는 흠칫하면서 내 입을 손으로 막고 막 끌어 잡아다가 앞에 앉히고 고개를 누르더군요. 보니까 어머니도 얼굴이 홍당무처럼 빨개졌더군요.

찬미하고: 아름답고 훌륭한 것이나 위대한 것 따위를 기리어 칭송하고
번히: 바라보는 눈매가 뚜렷하게

사 '오늘은 어머니를 좀 기쁘게 해 드려야 할텐데……. 무엇을 갖다 드리면 기뻐할까?' 하고 생각하였습니다. 그러자 문득 유치원 안에 선생님 책상 위에 놓여 있던 ㉢꽃병 생각이 났습니다. 그 꽃병에는, 나는 이름도 모르나, 곱고 빨간 꽃이 꽂히어 있었습니다. 〈중략〉 그래 나는 그 꽃을 두어 개 얼른 빼 들고 달음질쳐 나왔지요. 집에 오니, 어머니는 문간에서 기다리고 있다가 나를 안고 들어왔습니다. / "그 꽃은 어디서 났니? 퍽 곱구나."
하고 어머니가 말씀하셨습니다. 그러나 나는 갑자기 말문이 막혔습니다. '이걸 엄마 드리려고 유치원서 가져왔어.' 하고 말하기가 어째 몹시 부끄러운 생각이 들었습니다. 그래 잠깐 망설이다가

"응, 이 꽃! 저, 사랑 아저씨가 엄마 갖다 주라고 줘."
하고 불쑥 말했습니다. 그런 거짓말이 어디서 그렇게 툭 튀어나왔는지 나도 모르지요.

아 ㉣꽃을 들고 냄새를 맡고 있던 어머니는 내 말이 끝나기가 무섭게 몹시 놀란 사람처럼 화닥닥하였습니다. 그러고는 금시에 어머니 얼굴이 그 꽃보다 더 빨갛게 되었습니다. 그 꽃을 든 어머니 손가락이 파르르 떠는 것을 나는 보았습니다. 어머니는 무슨 무서운 것을 생각하는 듯이 방 안을 휘 한 번 둘러보시더니,

"옥희야, 그런 걸 받아 오면 안 돼." / 하고 말하는 목소리는 몹시 떨렸습니다. 나는 꽃을 그렇게도 좋아하는 어머니가 이 꽃을 받고 그처럼 성을 낼 줄은 참으로 뜻밖이었습니다. 어머니가 그렇게도 성을 내는 것을 보니까 그 꽃을 내가 가져왔다고 그러지 않고 아저씨가 주더라고 거짓말을 한 것이 참 잘되었다고 나는 속으로 생각했습니다. 어머니가 성을 내는 까닭을 나는 모르지만, 하여튼 성을 낼 바에는 내게 내는 것보다 아저씨에게 내는 것이 내게는 나았기 때문입니다. 한참 있더니 어머니는 나를 방 안으로 데리고 들어와서

"옥희야, 너 이 꽃 이야기 아무보구도 하지 말아라, 응?" / 하고 타일러 주었습니다. 나는 / "응." 하고 대답하면서 고개를 여러 번 까닥까닥했습니다. 어머니가 그 꽃을 곧 내버릴 줄로 나는 생각했습니다마는, 내버리지 않고 꽃병에 꽂아서 풍금 위에 놓아두었습니다. 아마 퍽 여러 밤 자도록 그 꽃은 거기 놓여 있어서 마지막에는 시들었습니다. 꽃이 다 시들자 어머니는 가위로 그 대는 잘라 내버리고, 꽃만은 ㉤찬송가 갈피에 곱게 끼워 두었습니다.

찬송가 갈피: 겹치거나 포갠 물건의 하나하나의 사이 또는 그 틈

위기 | '나'(옥희)가 유치원에서 가져온 ☐을 '아저씨'가 주었다고 한 거짓말에 '어머니'의 마음이 흔들림.

콕콕 정리

교과서 핵심 개념

◆ 등장인물의 성격 및 심리

'나'(옥희)	어린아이답게 천진하고 순진함.

↓관찰

'어머니'	전통적·보수적 윤리 의식의 소유자로 모성애는 강하나, '아저씨'를 향한 애정 표현에 있어 소극적임.

↑♡↓

'아저씨'	다정하고 친절하지만, 옥희 어머니를 향한 애정 표현에 있어 소극적임.

교과서 핵심 개념

◆ 어린 서술자의 한계와 그 영향

'나'(옥희)는 자신의 관점에서 보고 느낀 것만 서술할 뿐, 다른 등장인물의 심리를 정확하게 파악하지 못함.

↓

관찰자적 입장에서 인물과 사건을 해석하는 어린 서술자의 한계로 인해 오히려 독자는 재미를 느낄 수 있고, 추리력과 상상력을 발휘하며 읽을 수 있음.

◆ '꽃'의 의미와 역할

꽃	• '어머니'의 내적 갈등을 심화시킴. • '아저씨'에 대한 '어머니'의 연모의 감정을 나타냄.

교과서 핵심 개념

1 이 글의 등장인물에 대한 설명으로 알맞지 않은 것은?

① '아저씨'는 예배당을 성실하게 다니는 독실한 기독교인이다.
② '어머니'는 보수적인 사회 윤리 때문에 다른 사람의 시선을 의식한다.
③ '어머니'와 '아저씨'는 '나'가 한 말에 얼굴이 홍당무처럼 빨개지는 반응을 보인다.
④ '어머니'와 '아저씨' 모두 자신의 감정을 표현하는 데 있어 소극적인 태도를 취한다.
⑤ '나'는 돌아가신 아버지를 그리워하는 간절한 마음을 '아저씨'에게 이입하여 자신의 속마음을 직접 내뱉는다.

교과서 핵심 개념

2 [A]를 〈보기〉와 같이 바꿀 때의 차이로 가장 적절한 것은?

보기
옥희가 나에게 아빠였으면 좋겠다고 말했을 때 그런 소리 하면 못쓴다고 말했지만, 사실 옥희에게 옥희 어머니를 향한 내 진심을 들킨 것 같아 당황스러웠고 가슴이 계속 쿵쾅 뛰었다.

① 사건의 극적 반전을 유도할 수 있다.
② '옥희'의 내면을 자세하게 드러낼 수 있다.
③ 서술자의 위치가 작품 안에서 밖으로 바뀌었다.
④ '아저씨'가 모든 사건을 분석하여 설명할 수 있다.
⑤ '옥희'는 알 수 없는, '아저씨'의 심리를 잘 알 수 있다.

3 ㉠~㉤ 중, 다음 설명에 해당하는 소재로 적절한 것은?

'아저씨'에 대한 '어머니'의 호감과 관심을 드러내면서 '어머니'의 내적 갈등을 심화시킴.

① ㉠ ② ㉡ ③ ㉢ ④ ㉣ ⑤ ㉤

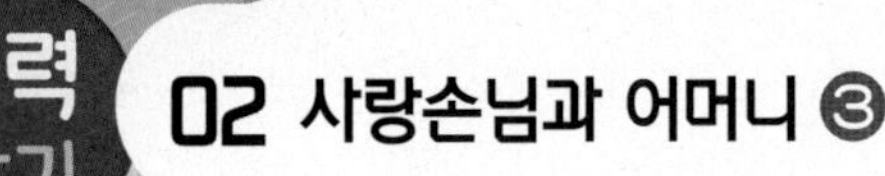

토닥토닥 실력 쌓기

02 사랑손님과 어머니 ③

생략된 내용 >>> '어머니'는 그동안 닫아 두었던 풍금을 치며 눈물을 흘린다. 그리고 '아저씨'가 '나'를 통해 '어머니'에게 전한 편지를 읽고 당황해한다. 그날 밤 '어머니'는 아버지의 옷을 꺼내 보다 다시 넣고 '나'와 함께 잠자리에 들지만, 매일 외우던 주기도문을 끝까지 외우지 못하고 같은 구절을 반복한다.

절정 **자** "옥희야, 옥희 아버지는 옥희가 세상에 나오기도 전에 돌아가셨단다. 옥희도 아빠가 없는 건 아니지. 그저 일찍 돌아가셨지. 옥희가 이제 아버지를 새로 또 가지면 세상이 욕을 한단다. 옥희는 아직 철이 없어서 모르지만 세상이 욕을 한단다. 사람들이 욕을 해. '옥희 어머니는 화냥년이다.' 이러고 세상이 욕을 해. '옥희 아버지는 죽었는데 옥희는 아버지가 또 하나 생겼대. 참 망측도 하지.' 이러고 세상이 욕을 한단다. 그리되면 옥희는 언제나 손가락질 받고. 옥희는 커도 시집도 훌륭한 데 못 가고, 옥희가 공부를 해서 훌륭하게 돼도, '에, 그까짓 화냥년의 딸.'이라고 남들이 욕을 한단다."

(화냥년: 남편이 아닌 다른 남자와 정을 통한 여자를 욕되게 이르는 말)
(망측: 정상적인 상태에서 어그러져 어이가 없거나 차마 보기가 어려움.)

이렇게 어머니는 혼잣말하시듯 드문드문 말씀하셨습니다.

차 "엄마, 어디 가?" / 하고 물으니까, / "아니." / 하고 웃음을 띠면서 대답합니다. 그러더니 풍금 옆에서 새로 다린 하얀 손수건을 내리어 내 손에 쥐여 주면서, / "이 손수건, 저 사랑 아저씨 손수건인데, 이것 아저씨 갖다 드리고 와, 응? 오래 있지 말고 손수건만 갖다 드리고 이내 와, 응." / 하고 말씀하셨습니다.

손수건을 들고 사랑을 나가면서, 나는 접어진 손수건 속에 무슨 ㉠발각발각하는 종이가 들어 있는 것처럼 생각되었습니다마는, 그것을 펴 보지 않고 그냥 갖다가 아저씨에게 주었습니다.

카 아저씨는 방에 누워 있다가 벌떡 일어나서 손수건을 받는데, ㉡웬일인지 아저씨는 이전처럼 나보고 빙긋 웃지도 않고 얼굴이 몹시 파래졌습니다. 그러고는 입술을 질근질근 깨물면서 말 한마디 아니하고 그 수건을 받더군요. / 나는 어째 이상한 기분이 들어서 아저씨 방에 들어가 앉지도 못하고 그냥 뒤돌아서 안방으로 도로 왔지요. 어머니는 풍금 앞에 앉아서 무엇을 그리 생각하는지 가만히 있더군요. 나는 풍금으로 가서 가만히 그 옆에 앉아 있었습니다. 이윽고 어머니는 조용조용히 풍금을 타십니다. 무슨 곡조인지는 몰라도 구슬프고 고즈넉한 곡조예요. / ㉢밤이 늦도록 어머니는 풍금을 타셨습니다.

(고즈넉한: 고요하고 아늑한)

절정 '어머니'가 '아저씨'의 사랑을 거절한 것에 대해 슬퍼하며 ☐☐을 탐.

결말 **타** 그날 오후에 아저씨가 떠나간 다음, 나는 방에서 아저씨가 준 인형을 업고 자장자장 잠을 재우고 있었습니다. 어머니가 부엌에서 들어오시더니, "옥희야, 우리 뒷동산에 바람이나 쐬러 올라갈까?" / 하십니다. 〈중략〉

저편 산모퉁이에서 기차가 나타났습니다. / "아, 저기 기차 온다." / 하고 나는 좋아서 소리쳤습니다.

기차는 정거장에서 잠시 머물더니 금시에 '삑' 하고 소리를 지르면서 움직였습니다.

㉣"기차 떠난다."/ 하면서 나는 손뼉을 쳤습니다. 기차가 저편 산모퉁이 뒤로 사라질 때까지, 그리고 그 굴뚝에서 나는 연기가 하늘 위로 모두 흩어져 없어질 때까지, ㉤어머니는 가만히 서서 그것을 바라다보았습니다.

파 뒷동산에서 내려오자 어머니는 방으로 들어가시더니 이때까지 늘 열어 두었던 풍금 뚜껑을 닫으십니다. 그러고는 거기 쇠를 채우고 그 위에다가 이전 모양으로 반짇고리를 얹어 놓으십니다. 그러고는 그 옆에 있는 찬송가를 맥없이 들고 뒤적뒤적하시더니 빼빼 마른 꽃송이를 그 갈피에서 집어내시더니,

"옥희야, 이것 내다 버려라." / 하고 그 마른 꽃을 내게 주었습니다. 그 꽃은 내가 유치원에서 갖다가 어머니께 드렸던 그 꽃입니다. 그러자 옆 대문이 삐꺽하더니, / "달걀 사소." / 하고 매일 오는 달걀 장수 노파가 달걀

광주리를 이고 들어왔습니다. / "이젠 우리 달걀 안 사요. 달걀 먹는 이가 없어요."

하시는 어머니 목소리는 맥이 한 푼어치도 없었습니다.

나는 어머니의 이 말씀에 놀라서 떼를 좀 써 보려 했으나, 석양에 빤히 비치는 어머니 얼굴을 볼 때 그 용기가 없어지고 말았습니다. 그래서 아저씨가 주신 인형 귀에다가 내 입을 갖다 대고 가만히 속삭이었습니다.

"얘, 우리 엄마가 거짓부리 썩 잘하누나. 내가 달걀 좋아하는 줄 잘 알면서 먹을 사람이 없대누나. 떼를 좀 쓰구 싶다만 저 우리 엄마 얼굴 좀 봐라. 어쩌면 저리도 새파래졌을까? 아마 어디가 아픈가 보다." / 라고요.

결말 '나'(옥희)는 '아저씨'를 떠나보내며 '아저씨'와의 □□을 정리하는 '어머니'의 마음을 이해하지 못함.

콕콕 정리

교과서 핵심 개념

 **어린아이를 서술자로 내세운 효과**

- "아, 저기 기차 온다."
  하고 나는 좋아서 소리쳤습니다.
- "얘, 우리 엄마가 거짓부리 썩 잘하누나. 내가 달걀 좋아하는 줄 잘 알면서 먹을 사람이 없대누나."

↓

- 천진난만한 말투로 독자의 웃음을 자아냄.
- 어른들의 사랑 이야기를 순수하고 아름답게 전달함.
- 어린아이라 알지 못하는 내용을 독자가 상상하며 읽는 즐거움을 줌.

◆ **'어머니'가 사랑을 포기한 이유**

- 여성의 재가를 부정적으로 바라보는 당시의 봉건적 가치관 때문에
- 사회적 편견으로 인한 딸('옥희')의 장래가 염려되기 때문에

↓

개인과 사회의 갈등

'어머니'는 여자의 재가를 비난하는 당시 사회의 봉건적 윤리관을 깰 수 없어, '아저씨'와의 사랑을 포기할 수밖에 없게 된다.

 **'아저씨'에 대한 마음을 정리하는 '어머니'의 행동**

- 늘 열어 두었던 풍금 뚜껑을 닫고 자물쇠를 채운다.
- '아저씨'가 준 걸로 오해한 마른 꽃을 '옥희'에게 버리라고 한다.
- 매일 오는 달걀 장수에게서 더 이상 달걀을 사지 않는다.

교과서 핵심 개념

1 **이 글의 작가가 '옥희'를 서술자로 내세운 효과로 적절하지 <u>않은</u> 것은?**

① 천진난만한 말투로 독자에게 친근감을 줄 수 있다.
② 서술자를 통해 인물 간의 갈등이 극적으로 해소될 수 있다.
③ 어린아이다운 생각으로 상황을 해석하여 웃음을 유발할 수 있다.
④ 서술자가 직접 말해 주지 못하는 내용을 상상하며 읽는 재미가 있다.
⑤ 통속적일 수 있는 어른들의 사랑 이야기를 순수하게 보여 줄 수 있다.

2 **(자)를 통해 알 수 있는 당시의 사회상으로 적절한 것은?**

① 아버지가 없는 딸은 결혼을 할 수 없었다.
② 성별과 신분에 따라 아이의 장래가 결정되었다.
③ 아들을 선호하는 남아 선호 사상이 존재하였다.
④ 여성의 재가에 대한 부정적 시각이 일반적이었다.
⑤ 전쟁에 끌려간 남자들이 많아 아버지가 없는 아이들이 많았다.

3 **㉠~㉤에 대한 설명으로 알맞지 <u>않은</u> 것은?**

① ㉠: '아저씨'의 사랑을 받아들일 수 없다는 내용의 편지일 것이다.
② ㉡: '아저씨'는 자신의 편지에 대한 답장인 줄 알고 긴장하고 있다.
③ ㉢: '어머니'는 사랑을 포기해야만 하는 상황에서 자신을 달래고 있다.
④ ㉣: '나'는 '아저씨'를 배웅하며 아쉬운 마음을 억지로 숨기려 하고 있다.
⑤ ㉤: '아저씨'를 떠나보내야 하는 '어머니'의 슬픔과 안타까움이 드러나 있다.

4 **(파)에서 '아저씨'에 대한 '어머니'의 감정 정리를 보여 주는 소재 3가지를 찾아 각각 1어절로 쓰시오.**

02 사랑손님과 어머니

1~4 다음 글을 읽고, 물음에 답하시오.

가 나는 금년 여섯 살 난 처녀 애입니다. 내 이름은 박옥희이고요. 우리 집 식구라고는 세상에서 제일 예쁜 우리 어머니와 나, 이렇게 단 두 식구뿐이랍니다.

나 어른들이 저희끼리 말하는 것을 들으니까, 그 아저씨는 돌아가신 우리 아버지와 어렸을 적 친구라고요. 어디 먼 데 가서 공부를 하다가 요새 돌아왔는데, 우리 ㉠동리 학교 교사로 오게 되었대요. 또, 우리 큰외삼촌과도 동무인데, 이 동리에는 ㉡하숙도 별로 깨끗한 곳이 없고 해서 우리 사랑으로 와 계시게 되었다고요. 또, 우리도 그 아저씨한테서 밥값을 받으면 살림에 보탬도 좀 되고 한다고요.

다 "옥희 눈은 아버지를 닮았다. 고 고운 코는 아마 어머니를 닮았지, 고 입하고! 응, 그러냐, 안 그러냐? 어머니도 옥희처럼 곱지, 응? ……."

이렇게 여러 가지로 물을 적도 있었습니다. 그래서 나는

"아저씨, 입때 우리 엄마 못 봤어요?"

하고 물었더니, 아저씨는 잠잠합니다. 그래 나는

"우리 엄마 보러 들어갈까?" / 하면서 아저씨 ㉢소매를 잡아당겼더니, 아저씨는 펄쩍 뛰면서,

"아니, 아니, 안 돼. 난 지금 분주해서."

하면서 나를 잡아끌었습니다. 그러나 정말로는 무슨 그리 분주하지도 않은 모양이었어요.

라 그날 ㉣예배는 아주 젬병이었어요. 웬일인지 예배가 다 끝날 때까지 어머니는 성이 나서 강대만 향하여 앞으로 바라보고 앉았고, 이전 모양으로 가끔 나를 내려다보고 웃는 일이 없었어요. 그리고 아저씨를 보려고 ㉤남자석을 바라다보아도 아저씨도 한 번도 바라다보아 주지도 않고 성이 나서 앉아 있고, 어머니는 나를 보지도 않고 공연히 꽉꽉 잡아당기지요. 왜 모두들 그리 성이 났는지!

마 "응, 이 꽃! 저, 사랑 아저씨가 엄마 갖다 주라고 줘."

하고 불쑥 말했습니다. 그런 거짓말이 어디서 그렇게 툭 튀어나왔는지 나도 모르지요.

ⓐ꽃을 들고 냄새를 맡고 있던 어머니는 내 말이 끝나기가 무섭게 몹시 놀란 사람처럼 화닥닥하였습니다. 그러고는 금시에 어머니 얼굴이 그 꽃보다 더 빨갛게 되었습니다. 그 꽃을 든 어머니 손가락이 파르르 떠는 것을 나는 보았습니다. 어머니는 무슨 무서운 것을 생각하는 듯이 방 안을 휘 한 번 둘러보시더니,

"옥희야, 그런 걸 받아 오면 안 돼."

하고 말하는 목소리는 몹시 떨렸습니다.

1 이 글의 특징으로 적절한 것은? (정답 2개)

① 서술자와 주인공이 일치한다.
② 인물들의 심리가 겉으로 잘 드러난다.
③ 간결하고 분석적인 말투를 사용하고 있다.
④ 인물에 대한 서술자의 요약적 제시가 나타난다.
⑤ 인물들의 말과 행동을 중심으로 사건이 전개된다.

2 이 글로 미루어 알 수 있는 내용이 아닌 것은?

① '어머니'와 '아저씨'는 서로에게 관심이 있다.
② '아저씨'는 자신의 마음을 내보이는 걸 망설인다.
③ '나'는 평소에도 '어머니'에게 거짓말을 즐겨 한다.
④ '아저씨'가 '나'의 집에서 하숙을 하게 된 필연적 이유가 있다.
⑤ '나'의 아버지와 '아저씨'는 어릴 때 같이 놀며 자란 친구 사이이다.

3 ㉠~㉤ 중, 당시 사회의 보수적 윤리관을 잘 보여 주는 말로 가장 적절한 것은?

① ㉠ ② ㉡ ③ ㉢ ④ ㉣ ⑤ ㉤

서술형

4 ⓐ를 〈보기〉와 같이 바꾸었을 때의 차이점을 다음 빈칸에 2어절로 쓰시오.

보기
어머니는 응당 옥희가 가져온 꽃이려니 생각하고 있다가 옥희에게서 아저씨가 준 것이라는 말을 듣는 순간 깜짝 놀랐다.

〈보기〉는 (　　　　　　　) 시점의 글로, 서술자가 작품 밖에 위치해 있으며, ⓐ보다 등장인물의 심리를 더 잘 알 수 있다.

5~7 다음 글을 읽고, 물음에 답하시오.

가 "이름을 거룩하게 하옵시며 나라에 임하옵시며 뜻이 하늘에서 이루어진 것처럼 땅에서도 이루어지이다. 오늘날 우리에게 일용할 양식을 주옵시고 우리가 우리에게 죄지은 자를 용서하여 준 것처럼 우리 죄를 사하여 주옵시고, 우리를 시험에 들지 말게 하옵시고……, 우리를 시험에 들지 말게 하옵시고……, 시험에 들지 말게……, 시험에 들지 말게……."

이렇게 어머니는 자꾸 되풀이하였습니다. 나도 지금은 막히지 않고 줄줄 외는 주기도문을 글쎄 어머니가 막히다니 참으로 우스운 일이었습니다.

나 "옥희야, 옥희 아버지는 옥희가 세상에 나오기도 전에 돌아가셨단다. 옥희도 아빠가 없는 건 아니지. 그저 일찍 돌아가셨지. 옥희가 이제 아버지를 새로 또 가지면 세상이 욕을 한단다. 옥희는 아직 철이 없어서 모르지만 세상이 욕을 한단다. 사람들이 욕을 해. '옥희 어머니는 화냥년이다.' 이러고 세상이 욕을 해. '옥희 아버지는 죽었는데 옥희는 아버지가 또 하나 생겼대. 참 망측도 하지.' 이러고 세상이 욕을 한단다. 그리되면 옥희는 언제나 손가락질 받고. 옥희는 커도 시집도 훌륭한 데 못 가고, 옥희가 공부를 해서 훌륭하게 돼도, '에, 그까짓 화냥년의 딸.'이라고 남들이 욕을 한단다."

다 "이 손수건, 저 사랑 아저씨 손수건인데, 이것 아저씨 갖다 드리고 와, 응? 오래 있지 말고 손수건만 갖다 드리고 이내 와, 응." / 하고 말씀하셨습니다.

손수건을 들고 사랑으로 나가면서, 나는 접어진 손수건 속에 무슨 ㉠발각발각하는 종이가 들어 있는 것처럼 생각되었습니다마는, 그것을 펴 보지 않고 그냥 갖다가 아저씨에게 주었습니다.

아저씨는 방에 누워 있다가 벌떡 일어나서 손수건을 받는데, 웬일인지 아저씨는 이전처럼 나보고 빙긋 웃지도 않고 얼굴이 몹시 파래졌습니다.

라 저편 산모퉁이에서 기차가 나타났습니다.

"아, 저기 기차 온다."

하고 나는 좋아서 소리쳤습니다.

기차는 정거장에서 잠시 머물더니 금시에 '삑' 하고 소리를 지르면서 움직였습니다.

"기차 떠난다." / 하면서 나는 손뼉을 쳤습니다. 기차가 저편 산모퉁이 뒤로 사라질 때까지, 그리고 그 굴뚝에서 나는 연기가 하늘 위로 모두 흩어져 없어질 때까지, 어머니는 가만히 서서 그것을 바라다보았습니다.

5 〈보기〉의 질문에 대한 작가의 대답으로 적절하지 않은 것은?

보기
'옥희'를 서술자로 내세운 이유가 있으신가요?

① 과부의 사랑 이야기는 자칫 통속적이고 뻔해 보일 수 있습니다. ② 그래서 천진난만한 '나'의 시선을 통해 이야기를 재미있게 표현하려 했습니다. ③ 알다시피 어린이는 어른들의 미묘한 감정과 그 변화를 잘 파악하지 못하죠. ④ 하지만 서술자와 인물 간의 시각 차이를 보여 줌으로써 인물 간 갈등을 보다 구체적으로 전달할 수 있습니다. ⑤ 또 서술자가 보이는 이해의 한계가 오히려 독자에게는 상상하며 읽는 즐거움을 줄 수도 있고요.

6 (나)에서 알 수 있는, '어머니'가 '아저씨'와 이별을 결심한 이유로 적절하지 않은 것은?

① 다른 사람들의 시선이 두렵기 때문에
② '옥희'가 행여 상처받을까 봐 걱정이 되기 때문에
③ 또다시 이별하게 될지도 모른다는 불안감 때문에
④ 여성의 재가를 금기시하던 사회 분위기가 부담이 되기 때문에
⑤ 자신의 재혼이 '옥희'의 미래에 장애가 될까 봐 염려가 되기 때문에

7 ㉠에 대한 추측으로 적절하지 않은 것은?

① ㉠은 '어머니'가 '아저씨'에게 보내는 편지일 것이다.
② '어머니'는 ㉠을 전해 주면서 마음이 아팠을 것이다.
③ '아저씨'는 ㉠을 읽기도 전에 몹시 긴장하였을 것이다.
④ ㉠에는 '아저씨'의 사랑을 정중히 거절하는 내용이 담겼을 것이다.
⑤ '어머니'는 내심 '아저씨'가 ㉠에 담긴 내용을 부정하길 바랐을 것이다.

03 흑설 공주 ① _이경혜

핵심 콕콕 • 재구성된 소설과 원작 비교하기
• 재구성된 소설에 담긴 작가의 의도 파악하기

갈래	현대 소설, 개작 동화
성격	동화적, 환상적, 교훈적
배경	옛날, 어느 왕국
시점	전지적 작가 시점
제재	아름다움의 기준
주제	인간은 모두 자신만의 아름다움을 가지고 있다.
특징	• 널리 알려진 동화 「백설 공주」를 재구성한 작품임. • 원작의 인물 구성과 이야기 요소를 변형함.

발단 **가** 흰 눈이 펑펑 쏟아지는 겨울날이었다.

눈처럼 하얀 드레스를 입은 왕비가 창가에 앉아 뜨개질을 하고 있었다. 왕비는 하얀 털실로 태어날 아기가 입을 망토를 짜고 있었다. 왕비는 하얀 색을 유난히 좋아해서 커튼도 침대보도 아기가 입을 옷도 모두 하얀색으로 만들었다. 이 왕비가 바로 눈처럼 하얀 피부에 피처럼 붉은 입술, 흑단처럼 검은 머리칼을 지닌 그 유명한 '백설 공주'였다.

흑단: 감나뭇과의 상록 활엽 교목인 흑단나무에서 얻는 단단하고 검은 목재

'우리 아기도 나를 닮아 눈처럼 하얀 살결을 지니겠지.'

왕비는 조용히 미소를 지었다.

그때였다. 문득 고개를 들고 창을 바라보던 왕비는 깜짝 놀라고 말았다.

창밖에 검은 눈이 내리고 있었다!

그것도 다른 곳에는 여전히 흰 눈이 펄펄 내리는데, 왕비가 앉아 있는 창밖에만 반짝반짝 검게 빛나는 눈이 내리는 것이었다.

"아니, 이게 무슨 일이지?"

왕비는 놀라서 창문을 열고 손바닥에 검은 눈을 받아 보았다. 하얀 왕비의 손 위에 놓인 검은 눈송이는 흑진주처럼 영롱한 빛으로 반짝이다가 조용히 녹아내렸다.

"아, 정말로 아름답구나. 이 검은 눈처럼 아름다운 아기를 낳았으면!"

왕비는 자기도 모르게 한숨 쉬듯 그런 말을 뱉고 말았다.

나 몇 달 후 왕비는 공주를 낳았다. 그런데 놀랍게도 공주는 굴뚝에서 빼내 온 아이처럼 온몸이 새까맸다. 시녀들은 어쩔 줄 몰라 비명을 질렀지만 왕비만은 그 새까만 공주를 품에 안으며 기쁨의 눈물을 흘렸다.

"오, 정말로 검은 눈처럼 아름다운 아기가 태어났구나. 이 아기를 흑설 공주라고 부르도록 하여라."

흑설은 검은 눈이란 뜻이었다. 왕비는 흑설 공주에게 하얀 망토를 입히고 몹시 사랑했지만 안타깝게도 흑설 공주가 첫돌이 되기 전에 그만 병에 걸려 세상을 떠나고 말았다.

다 어머니가 없어도 흑설 공주는 무럭무럭 자라났다. 하지만 공주를 사랑해 주는 사람은 이 세상에 한 사람도 없었다. / 백성들은 모두 공주를 이상한 눈으로 바라보았다.

"기가 막히지. 임금님도 왕비님도 모두 고귀한 하얀 피부를 갖고 계신데, 어째서 공주는 저렇게 온몸이 새까맣지? 어유, 보기 싫어라!"

아버지인 왕마저 공주를 볼 때마다 한숨을 푹푹 쉬었다.

"어허, 어째서 백설 공주의 딸이 흑설 공주가 되었단 말인가? 비록 내 딸이지만 사랑스럽지가 않구나."

흑설 공주는 손가락질을 당하고 미움을 받는 것에 길이 들어 늘 고개를 숙이고 다녔다. 오직 어머니가 떠 준 하얀 망토만을 언제나 품속에 넣고 다녔다. 무엇에든 욕심이 없는 공주였지만 그 하얀 망토만은 절대로 몸에서 떼어 놓는 법이 없었고, 아무도 손을 대지 못하게 했다. 잠을 잘 때도 공주는 망토를 품에 꼭 안고 잤다. 그럴 때면 공주도 엄마 품에서 잠드는 것처럼 아늑한 행복을 느꼈다.

길: 어떤 일에 익숙하게 된 솜씨

궁궐의 시녀조차도 흑설 공주 앞에서는 자신의 하얀 피부를 뽐내며 공주를 무시하기 일쑤였다. 그래서 흑설 공주는 언제나 사람들 눈에 띄지 않는 곳만을 찾아다녔다. 아무도 책을 읽는 사람이 없어 먼지만 쌓이고 있는 궁궐의 작은 도서관이나 정원 귀퉁이의 덤불숲(어수선하게 엉클어진 얕은 수풀이 꽉 들어찬 곳) 같은 곳에서 하루 종일 시간을 보내곤 하였다. 그러다 보니 흑설 공주는 어느덧 책을 좋아하게 되었고, 들쥐나 새 같은 작은 짐승들과도 친해졌다.

발단 | '왕비(백설 공주)'의 소망으로 살빛이 검은 '□□ □□'가 태어남.

콕콕 정리

교과서 핵심 개념

◆ 이 글이 원작을 재구성한 방법

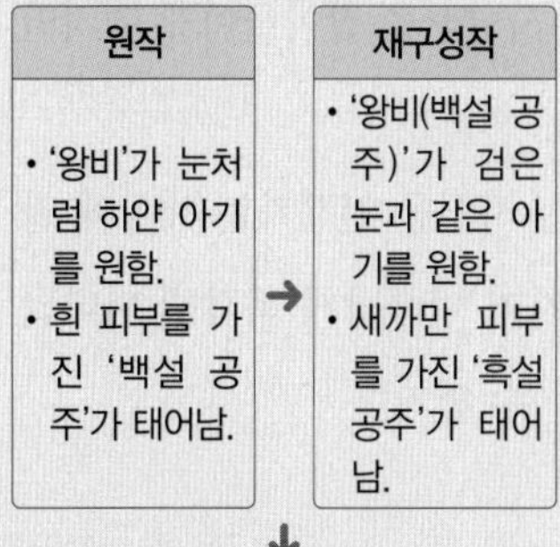

원작		재구성작
• '왕비'가 눈처럼 하얀 아기를 원함. • 흰 피부를 가진 '백설 공주'가 태어남.	→	• '왕비(백설 공주)'가 검은 눈과 같은 아기를 원함. • 새까만 피부를 가진 '흑설 공주'가 태어남.

↓

새로운 상상을 더해 원작의 인물 구성을 바꾸고 내용에 변형을 가하여 재구성함.

교과서 핵심 개념

◆ 재구성된 작품과 원작 비교 ①

공통점
• '왕비'가 바란 특성을 지닌 '공주'가 태어남. • '공주'가 태어난 지 얼마 안 되어 왕비가 죽음.

「백설 공주」	「흑설 공주」
• 눈처럼 하얀 피부, 붉은 입술, 검은 머리카락을 지님.	• 굴뚝에서 빠져나온 아이처럼 매우 까만 피부를 지님.
• 공주가 모든 사람에게 사랑받음.	• '공주'가 아버지인 '왕'을 비롯한 모든 사람에게 사랑받지 못함. • 외로운 '공주'는 책을 좋아하게 됨.

교과서 핵심 개념

1 이 글에 대한 설명으로 적절한 것은?

① 원작에 작가의 객관적인 시각이 더해졌다.
② 원작에서 주인공의 이름과 특성만 바꿔 재구성했다.
③ 원작에 새로운 상상을 더해 내용과 인물을 변형했다.
④ 널리 알려진 동화의 시대적 배경을 바꿔 새롭게 썼다.
⑤ 널리 알려진 동화를 바탕으로 하여 갈래와 시점을 달리했다.

교과서 핵심 개념

2 이 글이 원작과 비교하여 달라진 점으로 알맞지 않은 것은?

① '왕비'의 바람대로 새까만 피부를 가진 '공주'가 태어났다.
② '왕비'가 뜨개질을 할 때 영롱한 빛을 띤 검은 눈이 내렸다.
③ '공주'는 사람들 눈에 띄는 것을 꺼려 늘 고개를 숙이고 다녔다.
④ '공주'는 궁궐의 도서관에서 홀로 책을 읽는 것을 즐기게 되었다.
⑤ '왕비'는 공주를 낳은 지 얼마 되지 않아 병에 걸려 세상을 떠났다.

3 '흑설 공주'가 사람들에게 사랑받지 못한 이유로 알맞은 것은?

① '임금님'도 '공주'를 싫어하기 때문에
② 사교적이지 못하고 내성적인 성격 때문에
③ 자신감 없이 늘 고개를 숙이고 다니기 때문에
④ 사람들은 하얀 피부만이 아름답다고 생각하기 때문에
⑤ 사람들을 피해 눈에 띄지 않는 곳만 찾아다니기 때문에

서술형

4 다음 설명에 해당하는 소재를 찾아 2어절로 쓰시오.

• '흑설 공주'가 모두에게 미움을 받는 괴로움을 달랠 수 있는 대상
• '흑설 공주'에게 유일한 위안을 주는 대상

03 흑설 공주 ❷

생략된 내용 ⟫ '왕'은 '새 왕비'를 맞아들이고, '새 왕비'는 자신의 아름다움을 더욱 빛나 보이게 하기 위하여 '흑설 공주'를 데리고 다니며 잘 대해 주는 척한다. 그러다가 진실의 거울로부터 세상에서 가장 아름다운 사람이 '흑설 공주'라는 사실을 들은 '왕비'는 '왕'을 설득하여 '공주'를 성 밖으로 내보내고, '사냥꾼'을 시켜 '공주'를 죽이게 한다. '사냥꾼'의 동정으로 겨우 목숨을 구한 '흑설 공주'는 깊은 숲속에 들어가 '백설 공주'의 일곱 난쟁이의 자식인 '일곱 명의 난쟁이'들을 만나 함께 지내게 된다.

절정 **라** 한편 왕비는 이제 흑설 공주를 죽였으니 다시 거울에게 물어보고 싶은 마음이 생겼다.

"거울아 거울아, 이 세상에서 가장 아름다운 사람이 누구지?"

그러자 거짓말을 못하는 거울은 슬픈 목소리로 이렇게 대답하고 말았다.

"왕비님, 왕비님은 물론 아름다우십니다. 하지만 세상에서 가장 아름다운 분은 저기 일곱 개의 산 너머 일곱 난쟁이 집에 있는 흑설 공주님이십니다."

왕비는 질투와 분노로 바드득 이를 갈았다. 사냥꾼이 자기를 속인 것이다! 당장 사냥꾼을 잡아들이게 했지만 사냥꾼은 이미 왕비가 준 상금을 들고 다른 나라로 달아나고 없었다.

'으으! ㉠흑설 공주가 살아 있어선 안 돼. 그랬다가는 내가 자기를 죽이려 했다는 사실을 언젠가는 세상에 알리고야 말걸. 더군다나 거울도 저렇게 지껄이고 있는 걸 보면 언제 그 애가 갑자기 아름답게 둔갑해 나타날지 어떻게 안단 말이야? 나보다 아름다운 사람이 이 세상에 있는 꼴은 절대로 볼 수 없지!'

마 예전에 마녀에게서 마법을 배우기도 했던 왕비는 자신이 직접 나서 흑설 공주를 죽이기로 마음먹었다. 왕비는 늙수그레한(꽤 늙어 보이는) 장사꾼 영감처럼 모습을 바꾸고, 일곱 개의 산을 넘어 일곱 난쟁이의 집을 찾아가 문을 두드렸다. / "헌책 사세요! 헌책 사세요!"

왕비는 ⓐ독 사과 따위를 들고 가는 짓은 하지 않았다. 공주가 가장 좋아하는 것이 책이란 것을 잘 알고 있었던 것이다. 흑설 공주는 책이란 말에 눈이 번쩍 뜨였다. 안 그래도 난쟁이네 집에 있는 몇 권 안 되는 책들은 벌써 외울 만큼 여러 번 읽어 버린 뒤여서 다른 책이 몹시 읽고 싶었던 참이었다.

공주는 가만히 창밖을 내다보았다. 밖에는 늙수그레한 영감이 책을 한 더미나 지고 서 있었다. 여자가 아니라 남자인 것을 보니 마음이 놓인 공주는 살그머니 문을 열었다.

왕비는 이때다 싶어 책 한 권을 펼쳐 보이며 말했다.

"자, 예쁜 아가씨, 세상에서 가장 재미있는 이 책을 한번 보시우."

그 책에는 공주가 살던 왕궁의 모습과 ⓑ'진실의 거울'과 아늑한 다락방의 친구들이 그려져 있었다. 흑설 공주는 자기도 모르게 손을 뻗어 그 책을 받아 들었다. 왕비는 굵직한 목소리로 말했다.

"아주 귀한 책이라우. 이런 산속에서는 볼 수도 없는 책이지. 내가 지고 다니기가 무거워서 그러니 물 한 잔만 주면 이 책을 선물로 주고 가리다."

"정말요?" / 흑설 공주는 기뻐서 얼른 물을 가지러 안으로 들어갔다.

그사이 왕비는 공주가 펼쳐 둔 페이지에 재빨리 독을 발랐다. 그리고 다음 페이지에는 그 독을 풀 수 있는 ⓒ해독제(몸 안에 들어간 독성 물질의 작용을 없애는 약)도 발랐다. 책에 독을 바를 때는 반드시 다음 장에 해독제도 발라야 하는 것이 마녀 세계의 법칙이었다. 그것은 마녀와 책의 요정들 사이에 맺어진 계약이었다. 하지만 책을 읽는 사람은 독이 입에 들어가는 순간 숨이 끊어지니 다음 장에 해독제가 발라져 있어도 별달리 소용이 없었다.

아니나 다를까, 물을 가져다준 공주는 아까 읽던 페이지를 다 읽고 손가락에 ⓓ침을 묻혀 다음 장을 넘겼다.

왕비는 침을 꼴깍 삼키며 공주를 바라보았다. 이미 공주의 손끝에는 독이 묻어 있었다. 그 손가락에 다시 침을 묻히면 왕비의 목적이 달성되는 것이었다. 또다시 다음 장을 넘기기 위해 손가락에 침을 묻히던 공주는 그대로 자리에서 풀썩 쓰러지고 말았다. 왕비는 미소를 지으며 품 안에서 ⓔ손거울을 꺼내 공주의 코끝에 대 보았다. 만약 공주가 숨을 쉰다면 거울에 김이 서릴 것이기 때문이다. 그러나 거울에는 아무런 흔적도 없었다. 공주는 숨이 끊어졌다.

"으히히히히히!" / 왕비의 소름 끼치는 웃음소리가 오래도록 숲을 울렸다.

절정 '흑설 공주'가 변장한 '□□'의 계략에 빠져 숨이 끊어짐.

콕콕 정리

교과서 핵심 개념

◆ 재구성된 작품과 원작 비교 ②

공통점
• '새 왕비'는 거울에게 세상에서 가장 아름다운 사람이 여전히 '공주'라는 말을 듣고 공주를 죽이려고 함. • '새 왕비'는 독을 사용해 직접 '공주'를 죽이려 함. • '새 왕비'의 독 때문에 '공주'의 숨이 끊어짐.

차이점	
「백설 공주」	「흑설 공주」
• '새 왕비'가 노파로 변장함.	• '새 왕비'가 영감으로 변장함.
• 사과에 독만 바름.	• 책에 독과 해독제를 함께 바름.

◆ 주요 소재의 역할

거울	아름다움을 판단하여 갈등의 실마리를 제공함.
헌책	'공주'를 해치기 위한 미끼가 됨.
해독제	'공주'가 살아날 것임을 암시함.
손거울	'공주'의 죽음을 확인시켜 줌.

교과서 핵심 개념

1 이 글을 읽고 감상한 내용으로 알맞지 않은 것은?

① 원작 「백설 공주」와 비교해 보며 읽는 재미가 있어.
② 원작의 인물 구성과 이야기 요소가 변형된 작품이야.
③ 새 왕비의 성격처럼 원작과 다르지 않은 요소도 많아.
④ 원작을 다시 구성한 작품이라 작가의 관점에는 변함이 없어.
⑤ 원작의 일부를 단순히 바꾼 것이 아니라 비판적·창조적으로 재구성했어.

교과서 핵심 개념

2 이 글과 원작의 차이점으로 알맞은 것끼리 모두 골라 바르게 묶은 것은?

ㄱ. '왕'이 맞아들인 '새 왕비'가 '공주'의 미모를 질투한다.
ㄴ. '사냥꾼'이 '새 왕비'의 지시를 어기고 공주를 살려 준다.
ㄷ. '새 왕비'가 늙은 장사꾼 영감으로 변장하여 '공주'를 찾아간다.
ㄹ. '새 왕비'가 '공주'가 가장 좋아하는 책에 독을 발라 '공주'를 죽이려 한다.

① ㄱ, ㄴ ② ㄱ, ㄷ ③ ㄱ, ㄹ ④ ㄴ, ㄹ ⑤ ㄷ, ㄹ

3 '새 왕비'가 ㉠과 같이 생각한 이유로 가장 알맞은 것은?

① 새까맣던 '공주'가 아름답게 둔갑한 게 억울해서
② 자신이 가장 아름다운 사람이어야 한다고 여겨서
③ '거울'이 '공주'를 아끼고 사랑하는 것이 화가 나서
④ 자신을 속인 '공주'와 '사냥꾼'에게 복수하고 싶어서
⑤ '공주'가 자신의 악행을 알리고 다니자 입을 막으려고

4 ⓐ~ⓔ 중, '흑설 공주'가 되살아날 것임을 예측하게 해 주는 소재로 알맞은 것은?

① ⓐ ② ⓑ ③ ⓒ ④ ⓓ ⑤ ⓔ

03 흑설 공주 ③

결말 **바** 한편 달이 떠서 집으로 돌아온 일곱 난쟁이들은 공주가 쓰러져 있는 것을 발견했다. 난쟁이들은 예전의 일을 거울삼아 공주의 허리띠도 풀어 보고, 머리에 빗이 꽂혀 있는지, 입안에 독 사과가 남아 있는지 다 뒤져 보았지만 아무리 찾아도 공주가 어떻게 죽었는지 알 수가 없었다. 흑설 공주는 숨이 끊어진 게 확실했다. 일곱 난쟁이들은 흑설 공주의 옆에 앉아 사흘 밤낮을 울었다.

(거울삼아: 남의 일이나 지나간 일을 보아 본받거나 분명히 타일러 다시는 같은 잘못을 저지르지 않도록 하여)

하지만 흑설 공주는 여전히 흑진주처럼 영롱하게 빛이 나서 죽은 사람처럼 보이지 않았다. 그래서 난쟁이들은 예전에 백설 공주를 담았던 투명한 유리 관에 흑설 공주를 눕혔다. 죽은 공주 옆에 놓여 있던 읽다 만 책도 펼친 쪽 그대로 관 속에 넣었다. 죽어서라도 공주가 그 책을 계속 읽고 싶을지 모른다고 생각했기 때문이다.

사 그렇게 며칠이 흐른 뒤였다. 젊은 나무꾼 한 사람이 나무를 하러 왔다가 공주가 누워 있는 관을 보게 되었다. 드레스를 입고 누워 있는 검은 여인의 모습을 보자 나무꾼은 한눈에 그가 흑설 공주란 것을 알아보았다.

"아, 공주님이 돌아가시다니!" / 나무꾼은 너무나 슬펐다. 고개를 숙인 채 화려한 왕비에게 끌려다니던 검은 공주를 나무꾼은 오래전부터 사모하고 있었다. 공주가 마녀라고 사람들이 수군댈 때도 나무꾼은 공주 편이었다. 나무꾼 역시 혼자 있기를 좋아하고, 책을 좋아하는 청년이라 공주의 괴로움을 잘 알 수 있었다. 옛날이야기를 많이 읽은 나무꾼은 혹시나 하는 마음에 유리 관 뚜껑을 열고 공주의 입에 살짝 입맞춤을 해 보았지만 공주의 입술은 여전히 싸늘하기만 했다. 나무꾼의 눈에 눈물이 그렁그렁 맺혔다.

(사모하고: 애틋하게 생각하고 그리워하고)

그때 나무꾼의 눈에 공주가 읽다 만 책이 들어왔다. 책을 좋아하는 나무꾼은 공주가 읽던 책이 무슨 책인지 몹시 궁금해졌다. 그래서 책을 가져다 보니, 펼쳐진 책에는 공주가 즐겨 머물렀던 다락방과 진실의 거울에 관한 이야기가 적혀 있었다. 그러자 나무꾼의 가슴은 다시금 슬픔으로 차올랐다.

[A]

"아, 가엾은 공주님……." / 슬픔에 젖은 나무꾼의 눈에서 눈물이 줄줄 흘러내렸다. 눈물은 책장 위를 지나 아래로 뚝뚝 떨어져 공주의 입안으로 흘러 들어갔다.

그때였다. 공주가 "아!" 하고 작은 한숨을 내쉬더니 눈을 떴다. 나무꾼의 눈물에 책장에 묻어 있던 해독제가 공주의 입안으로 녹아 들어간 것이었다. 눈을 뜬 공주는 나무꾼의 눈 속에 비친 자신의 모습을 바라보았다. 공주는 그 모습이 아름답게 느껴졌다. 자기도 아름다운 사람이라는 것을 깨달은 공주는 나무꾼을 바라보며 환하게 미소를 지었다. 숲속에 검은 태양이 뜬 듯 그 모습은 눈부시게 아름다웠다.

아 흑설 공주가 돌아오자 왕궁은 발칵 뒤집어졌다.무엇보다도 ㉠조금도 달라진 것이 없는 여전히 새까만 공주가 어째서 이토록 아름답게 여겨지는지 사람들은 당황하고 말았다. 왕비의 사악한 음모도 드러났다. 아름답게만 여겨졌던 왕비의 모습은 이제 징그러운 껍질처럼만 느껴졌다. 왕은 불같이 화를 내며 왕비를 감옥에 가두었다.

(음모: 나쁜 목적으로 몰래 흉악한 일을 꾸밈. 또는 그런 꾀)

나무꾼과 공주의 결혼식이 성대하게 거행되었다. / 검게 빛나는 공주가 어찌나 아름다운지 숯검정을 얼굴에 칠하는 게 유행이 되었다. 더 아름다워지고 싶은 여자들은 아예 굴뚝 속에 들어갔다 나오기도 하였다.

(숯검정: 숯에서 묻은 먼지 모양의 검은 가루)

큰 깨달음을 얻은 흑설 공주는 다락방의 거울에게 가서 물었다.

"거울아 거울아, 세상에서 가장 못생긴 사람이 누구니?"

그러면 거울은 그때마다 정직하게 대답했다. / "저 바닷가 마을 오두막에 사는 메리라는 처녀입니다."

그러면 공주는 그 사람을 불러다 자신의 아름다움을 깨달을 수 있도록 도와주었다. 다른 사람들이 세운 아름다움의 기준이라는 것은 하루아침에 바뀔 수 있는 허약한 것으로, 아름다움이란 것은 누구에게나 깃들어 있다는 것을 알려 주었다. 자신만이 가지고 있는 아름다움을 찾아내어 바라볼 수 있는 눈을 키워 주었던 것이다. 그리하여 흑설 공주의 나라에는 아름답지 않은 사람이 하나도 없게 되었다.

이제 거울은 "거울아 거울아, 세상에서 가장 아름다운 사람이 누구지?" 하는 공주의 질문에 대답할 수 없게 되었다. / "모르겠어요. 다들 나름대로 아름다우니 누가 가장 아름다운지 도무지 알 수가 없어요."

흑설 공주는 그제야 미소를 지으며 대답했다. / "그래, 그게 정답이란다. 세상 사람들은 누구나 각각 다른 아름다움을 가지고 있거든. 장미는 장미대로 아름답고, 제비꽃은 제비꽃대로 아름답듯이 말이야!"

결말 | '□□□'에 의해 깨어난 '흑설 공주'는 '나무꾼'과 결혼하여 행복하게 삶.

콕콕 정리

교과서 핵심 개념

◆ 재구성된 작품에 담긴 작가의 의도

원작과 달리 '흑설 공주'가 모든 사람들이 각자 나름의 아름다움을 지니고 있음을 깨닫게 해 준다는 것으로 끝맺고 있음.

↓

전달하려는 가치
외모만 중요한 것이 아니라, 사람마다 지닌 각자의 아름다움을 스스로 찾아내야 함.

교과서 핵심 개념

◆ 재구성된 작품과 원작 비교 ③

공통점
• 난쟁이들이 유리 관에 둔 '공주'를 발견한 남자가 '공주'를 살림. • '공주'를 깨운 남자는 '공주'를 사랑함.

차이점	
「백설 공주」	「흑설 공주」
• 이웃 나라에 사는 '왕자'는 '공주'의 미모에 첫눈에 반함.	• '나무꾼'은 '공주'를 오래 사모했고, 공주처럼 책을 좋아함.
• '왕자'의 단 한 번의 입맞춤으로 '공주가 깨어남.	• '나무꾼'의 눈물이 닿은 해독제가 '공주'를 살림.
• '왕자'와 '공주'는 서로 사랑하게 되고, '공주'만 세상에서 가장 아름다운 사람으로 남음.	• '공주'는 자신의 아름다움을 깨닫고, 사람들에게 저마다 지닌 아름다움을 깨닫게 해 줌.

교과서 핵심 개념

1 이 글을 통해 작가가 전달하려는 가치로 가장 적절한 것은?

① 진정한 아름다움의 기준은 변함이 없다.
② 아름답고 착한 사람은 복을 반드시 받는다.
③ 누군가에게 진실된 사랑을 받으면 아름다워진다.
④ 사람마다 지닌 각자의 아름다움을 스스로 발견해야 한다.
⑤ 남을 위해 봉사하는 삶이 아름답다는 것을 깨달아야 한다.

교과서 핵심 개념

2 다음 빈칸에 들어갈 질문 중, 답변이 원작과 차이가 없는 것은?

> '공주를 살린 사람'은 [   ]

① 어떤 계층에 속하는가?
② '공주'를 어떻게 살려 냈는가?
③ '공주'와 비슷한 취미가 있는가?
④ '공주'를 어떻게 사랑하게 되었는가?
⑤ '공주'가 깨어난 후 어떤 사이가 되었는가?

3 [A]와 같이 '공주'가 살아난 것에 담긴 의미로 적절한 것은?

① 과학적 해결의 중요성을 강조함.
② 독서하는 습관의 필요성을 전함.
③ 눈물이 위기 탈출 수단임을 전함.
④ 진심 어린 눈물의 소중함을 일깨움.
⑤ 사랑을 얻으려면 노력이 필요함을 알림.

4 ㉠의 이유를 (사)의 내용을 참고하여 한 문장으로 쓰시오.

03 흑설 공주

1~4 다음 글을 읽고, 물음에 답하시오.

가 왕비는 놀라서 창문을 열고 손바닥에 검은 눈을 받아 보았다. 하얀 왕비의 손 위에 놓인 검은 눈송이는 흑진주처럼 영롱한 빛으로 반짝이다가 조용히 녹아내렸다.

"아, 정말로 아름답구나. ㉠이 검은 눈처럼 아름다운 아기를 낳았으면!"

나 "오, 정말로 검은 눈처럼 아름다운 아기가 태어났구나. 이 아기를 흑설 공주라고 부르도록 하여라."

흑설은 검은 눈이란 뜻이었다. 왕비는 흑설 공주에게 하얀 망토를 입히고 몹시 사랑했지만 안타깝게도 흑설 공주가 첫돌이 되기 전에 그만 병에 걸려 세상을 떠나고 말았다.

다 아버지인 왕마저 공주를 볼 때마다 한숨을 푹푹 쉬었다.

"어허, 어째서 백설 공주의 딸이 흑설 공주가 되었단 말인가? ⓐ비록 내 딸이지만 사랑스럽지가 않구나."

흑설 공주는 손가락질을 당하고 미움을 받는 것에 길이 들어 늘 고개를 숙이고 다녔다. 오직 어머니가 떠 준 하얀 망토만을 언제나 품속에 넣고 다녔다.

라 '으으! 흑설 공주가 살아 있어선 안 돼. 그랬다가는 내가 자기를 죽이려 했다는 사실을 언젠가는 세상에 알리고야 말걸. 더군다나 거울도 저렇게 지껄이고 있는 걸 보면 언제 그 애가 갑자기 아름답게 둔갑해 나타날지 어떻게 안단 말이야? ⓑ나보다 아름다운 사람이 이 세상에 있는 꼴은 절대로 볼 수 없지!'

예전에 마녀에게서 마법을 배우기도 했던 왕비는 자신이 직접 나서 흑설 공주를 죽이기로 마음먹었다. 왕비는 늙수그레한 장사꾼 영감처럼 모습을 바꾸고, 일곱 개의 산을 넘어 ⓒ일곱 난쟁이의 집을 찾아가 문을 두드렸다.

"헌책 사세요! 헌책 사세요!"

왕비는 독 사과 따위를 들고 가는 짓은 하지 않았다. ⓓ공주가 가장 좋아하는 것이 책이란 것을 잘 알고 있었던 것이다.

마 그사이 ⓔ왕비는 공주가 펼쳐 둔 페이지에 재빨리 독을 발랐다. 그리고 다음 페이지에는 그 독을 풀 수 있는 해독제도 발랐다. 책에 독을 바를 때는 반드시 다음 장에 해독제도 발라야 하는 것이 마녀 세계의 법칙이었다.

1 이 글에 대한 설명으로 적절하지 못한 것은?

① 원작과 상반된 독자층을 대상으로 쓰였다.
② 작가의 상상력과 가치관이 반영되어 있다.
③ 원작과 사건의 전개 양상에 공통점이 있다.
④ 작가의 의도에 따라 내용이 변형된 부분이 있다.
⑤ 널리 알려진 동화를 바탕으로 하여 재구성된 작품이다.

2 이 글에 대한 해석으로 알맞지 않은 것은?

① 수빈: 검은 눈 같은 아이를 바란다는 말은 '흑설 공주' 탄생의 복선이 돼.
② 소영: '흑설 공주'는 사람들에게 손가락질을 받아도 당당한 모습을 보여.
③ 재인: '새 왕비'는 질투심이 많으며, 외면적 아름다움만 추구하는 인물이야.
④ 지호: '흑설 공주'에게 하얀 망토는 어머니를 대신하는 소중한 물건이었을 거야.
⑤ 준우: 책에 해독제도 바른 것은 '흑설 공주'가 위기에서 벗어날 수 있음을 예측하게 해.

3 작가가 〈보기〉를 ㉠처럼 변형하여 전하고자 한 바로 가장 적절한 것은?

> 보기
> 〈원작〉 하얀 눈처럼 아름다운 아기를 낳고 싶어 함.

① 아름다움의 기준은 획일적인 것이 아니다.
② 어머니는 아기가 어떤 모습이라도 사랑한다.
③ 무엇이든 간절히 소망하면 결국 이루어진다.
④ 하얀색보다 검은색이 훨씬 아름답고 가치 있다.
⑤ 검은 눈은 세상에 존재하지 않아서 더 신비하다.

4 ⓐ~ⓔ 중, 원작과 공통된 내용을 모두 골라 묶은 것은?

① ⓐ, ⓔ　② ⓑ, ⓒ　③ ⓑ, ⓓ
④ ⓐ, ⓑ, ⓒ　⑤ ⓒ, ⓓ, ⓔ

5~8 다음 글을 읽고, 물음에 답하시오.

(가) "아, 공주님이 돌아가시다니!"

나무꾼은 너무나 슬펐다. 고개를 숙인 채 화려한 왕비에게 끌려다니던 검은 공주를 나무꾼은 오래전부터 사모하고 있었다. 공주가 마녀라고 사람들이 수군댈 때도 나무꾼은 공주 편이었다. 나무꾼 역시 혼자 있기를 좋아하고, 책을 좋아하는 청년이라 공주의 괴로움을 잘 알 수 있었다.

(나) 슬픔에 젖은 나무꾼의 눈에서 눈물이 줄줄 흘러내렸다. 눈물은 책장 위를 지나 아래로 뚝뚝 떨어져 공주의 입안으로 흘러 들어갔다.

그때였다. 공주가 "아!" 하고 작은 한숨을 내쉬더니 눈을 떴다. 나무꾼의 눈물에 책장에 묻어 있던 해독제가 공주의 입안으로 녹아 들어간 것이었다.

눈을 뜬 공주는 나무꾼의 눈 속에 비친 자신의 모습을 바라보았다. 공주는 그 모습이 아름답게 느껴졌다. 자기도 아름다운 사람이라는 것을 깨달은 공주는 나무꾼을 바라보며 환하게 미소를 지었다. 숲속에 검은 태양이 뜬 듯 그 모습은 눈부시게 아름다웠다.

(다) "거울아 거울아, 세상에서 가장 못생긴 사람이 누구니?" / 그러면 거울은 그때마다 정직하게 대답했다.

㉠"저 바닷가 마을 오두막에 사는 메리라는 처녀입니다."

그러면 공주는 그 사람을 불러다 자신의 아름다움을 깨달을 수 있도록 도와주었다. 다른 사람들이 세운 아름다움의 기준이라는 것은 하루아침에 바뀔 수 있는 허약한 것으로, 아름다움이란 것은 누구에게나 깃들어 있다는 것을 알려 주었다. 자신만이 가지고 있는 아름다움을 찾아내어 바라볼 수 있는 눈을 키워 주었던 것이다. 그리하여 흑설 공주의 나라에는 아름답지 않은 사람이 하나도 없게 되었다. / 이제 거울은 "거울아 거울아, 세상에서 가장 아름다운 사람이 누구지?" 하는 공주의 질문에 대답할 수 없게 되었다.

㉡"모르겠어요. 다들 나름대로 아름다우니 누가 가장 아름다운지 도무지 알 수가 없어요."

흑설 공주는 그제야 미소를 지으며 대답했다.

"그래, 그게 정답이란다. 세상 사람들은 누구나 각각 다른 아름다움을 가지고 있거든. 장미는 장미대로 아름답고, 제비꽃은 제비꽃대로 아름답듯이 말이야!"

5 **이 글을 재구성한 의도를 고려할 때, 생각의 변화가 필요한 사람이 아닌 것은?**

① 키 높이 깔창을 필수품으로 여기는 형
② 피부가 까무잡잡해서 속상해하는 동생
③ 쌍꺼풀 없는 자신의 눈을 좋아하는 언니
④ 연예인과 닮게 성형하고 싶어 하는 친구
⑤ 모델을 보며 자신이 살쪘다고 생각하는 친구

6 **(가), (나)가 원작과 달라진 점에 대한 평가로 적절한 것은?**

① '나무꾼'이 첫눈에 반해 '공주'를 구하게 되는 것에서 원작을 향한 비판적인 관점이 드러나.
② 외면보다 내면을 사랑하는 인물인 '나무꾼'의 진심이 '공주'를 살린다는 점에서 의미가 있어.
③ '나무꾼'을 책을 좋아하는 청년으로 설정하여서 '공주'를 살리는 방법을 쉽게 찾을 수 있었어.
④ 사랑의 위대한 힘을 강조하기 위해서 의도적으로 '공주'와 공통점이 없는 '나무꾼'을 등장시켰어.
⑤ '공주'를 구하는 인물로 평범한 '나무꾼'을 등장시킨 것은 '공주'의 특별함을 강조하기 위해서야.

7 **거울의 대답이 ㉠에서 ㉡으로 변화한 것에 대한 설명으로 가장 적절한 것은?**

① 거울이 아름다움에 대한 진실을 의도적으로 숨기고 있다.
② 거울이 아름다움을 판단하는 능력을 상실했다고 볼 수 있다.
③ 거울이 아름다움의 판단 기준을 스스로 바꾸었음이 드러난다.
④ 거울이 명확한 대답을 회피하며 갈등의 실마리를 제공하고 있다.
⑤ 거울이 질문을 하는 사람의 마음을 헤아려 상대가 원하는 답을 해 주고 있다.

8 **(다)와 같은 결말을 통해 작가가 말하고자 한 주제를 <조건>에 맞게 쓰시오.**

'~해야 한다.' 형식의 한 문장으로 쓸 것

04 이상한 선생님 ① _채만식

핵심 콕콕
- 인물에 대한 풍자와 그 효과 파악하기
- 풍자 대상에 대한 서술자와 작가의 태도 이해하기

갈래	현대 소설, 단편 소설
성격	풍자적, 비판적
배경	해방 전후, 어느 초등학교
시점	1인칭 관찰자 시점
제재	기회주의적으로 행동하는 선생님
주제	해방 전후의 혼란한 사회를 틈타 기회주의적으로 행동하는 인물 비판
특징	• 어린아이를 서술자로 설정하여 주인공을 관찰함. • 인물의 외모와 행동을 과장하고 희화화하여 풍자함.

1

발단 **가** 우리 박 선생님은 참 이상한 선생님이었다.

박 선생님은 생긴 것부터가 무척 이상하게 생긴 선생님이었다. 키가 한 뼘밖에 안 되어서 뼘생 또는 뼘박이라는 별명이 있는 것처럼, 박 선생님의 키는 키 작은 사람 가운데에서도 유난히 작은 키였다. 일본 정치 때에, 혈서로 지원병을 지원했다 체격 검사에 키가 제 척수에 차지 못해 낙방이 되었다면, 그래서 땅을 치고 울었다면, 얼마나 작은 키인지 알 일이다.

(혈서: 제 몸의 피를 내어 자기의 결심, 청원, 맹세 따위를 글로 씀. 또는 그 글 / 척수: 치수. 길이에 대한 몇 자 몇 치의 셈 / 낙방: 시험, 모집, 선거 따위에 응하였다가 떨어짐.)

그런 작은 키에 몸집은 그저 한 줌만 하고. 이 한 줌만 한 몸집, 한 뼘만 한 키 위에 깜짝 놀랄 만큼 큰 머리통이 위태위태하게 올라앉아 있다. 그래서 박 선생님 또 하나의 별명은 대갈장군이라고도 했다.

머리통이 그렇게 큰 박 선생님의 얼굴은 어떻게 생겼느냐 하면, 또한 여느 사람과는 많이 달랐다.

뒤통수와 앞이마가 툭 내솟고, 내솟은 좁은 이마 밑으로 눈썹이 시꺼멓고, 왕방울 같은 두 눈은 부리부리하니 정기가 있고도 사납고, 코는 매부리코요, 입은 메기입으로 귀밑까지 넓죽 째지고, 목소리는 쇠꼬챙이로 찌르는 것처럼 쨍쨍하고.

(정기: 생기 있고 빛이 나는 기운)

나 이런 대갈장군인 뼘생 박 선생님과 아주 정반대로 생긴 이가 강 선생님이었다.

강 선생님은 키가 크고, 몸집도 크고, 얼굴이 너부릇하고, 얼굴이 검기는 해도 순하여 사나움이 든 데가 없고, 눈은 더 순하고, 허허 웃기를 잘하고, 별로 성을 내는 일이 없고, 아무하고나 장난을 잘하고……. 강 선생님은 이런 선생님이었다.

(너부릇하고: '너부죽하고'의 방언. 조금 넓고 평평한 듯하고)

다 뼘박 박 선생님과 강 선생님은 만나면 싸움이었다.

하학을 하고 나서, 우리가 청소를 한 교실을 둘러보다가 또는 운동장에서(그러니까 우리들이 여럿이는 보지 않는 곳에서 말이다.) 두 선생님이 만난다 치면, 강 선생님은 괜히 장난이 하고 싶어 박 선생님을 먼저 건드리곤 했다.

(하학: 학교에서 그날의 수업을 마침.)

하나는 커다란 몸집을 해 가지고 싱글싱글 웃으면서, 하나는 한 뼘만 한 키에 그 무섭게 큰 머리통을 한 얼굴을 바싹 대들고는 사나움이 졸졸 흐르면서, 그렇게 마주 서서 싸우는 모양은 마치 큰 수캐와 조그만 고양이가 마주 만난 형국이었다.

발단 '박 선생님'과 '강 선생님'의 ☐☐ 및 성격 소개

콕콕 정리

◆ '박 선생님'과 '강 선생님'의 외모와 성격

'박 선생님'		'강 선생님'
• 작은 키 • 작은 몸집 • 커다란 머리 • 사나운 생김새	↔ 외모	• 큰 키 • 큰 몸집 • 너부죽한 얼굴 • 순한 생김새
• 사나우며 옹졸함. • 화를 잘 냄.	↔ 성격	• 잘 웃으며 온순함. • 화를 잘 내지 않음.

교과서 핵심 개념

◆ '박 선생님'의 별명과 그에 대한 '나'의 태도

뼘박, 뼘생	키가 작아서 생긴 별명
대갈장군	머리가 커서 생긴 별명

↓

어린아이 서술자인 '나'가 '박 선생님'의 외모와 관련된 별명을 우습게 제시하는 것으로 보아, '박 선생님'을 부정적으로 보고 있음을 알 수 있음.

교과서 핵심 개념

◆ 인물에 대한 풍자와 그 효과 ①

'박 선생님'의 모습을 묘사한 부분

- 일본 정치 때에, 혈서로 지원병을 지원했다 체격 검사에 키가 제 척수에 차지 못해 낙방이 되었다면, 그래서 땅을 치고 울었다면, 얼마나 작은 키인지 알 일이다.
- 작은 키에 몸집은 그저 한 줌만 하고, 이 한 줌만 한 몸집, 한 뼘만 한 키 위에 ~ 입은 메기입으로 귀밑까지 넓죽 째지고, 목소리는 쇠꼬챙이로 찌르는 것처럼 쨍쨍하고.
- 한 뼘만 한 키에 그 무섭게 큰 머리통을 한 얼굴을 바싹 대들고는 사나움이 졸졸 흐르면서

↓

풍자의 표현 방식

인물의 외모를 우스꽝스럽게 표현함. (희화화)

↓

풍자의 표현 효과

읽는 이의 웃음을 유발함.

1 이 글의 서술 방식에 대한 설명으로 적절한 것은?

① 주인공 '나'가 자신의 이야기를 서술하고 있다.
② '나'가 주인공의 행동을 관찰하여 전달하고 있다.
③ '나'가 주인공의 심리를 꿰뚫어 보며 서술하고 있다.
④ 작가가 전지전능한 신처럼 모든 것을 서술하고 있다.
⑤ 작가가 등장인물의 말과 행동을 관찰하여 전달하고 있다.

교과서 핵심 개념

2 이 글의 등장인물에 대한 설명으로 알맞지 않은 것은?

① '박 선생님'은 그 당시 일본의 정책을 지지한다.
② '박 선생님'은 마음에 여유가 없고 사나운 사람이다.
③ '나'는 '박 선생님'의 외모와 관련된 별명들을 소개한다.
④ '강 선생님'은 약삭빠르고 남에게 시비 걸기를 좋아한다.
⑤ '강 선생님'은 '박 선생님'과 생김새나 성향이 대조적이다.

교과서 핵심 개념

3 (가)에서 '박 선생님'을 묘사한 방법과 그 효과로 가장 적절한 것은?

① 평범한 모습을 묘사하여 공감대를 형성한다.
② 과장되고 우스꽝스럽게 묘사하여 웃음을 유발한다.
③ 인물을 희화화하여 인물에게 동정심을 느끼게 한다.
④ 사실적으로 모습을 그려 내어 객관적 평가를 유도한다.
⑤ 외양을 실제 모습과 다르게 묘사하여 왜곡된 인식을 갖게 한다.

4 (다)에 나타난 두 선생님의 관계를 나타내는 한자 성어로 알맞은 것은?

① 견원지간(犬猿之間) ② 호형호제(呼兄呼弟)
③ 청출어람(青出於藍) ④ 죽마고우(竹馬故友)
⑤ 동고동락(同苦同樂)

서술형

5 이 글의 서술자가 '박 선생님'에 대해 내린 평가를 (가)에서 찾아 2어절로 쓰시오.

04 이상한 선생님 ❷

2

전개 **라** 다른 학교에서도 다 그랬을 테지만 우리 학교에서도 그때 말로 '국어'라던 일본 말, 그 일본 말로만 말을 하게 하고 엄마 아빠 할 적부터 배운 조선말은 아주 한 마디도 쓰지 못하게 했다.

그러나 주재소의 순사, 면의 면 서기, 도 평의원을 한 송 주사, 또 군이나 도에서 연설하러 온 사람, 이런 사람들이나 조선 사람끼리 만나도 척척 일본 말로 인사를 하고 이야기를 했지, 다른 사람들이야 일본 사람과 만났을 때 말고는 다들 조선말로 말을 하고, 그래서 학교 문 밖에만 나가면 만판 조선말로 말을 하는 사람들이요, 더구나 집에 돌아가면 어머니, 아버지, 언니, 누나, 아기 모두들 조선말로 말을 했다. 그러니까 우리도 교실에서 공부를 하고 나와 운동장에서 우리끼리 놀고 할 때에는 암만해도 일본 말보다 조선말이 더 많이, 더 잘 나왔다.

(주재소: 일제 강점기에, 순사가 머무르면서 사무를 맡아보던 경찰의 말단 기관 / 순사: 일제 강점기에 둔, 경찰관의 가장 낮은 계급 / 평의원: 어떠한 일을 평가하거나 심의하는 데 참여하는 사람 / 만판: 다른 것은 없이 온통 한가지로)

마 학교에서고 학교 밖에서고 조선말로 말을 하다 선생님한테 들키는 날이면 경치는 판이었다. 선생님들 중에서도 제일 심하게 밝히는 선생님이 뻠박 박 선생님이었다. 교장 선생님이나 다른 일본 선생님은 나무라기만 하고 마는 수가 있어도, 뻠박 박 선생님만은 절대로 용서가 없었다.

(경치는: 혹독하게 벌을 받는)

나도 여러 번 혼이 나 보았다.

한번은 상준이 녀석과 어떡하다 쌈이 붙었는데 둘이 서로 부둥켜안고 구르면서 이 자식아, 저 자식아, 죽어 봐, 때려 봐, 하면서 한참 때리고 제기고 하는 참이었다.

(제기고: 팔꿈치나 발꿈치 따위로 지르고)

그런데, 느닷없이

"고랏! 조셍고데 겡까 스루야쓰가 이루까(이놈아! 조선말로 쌈하는 녀석이 어딨어)."

하면서 구둣발길로 넓적다리를 걷어차는 건, 정신없는 중에도 뻠박 박 선생님이었다.

우리 둘이는 그 자리에서 빰이 붓도록 따귀를 맞았고, 공부 시간에 들어가지도 못하고 그 시간 동안 변소 청소를 했고, 그리고 조행 점수를 듬뿍 깎였다.

(조행: 태도와 행실을 아울러 이르는 말)

이렇게 뻠박 박 선생님한테 제일 중한 벌을 받는 때가 언제냐 하면, 조선말로 지껄이다 들키는 때였다.

바 강 선생님은 그와 반대로 아무 시비가 없었다.

교실에서 공부를 할 때 빼고는 그리고 다른 선생님, 그중에서도 교장 이하 일본 선생님들과 뻠박 박 선생님이 보지 않는 데서는, ㉠<u>강 선생님은 우리한테, 일본 말로 말을 하지 않았다. 우리들이 일본 말을 해도 강 선생님은 조선말을 하곤 했다.</u>

우리가 어쩌다 / "선생님은 왜 '국어(일본 말)'로 안 하세요?"

하고 물으면 강 선생님은 웃으면서

"나는 '국어'가 서툴러서 그런다." / 하고 대답했다.

그렇지만 우리가 보기에도 강 선생님은 일본 말이 서투른 선생님이 아니었다.

전개 | 학생들에게 □□ □ 사용을 강요하는 '박 선생님'과 되도록 조선말을 쓰는 '강 선생님'

3

위기 **사** 해방이 되던 바로 그 이튿날이었다.

여름 방학으로 놀던 때라, 나는 궁금해서 학교엘 가 보았다. 다른 아이들도 한 오십 명이나 와 있었다.

우리는 해방이라는 말은 아직 몰랐고, 일본이 전쟁에 지고 항복을 한 것만 알았다.

선생님들이, 그중에서도 뼘박 박 선생님이 그렇게도 일본(우리 대일본 제국)은 결단코 전쟁에 지지 않는다고, 기어코 전쟁에 이기고 천하에 못된 미국, 영국을 거꾸러뜨려 천황 폐하의 위엄을 이 전 세계에 드날릴 날이 머지않았다고, 하루에도 몇 번씩 그런 말을 해 쌓던 그 일본이 도리어 지고 항복을 하다니, 도무지 모를 일이었다.

위엄: 존경할 만한 위세가 있어 점잖고 엄숙함. 또는 그런 태도나 기세

콕콕 정리

교과서 핵심 개념

◆ 일본 말 사용에 대한 '박 선생님'과 '강 선생님'의 태도

'박 선생님'		'강 선생님'
• 일본의 정책에 적극적으로 동조하여 평상시에도 일본 말만 사용함. • 조선말을 사용하는 학생들에게 심한 벌을 줌.	대조 ↔	• 수업 시간 외 평상시에는 의도적으로 일본 말 대신 조선말을 사용함. • 조선말을 사용하는 학생들을 나무라지 않음.

↓

일본 말 사용에 대한 '박 선생님'과 '강 선생님'의 태도 차이로 보아, '강 선생님'이 일제에 동조하지 않고 자기 나름대로 일제에 저항하면서 민족정신을 지키려 함을 알 수 있음.

↓

'박 선생님'의 친일적 태도를 부각시키고 간접적으로 비판함.

교과서 핵심 개념

◆ 인물에 대한 풍자와 그 효과 ②

'박 선생님'의 말
"고랏! 조셍고데 겡까 스루야쓰가 이루까(이놈아! 조선말로 쌈하는 녀석이 어딨어)."

↓

풍자의 표현 방식
대상의 부정적인 측면을 부각시킴.

↓

풍자의 표현 효과
대상을 비판적으로 바라볼 수 있게 해 줌.

1 이 글에서 알 수 있는 당시 사회의 모습으로 알맞지 않은 것은?

① 조선 사람들이 일본 말을 '국어'로 사용했다.
② 학교에서 학생들에게 조선말 사용을 금지했다.
③ 학교 선생님들은 조선말을 사용하는 학생을 혼냈다.
④ 아이들은 학교 밖에서 어른들보다 조선말을 더 많이 사용했다.
⑤ 관료나 특별한 위치에 있는 사람들은 일본 말 사용을 생활화했다.

교과서 핵심 개념

2 이 글에 나타난 '박 선생님'과 '강 선생님'을 바르게 이해하지 못한 것은?

① '박 선생님'은 일본을 맹신하며 추종하는 인물이야.
② '강 선생님'은 조선말을 쓰는 학생을 나무라지 않아.
③ '박 선생님'은 평상시에 의도적으로 조선말을 사용해.
④ '강 선생님'은 일본에 적대적 감정을 지니고 있는 인물이야.
⑤ 일본 말 사용에 대한 '박 선생님'과 '강 선생님'의 태도는 대조적이야.

교과서 핵심 개념

3 (마)에 나타난 '박 선생님'의 행동에 대한 작가의 태도로 알맞은 것은?

① 친일적 행동을 부각시켜 대상을 비판한다.
② 행동과 속마음이 일치하지 않음을 공격한다.
③ 인물의 행동 변화 과정을 부정적으로 바라본다.
④ 친일적 태도가 생존을 위한 것이었음을 이해한다.
⑤ 인물의 가치관을 변화시킨 시대 상황을 안타까워한다.

4 ㉠의 이유로 알맞은 것은?

① 일본 말 사용이 서투르기 때문에
② 아이들의 반응을 알아보고 싶기 때문에
③ 일본 사람들이 알아듣는 것이 싫기 때문에
④ 아이들이 일본 말을 잘 이해하지 못하기 때문에
⑤ 일본의 정책에 동조하지 않고 민족정신을 지키려 했기 때문에

04 이상한 선생님 ❸

아 대석 언니는 직원실을 넌지시 넘겨다보더니 싱끗 웃으면서 처억 직원실 안으로 들어섰다.

같은 부모에게서 태어난 사이이거나 일가친척 가운데 항렬이 같은 동성의 손위 형제를 이르거나 부르는 말. 여기서는 '형'을 뜻함.

직원실 안에 있던 교장 선생님이랑 다른 두 일본 선생님이랑은 못 본 체하고 고개를 숙이고 있는데, 뼘박 박 선생님이 눈을 흘기면서 영락없이 일본 말로 / "난다(왜 그래)?" / 하고 책망을 했다.

조금도 틀리지 아니하고 꼭 들어맞게

대석 언니는 그러나 무서워하지 않고 한다는 소리가

"선생님, 덴노헤이까가 고오상(천황 폐하가 항복)했대죠?" / 하고 묻는 것이다.

뼘박 박 선생님은 성을 버럭 내어 그 큰 눈방울을 부라리면서 여전히 일본 말로

"잠자쿠 있어. 잘 알지두 못하면서…… 건방지게시리." / 하고 쫓아와서 곧 한 대 갈길 듯이 을러댔다.

대석 언니는 되돌아 나오면서 커다랗게 소리쳤다.

"덴노헤이까 바가(천황 폐하 망할 자식)!" / "……."

만일 다른 때 누구든지 그런 소리를 했다간 당장 큰일이 날 판이었다. 그러나 교장 선생님이랑 두 일본 선생님은 그대로 못 들은 척 코만 빠뜨리고 앉았고, 뼘박 박 선생님도 잔뜩 눈만 흘기고 있을 뿐이지 아무렇지도 않았다.

근심에 싸여 기가 죽고 맥이 빠지고

그런 걸 보면 정녕 일본이 지고, 덴노헤이까가 항복을 했고, 그래서 인제는 기승을 떨지 못하는 모양인 것 같았다.

기운이나 힘 따위가 성해서 좀처럼 누그러들지 않음. 또는 그 기운이나 힘

자 마침 강 선생님이 땀을 뻘뻘 흘리면서 헐떡거리고 뛰어왔다. 강 선생님은 본집이 이웃 고을이었다.

"오오, 느이들두 왔구나. 잘들 왔다. 느이들두 다들 알았지? 조선이, 우리 조선이 해방이 된 줄 알았지? 얘들아, 우리 조선이 독립이 됐단다, 독립이! 일본은 쫓겨 가구…… 그 지지리 우리 조선 사람을 못살게 굴구 하시하구 피를 빨아먹구 하던 일본이, 그 왜놈들이 죄다 쫓겨 가구, 우리 조선은 독립이 돼서 우리끼리 잘 살게 됐어, 잘 살게."

남을 얕잡아 낮추고

의젓하고 점잖던 강 선생님이 그렇게도 들이 날뛰고 덤비고 하는 것은 처음 보았다.

"자아, 만세 불러야지 만세. 독립 만세, 독립 만세 불러야지. 태극기 없니? 태극기, 아무두 안 가졌구나! 느인 참 태극기가 어떻게 생겼는지 구경도 못 했을 게다. 가만있자, 내 태극기 만들어 가지구 나올게."

그러면서 강 선생님은 직원실로 들어갔다. / 강 선생님이 직원실로 들어서는 것을 보고 교장 선생님이랑 두 일본 선생님은 인사를 하려고 풀기 없이 일어섰다. / 강 선생님은 교장 선생님더러 말을 했다.

드러나 보이는 활발한 기운

"당신들은 인제는 일없어. 어서 집으로 가 있다가 당신네 나라루 돌아갈 도리나 허우."

소용이나 필요가 없어

"……." / 아무도 대꾸를 못 하는데, 뼘박 박 선생님이 주저주저하다가

"아니, 자상히 알아보기나 하구서……." / 하니까 강 선생님이 버럭 큰 소리로 말한다.

찬찬하고 자세히

"무엇이 어째? 자넨 그래 무어가 미련이 남은 게 있어 왜놈들허구 대가리 맞대구 앉아서 수군덕거리나? 혈서로 지원병 지원 한 번 더 해 보고파 그러나? 아따, 그다지 애닯거들랑 왜놈들 쫓겨 가는 꽁무니 따라 일본으로 가서 살지 그러나. 자네 같은 충신이면 일본서두 괄시는 안 하리."

애달프거든. 마음이 안타깝거나 쓰라리거든 / 업신여기거나 하찮게 대함.

"……." / ㉠뼘박 박 선생님은 그만 두말도 못 하고 얼굴이 벌게서, 어쩔 줄을 몰라 했다. 뼘박 박 선생님이 남한테 이렇게 꼼짝 못하는 것을 보기는 처음이었다.

차 강 선생님은 반지를 여러 장 꺼내 놓고 붉은 잉크와 푸른 잉크로 태극기를 몇 장이고 그렸다. 그려 내놓고는 또 그리고, 그려 내놓고 또 그리고, 얼마를 그리면서, 그러다 아주 부드럽고 조용한 목소리로

얇고 흰 일본 종이

"여보게 박 선생?"

하고 불렀다. 그러고는 잠자코 앉아 있는 뼘박 박 선생님을 한 번 돌려다 보고 나서 타이르듯 말했다.

"내가 좀 흥분해서 말이 너무 박절했나 보이. 어찌 생각하지 말게……. 그리고 인제는 자네나 나나, 그동안 지은 죄를 우리 조선 동포 앞에 속죄해야 할 때가 아닌가? 물론 이담에, 민족이 우리를 심판하고 죄에 따라 벌을 줄 날이 오겠지. 그러나 장차에 받을 민족의 심판과 벌은 장차에 받을 민족의 심판과 벌이고, 시방 당장 조선 민족의 한 사람으로 할 일이 조옴 많은가? 우리 같이 손목 잡구 건국에 도움될 일을 하세. 자아, 이리 와서 태극기 그리게. 독립 만세부터 한바탕 부르세."

박절했나: 인정이 없고 쌀쌀했나

"……." / 뼘박 박 선생님은 아무 소리도 않고 강 선생님 옆으로 와서 태극기를 그리기 시작했다.

위기 일제의 패망과 ☐☐의 독립

콕콕 정리

교과서 핵심 개념

◆ 해방 소식에 대한 '박 선생님'과 '강 선생님'의 대조적 반응

'박 선생님'	일본인 선생님들과 직원실에 모여 앉아 기가 죽고 맥이 빠져 있음.
↕	
'강 선생님'	조국의 해방으로 평소와 다르게 날뛰면서 기뻐함.

'박 선생님'과 '강 선생님'은 일본의 패망과 조선의 해방에 서로 다른 반응을 보이는데, 이는 '박 선생님'의 부정적인 모습을 극명하게 보여 주어 독자가 '박 선생님'을 비판적으로 바라볼 수 있게 한다.

◆ 해방 전후 '강 선생님'과 '박 선생님'의 관계 변화

해방 전	평소 만나기만 하면 싸우는 일이 많았음.

해방 후	
'강 선생님'	일본의 패망을 받아들이지 못하는 '박 선생님'을 꾸짖으며, 속죄하는 의미로 태극기를 그릴 것을 권함. → '박 선생님'의 친일적 태도를 강렬히 비판함.
'박 선생님'	'강 선생님'의 꾸짖음에 어쩔 줄 몰라 하며, 그의 말에 따라 태극기를 그림. → 일제에 동조하지 않고 일본에 반감을 가졌던 '강 선생님'과 달리, 자신은 일제에 동조하고 일본을 찬양했기 때문에 '강 선생님'의 야단에 꼼짝도 못함.

1 이 글의 내용과 일치하지 않는 것은?

① '강 선생님'은 '박 선생님'에게 조국을 위해 힘을 합치자고 제안한다.
② '대석 언니'는 일본 말로 천황을 욕하며 '박 선생님'과 일본 선생님을 골려 준다.
③ '박 선생님'은 독립 만세를 부르기 위한 태극기를 그리자는 '강 선생님'의 권유에 응한다.
④ '강 선생님'은 '박 선생님'이나 '교장 선생님'과 달리 자신은 한 점 부끄럼 없다고 자신한다.
⑤ '나'는 일본을 따르던 '박 선생님'과 일본인 선생님들의 풀 죽은 모습에 일본의 항복을 체감한다.

교과서 핵심 개념

2 (자)에서 '강 선생님'이 '박 선생님'을 꾸짖은 이유로 알맞은 것은?

① 결단력이 없는 모습이 답답해서
② 여전한 친일적 태도를 비판하려고
③ 이 기회에 일본으로 쫓아내기 위해
④ 그동안 수모를 당한 것이 화가 나서
⑤ 친일 행위를 후회해 봐야 이미 늦었기 때문에

교과서 핵심 개념

3 '박 선생님'이 ㉠과 같이 행동한 이유로 알맞은 것은?

① 조선을 창피해하던 자신의 과오를 진심으로 뉘우쳐서
② 자신이 찬양하던 일본의 패망으로 더는 큰소리칠 수 없어서
③ '강 선생님'이 평소에도 논리적으로 반박을 잘하는 사람이어서
④ '강 선생님'이 진심 어린 충고를 해 주는 것에 깊은 감명을 받아서
⑤ 키가 작아 지원병 지원에서 떨어진 자신의 과거가 떠올라 부끄러워서

서술형

4 (자)에서 '박 선생님'과 '강 선생님'의 태도가 대조적으로 드러나게 된 사건을 찾아 2음절로 쓰시오.

04 이상한 선생님 ④

절정 **카** 그 뒤로 강 선생님과 뼘박 박 선생님은 사이가 매우 좋아졌다.

뼘박 박 선생님은 학과 시간마다 우리에게 여러 가지 좋은 이야기를 많이 해 주었다. 일본이 우리 조선을 빼어 저의 나라에 속국으로 삼던 이야기도 해 주었다. / 왜놈들은 천하의 불측한(생각이나 행동 따위가 괘씸하고 엉큼한) 인종이어서 남의 나라와 전쟁하기를 좋아하는 백성이라고 했다. 그래서 임진왜란 때에도 우리 조선에 쳐들어왔고, 그랬다가 이순신 장군이랑 권율 도원수한테 아주 혼이 나서 쫓겨 간 이야기도 해 주었다. / 우리 조선은 역사가 사천 년이나 오래되고 그리고 세계의 어떤 나라 못지 않게 훌륭한 문화가 발달한 나라라는 이야기도 해 주었다.

타 뼘박 박 선생님은 한편으로 열심히 미국 말을 공부했다. 그러면서 우리더러 졸업을 하고 중학교에 가거들랑 미국 말을 무엇보다도 많이 공부하라고, 시방은 미국 말을 모르고는 훌륭한 사람이 되지 못한다고 했다.

뼘박 박 선생님은 한 일 년 그렇게 미국 말 공부를 하더니, 그다음부터는 미국 병정이 오든지 하면 일쑤(드물지 아니하게 흔히) 통역을 하고 했다. 중학교에 다닐 때에 조금 배운 것이 있어서 그렇게 쉽게 체득했다고(몸소 체험하여 알게 되었다고) 했다.

미국 병정은 벼 공출을(국민이 국가의 수요에 따라 농업 생산물이나 기물 따위를 의무적으로 정부에 내어놓음.) 감독하러 와서 우리 뼘박 박 선생님을 그 꼬마 자동차에 태워 가지고 동네 동네 돌아다녔다. 뼘박 박 선생님은 미국 양복을 얻어 입고, 미국 통조림이랑 과자를 얻어먹고 했다.

파 해방 뒤에 새로 온 김 교장 선생님이 갈려 가고 강 선생님이 교장이 되었다. 강 선생님이 교장이 된 다음부터는, 뼘박 박 선생님은 강 선생님과 도로 사이가 나빠졌다.

강 선생님은 교장이 된 지 일 년이 못 되어서 파면을(잘못을 저지른 사람에게 직무나 직업을 그만두게 함.) 당했다.

어른들 말이, 강 선생님은 빨갱이라고 했다. 그래서 파면을 당했노라고 했다. 또 누구는, 뼘박 박 선생님이 강 선생님을 그렇게 꼬아 댄 것이지, 강 선생님은 하나도 빨갱이가 아니라고도 했다. / 강 선생님이 파면을 당한 뒤를 물려받아 뼘박 박 선생님이 교장 선생님이 되었다. 교장이 된 뼘박 박 선생님은 그 작은 키가 으쓱했다.

절정 □□을 추종하는 '박 선생님'과 대립하다 파면을 당한 '강 선생님'

결말 **하** 뼘박 박 선생님은 미국을 침이 마르도록 칭찬했다. 이 세상에 미국같이 훌륭한 나라가 없고, 미국 사람같이 훌륭한 백성이 없다고 했다. 우리 조선은 미국 덕분에 해방이 되었으니까 미국을 누구보다도 고맙게 여기고, 미국이 시키는 대로 순종해야 하느니라고 했다.

우리가 혹시 말끝에 "미국 놈……."이라고 하면, 뼘박 박 선생님은 단박(그 자리에서 바로) 붙잡아다 벌을 세우곤 하였다. 전에 "덴노헤이까 바가(천황 폐하 망할 자식)!"라고 한 것만큼이나 엄한 벌을 주었다.

"이놈아 아무리 미련한 소견(어떤 일이나 사물을 살펴보고 가지게 되는 생각이나 의견)이기로, 자아 보아라. 우리 조선을 독립을 시켜 주느라구 자기 나라 백성을 많이 죽여 가면서 전쟁을 했지. 그래서 그 덕에 우리 조선이 왜놈의 압제에서 벗어나서 독립이 되질 아니했어? 그뿐인감? 독립을 시켜 주구 나서두 우리 조선 사람들 배 아니 고프구 편안히 잘 살라고 양식이야, 옷감이야, 기계야, 자동차야, 석유야, 설탕이야, 구두야, 무어 죄다 골고루 가져다주지 않어? 그런데 그런 고마운 사람들더러, 미국 놈이 무어야?" / 벌을 세우면서 뼘박 박 선생님은 이렇게 꾸짖곤 하였다.

우리는 뼘박 박 선생님더러 미국에도 덴노헤이까가 있느냐고 물었다. 미국에 덴노헤이까가 있지 않고 서야 그렇게 일본의 덴노헤이까처럼 우리 조선 사람을 친아들과 같이 사랑하고, 우리 조선 사람들이 잘 살도록 근심을 하며, 온갖 물건을 가져다주고 할 이치가 없기 때문이었다(해방 전에 뼘박 박 선생님은, 덴노헤이까는 우리 조선 사람들을 일본 사람들과 같이 사랑하고, 우리 조선 사람들이 잘 살기를 근심하신다고 늘 가르쳐 주곤 했다.).

뼘박 박 선생님은 미국에는 덴노헤이까는 없고, 덴노헤이까보다 훌륭한 '돌멩이'라는 양반이 있다고 대답했다.

우리는 그럼 이번에는 그 '돌멩이'라는 훌륭한 어른을 위하여 '미국 신민노 세이시(미국 신민 서사)'를 부르고, 기미가요(일본의 국가) 대신 돌멩이 가요를 부르고 해야 하나 보다고 생각했다.

아무튼 뺑박 박 선생님은 참 이상한 선생님이었다.

결말 | 미국을 찬양하는 '박 선생님'을 □□□ 선생님으로 여기는 '나'

콕콕 정리

◆ 해방 전후로 달라진 '박 선생님'의 태도

해방 전		해방 후
미국을 못된 나라라고 생각하고, 일본을 찬양함.	→	일본을 비난하며 적대시하고, 미국을 찬양함.

↓

'박 선생님'은 시대적 상황에 따라 강한 쪽에 붙어 이익을 얻으려는 기회주의적인 태도를 보임.

◆ 서술자의 특징과 그 효과

서술자의 특징
판단이 미숙한 어린아이인 '나'는 이랬다저랬다 하는 '박 선생님'을 이해하지 못하고 '이상한 선생님'이라고 평가함.

↓

효과
• 세상 물정을 모르는 순진한 아이의 시선이 웃음을 유발함. • 대상의 부정적인 면모를 부각시켜 풍자의 효과를 높임.

교과서 핵심 개념

◆ 풍자 대상에 대한 작가의 태도

풍자 대상 = '박 선생님'
해방 전에는 일본을 찬양했다가, 해방 후에는 미국을 찬양하는 모습을 우스꽝스럽게 표현함.

↓

작가의 태도
해방 전후의 혼란한 상황을 틈타 사회에 해악을 끼치는 기회주의적 모습에 대해 부정적인 태도를 드러냄.

1 **이 글의 서술자를 어린아이로 내세워 얻을 수 있는 효과로 적절한 것은?**

① 천진난만한 아이의 눈을 통해 당시 상황을 냉철하게 전달할 수 있다.
② 순수한 아이의 시각에서 '박 선생님'의 잘못된 행동을 부각할 수 있다.
③ 세상 물정 모르는 아이의 모습을 통해 어린 시절을 돌아보게 할 수 있다.
④ '박 선생님'의 속마음을 있는 그대로 폭로하여 직접적으로 비판할 수 있다.
⑤ 눈치 없이 어수룩한 행동이 인물에 대한 객관적 판단을 흐리게 할 수 있다.

2 **이 글로 보아, 다음 빈칸에 들어갈 '박 선생님'의 모습으로 적절하지 않은 것은?**

광복 전		광복 후
일본을 찬양하며, 일본의 패망을 조금도 예상하지 못함.	→	

① 조선은 역사가 길고 문화가 발달한 나라라며 칭송함.
② 학생들에게 일본은 나쁜 나라라고 가르치면서 일본을 적대시함.
③ 미국 말을 열심히 공부하며 학생들에게 미국 말을 공부할 것을 권유함.
④ 미국 덕분에 해방이 되었으니 미국에 감사한 마음을 가져야 한다고 함.
⑤ 자신이 추종하는 미국에 협력하지 않으려 하는 학생들과 대립하여 싸움.

교과서 핵심 개념

3 **이 글의 주된 표현 방법을 사용한 의도를 바르게 이해한 것은?**

① 시류에 편승해서 살아가는 지식인에 대한 연민을 드러내려고
② 비유를 통해 누구라도 기회주의자가 될 수 있음을 경고하려고
③ 인물을 희화화해서 시대적 아픔을 극복해 가는 모습을 보여 주려고
④ 부정적인 인물을 직접 공격하여 올바른 지식인이 될 것을 촉구하려고
⑤ 인물의 모습을 우스꽝스럽게 표현하여 기회주의적 처세를 비판하려고

서술형

4 **이 글과 〈보기〉에서 작가가 부정적으로 보고 있는 대상을 각각 찾아 쓰시오.**

보기
두꺼비 파리를 물고 두엄 위에 치달아 안자 건넌산 바라보니 백송골이 떠 있거늘 가슴이 섬뜩하여 풀떡 뛰어 내닫다가 두엄 아래 자빠지거고 모쳐라 날랜 나일망정 어혈 질 뻔하여라 – 작자 미상

04 이상한 선생님

1~4 다음 글을 읽고, 물음에 답하시오.

(가) 키가 한 뼘밖에 안 되어서 뼘생 또는 뼘박이라는 별명이 있는 것처럼, 박 선생님의 키는 키 작은 사람 가운데에서도 유난히 작은 키였다. ㉠일본 정치 때에, 혈서로 지원병을 지원했다 체격 검사에 키가 제 척수에 차지 못해 낙방이 되었다면, 그래서 땅을 치고 울었다면, 얼마나 작은 키인지 알 일이다.

그런 작은 키에 몸집은 그저 한 줌만 하고, 이 한 줌만 한 몸집, 한 뼘만 한 키 위에 깜짝 놀랄 만큼 큰 머리통이 위태위태하게 올라앉아 있다. 그래서 박 선생님 또 하나의 별명은 대갈장군이라고도 했다.

(나) 강 선생님은 키가 크고, 몸집도 크고, 얼굴이 너부룻하고, 얼굴이 검기는 해도 순하여 사나움이 든 데가 없고, 눈은 더 순하고, 허허 웃기를 잘하고, 별로 성을 내는 일이 없고, 아무하고나 장난을 잘하고……. 강 선생님은 이런 선생님이었다.

(다) 한번은 상준이 녀석과 어떡하다 쌈이 붙었는데 둘이 서로 부둥켜안고 구르면서 이 자식아, 저 자식아, 죽어 봐, 때려 봐, 하면서 한참 때리고 제기고 하는 참이었다.

그런데, 느닷없이

㉡"고랏! 조셍고데 겡까 스루야쓰가 이루까(이놈아! 조선말로 쌈하는 녀석이 어딨어)."

하면서 구둣발길로 넓적다리를 걷어차는 건, 정신없는 중에도 뼘박 박 선생님이었다.

(라) 우리는 해방이라는 말은 아직 몰랐고, 일본이 전쟁에 지고 항복을 한 것만 알았다.

선생님들이, 그중에서도 뼘박 박 선생님이 그렇게도 ㉢일본(우리 대일본 제국)은 결단코 전쟁에 지지 않는다고, 기어코 전쟁에 이기고 천하에 못된 미국, 영국을 거꾸러뜨려 천황 폐하의 위엄을 이 전 세계에 드날릴 날이 머지않았다고, 하루에도 몇 번씩 그런 말을 해 쌓던 그 일본이 도리어 지고 항복을 하다니, 도무지 모를 일이었다.

(마) 의젓하고 점잖던 강 선생님이 그렇게도 들이 날뛰고 덤비고 하는 것은 처음 보았다.

"자아, 만세 불러야지 만세. 독립 만세, 독립 만세 불러야지. 태극기 없니? 태극기, 아무두 안 가졌구나! 느인 참 태극기가 어떻게 생겼는지 구경도 못 했을 게다. 가만있자, 내 태극기 만들어 가지구 나올게."

(바) 뼘박 박 선생님은 학과 시간마다 우리에게 여러 가지 좋은 이야기를 많이 해 주었다. 일본이 우리 조선을 뺏어 저의 나라에 속국으로 삼던 이야기도 해 주었다.

왜놈들은 천하의 불측한 인종이어서 남의 나라와 전쟁하기를 좋아하는 백성이라고 했다.

1 이 글에 대한 설명으로 알맞지 않은 것은?

① 1인칭 관찰자 시점의 소설이다.
② 해방 전후의 혼란한 사회를 시대 배경으로 한다.
③ 전쟁의 참상과 일본의 몰락을 사실적으로 그린다.
④ 대조적인 인물을 등장시켜 주인공의 특성을 강조한다.
⑤ 인물의 외모와 행동을 과장하여 부정적으로 묘사한다.

2 이 글에 대한 감상으로 적절하지 않은 것은?

① '박 선생님'의 별명은 외모 때문에 생긴 것들이네.
② '강 선생님'은 해방 소식에 진심으로 기뻐하고 있어.
③ '박 선생님'의 모습과 행동을 우스꽝스럽게 표현하여 부정적 특성을 드러내는군.
④ 작가는 외모와 성격은 관계없으므로 외모만으로 사람을 판단해서는 안 된다고 말하고 있어.
⑤ 학생들이 싸운 것보다 조선말을 쓰는 것에 더 분노하다니 '박 선생님'은 비판받아야 할 인물이야.

3 ㉠~㉢에 공통적으로 드러난 '박 선생님'의 특징으로 알맞은 것은?

① 친일적인 태도를 보인다.
② 전쟁에 참가하고 싶어 한다.
③ 작은 키에 열등감을 느낀다.
④ 학생들에게 매사 폭력적이다.
⑤ 조선 사회에 대한 불만으로 가득하다.

서술형

4 (바)에 드러난 '박 선생님'의 일본에 대한 태도 변화와 그 계기를 (라)를 참고하여 한 문장으로 쓰시오.

5~9 다음 글을 읽고, 물음에 답하시오.

가 ㉠뼘박 박 선생님은 한 일 년 그렇게 미국 말 공부를 하더니, 그다음부터는 미국 병정이 오든지 하면 일쑤 통역을 하고 했다. 중학교에 다닐 때에 조금 배운 것이 있어서 그렇게 쉽게 체득했다고 했다.

미국 병정은 벼 공출을 감독하러 와서 우리 뼘박 박 선생님을 그 꼬마 자동차에 태워 가지고 동네 동네 돌아다녔다. 뼘박 박 선생님은 미국 양복을 얻어 입고, 미국 통조림이랑 과자를 얻어먹고 했다.

나 강 선생님은 교장이 된 지 일 년이 못 되어서 파면을 당했다. / 어른들 말이, 강 선생님은 빨갱이라고 했다. 그래서 파면을 당했노라고 했다. ㉡또 누구는, 뼘박 박 선생님이 강 선생님을 그렇게 꼬아 댄 것이지, 강 선생님은 하나도 빨갱이가 아니라고도 했다.

㉢강 선생님이 파면을 당한 뒤를 물려받아 뼘박 박 선생님이 교장 선생님이 되었다.

다 뼘박 박 선생님은 미국을 침이 마르도록 칭찬했다. 이 세상에 미국같이 훌륭한 나라가 없고, 미국 사람같이 훌륭한 백성이 없다고 했다. 우리 조선은 미국 덕분에 해방이 되었으니까 미국을 누구보다도 고맙게 여기고, 미국이 시키는 대로 순종해야 하느니라고 했다.

㉣우리가 혹시 말끝에 "미국 놈……."이라고 하면, 뼘박 박 선생님은 단박 붙잡아다 벌을 세우곤 하였다.

라 미국에 덴노헤이까가 있지 않고서야 그렇게 일본의 덴노헤이까처럼 우리 조선 사람을 친아들과 같이 사랑하고, 우리 조선 사람들이 잘 살도록 근심을 하며, 온갖 물건을 가져다주고 할 이치가 없기 때문이었다(해방 전에 뼘박 박 선생님은, 덴노헤이까는 우리 조선 사람들을 일본 사람들과 같이 사랑하고, 우리 조선 사람들이 잘 살기를 근심하신다고 늘 가르쳐 주곤 했다.).

㉤뼘박 박 선생님은 미국에는 덴노헤이까는 없고, 덴노헤이까보다 훌륭한 '돌멩이'라는 양반이 있다고 대답했다. / 우리는 그럼 이번에는 그 '돌멩이'라는 훌륭한 어른을 위하여 '미국 신민노 세이시(미국 신민 서사)'를 부르고, 기미가요(일본의 국가) 대신 돌멩이 가요를 부르고 해야 하나 보다고 생각했다.

아무튼 뼘박 박 선생님은 참 이상한 선생님이었다.

5 이 글의 서술자에 대한 설명으로 알맞지 않은 것은?

① 작품 속 등장인물인 '나'이다.
② 세상 물정을 모르는 순진한 어린아이이다.
③ '박 선생님'의 부정적인 면을 더욱 부각한다.
④ '박 선생님'의 심리를 꿰뚫어 보고 전달한다.
⑤ 상황을 정확하게 이해하지 못해 웃음을 준다.

6 이 글의 내용과 일치하지 않는 것은?

① '박 선생님'은 해방 전후로 찬양 대상이 바뀌었다.
② '나'는 '박 선생님'의 일관성 없는 모습을 이상하게 여긴다.
③ '박 선생님'은 시대 변화에 대처하지 못하고 강대국에 이용만 당한다.
④ '강 선생님'이 파면된 배경에는 '박 선생님'이 관련됐다는 소문이 있었다.
⑤ '박 선생님'은 학생들에게 미국에 감사한 마음을 갖고 순종할 것을 요구한다.

7 '박 선생님'이 미국 말을 배운 이유로 알맞은 것은?

① 학생들이 미국 말을 배워 뜻을 펼치게 도우려고
② 일본에 대항하는 힘을 가진 미국을 돕고 싶어서
③ 미국의 영향력이 커지자 개인적 이익을 얻으려고
④ 미국에 건너가서 강대국의 힘을 배워 오고 싶어서
⑤ 미국 병정의 벼 공출을 도와 사회에 도움이 되려고

8 ㉠~㉤ 중, 다음 설명에 해당하는 예로 알맞은 것은?

> 인물의 말과 행동을 우스꽝스럽게 표현하여 부정적 행동을 폭로하고 웃음을 유발한다.

① ㉠　② ㉡　③ ㉢　④ ㉣　⑤ ㉤

서술형

9 '박 선생님'에 대한 풍자를 통해 작가가 어떤 삶의 태도를 비판하고자 하였는지 〈보기〉를 참고하여 쓰시오.

> 보기
> 그때그때의 정세에 따라 이로운 쪽으로 행동하는 태도를 뜻한다.

05 양반전 ❶ _박지원

핵심 콕콕
- 풍자의 대상과 표현 효과 파악하기
- 양반 매매 증서에 담긴 작가의 의도 이해하기

갈래	고전 소설, 한문 소설, 단편 소설
성격	비판적, 풍자적
배경	조선 후기, 강원도 정선군
시점	전지적 작가 시점
제재	양반 신분 매매
주제	양반 등의 허례허식과 무능함, 위선에 대한 비판
특징	• 양반 신분의 매매 사건을 통해 양반들의 위선적인 모습을 풍자함. • 신분 질서가 흔들리는 조선 후기 사회상을 사실적으로 드러냄.

발단 **가** '양반'이란 사족(士族)을 높여 부르는 말이다.

사족(士族): 선비나 무인(武人)의 집안 또는 그 자손

정선군에 어떤 양반이 살았다. 양반은 어질고 책 읽기를 좋아해서 고을에 군수가 새로 부임할 때마다 반드시 그 집에 찾아가 인사를 차렸다. 하지만 집이 가난해서 해마다 군(郡)에서 환자를 빌려다가 먹었는데, 몇 해가 지나고 보니 빌린 곡식이 일천 섬에 이르렀다.

군수: 조선 시대에 둔, 지방 행정 단위인 군의 으뜸 벼슬
환자: 조선 시대에, 곡식을 사창(社倉)에 저장하였다가 백성들에게 봄에 꾸어 주고 가을에 이자를 붙여 거두던 일. 또는 그 곡식

관찰사가 각 고을을 순시하다가 환자 장부를 살펴보고는 몹시 노하여 말했다.

관찰사: 조선 시대에 둔, 각 도의 으뜸 벼슬
순시하다가: 돌아다니며 사정을 보살피다가

"어떤 놈의 양반이 관아 곡식을 이처럼 축냈단 말이냐!"

관찰사는 양반을 옥에 가두도록 명했다. 군수는 양반이 가난해서 빌린 곡식을 갚을 길이 없는 형편임을 딱하게 여겨 차마 가두지 못했지만, 그렇다고 해서 달리 뾰족한 방법을 찾을 수도 없었다. 양반은 밤낮으로 울기만 할 뿐 아무런 대책이 없었다. 그러자 양반의 아내가 나무랐다.

"평생 당신은 책 읽기를 좋아하더니만 환자 갚는 데는 아무 소용도 없구려. 쯧쯧, 양반! 양반은 한 푼어치도 안 되는구려!"

> 발단 | 무능한 '□□'이 관아에서 빌린 환자를 갚지 못해 곤란한 상황에 놓임.

전개 1 **나** 그 마을의 부자가 가족과 상의하며 이렇게 말했다.

"양반은 가난하다 할지라도 늘 존귀하지만, 나는 부자라도 항상 비천해서 감히 말도 탈 수 없고, 양반을 보면 몸을 움츠리고 숨을 죽인 채 설설 기어가 바닥에 엎드려 절해야 하고, 코가 땅에 닿도록 엎어져 무릎으로 기어야 해. 나는 항상 이런 수모를 겪으며 살아왔어. 지금 양반 하나가 가난해서 환자를 갚지 못하다가 큰 곤욕을 치르게 생겼으니, 필시 양반 신분을 유지하지 못할 듯싶어. 내가 장차 그 양반 신분을 사서 가졌으면 해."

마침내 양반 집을 찾아가 환자를 대신 갚아 주겠다고 하니 양반은 몹시 기뻐하며 승낙했다. 그러자 부자는 그 자리에서 관아로 환자를 보냈다.

> 전개 1 | 마을의 '□□'가 '양반'이 빌린 환자를 대신 갚아 주고 양반 신분을 삼.

전개 2 **다** 군수는 몹시 놀랍기도 하고 의아하기도 해서 양반의 집을 찾아가 위로하는 한편 환자를 갚은 사정을 물어보았다. ㉠<u>양반은 벙거지를 쓰고 잠방이를 입은 채 길에 엎드려 자신을 '소인'이라고 칭하며 감히 고개를 들어 올려다보지 못하는 것이었다</u>. 군수는 깜짝 놀라 양반을 부축해 일으키며 말했다.

소인: 신분이 낮은 사람이 자기보다 신분이 높은 사람에게 자기를 가리키는 말

"귀하께선 왜 이리 스스로를 욕되이 낮추십니까?"

양반은 더욱 두려워하며 머리를 조아리고 엎드려 말했다.

조아리고: 상대편에게 존경의 뜻을 보이거나 애원하느라고 이마가 바닥에 닿을 정도로 머리를 자꾸 숙이고

"황송하옵니다! 소인이 감히 스스로를 욕되이 하는 것이 아니옵니다. 소인은 이미 양반을 팔아 환자를 갚았사오니, 이제는 마을의 부자가 바로 양반이옵니다. 소인이 어찌 감히 옛날 칭호를 함부로 쓰면서 자신을 높일 수 있겠습니까?"

콕콕 정리

◆ 이 글에 반영된 조선 후기 사회 상황

내용		의미
가난한 '양반'이 고을의 환자를 빌려 먹음.	→	경제적으로 몰락한 양반의 출현
돈으로 신분을 매매함.	→	신분 매매로 인한 신분 질서의 혼란
평민인 '부자'가 양반 신분을 삼.	→	경제적 부를 쌓은 평민 계층의 출현

◆ 등장인물의 특성과 역할

인물	특성과 역할
'양반'	• 어질고 독서를 좋아하는 선비이지만, 현실 문제 해결 능력이 없음. • 조선 후기 경제적으로 몰락한 일부 양반 계층을 대변함.
'양반의 아내'	• '양반'의 경제적 무능력과 비생산성을 비판함. • 작가의 의식을 대변함.
'부자'	• 경제력을 바탕으로 신분 상승을 꾀함. • 조선 후기 등장한 신흥 부유층 세력을 대변함.

교과서 핵심 개념

◆ 풍자의 대상과 표현 효과

'양반'의 모습을 나타낸 부분
• 양반은 밤낮으로 울기만 할 뿐 아무런 대책이 없었다.
• "양반은 한 푼어치도 안 되는구려!"

풍자의 대상 = '양반'
• 현실 문제에 대처하는 능력이 없음.
• 경제적으로 무능력함.

↓

풍자의 표현 효과
'양반'의 모습을 희화화하여 읽는 재미를 주고, 비생산적이고 무능한 '양반'을 비판적으로 바라보게 함.

1 이 글에 나타난 당시 사회·문화적 배경으로 적절하지 않은 것은?

① 경제적으로 몰락한 양반이 나타났다.
② 부를 축적한 신흥 부유층이 나타났다.
③ 평민이라는 이유로 차별 대우를 받았다.
④ 신분에 따라 옷차림이나 호칭이 달랐다.
⑤ 신분 질서가 엄격하여 계층 간 이동이 불가능했다.

교과서 핵심 개념

2 이 글의 주된 풍자 대상으로 알맞은 것은?

① 게으르고 이기적인 '군수'
② 물질만능주의에 빠진 '부자'
③ 비생산적이고 무능한 '양반'
④ 부패하고 탐욕스러운 '관찰사'
⑤ 경제력만 중시하는 '양반의 아내'

3 이 글의 등장인물에 대한 설명으로 알맞은 것끼리 묶은 것은?

ㄱ. '양반'은 어질고 학식이 풍부하나 현실 문제 대응에 소극적이다.
ㄴ. '군수'는 자신을 낮추어 행동하는 '양반'의 겸손함에 놀라워한다.
ㄷ. '양반의 아내'는 스스로 진 빚조차 갚지 못하는 '양반'을 비판한다.
ㄹ. '부자'는 '양반'의 처지를 딱하게 여겨 양반 신분을 사기로 결심한다.

① ㄱ, ㄴ ② ㄱ, ㄷ ③ ㄴ, ㄷ ④ ㄴ, ㄹ ⑤ ㄷ, ㄹ

교과서 핵심 개념

4 ㉠과 같은 모습에서 나타난 표현 효과로 가장 적절한 것은?

① 자신의 이익을 위해 평민처럼 위장한 '양반'의 횡포를 고발한다.
② 한순간에 평민이 된 '양반'의 처지를 열거하여 동정심을 유발한다.
③ '양반'의 모습을 우스꽝스러운 존재로 묘사하여 웃음을 불러일으킨다.
④ '양반'으로서 지켜야 할 품위와 교양이 없는 행태를 왜곡하여 비판한다.
⑤ 자기 분수를 아는 겸손한 '양반'의 모습을 비유적으로 표현하여 감동을 준다.

서술형

5 '양반'에 대한 작가의 생각이 가장 잘 드러난 문장을 (가)에서 찾아 쓰시오.

05 양반전 ❷

라 군수가 탄식하며 말했다.

"군자답구나, 부자여! 양반답구나, 부자여! 부유하되 인색하지 않으니 의롭다 할 것이요, 남의 어려움을 서둘러 도우니 어질다 할 것이요, 비천함을 싫어하고 존귀함을 좋아하니 지혜롭다 할 것이다. 이 사람이야말로 진짜 양반이로구나. 하지만 사사로이 거래를 하면서 증서를 만들어 두지 않았다가는 훗날 소송의 빌미가 될 수 있다. 너와 내가 고을 사람들을 모아 증인으로 삼고 증서를 만들어 사실 관계를 분명히 해 두자. 나는 군수로서 마땅히 서명하겠다."

증서: 권리나 의무, 사실 따위를 증명하는 문서

전개 2 '군수'가 양반 ☐☐ 사실을 알고 증서를 작성하고자 함.

절정 1 **마** 그러고 나서 군수는 관아로 돌아가 고을의 사족이며 농민이며 공인이며 상인을 모두 불러 관아 뜰에 모이게 했다. 부자는 좌수와 별감의 오른쪽에 앉히고, 양반은 호장과 이방의 아랫자리에 세웠다. 군수는 다음과 같은 증서를 만들었다.

좌수: 조선 시대에, 지방 자치 기구인 향청의 우두머리 / 별감: 조선 시대에, 향청에 속한 직책. 고을의 좌수에 버금가던 자리 / 호장: 각 관아의 벼슬아치 밑에서 일을 보던 사람들의 우두머리

건륭 10년 9월 모일, 이 증서는 양반 신분을 팔아 관아의 곡식을 갚은 일을 기록한 것으로, 그 값은 일천 섬이다.

건륭: 청나라 연호. 건륭 10년은 1745년을 말함.

양반은 칭호가 많기도 하다. 독서하면 '사(士)'라 하고, 벼슬을 하면 '대부(大夫)'라 하며, 덕이 있으면 '군자(君子)'라 하고, 무신(武臣)은 서쪽에 늘어서고 문신(文臣)은 동쪽에 늘어서므로 이를 '양반(兩班)'이라 하나니, 네가 원하는 칭호를 따를지어다.

대부: 벼슬의 품계에 붙이는 칭호

양반은 비천한 일은 일절 않고, 훌륭한 옛사람과 같이 되기를 바라며 뜻을 고상하게 가져야 한다. 언제나 오경이면 일어나 유황에 불을 붙여 등잔불을 켜고는 눈은 코끝을 보고 두 발꿈치는 모아서 엉덩이에 괴고 앉아 《동래박의》를 얼음에 박 밀 듯 줄줄 외어야 한다. 굶주림을 참고 추위를 견디며 가난하단 소리는 입 밖에 꺼내지 말아야 한다. 이를 딱딱 마주치고, 손가락을 튕겨 뒷머리를 자극하며, 입속의 침을 모아 몇 번에 나누어 삼켜야 한다. 털모자는 옷소매로 닦아 먼지를 탁탁 털어 윤이 나게 해야 한다. 손을 씻을 때는 주먹으로 마찰하지 말고, 양치질은 깨끗이 해서 입 냄새가 없어야 한다. 소리를 길게 뽑아 노비를 부르고, 걸음은 느릿느릿 걸어야 한다. 《고문진보》며 《당시품휘》를 깨알만 한 글씨로 베껴 한 줄에 백 자씩 써야 한다. 손으로 돈을 만지지 말고 쌀값을 묻지 말아야 한다. 아무리 더워도 버선을 벗지 말고, 맨상투로 식사를 해서는 안 된다. 밥 먹을 때 국을 먼저 떠먹어서는 안 되고, 마실 때 후루룩 소리를 내서는 안 된다. 젓가락으로 음식을 집을 때 방아 찧듯이 해서는 안 되고, 생파를 먹지 말아야 한다. 술 마실 때 수염을 빨지 말고, 담배 피울 때 볼이 움푹 패도록 담배를 빨지 말아야 한다. 노여워도 아내를 때려선 안 되며, 성이 나도 그릇을 발로 차면 안 된다. 아녀자에게 주먹질을 해선 안 되고, 노비들에게 "뒈져 버려라!"라고 욕을 해선 안 되며, 마소를 꾸짖을 때도 마소를 판 원래 주인을 욕해선 안 된다. 병이 나도 무당을 불러선 안 되고, 제사 지낼 때 중을 불러다 재(齋)를 지내선 안 된다. 화롯불에 손을 쬐어서는 안 되고, 말할 때 이를 드러내며 침을 튀겨서는 안 된다. 소 잡는 일을 하지 말고, 노름을 하지 말아야 한다.

오경: 새벽 3시~5시 / 동래박의: 중국 남송의 여조겸이 《춘추좌씨전》에 대해 풀이한 책 / 얼음에 박 밀 듯: 말이나 글을 거침없이 줄줄 내리읽거나 내리외는 모양을 비유적으로 이르는 속담 / 고문진보: 중국 송나라 황견이 당시까지의 시가와 산문을 모아 엮은 책 / 당시품휘: 중국 명나라의 고병이 당나라의 시를 모아 엮은 책 / 마소: 말과 소를 아울러 이르는 말 / 재: 승려에게 식사를 대접하는 공양을 올리면서 행하던 불교 의식

이상의 온갖 행실 가운데 양반 신분에 어긋나는 짓을 했을 경우 이 증서를 가지고 관아에 나와서 바로잡도록 한다.

고을 원 정선 군수 (서명)

좌수 (서명)

별감 (서명)

절정 1 '군수'가 양반으로서 지켜야 할 □□에 관한 내용을 담은 첫 번째 양반 신분 매매 증서를 작성함.

콕콕 정리

교과서 핵심 개념

◆ 첫 번째 매매 증서에 담긴 작가의 의도

내용	양반이 지켜야 할 덕목과 의무(규범)
↓	
의도	지나치게 체면과 격식을 중시하고, 형식적인 관념과 겉치레에 얽매여 경제적으로 무능한 양반의 모습을 풍자를 통해 폭로하고 비판함.

◆ '군수'의 역할

신분 매매 증서를 작성함.

표면적 이유	'양반'과 '부자'의 신분 거래를 공증하려고
이면적 이유	신분을 돈으로 사고파는 부적절한 거래를 막으려고

'군수'는 겉으로는 무능한 '양반'을 대신하여 빚을 갚아 준 '부자'를 칭찬하고 양반 매매를 공식적으로 승인하는 역할을 하지만, 실제로는 '부자'가 양반이 되는 것을 은근히 방해하고 있다. 즉, '군수'는 양반 매매 증서 작성을 통해 '부자'에게 양반은 아무나 되는 것이 아님을 강조하며 결말에서 '부자'가 양반의 권리를 포기하게 하는 데 일조한다.

교과서 핵심 개념

1 이 글에서 작가의 의도를 드러내는 표현 방법에 대한 설명으로 적절한 것은?

① 대상의 부족한 면을 강조하여 연민을 느끼게 한다.
② 공격성을 담지 않으며 웃음을 유발하는 것이 목적이다.
③ 대상의 부조리한 면을 직접 폭로하며 강하게 질책한다.
④ 대상의 부정적인 면을 희화화하여 간접적으로 비판한다.
⑤ 대상의 장단점을 균형 있게 제시하여 독자에게 평가를 맡긴다.

2 (마)에 나타난 증서의 제목으로 알맞은 것은?

① 양반이라는 명칭의 유래와 역사
② 양반이 평민들에게 존경받는 이유
③ 양반으로서 지켜야 할 의무와 규범
④ 양반으로서 누릴 수 있는 온갖 특권
⑤ 평민이 양반의 신분을 살 수 있는 방법

교과서 핵심 개념

3 (마)의 증서에 담긴 양반의 모습으로 알맞지 않은 것은?

① 실생활에 관련된 책만 읽는다.
② 겉치레와 허례허식에 매달린다.
③ 실용성이 없는 공허한 관념을 중시한다.
④ 체통과 격식을 지나치게 중요하게 생각한다.
⑤ 현실적 문제, 특히 돈과 관련된 일에 관심을 두지 않는다.

4 (라)의 내용을 참고하여 (마)와 같은 증서를 작성하게 된 이유를 쓰시오.

05 양반전 ③

절정 2 **바** 이에 통인이 여기저기 도장을 찍는데, 그 소리는 북이 둥둥 울리는 듯하고, 그 모양은 북두성이 세로로 놓이고 삼성(參星)이 가로로 놓인 듯했다. 호장이 증서를 다 읽고 나자 부자는 한참 멍하니 있다가 말했다.

통인: 경기·영동 지역에서 수령의 잔심부름을 하던 사람
삼성(參星): 오리온자리의 중앙에 있는 세 개의 큰 별

"양반이라는 게 겨우 이것뿐입니까? 저는 양반이 신선과 같다고 들었는데, 양반이라는 게 정말 이뿐이라면 너무 재미없는 일 아닙니까. 저에게 뭔가 이익이 되도록 증서를 고쳐 주십시오."

그러자 군수는 ㉠증서를 새로 만들었다.

사 하늘이 백성을 내 사농공상 네 가지 백성이 있는바, 그 넷 가운데 가장 귀한 것이 '사(士)'인데, 이를 일러 '양반'이라 하나니 그 이로움이 막대하다.

양반은 농사도 짓지 않고 장사도 하지 않지만, 글공부 대충 해서 크게 되면 문과(文科) 급제요, 작게 되더라도 진사(進士) 급제다. 문과 홍패가 이 척에 불과하지만 그 안에 온갖 물건이 구비되어 있으니, 이것이 곧 돈 자루다.

척: 길이의 단위. 약 30.3센티미터에 해당함.
홍패: 문과의 과거 합격 증서

서른 살에 진사 되어 처음 벼슬길에 나설지라도 이름난 음관이 될 수 있고, 지위가 높아질 수 있다. 일산 바람에 귀가 희어지고, 설렁줄에 대답하는 아랫것들의 "예이." 하는 소리에 배가 부예지며, 방에는 단장한 기생의 귀고리가 떨어져 있고, 뜰에는 학을 길러 그 울음소리를 듣는다.

음관: 과거를 거치지 아니하고 조상의 공덕에 의하여 맡은 벼슬. 또는 그런 벼슬아치
일산: 큰 양산
설렁줄: 처마 끝 같은 곳에 달아 놓은 방울을 울릴 때 잡아당기는 줄로, 사람을 부를 때 씀.
부예지며: 살갗이나 얼굴 등이 허옇고 멀겋게 되며

곤궁한 사(士)는 시골에 살아도 제멋대로 횡포를 부릴 수 있다. 이웃집 소를 뺏어다가 제 논을 먼저 갈고, 백성들을 끌어다가 제 밭 김을 매게 한들 누가 감히 대들쏘냐? 코에다가 잿물을 들이붓고, 머리끄덩이를 돌리며 귀밑머리를 뽑은들 감히 원망할 자 없을지어다.

절정 2 '부자'의 요구로 양반이 누릴 수 있는 □□를 담은 두 번째 양반 신분 매매 증서를 작성함.

결말 **아** 증서를 작성하는 중간에 부자가 혀를 내두르며 말했다.

"그만두세요. 그만둬! 맹랑하기도 합니다! 장차 나를 도둑놈으로 만들 셈입니까?"

부자는 고개를 절레절레 흔들며 가더니 죽을 때까지 다시는 양반이 되겠다는 말을 하지 않았다.

결말 '부자'는 □□이 되기를 포기함.

콕콕 정리

교과서 핵심 개념

◆ 두 번째 매매 증서에 담긴 작가의 의도

내용	양반이 누릴 수 있는 특권

↓

의도	부당한 특권을 행사하여 무위도식하며, 부정부패를 저지르고, 권력을 이용하여 백성들에게 횡포를 부리는 양반의 부도덕한 모습을 풍자를 통해 폭로하고 비판함.

◆ '부자'의 말에 담긴 작가의 의도

'부자'는 "그만두세요. 그만둬! 맹랑하기도 합니다! 장차 나를 도둑놈으로 만들 셈입니까?"라고 말하며 양반이 되기를 거부함.

↓

작가의 의도
• 양반이 누리는 부당한 특권과 백성에 대한 횡포를 신랄하게 비판함. • 양반에 대한 비판과 풍자라는 작품의 주제를 명확히 드러냄.

교과서 핵심 개념

◆ 이 글에 나타난 표현 방법과 그 효과

표현 방법	양반을 조롱하고 희화화하여 양반의 무능함과 부도덕함을 풍자함.

↓

효과	• 부정적인 대상을 직접적인 비판보다 간접적으로 은근히 폭로하여 더욱 인상 깊게 비판함. • 상황을 우스꽝스럽게 표현하여 읽는 재미를 줌. • 독자에게 웃음을 주면서도 현실을 바로 볼 수 있는 통찰력을 갖게 함.

1 이 글을 쓴 작가의 궁극적인 의도로 가장 적절한 것은?

① 양반으로서의 명예와 자부심을 강조하기 위해서
② 평민 계층이 경제력을 과시하는 세태를 비꼬기 위해서
③ 양반의 부정적인 모습을 폭로하고 이를 바로잡기 위해서
④ 신분 제도가 흔들리는 원인을 알고 이를 재정립하기 위해서
⑤ 양반으로서의 강직한 자세와 청렴한 생활을 당부하기 위해서

교과서 핵심 개념

2 이 글에서 풍자를 활용하여 얻을 수 있는 효과를 바르게 묶은 것은?

ㄱ. 양반의 삶이 겉보기보다 힘들다는 것을 생생하게 드러낼 수 있다.
ㄴ. 직접 비판하기 어려운 양반을 조롱하여 보다 인상 깊게 비판할 수 있다.
ㄷ. 앞뒤가 맞지 않는 표현을 통해 양반의 모순된 측면을 직접 공격할 수 있다.
ㄹ. 양반의 모습으로 웃음을 주면서도 현실을 바로 볼 수 있는 통찰력을 갖게 할 수 있다.

① ㄱ, ㄴ ② ㄱ, ㄷ ③ ㄱ, ㄹ ④ ㄴ, ㄹ ⑤ ㄷ, ㄹ

교과서 핵심 개념

3 (사)의 증서에서 작가가 비판하고자 하는 모습으로 볼 수 없는 것은?

① 도덕적 삶을 강요하는 양반
② 대대로 권력을 세습하는 양반
③ 무위도식하며 향락을 즐기는 양반
④ 부정부패로 부당한 이득을 취하는 양반
⑤ 평민들에게 착취와 횡포를 일삼는 양반

4 ㉠의 역할로 알맞은 것은?

① '군수'와 '부자'의 갈등을 심화시킨다.
② '부자'가 양반이 되기를 포기하게 만든다.
③ '부자'가 양반이 될 자격이 있는지 시험한다.
④ '양반'과 대조되는 '부자'의 성실함을 부각시킨다.
⑤ '양반'이 자신의 신분을 '부자'에게 파는 계기가 된다.

서술형

5 다음 설명에 해당하는 단어를 (아)에서 찾아 쓰시오.

대상을 풍자하는 태도가 정점에 이른 부분으로, 대상에 대한 작가의 신랄한 비판이 단적으로 드러남.

05 양반전

1~4 다음 글을 읽고, 물음에 답하시오.

가 관찰사가 각 고을을 순시하다가 환자 장부를 살펴보고는 몹시 노하여 말했다.

"어떤 놈의 양반이 관아 곡식을 이처럼 축냈단 말이냐!"

관찰사는 양반을 옥에 가두도록 명했다. 군수는 양반이 가난해서 빌린 곡식을 갚을 길이 없는 형편임을 딱하게 여겨 차마 가두지 못했지만, 그렇다고 해서 달리 뾰족한 방법을 찾을 수도 없었다. 양반은 밤낮으로 울기만 할 뿐 아무런 대책이 없었다. 그러자 양반의 아내가 나무랐다.

"평생 당신은 책 읽기를 좋아하더니만 환자 갚는 데는 아무 소용도 없구려. 쯧쯧, 양반! 양반은 한 푼어치도 안 되는구려!"

나 그 마을의 부자가 가족과 상의하며 이렇게 말했다.

"양반은 가난하다 할지라도 늘 존귀하지만, 나는 부자라도 항상 비천해서 감히 말도 탈 수 없고, 양반을 보면 몸을 움츠리고 숨을 죽인 채 설설 기어가 바닥에 엎드려 절해야 하고, 코가 땅에 닿도록 엎어져 무릎으로 기어야 해. 나는 항상 이런 수모를 겪으며 살아왔어. 지금 양반 하나가 가난해서 환자를 갚지 못하다가 큰 곤욕을 치르게 생겼으니, 필시 양반 신분을 유지하지 못할 듯싶어. 내가 장차 그 양반 신분을 사서 가졌으면 해."

다 군수는 몹시 놀랍기도 하고 의아하기도 해서 양반의 집을 찾아가 위로하는 한편 환자를 갚은 사정을 물어보았다. 양반은 벙거지를 쓰고 잠방이를 입은 채 길에 엎드려 자신을 '소인'이라고 칭하며 감히 고개를 들어 올려다보지 못하는 것이었다.

라 군수가 탄식하며 말했다.

"군자답구나, 부자여! 양반답구나, 부자여! 부유하되 인색하지 않으니 의롭다 할 것이요, 남의 어려움을 서둘러 도우니 어질다 할 것이요, 비천함을 싫어하고 존귀함을 좋아하니 지혜롭다 할 것이다. 이 사람이야말로 진짜 양반이로구나. 하지만 사사로이 거래를 하면서 증서를 만들어 두지 않았다가는 훗날 소송의 빌미가 될 수 있다. 너와 내가 고을 사람들을 모아 증인으로 삼고 증서를 만들어 사실 관계를 분명히 해 두자. 나는 군수로서 마땅히 서명하겠다."

1 이 글에 대한 설명으로 적절하지 않은 것은?

① 신분 제도가 흔들리던 사회상을 반영하고 있다.
② 인물의 말을 통해 작가의 생각을 대변하고 있다.
③ 욕심 없이 자연과 함께하는 삶을 지향하고 있다.
④ 몰락하는 양반의 부정적인 모습을 보여 주고 있다.
⑤ 실용성을 중시하는 연암 박지원의 한문 소설이다.

2 이 글에 쓰인 주된 표현 방법에 대한 설명으로 적절한 것을 모두 골라 묶은 것은?

보기
ㄱ. 웃음을 사용하여 대상을 비판한다.
ㄴ. 대상의 부정적 측면을 우회적으로 드러낸다.
ㄷ. 사회나 인물의 결함을 직접적으로 폭로한다.
ㄹ. 의도와 반대로 표현해 부정적 측면을 강조한다.
ㅁ. 대상을 비꼬거나 조롱하여 우스꽝스럽게 만든다.

① ㄱ, ㄴ, ㄹ ② ㄱ, ㄴ, ㅁ ③ ㄴ, ㄷ, ㄹ
④ ㄴ, ㄹ, ㅁ ⑤ ㄱ, ㄷ, ㄹ, ㅁ

3 이 글의 등장인물에 대해 잘못 이해한 것은?

① '양반'은 독서를 좋아하는 선비지만 경제적으로 무능하군.
② '관찰사'는 환자를 갚지 못한 '양반'에게 위기감을 느끼게 하는 인물이군.
③ '부자'는 조선 후기 경제력을 갖춘 신흥 세력의 전형적인 인물로 보이는군.
④ '양반의 아내'는 무능한 '양반' 대신 나서서 문제를 적극적으로 해결하는 인물이군.
⑤ '군수'는 '양반'과 '부자'의 신분 매매가 이루어진 사실을 알고 이를 증서로 작성하자고 제의하는군.

4 (나)에서 '부자'가 양반이 되려는 이유로 적절한 것은?

① 벼슬을 얻어 권력을 휘두르고 싶어서
② 사회적으로 천한 대접을 받지 않기 위해서
③ 환자를 못 갚아 곤란을 겪는 '양반'을 구해 주려고
④ 자신이 더 양반에 어울리는 사람임을 증명하려고
⑤ 재산을 더 모아 어려운 백성들에게 도움을 주려고

5~9 **다음 글을 읽고, 물음에 답하시오.**

가 굶주림을 참고 추위를 견디며 가난하단 소리는 입 밖에 꺼내지 말아야 한다. 이를 딱딱 마주치고, 손가락을 튕겨 뒷머리를 자극하며, 입속의 침을 모아 몇 번에 나누어 삼켜야 한다. 털모자는 옷소매로 닦아 먼지를 탁탁 털어 윤이 나게 해야 한다. 손을 씻을 때는 주먹으로 마찰하지 말고, 양치질은 깨끗이 해서 입 냄새가 없어야 한다. ㉠소리를 길게 뽑아 노비를 부르고, 걸음은 느릿느릿 걸어야 한다. 《고문진보》며 《당시품휘》를 깨알만 한 글씨로 베껴 한 줄에 백 자씩 써야 한다. ㉡손으로 돈을 만지지 말고 쌀값을 묻지 말아야 한다. ㉢아무리 더워도 버선을 벗지 말고, 맨상투로 식사를 해서는 안 된다.

나 호장이 증서를 다 읽고 나자 부자는 한참 멍하니 있다가 말했다. / "양반이라는 게 겨우 이것뿐입니까? 저는 양반이 신선과 같다고 들었는데, 양반이라는 게 정말 이뿐이라면 너무 재미없는 일 아닙니까. 저에게 뭔가 이익이 되도록 증서를 고쳐 주십시오."

그러자 군수는 증서를 새로 만들었다.

다 ㉣양반은 농사도 짓지 않고 장사도 하지 않지만, 글공부 대충해서 크게 되면 문과(文科) 급제요, 작게 되더라도 진사(進士) 급제다. 문과 홍패가 이 척에 불과하지만 그 안에 온갖 물건이 구비되어 있으니, 이것이 곧 돈자루다. / 서른 살에 진사 되어 처음 벼슬길에 나설지라도 이름난 음관이 될 수 있고, 지위가 높아질 수 있다. 일산 바람에 귀가 희어지고, 설렁줄에 대답하는 아랫것들의 "예이." 하는 소리에 배가 부예지며, 방에는 단장한 기생의 귀고리가 떨어져 있고, 뜰에는 학을 길러 그 울음소리를 듣는다.

라 곤궁한 사(士)는 시골에 살아도 제멋대로 횡포를 부릴 수 있다. 이웃집 소를 뺏어다가 제 논을 먼저 갈고, 백성들을 끌어다가 제 밭 김을 매게 한들 누가 감히 대들쏘냐? ㉤코에다가 잿물을 들이붓고, 머리끄덩이를 돌리며 귀밑머리를 뽑은들 감히 원망할 자 없을지어다.

마 증서를 작성하는 중간에 부자가 혀를 내두르며 말했다. / ⓐ"그만두세요. 그만둬! 맹랑하기도 합니다! 장차 나를 도둑놈으로 만들 셈입니까?"

부자는 고개를 절레절레 흔들며 가더니 죽을 때까지 다시는 양반이 되겠다는 말을 하지 않았다.

5 **이 글에서 작가가 말하고자 하는 바로 적절한 것은?**

① 불평등한 신분 제도를 비판하려고
② 무능하고 부도덕한 양반을 비판하려고
③ 명분을 지키는 삶의 중요성을 강조하려고
④ 시대 상황에 맞는 학문의 변화를 촉구하려고
⑤ 자기 이익만 추구하는 부자의 탐욕을 폭로하려고

6 **(가)에 나타난 첫 번째 증서와 (다), (라)에 나타난 두 번째 증서의 내용으로 바르게 연결된 것은?**

	첫 번째 증서	두 번째 증서
①	양반이 되는 방법	양반이 견뎌야 할 일
②	양반이 되면 좋은 점	양반이 지켜야 할 의무
③	양반으로서 갖는 권리	양반이 지켜야 할 도리
④	양반이 지켜야 할 규범	양반으로서 누리는 특권
⑤	양반으로서 누리는 특권	양반이 되는 방법

7 **㉠~㉤에 나타난 양반의 모습으로 적절하지 않은 것은?**

① ㉠: 허세를 부리는 모습
② ㉡: 돈과 관련된 일을 천하게 여기는 모습
③ ㉢: 체면과 격식에 얽매인 모습
④ ㉣: 무위도식하는 모습
⑤ ㉤: 부당하게 재물을 모으는 모습

8 **ⓐ에 대한 설명으로 알맞지 않은 것은?**

① 양반이 부도덕한 존재라는 인식이 담겨 있다.
② 양반이 누리는 갖가지 특권의 부당함을 드러낸다.
③ 양반이 된다 해도 이득이 없음을 깨닫고 한 말이다.
④ 부자가 양반 신분을 포기하게 된 이유가 나타난다.
⑤ 부패한 양반에 대한 신랄한 비판이 절정에 이른다.

서술형

9 **(라)에서 작가가 풍자하는 대상과 그 대상의 특성을 한 문장으로 쓰시오.**

차근차근 개념 이해 3

I. 문학

극

1 극 문학

(1) 극 문학의 개념

무대 상연, 영화나 드라마 상영을 목적으로 하는 문학으로, 희곡과 시나리오 등이 있다.

(2) 극 문학의 특징

허구의 문학	작가의 상상력을 바탕으로 꾸며 쓴 글임.
대사의 문학	등장인물의 대사를 통해 사건이 전개됨.
행동의 문학	직접적인 묘사나 해설이 불가능하므로 등장인물의 행동을 통해 삶의 모습을 형상화함.
갈등의 문학	등장인물이 빚어내는 극적 대립과 갈등이 뚜렷하게 나타남.
현재형의 문학	상연이나 상영을 전제로 하므로, 모든 사건을 관객의 눈앞에서 현재화하여 표현함.

(3) 극 문학의 구성 단계

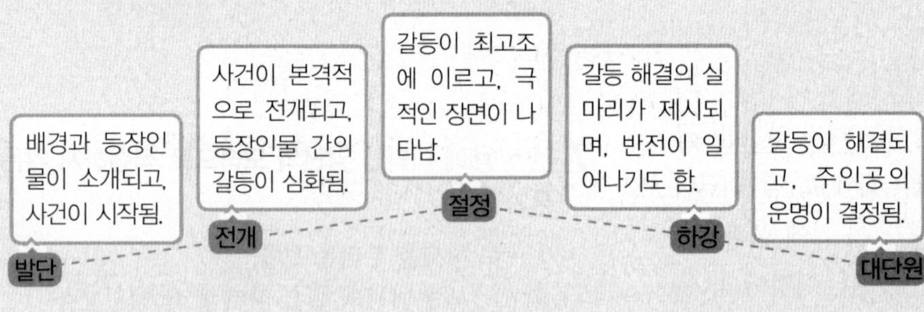
배경과 등장인물이 소개되고, 사건이 시작됨.
발단
사건이 본격적으로 전개되고, 등장인물 간의 갈등이 심화됨.
전개
갈등이 최고조에 이르고, 극적인 장면이 나타남.
절정
갈등 해결의 실마리가 제시되며, 반전이 일어나기도 함.
하강
갈등이 해결되고, 주인공의 운명이 결정됨.
대단원

2 희곡

(1) 희곡의 개념

연극을 무대에서 상연하기 위해 쓴 대본을 이르는 말이다.

(2) 희곡의 구성 요소

해설		막이 오르기 전후에 필요한 무대 장치, 인물, 배경 등을 설명하는 글
지시문(지문)		작품의 배경, 무대 장치, 분위기 등의 처리를 지시하거나 인물의 동작, 표정, 말투, 몸짓 등을 지시하는 글
대사	대화	인물과 인물이 서로 주고받는 말
	독백	인물이 상대역 없이 혼자서 하는 말
	방백	무대의 상대역은 듣지 못하고 관객만 들을 수 있는 말

더 알아 두기

◆ 극의 형상화 방식

- 희곡이나 시나리오를 바탕으로 연극이나 영화를 제작하기 위해 구상한 여러 가지 방식들을 의미한다.
- 희곡이나 시나리오는 연극으로 공연하거나 영화로 상영하기 위한 형상화 과정을 고려하여 창작되는데, 이때 배우들의 연기와 의상, 소품, 무대 장치, 조명, 효과음, 배경 음악 등이 영향을 미친다.

◆ 희곡의 구성 단위

장	희곡의 기본 단위. 무대 장면이 변하지 않은 상태에서 이루어지는 사건의 한 토막
막	여러 개의 장이 모여 이루어지며, 극의 구성 단계를 표시하는 단위

꼼꼼 확인 문제

1 극 문학인 희곡과 시나리오는 모든 사건이 관객의 눈앞에서 일어나는 것처럼 현재화하여 보여 준다. (○, ×)

2 극 문학의 구성 단계 중 하강 단계에서 갈등이 완전히 해소된다. (○, ×)

3 희곡은 연극을 무대에서 ☐☐하기 위해 쓴 대본을 말한다.

3 시나리오

(1) 시나리오의 개념

영화나 드라마 상영을 목적으로 작가가 상상하여 꾸며 쓴 대본을 이르는 말이다.

(2) 시나리오의 구성 요소

해설	인물, 장소, 시간, 배경 등을 설명하는 글
지시문(지문)	무대 장치, 촬영 방식, 인물의 표정이나 동작을 지시하는 글
대사	인물의 혼잣말이나 인물끼리 주고받는 말
장면 번호(S#)	사건의 배경이 되는, 전체 이야기의 작은 장면들을 찍은 단위

교과서 핵심 개념

4 원작을 바탕으로 한 재구성

(1) 희곡, 시나리오, 소설의 비교

	희곡	시나리오	소설
구성 단위	막, 장	장면(Scene)	없음.
등장인물	무대에 오를 수 있는 등장인물의 수에 제약이 많음.	등장인물의 수에 제약이 적음.	등장인물의 수에 제약이 없음.
장면의 전환	시간과 공간의 제약이 많아 장면의 전환이 자유롭지 않음.	시간과 공간의 제약이 적어 장면의 전환이 자유로움.	시간과 공간의 제약이 없어 장면의 전환이 매우 자유로움.
서술자	없음.		있음.
표현 방식	주로 대사와 지시문으로 표현됨.		묘사, 서술, 대화 등 다양한 방법으로 표현됨.
구성 단계	발단 – 전개 – 절정 – 하강 – 대단원		발단 – 전개 – 위기 – 절정 – 결말
공통점	• 작가가 꾸며 낸 허구의 이야기로, 갈등과 대립의 문학임. • 인물, 사건, 배경을 중심으로 하여 구성됨.		

(2) 소설을 극 문학으로 재구성한 작품을 감상할 때 고려할 사항

- 소설을 극 문학으로 재구성하는 과정에서 갈래의 차이에 따른 표현 방식의 변화가 나타나므로 바뀐 매체나 갈래의 특성을 파악해야 한다.
- 인물, 사건, 배경을 중심으로 하여 원작 소설과 어떤 점이 비슷하고 어떤 점이 다른지 비교하며 감상해야 한다.
- 작가가 작품을 재구성하면서 원작 소설의 내용 및 표현을 변형하여 어떤 새로운 상상과 가치, 의도를 부여하였는지 파악해야 한다.

더 알아 두기

◆ 시나리오 용어

용어	뜻
몽타주(montage)	따로 촬영한 장면을 떼어 붙여서 새로운 장면으로 편집하는 것
내레이션(Narration)	화면 밖에서 들리는 소리로, 설명 형식의 대사
인서트(Insert)	화면 사이에 다른 화면을 끼워 넣는 것
클로즈업(Close Up)	어떤 특정 부분을 강조하기 위해 크게 확대해 보여 주는 것
페이드인(Fade In)	화면이 점차 밝아지는 것
페이드아웃(Fade Out)	화면이 점차 어두워지는 것

꼼꼼 확인 문제

4 영화 또는 방송극 상영을 위해 쓴 대본을 □□□□(이)라고 한다.

5 소설과 달리 희곡과 시나리오는 □□□이/가 없어, 주로 대사와 지시문으로 상황과 인물의 심리를 전달한다.

6 소설을 극 문학으로 재구성할 때 매체나 갈래는 바꿀 수 있어도 인물, 배경, 사건은 원작과 동일하게 유지해야 한다. (○ , ×)

바로바로 개념 적용 들판에서 _이강백

갈래	희곡	성격	교훈적, 상징적
제재	형제간의 갈등과 화해	주제	형제간의 우애 회복
특징	• 의도적인 날씨 설정으로 분위기를 조성하고 갈등 상황의 변화를 일으킴. • 벽, 총, 민들레 등과 같은 소재를 사용하여 남북의 분단 현실을 상징적으로 표현함.		

발단

가 형, 주위에 피어 있는 민들레꽃을 꺾어서 아우에게 내민다.

형: 들판에 피어 있는 이 민들레꽃에 걸고서 맹세하자. 우리 형제는 언제나 사이좋게 지내기로…….

아우: 그래요. (민들레꽃을 꺾어 형에게 내밀며) 이 민들레꽃이 우리 맹세의 증표예요.

▶ 민들레꽃을 주고받으며 우애를 맹세하는 형제

전개

나 형: 그만하자, 그만해! / 아우: 왜요?

형: 너는 나보다 늦게 낸다! 내가 가위를 내면 너는 기다렸다가 바위를 내놓고, 내가 보를 내면 너는 그걸 본 다음 가위를 내놓잖아?

아우: 아뇨! 난 형님과 동시에 냈어요!

형: 난 그림이나 그려야겠다. (뒤돌아서서 자신의 그림 앞으로 걸어가며) 다시는 너하고는 놀이 안 해!

아우: 형님, 나한테 지더니만 심통이 났군요?

심통: 마땅치 않게 여기는 나쁜 마음

형: 너는 날 속이고 이겼어!

아우: 아뇨! 형님이 지금 화를 내는 건 동생인 내가 이겼기 때문이에요. 형님은 언제나 이겨야 하고, 동생인 나는 항상 져야 한다! 그게 바로 형님의 고정 관념이지요!

고정 관념: 잘 변하지 아니하는, 행동을 주로 결정하는 확고한 의식이나 관념

형: 미리 경고해 두겠는데, 내 허락 없이는 이쪽으로 넘어오지 마라! ▶ 갈등하기 시작하는 형제

다 측량 기사: (먼저, 형에게 다가가서 묻는다.) 측량을 끝냈으니 다음엔 무슨 일을 할까요?

측량: 기기를 써서 물건의 높이, 깊이, 넓이, 방향 따위를 잼.

형: 그걸 왜 나에게 묻죠?

측량 기사: 우리가 일을 정확히 하기 위해서죠. 처음 약속대로 말뚝과 밧줄을 치워 드릴까요? / 형: 아니, 그냥 둬요.

측량 기사: (동생에게 넘어가서 묻는다.) 어떻게 할까요? 당신 형님은 말뚝과 밧줄을 그냥 두라는데요?

아우: 밧줄은 약해요. 더 튼튼한 건 없어요?

측량 기사: 더 튼튼한 거라면…….

아우: 젖소들이 넘어가지 못할 만큼 튼튼한 것이 필요해요.

측량 기사: 그거야 철조망도 있고, 높다란 벽도 있죠.

형: (아우를 향하여 꾸짖는다.) 너, 지금 무슨 짓을 하려는 거냐?

아우: 형님은 내 일에 상관하지 마세요! (측량 기사에게) 철조망보다는 벽이 좋겠어요.

▶ 형제 사이를 오가며 이간질하는 '측량 기사'

지문 체크

1 이 작품의 발단에서 '형'과 '아우'는 □□□□을/를 주고받으며 우애를 맹세한다.

2 '아우'는 권위적이고 독선적이며, '형'은 '아우'에 대한 피해 의식을 가지고 있다. (○ , ×)

3 '□□ □□'은/는 교활한 사기꾼으로, 형제간의 갈등을 유발하는 역할을 한다.

4 '□'은/는 형제간의 불신, 소통의 단절을 의미한다.

이 글의 갈래상 특징

- 연극 상연을 목적으로 함.
- 등장인물의 수, 시간적·공간적 배경에 제약이 따름.
- 등장인물 간 갈등의 진행과 해결 과정이 극적으로 나타남.
- 대사와 지시문을 통해 등장인물들 사이에서 벌어지는 사건이 전개됨.

1 이와 같은 글에 대한 특징으로 알맞지 않은 것은?

① 등장인물의 수에 제약이 있다.
② 무대에서의 상연을 전제로 한다.
③ 시간적·공간적 배경에 제약이 없다.
④ 등장인물 간의 대립 양상이 극적으로 나타난다.
⑤ 주로 대사와 지시문을 통해 이야기가 전개된다.

절정 **라** 측량 기사와 조수들, 웃으며 퇴장한다. 벽의 오른쪽에서 형이 전망대 위로 올라간다. 탐조등이 켜지면서 강렬한 불빛이 벽 너머를 비춘다.

탐조등: 어떠한 것을 밝히거나 찾아내기 위하여 빛을 멀리 비추는 조명 기구

형: 아우야! 아우야!

아우: (강렬한 불빛 때문에 눈이 보이지 않아 당황한다.) 누구예요?

형: 나다, 나! / **아우**: 형님?

형: 그래! 내가 안 보여? / **아우**: 왜 그런 불빛으로 나를 비추지요?

형: 네가 뭘 하는지 잘 보려구…….

아우: 나는 그 불빛 때문에 형님이 안 보여요!

형: 그럼 내가 그쪽으로 넘어갈까?

아우: 아뇨! 넘어오지 말아요! 내 눈을 안 보이게 하고 넘어온다니 무슨 흉계(凶計)지요?

흉계: 악하고 모진 꾀나 수단

형: 난 아무 흉계도 없어. 넘어간다.

아우: 넘어오면 쏩니다! (허공을 향해 위협적으로 총을 발사한다.) 이건 진짜 총이에요!

형, 요란한 총소리에 놀라 전망대에서 황급히 내려온다. 그는 두려움에 질린 모습이 되어 움츠리고 앉는다. 측량 기사, 가죽 가방을 든 두 명의 조수와 함께 등장한다.

측량 기사: 저쪽 동생이 미쳤군요. 형님에게 총질을 하다니!

조수들: (웃으며) 완전히 미쳤어요. / **형**: 무서워요…….

측량 기사: 이젠 동생이 아니라, 적이라고 생각하는 게 좋겠어요. 철저히 무장하고 자신을 지켜야지, 가만있다간 죽게 됩니다.

▶ '형'에게 총을 발사하는 '아우'와, 형제의 대립을 조장하는 '측량 기사'

하강 **마** 측량 기사, 퇴장한다. 번개가 치고 천둥이 울리면서 비가 쏟아진다. 형과 아우, 비를 맞으며 벽을 지킨다. 긴장한 모습으로 경계하면서 벽 앞을 오고 간다. 그러나 차츰차츰 걸음이 느려지더니, 벽을 사이에 두고 멈추어 선다.

형: 어쩌다가 이런 꼴이 된 걸까! 아름답던 들판은 거의 다 빼앗기고, 나 혼자 벽 앞에 있어.

아우: 내가 왜 이렇게 됐지? 비를 맞으며 벽을 지키고 있다니…….

형: 저 요란한 천둥소리! 부모님께서 날 꾸짖는 거야! / **아우**: 빗물이 눈물처럼 느껴져!

▶ 비를 맞으며 현실을 깨닫는 형제

대단원 **바** 형과 아우, 민들레꽃을 여러 송이 꺾는다. 그들은 벽으로 다가가서 민들레꽃을 서로 던져준다. 형은 아우가 던져 준 꽃들을 주워 들고 반색하고, 아우는 형이 던진 꽃들을 주워 들고 기뻐한다. 서로 벽을 두드리며 외친다.

반색하고: 매우 반가워하고

아우: 형님, 내 말 들려요? / **형**: 들린다, 들려! 너도 내 말 들리냐? / **아우**: 들려요!

형: 우리, 벽을 허물기로 하자!

아우: 네, 그래요. 우리 함께 빨리 허물어요!

무대 조명, 서서히 꺼진다. 다만, 무대 뒤쪽의 들판 풍경을 그린 걸개그림만이 환하게 밝다. 막이 내린다.

▶ 서로 화해하고 벽을 허물기로 한 형제

지문 체크

5 인물의 갈등 양상이 날씨 변화에 따라 진행되고 있다. (○, ×)

6 '아우'는 '형'이 전망대에서 비추는 탐조등 불빛에 위협을 느껴 총을 발사하고 만다. (○, ×)

7 '민들레꽃'은 형제간의 ☐☐을/를 회복하는 화해의 매개체가 된다.

이 글을 상연할 때 유의할 점

연출	대본을 바탕으로 희곡의 구성 요소들을 종합하여 총괄 지시하였는가?
배우	인물의 성격에 맞는 표정과 어조 등으로 대사와 행동을 잘 표현하였는가?
무대 장치	공연에 필요한 배경과 무대 장치를 마련하고 설치하였는가?
소품 및 의상	인물의 특성을 잘 드러내는 소품과 의상을 준비하였는가?
음악 및 음향	분위기와 상황, 인물의 심리 등을 잘 드러내는 음악과 음향을 준비하였는가?

2 **(라)~(바)를 연출할 때, 고려할 점으로 알맞지 않은 것은?**

① (라): '형'과 '아우'에게 불안함이 드러나는 표정 연기를 지시한다.

② (라): '조수들'과 '측량 기사'에게 방백으로 형제 사이를 이간질할 것을 지시한다.

③ (라): 요란한 총소리를 효과음으로 처리해 형제간 극적 대립의 상황을 부각한다.

④ (마): 번개와 함께 쏟아지는 비를 무대 배경으로 꾸며 극적 반전의 분위기를 조성한다.

⑤ (바): 소품으로 민들레꽃을 준비하고 무대에 환한 조명을 설치해 형제간의 갈등 해소를 암시한다.

01 소나기 ❶ _황순원 원작, 염일호 각본

핵심 콕콕
- 재구성된 극을 원작과 비교하여 변화 양상과 의미 파악하기
- 재구성된 극에 담긴 가치와 의도 이해하기

[원작 소설의 전체 줄거리] '소년'은 개울에서 물장난을 하는 '소녀'가 '윤 초시'네 증손녀딸임을 안다. 서울서 온 '소녀'는 며칠째 물장난을 하고 있다. 어느 날 건너편에 서 있는 '소년'에게 '소녀'가 "이 바보." 하고 조약돌을 던지고 달아나고, '소년'은 이 조약돌을 집어 주머니에 넣는다. 며칠째 보이지 않던 '소녀'가 다시 개울가에 나타난 날, '소녀'는 '소년'에게 산 너머로 가 보자고 제안한다. '소년'과 '소녀'는 산을 뛰어다니며 노는데, 갑자기 소나기가 내린다. '소년'과 '소녀'는 같이 수숫단 속에 앉아 비가 그치기만을 기다린다. 소나기가 그친 뒤, '소년'은 '소녀'를 업어서 물이 불어난 도랑을 건넌다. 며칠 만에 '소녀'는 해쓱한 얼굴로 나타나 '소년'에게 대추를 주며 이사를 가게 되었다고 말한다. '소년'은 그날 밤 '소녀'에게 주려고 남의 집 호두를 딴다. '소녀'가 이사를 가기 전날 밤, '소년'은 부모님의 대화를 듣고 '소녀'가 죽은 것을 알게 된다.

갈래	드라마 대본(시나리오)
성격	향토적, 서정적
배경	가을 ~ 겨울, 농촌
제재	소나기
주제	소년과 소녀의 순수한 사랑
특징	• 원작에 없는 다양한 인물과 사건이 추가됨. • '소녀'의 죽음 이후의 이야기도 그려짐.

가 등장인물

소년: 시골에 사는 소년.

소녀: 서울에서 온, 윤 초시의 증손녀.

윤 초시: 소녀의 증조부.

장 씨: 대대로 윤 초시 댁에서 머슴살이한 집안의 자식.

봉순: 소년을 짝사랑하는 같은 반 여학생.

아버지: 소년의 아버지.

엄마: 소년의 어머니.

양평댁: 윤 초시 댁의 집안일을 도와주는 아주머니.

나

재가: 결혼하였던 여자가 남편과 사별하거나 이혼하여 다른 남자와 결혼함.

지금까지의 이야기 ≫ 어머니의 재가로 '소녀'는 증조부인 '윤 초시'에게 맡겨진다. '소년'은 자신의 반으로 전학을 온 '소녀'에게 점차 마음이 간다. 어느 날, '소년'은 '봉순'이 몰래 교실에서 가져간 분필을 '소녀'가 가져간 줄 알고 자신이 가져갔다고 말해 선생님께 혼이 난다. 그 뒤 '소년'은 개울가에서 자신이 신던 찢어진 검정 고무신 한 짝을 잃어버리는데, 이를 주운 '소녀'는 '양평댁'에게 부탁해 고무신을 꿰매어 '소년'에게 돌려준다. 한편, 6·25 전쟁을 겪으면서 큰돈을 번 '장 씨'는 '윤 초시'의 집을 사려고 눈독을 들인다. 개울가에서 다시 만난 '소년'과 '소녀'는 함께 산으로 놀러 갔다가 소나기를 만난다. 수숫단 속에서 비를 피하던 중 '소녀'가 '소년'에게 자신의 부모님 이야기를 털어놓는다. 이후 둘은 더욱 가까워진다.

절정 다 S# 67. 개울

엄청나게 물이 불어 빛마저 제법 붉은 흙탕물.

소년, 소녀의 앞에 등을 돌려 댄다. / 눈을 깜박이며 잠시 망설이다 순순히 업히는 소녀.

자세가 불안정하고 어색한 데다가 물살이 있어 넘어질 뻔한 소년.

소녀, 소리를 지르며 소년의 목을 끌어안는다. / 순간 목덜미에 닿는 소녀의 얼굴. 잠시 그대로 멈춰 서는 소년.

소녀는 그대로 가만히 그리고 편안히 소년의 등에 업혀 간다.

라 S# 73. 밤길

소녀: (간신히 눈을 뜨고) 하…… 할아버지……. / **윤 초시**: 오냐, 오냐, 정신이 드냐?

소녀: 내…… 려……. 할아버지…… 힘들어요. / **윤 초시**: 괜찮아, 인석아.

소녀: 할아버지…… 고마워요. / **윤 초시**: 가만있거라. 말하면 기운 빠진다.

소녀: (힘없이) 난 할아버지가 울 엄마 미워하는 줄 알았거든요. / **윤 초시**: (뜻밖의 말에 당황스러워한다.)

소녀: 근데…… 저번 장터에서 그 아저씨가 엄마 얘기할 때 화내 주셔서 전 참 좋았어요.

윤 초시: ……. / **소녀**: 할아버지……. (숨을 몰아쉬며) 아파.

윤 초시: (눈물을 삼키듯) 오냐, 조금만 참거라. 조금만 참아. 할애비가 곧 아프지 않게 해 주마. 꼭!

마 S# 79. 윤 초시 집

계약서에 도장을 찍는 윤 초시의 손이 가늘게 떨린다. / 음흉하게 웃는 장 씨.

장 씨: (둘러보며) 어릴 적 제 소원이 뭔 줄 아십니까? 이 대청마루에 대자루 누워 보는 겁니다. 이렇게요. (벌렁 누우며) 아하.

대자루: 한자 '大' 자와 같이 팔과 다리를 양쪽으로 크게 벌린 모양

방에서 나오는 소녀. 장 씨 주섬주섬 일어나 앉는다.

소녀: (노려본다.) / 장 씨: 반가의 예의도 별거 없군요. 어른을 보고 인사도 없으니…….

반가: 양반의 집안

윤 초시: 그만 돌아가게. / 장 씨: 니 덕분에 아저씨가 소원을 이뤘다. 서울 가서 병 낫거들랑…….

윤 초시: (버럭 화를 내며) 그 입 다물지 못하겠나!

장 씨: 아니, 자꾸 이 집에서 사람이 죽어 나가니까 집을 사는 입장에선 께름칙한 일 아니겠습니까? 그러니까 잴라두 꼭 살아서…….

윤 초시: 네 이놈! (벌떡 일어서다 쓰러지고 만다.) / 소녀: 할아버지! 할아버지!

절정 '소년'이 '소녀'를 업고 개울을 건넌 이후 '소녀'는 ☐이 나고, '윤 초시'의 집은 '장 씨'에게 넘어감.

콕콕 정리

◆ **이 극에 나오는 등장인물**

'소녀'	어머니의 재가로 서울에서 '윤 초시' 집으로 오게 됨.
'소년'	시골에 살고 '소녀'를 좋아함.
'윤 초시'	• '소녀'의 증조부로 '소녀'의 병을 치료할 돈을 마련하고자 '장 씨'에게 집을 넘김. • 원작에 비해 비중이 커짐.
'장 씨'	• '윤 초시' 댁에서 머슴살이 한 집안의 자식으로, '윤 초시'와 대립 관계를 형성함. • 원작에 등장하지 않음.
'봉순'	• '소년'을 짝사랑하는 같은 반 여학생임. • 원작에 등장하지 않음.

교과서 핵심 개념

◆ **원작에 없는 추가 장면과 그 의미 ①**

〈S# 73〉 '윤 초시'가 '소녀'를 업고 뛰는 장면	서로를 생각하고 걱정하는 '윤 초시'와 '소녀'의 관계를 잘 드러냄.
〈S# 79〉 '장 씨'가 '윤 초시' 네 집을 사고, '윤 초시'가 쓰러지는 장면	• '윤 초시' 집안의 몰락을 상징적으로 보여 줌. • '윤 초시'의 불행한 처지를 더 극적으로 보여 줌.

1 **이 글에 대한 설명으로 적절하지 않은 것은?**

① 인물 간 갈등을 중심으로 이야기가 전개된다.
② 인물의 대사와 행동에 의해 이야기가 전개된다.
③ 원작에 나오지 않는 인물, 사건, 배경이 제시된다.
④ 소설 「소나기」를 바탕으로 각색한 드라마 대본이다.
⑤ 원작을 창조적으로 재구성하여 원작과 창작 의도가 다르다.

교과서 핵심 개념

2 **원작에 없는 〈S# 73〉을 추가해 얻을 수 있는 효과로 알맞은 것은?**

① '소녀'와 '윤 초시'가 대립과 갈등을 겪어 왔음을 알 수 있다.
② '소녀'네 집안 형편이 어려워졌음을 극적으로 제시할 수 있다.
③ '소녀'가 아픈 이유와 '소녀'의 상황을 압축적으로 보여 줄 수 있다.
④ '소녀'에 대한 '윤 초시'의 애틋한 마음과 혈육의 정을 엿볼 수 있다.
⑤ '소녀'가 때를 놓치지 않았다면 병을 고쳐 건강해졌을 것임을 추측할 수 있다.

서술형

3 **이 글에서 〈보기〉에 해당하는 장면 번호를 쓰시오.**

보기

'윤 초시' 집안이 몰락하고 있음을 보여 주는 장면으로, 원작에 나오지 않는 인물을 등장시켜 극적 긴장감을 더해 준다.

01 소나기 ❷

하강 바 ⓐS# 83. 개울가

ⓑ흰 조약돌만 만지작거리며 오던 소년, 멈칫 서서 마른침을 삼킨다.

핼쑥한 얼굴로 나무 아래 앉아 돌을 쌓고 있는 소녀.

소년: ⓒ(반가우면서도 어색하고 부끄러운 듯) 학교에 왜 안 나왔니? / 소녀: 좀 아팠어.

소년: ⓓ그날, 소나기 맞아서? / 소녀: (가만히 고개를 끄덕인다.)

소년: 인제 다 나은 거야? / 소녀: (기침하며) 아직…….

소년: 그럼 누워 있어야지. / 소녀: 하두 답답해서 나왔어. (다시 기침한다.)

소년: (걱정스럽게 본다.)

소녀: 괜찮대두. 참, 그날 재밌었어. 근데 그날 어디서 이런 물이 들었는지 잘 지지 않는다.

분홍 스웨터 앞자락에 물든 검붉은 진흙물.

소녀: (가만히 웃으며) 무슨 물 같니? / 소년: (보기만 하며) …….

소녀: 그날, 도랑을 건너면서 내가 업힌 일이 있지? 그때, 네 등에서 옮은 물이다.

소년, 부끄러워 고개를 돌리는데, 소녀, 손수건에 싼 것을 건넨다.

곱게 싼 꽃무늬 손수건에서 나오는 대추.

소녀: 먹어 봐. 우리 증조할아버지가 심으신 거래. / 소년: 알이 크네. (먹어 본다.)

소녀: …… 우리 이사 갈 거 같애. / 소년: (맛있게 먹다 멈춘다.)

소녀: 난 이사 가는 거 정말 싫은데……. / 소년: 어디루? 어디루 가는데?

소녀: (고개를 젓다 엷게 미소를 지으며) 또 비 왔음 좋겠다. ㉠전엔 비 오는 게 싫었는데 이제 비가 좋아졌거든.

소년: 나두……. / 소녀: (웃는다.)

조약돌 하나를 소년에게 건네는 소녀. 소년은 소녀의 뜻을 알고 소녀가 내려놓은 조약돌 옆에 나란히 돌을 놓는다.

소녀: 무슨 소원 빌었어? / 소년: 응? 아…… 아무것도…….

소녀: 난 빌었는데. / 소년: (눈으로 묻듯 바라본다.)

소녀: (비밀이라는 듯 웃는다.)

사 S# 90. 산마루

소년: 이거야? / 봉순: …… 응, 저…… 정말 많지!

소년: 이건 도라지잖아.

봉순: 어…… 그…… 그래, 이상하다. 산삼 아니야?

소년: (답답한 듯) 나도 아는 도라지를 니가 몰랐을 리 없잖아.

봉순: (말을 바꾸며) 어제까진 분명 산삼이었는데. 아, 맞다. 맞다. 산삼은 영물(신령스러운 물건이나 짐승)이라서 주인 아니면 도라지로 변한다더니, 정말 변했나 부다.

소년: (버럭 화를 내며) 너 그걸 지금 말이라고 하는 거야?

봉순: (겁에 질린 표정으로) 왜…… 그래?

소년: 왜 자꾸 거짓말하냐구, 왜?

봉순: 그래, 거짓말이야. 거짓말이면? 이게 니 거야? 니 거냐구? 산삼이든 도라지든 니 거 아닌데 왜 화내구 그래. 무섭게. / 소년: ……. / 봉순: (울음을 터트리며 내려간다.)

봉순이가 가고 허탈해서 주저앉는 소년, 근처에 있는 도라지를 본다.

ⓔ인서트. 꽃묶음을 들고 좋아하던 소녀.
화면에 다른 화면을 끼워 넣는 일

소녀: 도라지꽃이 이렇게 예쁜 줄은 몰랐네. 난 보랏빛이 좋거든!

이미 져 버린 도라지꽃을 보자 불길한 생각이 드는 소년.

하강 '소녀'네가 집을 넘기고 이사를 하게 되어 '소년'과 '소녀'는 □□을 맞이하게 됨.

콕콕 정리

교과서 핵심 개념

◆ 원작에 없는 추가 장면과 그 의미 ②

〈S# 83〉 '소녀'가 비가 좋아졌다고 말하고, 조약돌을 쌓으며 소원을 비는 장면	• '소년'과 '소녀'가 친밀한 사이라는 것을 보여 줌. • '소년'에 대한 '소녀'의 호감을 드러냄.
〈S# 90〉 '소년'이 '봉순'과 산삼을 찾아 나선 장면	'소년'의 적극적인 모습을 통해 '소녀'를 향한 사랑을 잘 드러냄.
〈S# 90〉 '소년'이 도라지를 보고 보랏빛이 좋다던 '소녀'를 떠올리는 장면	밝은 '소녀'의 모습과 이미 져 버린 도라지꽃을 대비하여 '소년'의 불길한 생각을 강조해 드러냄.

◆ 소설과 드라마 대본의 표현 차이

소설	드라마 대본
서술자가 배경을 서술함. 예 개울가로 나왔다.	장면 번호 뒤에 공간적 배경이 제시됨. 예 S# 83. 개울가
서술자가 인물의 행동을 서술함. 예 소녀 가만히 고개를 끄덕이었다.	인물의 행동을 지시문으로 표현함. 예 소녀: (가만히 고개를 끄덕인다.)
인물의 말이 큰따옴표(" ")로 처리됨. 예 "인제 다 낫나?"	인물의 말을 대화나 독백과 같은 대사로 제시함. 예 소년: 인제 다 나은 거야?

교과서 핵심 개념

1 〈S# 90〉에 대한 설명으로 알맞지 않은 것은?

① 원작에 없는 사건이 추가된 것이다.
② 원작에 없던 인물 '봉순'이 등장한다.
③ '소녀'를 위하는 '소년'의 적극성이 드러난다.
④ 화난 '소년'을 위로하기 위해 '소녀'가 등장한다.
⑤ '소녀'에게 닥칠 앞날에 대한 불길한 느낌을 준다.

교과서 핵심 개념

2 원작에 없는 ㉠과 같은 대사를 추가한 의도로 가장 적절한 것은?

① 우울한 분위기를 조성함으로써 비극적인 결말을 암시하려고
② '소녀'가 아픈 것이 소나기를 맞은 것과 관련 있음을 나타내려고
③ '소녀'가 비를 맞아도 괜찮을 만큼 병세가 호전되었음을 알리려고
④ '소년'과 소나기를 맞은 날이 좋은 추억으로 남았음을 드러내려고
⑤ '소녀'가 '소년'이 베푼 호의에 보답하고자 애쓰고 있음을 보여 주려고

3 ⓐ~ⓔ에 대한 설명으로 알맞지 않은 것은?

① ⓐ: 장면 번호 뒤에 공간적 배경을 제시하고 있다.
② ⓑ: 인물의 동작과 몸짓을 서술자가 서술하고 있다.
③ ⓒ: 지시문을 사용하여 인물의 표정을 드러내고 있다.
④ ⓓ: 인물이 다른 인물에게 묻는 말을 대사로 표현하고 있다.
⑤ ⓔ: 화면에 다른 화면을 삽입하여 인물의 심리 상태를 부각하고 있다.

서술형

4 다음 설명에 해당하는 소재를 〈S# 83〉에서 찾아 Ⓐ와 Ⓑ에 1어절씩 쓰시오.

'소년'과 '소녀'의 소원을 담음.	'소년'을 위하는 '소녀'의 마음을 담음.
Ⓐ	Ⓑ

01 소나기 ③

대단원 **아** **S# 95. 소년의 집**

자리에 누워 소녀 걱정으로 이리저리 뒤척이다 잠이 든 소년, 비몽사몽간 눈을 떴다 감는다.
완전히 잠이 들지도 잠에서 깨어나지도 않은 어렴풋한 순간

옷 갈아입는 아버지를 돕고 있는 엄마. 벽 쪽으로 등 돌리고 누워 있는 소년.

엄마: 윤 초시 그 어른한테 증손이라곤 걔 하나뿐이었죠?

아버지: 그렇지, 사내애 둘 있던 건 어려서 잃고…….

엄마: 어쩌면 그렇게 자식 복이 없을까? 완전히 대가 끊긴 셈이네. / 소년: (눈을 반짝 뜬다.)

아버지: (소리) 그러게나 말이야. 이젠 증손녀까지 죽어 가슴에 묻어야 하니…….

소년: (불안정하게 돌아가는 눈동자.)

엄마: (소리) 양평댁한테 들었는데 계집애가 여간 잔망스럽지 않더라구요.
얄밉도록 맹랑한 데가 있지

아버지: (소리, 조심스럽지 않다는 듯) 허, 참…….

엄마: (소리) 자기가 죽거든 입던 옷을 꼭 그대로 입혀서 묻어 달랬다니 하는 말이에요.

소년: (숨이 제대로 쉬어지지 않는다.)

자 **S# 98. 개울가**

와르르 무너지는 돌탑. / 저만큼 떨어져 나가는 하얀 조약돌.

소년은 화가 난 사람처럼 흩어진 돌들을 개울에 집어 던진다.

소년: 다…… 거짓말이야! 다! 다…… 거짓말이라구! 다 거…… 짓말이야…….

무릎을 모아 고개를 박은 채 서럽게 우는 소년.

㉠원경으로 잡아 커다란 나무 아래 아주 작고 외롭게 보이는 소년.
사진이나 그림에서 먼 곳에 있는 것으로 찍히거나 그려진 대상

차 **S# 101. 소년의 집**

병으로 인하여 오르는 몸의 열

오한과 신열로 앓는 소년. / 입술이 다 메말라 허옇게 일어나 있다.
몸이 오슬오슬 춥고 떨리는 증상

엄마, 애가 타서 이마를 만지고 수건을 적셔 닦아 준다.

카 **S# 106. 개울가**

하얗게 쌓인 눈 위로 나타나는 검정 고무신. 징검다리를 건너간다.

뽀드득. 소년이 지날 때마다 돌다리엔 선명하게 발자국이 찍힌다.

징검다리 중간, 소녀가 앉았던 그 자리에 앉는 소년.

소년, 벙어리장갑에서 손을 빼면 하얀 조약돌도 함께 나온다.

㉡
얼음장처럼 차가운 개울에 손을 담그고 소녀가 했던 대로 따라 해 본다.

소년의 손에서 물방울이 떨어질 때마다 징검다리에 쌓인 눈이 사라락 녹아내린다.

그 자리에 조약돌을 가만히 내려놓는 소년. / 눈꽃이 핀 나무 아래 두루미 한 마리 날아든다.

놀라서 일어서는 바람에 소년의 발에 밀려 개울로 떨어지는 조약돌.

다급히 조약돌을 꺼내려다 물속에 그대로 둔 채 동그마니 앉아 있는 소년의 뒷모습 길게 보이며 끝.
사람이나 사물이 외따로 오똑하게 있는 모양

대단원 '소녀'의 □□으로 상처를 받은 '소년'은 슬픔을 이겨 내며 성숙해짐.

콕콕 정리

교과서 핵심 개념

◆ 원작 소설과 재구성된 작품에 나타난 결말의 차이 및 효과

원작의 결말	재구성된 작품의 결말
'소년'의 부모 간 대화를 통해 '소녀'의 죽음을 간접적으로 제시하는 데서 끝남.	'소년'이 부모의 대사를 통해 '소녀'의 죽음을 듣고 난 이후의 장면이 더 추가됨.
↓	↓
• 감동의 여운을 남김. • 구체적으로 제시되지 않은 이후의 사건을 독자가 상상하며 읽는 재미가 있음.	• '소년'의 상실감과 내적 성장을 생생하게 보여 줌. • 독자가 '소년'의 감정에 공감하고 몰입하게 함.

↓

원작과 재구성된 작품을 비교하여 감상하면 작품들을 폭넓고 깊이 있게 이해하는 데 도움이 될 수 있음.

교과서 핵심 개념

◆ 원작에 없는 추가 장면과 그 의미 ③

〈S# 98, 101〉 '소녀'의 죽음 이후 '소년'이 돌탑을 무너뜨리고 크게 앓는 장면	• '소년'의 절망감과 슬픔을 잘 드러냄. • '소년'이 '소녀'의 죽음으로 겪게 된 정신적, 육체적 아픔을 강조하여 보여 줌.
〈S# 106〉 시간이 흘러 개울가를 찾은 '소년'이 실수로 떨어뜨린 조약돌을 그대로 두는 장면	• '소년'이 '소녀'와의 추억을 마음속 깊이 묻으려 함을 나타냄. • '소년'이 '소녀'의 죽음으로 인한 마음의 상처를 이겨 내며 성숙했음을 보여 줌.

교과서 핵심 개념

1 〈보기〉는 원작 소설의 결말 부분이다. 이와 비교할 때, 〈S# 95〉에서 달라진 점으로 알맞은 것은?

보기

"글쎄 말이지. 이번 앤 꽤 여러 날 앓는 걸 약두 변변히 못 써 봤다더군. 지금 같애서는 윤 초시네두 대가 끊긴 셈이지. 그런데 참, 이번 계집애는 어린 것이 여간 잔망스럽지가 않어. 글쎄, 죽기 전에 이런 말을 했다지 않어? 자기가 죽거든 자기 입던 옷을 꼭 그대루 입혀서 묻어 달라구……."

① '소녀'가 남긴 유언의 내용이 제시된다.
② '윤 초시'네 집안의 불행한 사정이 나타난다.
③ '소녀'에 대한 '소년' 부모의 인식과 판단이 드러난다.
④ '소년'을 계속 기억하고 싶어 하는 '소녀'의 마음이 드러난다.
⑤ '소년'이 '소녀'의 죽음을 알게 되어 큰 충격을 받았음이 드러난다.

교과서 핵심 개념

2 원작의 결말 뒤 〈S# 98〉, 〈S# 101〉을 추가한 이유로 적절한 것은?

① '소녀'의 죽음으로 힘들어하는 '소년'의 심정을 드러내려고
② '소년'이 '소녀'의 죽음을 씩씩하게 받아들였음을 나타내려고
③ '소녀'의 죽음이라는 뜻밖의 소식을 남긴 채로 여운을 주려고
④ '소년'이 '소녀'가 죽게 된 원인을 깨닫고 후회함을 보여 주려고
⑤ '소년'이 '소녀'의 죽음 때문에 가족들과 겪게 된 갈등을 보여 주려고

3 ㉠과 같은 촬영 방법의 효과로 가장 적절한 것은?

① 나무와 '소년'을 함께 보여 주어 삶의 희망을 암시한다.
② 나무와 '소년'을 대비하여 '소년'의 외로움을 더 부각한다.
③ 큰 나무와 작은 '소년'의 모습이 조화되어 안정감을 준다.
④ '소년'을 가까이에서 보여 주어 '소년'의 슬픔을 강조한다.
⑤ '소년'의 표정이 자세히 나타나지 않아 호기심을 유발한다.

4 ㉡과 같은 '소년'의 행동에 담긴 작가의 의도를 바르게 추측한 것은?

① 시련을 겪은 '소년'의 자포자기하는 심정을 드러내려는 거야.
② '소년'도 '소녀'를 따라 슬픈 운명을 맞게 될 것을 암시하는 거야.
③ 시간의 흐름 속에서 '소년'이 '소녀'를 잊었음을 보여 주려는 거야.
④ '소년'이 '소녀'를 추억하며 슬픔을 딛고 성숙해졌음을 보여 주려는 거야.
⑤ '소년'이 '소녀'를 잃은 상실감을 도저히 극복할 수 없음을 나타내려는 거야.

01 소나기

1~4 다음 글을 읽고, 물음에 답하시오.

가 S# 79. 윤 초시 집

계약서에 도장을 찍는 윤 초시의 손이 가늘게 떨린다. 음흉하게 웃는 장 씨.

장 씨: (둘러보며) 어릴 적 제 소원이 뭔 줄 아십니까? 이 대청마루에 대자루 누워 보는 겁니다. 이렇게요. (벌렁 누우며) 아하.

방에서 나오는 소녀. 장 씨 주섬주섬 일어나 앉는다.

소녀: (노려본다.) / 장 씨: 반가의 예의도 별거 없군요. 어른을 보고 인사도 없으니…….

윤 초시: 그만 돌아가게.

장 씨: ㉠니 덕분에 아저씨가 소원을 이뤘다. 서울 가서 병 낫거들랑…….

나 S# 83. 개울가

분홍 스웨터 앞자락에 물든 검붉은 진흙물.

소녀: (가만히 웃으며) 무슨 물 같니?

소년: (보기만 하며) ……. / 소녀: 그날, 도랑을 건너면서 내가 업힌 일이 있지? 그때, 네 등에서 옮은 물이다.

소년, 부끄러워 고개를 돌리는데, 소녀, 손수건에 싼 것을 건넨다. / 곱게 싼 꽃무늬 손수건에서 나오는 대추.

소녀: 먹어 봐. 우리 증조할아버지가 심으신 거래.

소년: 알이 크네. (먹어 본다.)

소녀: …… 우리 이사 갈 거 같애.

소년: (맛있게 먹다 멈춘다.)

소녀: 난 이사 가는 거 정말 싫은데…….

소년: 어디루? 어디루 가는데?

소녀: (고개를 젓다 엷게 미소를 지으며) 또 비 왔음 좋겠다. 전엔 비 오는 게 싫었는데 이제 비가 좋아졌거든.

소년: 나두……. / 소녀: (웃는다.)

조약돌 하나를 소년에게 건네는 소녀. 소년은 소녀의 뜻을 알고 소녀가 내려놓은 조약돌 옆에 나란히 돌을 놓는다.

소녀: 무슨 소원 빌었어? / 소년: 응? 아…… 아무것도…….

소녀: ㉡난 빌었는데. / 소년: (눈으로 묻듯 바라본다.)

소녀: (비밀이라는 듯 웃는다.)

1 이와 같은 글을 읽는 방법이나 태도로 적절한 것을 모두 골라 묶은 것은?

ㄱ. 인물, 사건, 배경 등을 원작과 비교하며 읽는다.
ㄴ. 글의 시점과 서술자의 특징을 파악하며 읽는다.
ㄷ. 작품 속 세계와 작품의 가치를 생각하며 읽는다.
ㄹ. 무대 상연을 목적으로 한 글임을 고려하며 읽는다.

① ㄱ, ㄴ ② ㄱ, ㄷ ③ ㄴ, ㄷ
④ ㄱ, ㄷ, ㄹ ⑤ ㄴ, ㄷ, ㄹ

2 이 글에 대한 감상으로 적절하지 않은 것은?

① 원작에 없는 '장 씨'는 거만하고 예의가 없는 부정적 인물로 그려져.
② 원작의 주제인 '소년'과 '소녀'의 순수한 사랑이 나타나지 않는 게 아쉬워.
③ 원작과 달리 '윤 초시'네 집이 남의 손에 넘어가는 과정이 구체적으로 드러나.
④ 원작에 없던, 비가 좋아졌다는 '소녀'의 말에서 '소년'에 대한 '소녀'의 호감을 느낄 수 있어.
⑤ 원작과 같이 '소녀'가 '소년'에게 대추를 주는 장면에서 '소년'을 위하는 '소녀'의 마음이 나타나.

3 ㉠과 같이 말한 이유로 적절한 것은?

① '소녀'가 서울로 이사 가자고 졸랐기 때문에
② '소녀'의 치료비를 마련하기 위해 집을 팔게 돼서
③ '소녀'가 '장 씨'에게 집을 팔라고 '윤 초시'를 설득해서
④ '소녀'가 '장 씨'에게 진 빚을 갚기 위해 집을 팔게 돼서
⑤ '소녀'가 '장 씨'에게 속아서 '윤 초시'가 집을 팔게 돼서

4 ㉡에서 '소녀'가 빈 소원의 내용으로 가장 거리가 먼 것은?

① 소나기가 또 내리게 해 주세요.
② '소년'과 헤어지지 않게 해 주세요.
③ '소년'과 좋은 추억을 또 만들게 해 주세요.
④ 이사 가서 새로운 친구를 사귀게 해 주세요.
⑤ 이젠 아파서 집에만 있는 일이 없게 해 주세요.

5~8 **다음 글을 읽고, 물음에 답하시오.**

(가) S# 90. 산마루

봉순이가 가고 허탈해서 주저앉는 소년, 근처에 있는 도라지를 본다. / ㉠인서트. 꽃묶음을 들고 좋아하던 소녀.

소녀: 도라지꽃이 이렇게 예쁜 줄은 몰랐네. 난 보랏빛이 좋거든!

이미 져 버린 도라지꽃을 보자 불길한 생각이 드는 소년.

(나) S# 95. 소년의 집

자리에 누워 소녀 걱정으로 이리저리 뒤척이다 잠이 든 소년, 비몽사몽간 눈을 떴다 감는다. 〈중략〉

아버지: (소리) 그러게나 말이야. 이젠 증손녀까지 죽어 가슴에 묻어야 하니…….

소년: (불안정하게 돌아가는 눈동자.)

엄마: (소리) 양평댁한테 들었는데 계집애가 여간 잔망스럽지 않더라구요.

아버지: (소리, 조심스럽지 않다는 듯) 허, 참…….

엄마: (소리) 자기가 죽거든 입던 옷을 꼭 그대로 입혀서 묻어 달랬다니 하는 말이에요.

소년: (ⓐ숨이 제대로 쉬어지지 않는다.)

(다) S# 98. 개울가

와르르 무너지는 돌탑.

저만큼 떨어져 나가는 하얀 조약돌. / 소년은 화가 난 사람처럼 흩어진 돌들을 개울에 집어 던진다.

소년: ⓑ다…… 거짓말이야! 다! 다…… 거짓말이라구! 다 거…… 짓말이야…….

무릎을 모아 고개를 박은 채 서럽게 우는 소년. / 원경으로 잡아 커다란 나무 아래 아주 작고 외롭게 보이는 소년.

(라) S# 106. 개울가

하얗게 쌓인 눈 위로 나타나는 검정 고무신. 징검다리를 건너간다. / 뽀드득. 소년이 지날 때마다 돌다리엔 선명하게 발자국이 찍힌다.

징검다리 중간, 소녀가 앉았던 그 자리에 앉는 소년.

소년, 벙어리장갑에서 손을 빼면 하얀 조약돌도 함께 나온다. / ⓒ얼음장처럼 차가운 개울에 손을 담그고 소녀가 했던 대로 따라 해 본다. / 소년의 손에서 물방울이 떨어질 때마다 징검다리에 쌓인 눈이 사라락 녹아내린다.

그 자리에 조약돌을 가만히 내려놓는 소년.

눈꽃이 핀 나무 아래 두루미 한 마리 날아든다. / 놀라서 일어서는 바람에 소년의 발에 밀려 개울로 떨어지는 조약돌.

다급히 조약돌을 꺼내려다 물속에 그대로 둔 채 동그마니 앉아 있는 소년의 뒷모습 길게 보이며 끝.

---

5 **이와 같은 글이 소설과 다른 점으로 알맞지 않은 것은?**

① 장면 번호 뒤에 배경을 제시한다.
② 인물, 사건보다 배경이 중요시된다.
③ 카메라 기법에 대한 설명이 나타난다.
④ 인물이 나누는 대화는 대사로 나타난다.
⑤ 영상 편집을 고려한 전문 용어가 쓰인다.

6 **㉠에 사용된 기법에 대한 설명과 그 효과로 적절한 것은?**

① 화면 사이에 꽃묶음을 든 '소녀'의 모습을 끼워 넣어 '소년'의 불길한 예감을 떨쳐 버리게 한다.
② 보랏빛이 좋다던 '소녀'의 목소리가 밖에서 음향으로 들려오게 해 '소녀'의 죽음을 예감하게 한다.
③ 꽃묶음을 들고 좋아하던 '소녀'의 얼굴을 화면 가득 잡아 '소녀'에 대한 '소년'의 애정을 드러낸다.
④ '소녀'가 도라지꽃을 안고 기뻐한 후부터 그 도라지꽃이 져 버리기까지의 사건을 축약해 보여 준다.
⑤ 밝은 '소녀'의 모습과 이미 져 버린 도라지꽃을 대비해 '소년'의 불길한 생각을 더욱 강조하여 드러낸다.

7 **ⓐ~ⓒ에 담긴 '소년'의 정서를 바르게 나열한 것은?**

	ⓐ	ⓑ	ⓒ
①	자책감	초조함	애틋함
②	갑갑함	외로움	상실감
③	괴로움	자책감	덤덤함
④	그리움	애틋함	자책감
⑤	충격적임	절망감	그리움

8 **원작과 달리 (다), (라)와 같은 장면을 추가해서 드러내고자 한 작가의 의도를 20자 이내로 쓰시오.**

● 정답과 해설 21쪽

4 수필

1 수필의 개념과 특성

개념	글쓴이가 체험을 통해 얻은 생각이나 느낌을 일정한 형식 없이 자유롭게 쓴 글
특성	• 고백적: 글쓴이의 생각과 느낌을 꾸밈없이 솔직하게 표현함. • 개성적: 글쓴이의 가치관, 정서, 말투 등 독특한 개성이 드러남. • 신변잡기적: 글쓴이의 주변에서 일어나는 여러 가지 일들을 소재로 삼음. • 비전문적: 전문 작가가 아니더라도 누구나 쓸 수 있음. • 자유로운 형식: 일정한 형식의 제약 없이 자유롭게 쓸 수 있음.

교과서 핵심 개념

2 수필의 감상 방법

- 글쓴이의 경험을 파악하고 감동과 깨달음을 느끼며 읽는다.
- 글쓴이의 가치관을 파악하고 자신의 가치관과 비교하면서 읽는다.
- 글쓴이가 사용한 개성적이고 독특한 표현이나 문체 등을 살피며 읽는다.
- 글쓴이가 대상을 바라보는 관점과 태도를 통해 글쓴이의 인생관과 세계관을 파악하며 읽는다.

교과서 핵심 개념

3 경험의 문학적 표현 과정

일상의 경험	자신의 경험 중 의미 있고 가치 있다고 생각되는 것을 선정함. 예 지난달 피아노 연주 발표회에 참가했던 경험이 인상적이었다.

경험을 통한 깨달음	경험을 통해 얻은 깨달음이나 생각, 느낌을 정리함. 예 소심한 성격이어서 큰 부담을 느꼈지만, 거듭된 연습으로 연주를 무사히 끝냈다. 노력하면 안 될 일이 없다는 것을 깨달았다.

개성적 발상과 표현으로 형상화	운율, 반어, 역설, 풍자 등의 개성적 발상과 표현을 활용하여 전하고자 하는 바를 인상적으로 나타냄. 예 소심한 나에게 피아노 연주 발표회는 자신감을 불어넣어 주었다. 그야말로 신나게 불안한 도전(역설)의 경험이었다.

교과서 핵심 개념

4 경험을 담은 글 읽기의 가치와 중요성

글쓴이의 삶에 영향을 준 경험이 담긴 글 읽기를 통해	• 자신의 읽기 태도와 습관을 되돌아볼 수 있다. • 정서적 공감과 감동의 즐거움을 느낄 수 있다. • 읽기가 우리 삶에서 지니는 가치를 쉽고 친숙하게 이해할 수 있다. • 바람직한 정서와 올바른 가치관을 지니는 데 도움을 얻을 수 있다.

더 알아 두기

◆ 수필의 종류

경수필	• 일상생활 속 느낌이나 생각을 자유롭게 쓴 수필 • 개인적이고 신변잡기적 내용 • 친근하고 가벼운 느낌을 줌. • 편지, 기행문, 감상문, 일기 등
중수필	• 특정 주제를 근거와 함께 체계적으로 쓴 수필 • 사회적이고 논리적인 내용 • 무겁고 딱딱한 느낌을 줌. • 칼럼, 평론 등

꼼꼼 확인 문제

1 수필은 형식적으로 (자유로운, 제약을 받는) 글이다.

2 경험을 문학 작품으로 표현할 때에 역설이나 반어와 같은 표현을 사용하여 전하고자 하는 바를 인상적으로 나타낼 수 있다. (○, ×)

3 경험을 담은 글을 읽으며 자신의 삶을 성찰함으로써 글쓴이의 가치관을 그대로 내면화한다. (○, ×)

바로바로 개념 적용

나의 모국어는 침묵 _류시화

갈래	수필	성격	고백적, 성찰적, 역설적
제재	침묵, 언어	주제	침묵의 진정한 의미
특징	• 자신의 체험에서 얻은 생각을 독백체의 형식과 친근한 어투로 표현함. • 역설 표현이 나타난 인디언의 말을 인용하여 중요 내용을 강조하고 강한 인상을 줌.		

처음

가 한국을 떠나 미국의 애리조나주 투손시의 인디언 축제에 참가했을 때의 일이다. 인디언 천막 안에서 인디언 노인들과 흥미 있는 대화를 주고받으리라 기대했던 나는 아주 뜻밖의 일을 경험했다. 천막 안으로 들어가 그들과 마주 앉자마자, 나는 내 소개를 하기 시작했다. 나는 글을 쓰는 작가이며, 인디언 세계에 무척 관심이 많고, 잘 부탁한다는 말까지 잊지 않았다. ▶ 인디언 축제에 참가하게 된 '나'

나 그런데 그들은 아무런 반응도 보이지 않았다. 다만 허리를 꼿꼿이 세우고 묵묵히 앉아 있을 뿐이었다. 천막 안이 어슴푸레해서(빛이 약하거나 멀어서 어둑하고 희미해서) 그들의 시선이 나를 향하고 있는 건지 허공을 바라보고 있는 건지도 알 수 없었다. ▶ '나'에게 침묵으로 응대하는 인디언들

가운데

다 훗날에야 나는 그것이 인디언 부족들의 전통인 것을 알았다. 누군가를 만나면 그들은 대화를 시작하기 전에 그렇게 한동안 침묵으로 상대방을 느끼는 것이다. 자기 앞에 있는 존재를 가장 잘 느끼는 방법은 말을 통한 것이 아니라 침묵을 통한 것임을 그들은 깨닫고 있었다. ▶ 침묵이 인디언 부족의 전통임을 알게 된 '나'

라 그 후 미국에서 돌아와 나는 누군가를 만날 때마다 인디언들 흉내를 내고는 했다. 상대방의 존재를 느낀답시고 입을 다물고 오 분이고 십 분이고 앉아 있었다. 그 결과, 아주 괴팍하고(붙임성이 없이 까다롭고 별나고) 거만한 사람이라는 평을 듣게 되었다. 침묵은 흉내가 아니라 존재의 평화로움에서 저절로 나오는 것임을 미처 몰랐다.
▶ 인디언 흉내를 내고 다니자 안 좋은 평을 듣게 된 '나'

마 몇 번의 여행을 인디언들과 함께하면서 나는 그들에게서 두 개의 인디언식 이름을 얻었다. 그중의 하나가 '너무 많이 말해'였다. 내가 뭘 얼마나 떠들었기에 그런 식으로 나를 부르는가 따지고 싶었지만, 그랬다가는 '너무 많이 따져'라는 이름을 또 얻게 될까 봐 그럴 수도 없는 노릇이었다. ▶ 인디언들에게서 '너무 많이 말해'라는 인디언식 이름을 얻게 된 '나'

끝

바 라코타족 인디언인 '서 있는 곰'은 말한다.

"침묵은 라코타족에게 의미 깊은 것이었다. 라코타족은 대화를 시작할 때, 잠시 침묵하는 것을 진정한 예의로 알고 있었다. '말 이전에 침묵이 먼저'라는 것을 알았던 것이다. 슬픈 일이 닥쳤거나 누가 병에 걸렸거나, 또는 누가 죽었을 때, 나의 부족은 먼저 침묵하는 것을 잊지 않았다. 어떤 불행 속에서도 침묵하는 마음을 잃지 않았다."
▶ 인디언들에게 있어 침묵의 의미

사 인디언들은 여러 부족으로 이루어져 있고, 부족마다 언어도 매우 다르다. 그래서 나는 인디언을 만나면 그들의 부족 언어를 묻곤 했다. / "당신의 모국어는 무엇입니까?"
그러면 그들은 이렇게 답하곤 했다. / "우리의 모국어는 침묵입니다."
▶ 인디언들의 모국어가 침묵임을 되새기게 된 '나'

지문 체크

1 글쓴이는 인디언 축제에 참가하여 인디언 노인들에게 환대를 받았다. (○, ×)

2 글쓴이는 인디언 부족의 전통을 흉내 내었지만 괴팍하고 거만한 사람이라는 평가를 들었다. (○, ×)

3 글쓴이는 인디언 부족마다 모국어를 물어봄으로써 그들에게 침묵이 의미하는 바를 되새겼다. (○, ×)

글쓴이의 경험을 통한 깨달음과 표현 방법

'나'의 경험을 통한 깨달음	• 인디언 축제에 참가한 '나'는 인디언들이 대화를 시작하기 전 침묵으로 상대방을 느낀다는 것을 알게 됨. • '나'는 인디언 흉내를 내다가 침묵은 존재의 평화로움에서 저절로 나오는 것임을 깨달음.
↓	
표현 방법	"우리의 모국어는 침묵입니다." → 말보다 침묵으로 상대방을 더 잘 느낄 수 있다는 깨달음을 '역설'을 통해 인상적으로 전달함.

1 이 글을 읽은 독자의 반응으로 적절하지 않은 것은?

① 글쓴이의 체험을 통한 깨달음을 독백체로 나타냈구나.
② 나도 인디언을 만나면 처음엔 침묵으로 응대해야겠어.
③ 글쓴이의 생각과 느낌을 친근한 어투로 전달하여 감동을 주고 있어.
④ 나도 쓸데없는 말을 너무 많이 하며 사는 건 아닌지 돌아보게 됐어.
⑤ 반어적 표현이 나타난 인디언의 말을 인용하여 말하고자 하는 바를 강조했구나.

01 열보다 큰 아홉 _이문구

핵심 콕콕
- 이 글을 역설과 관용 표현을 중심으로 감상하기
- 역설과 관용 표현의 효과 이해하기

갈래	수필
성격	교훈적, 대조적
제재	숫자 아홉에 담긴 의미
주제	청소년기는 수 아홉처럼 아직 완전하지 않지만 미래를 향한 가능성이 있다.
특징	• 역설, 관용 표현 등 다양한 표현 방식을 사용하여 숫자 열과 아홉을 비교, 대조함. • 다양한 예를 제시하여 주제를 효과적으로 드러냄.

처음 **가** 오늘은 아홉과 열이라는 수가 지니고 있는 뜻에 대해서 생각해 보기로 합시다.

처음 ☐☐과 열이라는 수의 뜻에 관해 생각해 보기로 함.

가운데 **나** 잘 아시다시피 열은 십·백·천·만·억 등의 십진급수에서 제일 먼저 꽉 찬 수입니다. 그러므로 이 열에 얼마를 더 보태거나 빼거나 한다면 그것은 이미 열이 아닌 다른 수가 됩니다. / 무엇을 하기에 그 이상 좋을 수가 없이 알맞은 경우에 '십상 좋다'고 말하는 십상도, 열 십(十) 자와 이룰 성(成) 자에서 나온 말입니다. 그만큼 열이란 수는 이미 이룰 것을 이룩한 완전한 수이며, 성공을 한 수인 것입니다. / 그러면 아홉이란 수는 어떤 수입니까? 두말할 필요도 없이 열보다 하나가 모자라는 수입니다. 다시 말하면, 완전에 거의 다다른 수, 거기에 하나만 보태면 완전에 이르게 되는 수, 그래서 매우 아쉬움을 느끼게 하는 수인 것입니다.

(십상: 꼭 맞게)

다 ㉠그러면 아홉은 정녕 열보다 적거나 작은 수일까요? 그렇지 않습니다. 예를 들어 보겠습니다.

끝없이 높고 너른 하늘을 십만 리 장천이라고 하지 않고 구만리장천이라고 합니다. 젊은이더러 앞길이 구만 리 같은 사람이라고 하는 말과 같은 뜻이지요.

(장천: 끝없이 잇닿아 멀고도 넓은 하늘)

굽이굽이 한없이 서린 마음을 구곡간장이라고 하고, 굽이굽이 에워 도는 산굽이가 얼마인지 모르는 길을 구절양장이라고 하고, 통과해야 할 문이 몇이나 되는지 모르는 왕실을 구중궁궐이라고 하고, 죽을 고비를 수도 없이 넘기고 살아난 것을 구사일생이라고 표현하고 있습니다. / 또 있습니다. 끝 간 데가 어디인지 모르는 땅속이나 저승을 구천이라고 하고 임금보다 한 계급 모자라는 대신인 삼공육경을 구경이라고 합니다. 문화재로 남아 있는 탑들을 보면, 구 층 탑은 부지기수로 많아도, 십 층 탑은 아직 보지 못하였습니다.

(삼공육경: 조선 시대에, 삼정승과 육조 판서를 통틀어 이르던 말)
(부지기수: 헤아릴 수가 없을 만큼 많음. 또는 그렇게 많은 수효)

라 동양에서는, 그중에서도 특히 우리나라에서는, 오랜 옛날부터 열보다 아홉을 더 사랑했습니다. 얼마나 사랑했으면 아홉 구 자가 두 번 든 음력 구월 구일을 중양절이니, 중굿날이니 하는 이름으로 부르면서, 천 년이 넘도록 큰 명절로 정하고 쇠어 왔겠습니까.

(중양절: 세시 명절의 하나로 음력 9월 9일을 이르는 말)

우리의 조상들이 열보다 아홉을 더 사랑한 것은 무슨 까닭이었을까요? 간단히 말해서 모든 일에 완벽함을 기대하지 않았다는 뜻이 아니었을까요?

마 우리가 흔히 듣는 말에 "모든 기록은 깨어지기 위해서 있다."라는 말이 있습니다. 이 말이 맞지 않는 말이라면, 여러분이 아시다시피 세계 제일의 기록만을 수록하는 『기네스북』도 해마다 다시 찍어 내야 할 까닭이 없겠지요. / 모든 기록이 반드시 깨어지기 마련인 것은, 그 기록을 이룩한 것이 인간이기 때문이라고 생각합니다. 인간은 저마다 무한한 가능성을 타고난 사실과 아울러서, 이 세상에 완전한 인간은 결코 어디에도 있을 수가 없다는 사실 또한 그 스스로가 증명해 주는 존재이기도 합니다.

(이룩한: 어떤 큰 현상이나 사업 따위를 이룬)

바 열이란 수가 넘치지도 않고 모자라지도 않고, 또 조금도 여유가 없는 꽉 찬 수, 그래서 다음도 없고 다음 다음도 없이 아주 끝나 버린 수라는 점에서, 아홉은 열보다 많고, 열보다 크고, 열보다 높고, 열보다 깊고, 열보다 넓고, 열보다 멀고, 열보다 긴 수였으며, 그리하여 다음, 또 그다음, 그도 아니면 그 다음다음을 바라볼 수 있는, 미래의 꿈과 그 가능성의 수였기에, 슬기롭고 끈기 있는 우리의 선조들에게 일찍부터 열보다 열 배도 넘는 사랑을 담뿍 받아 왔던 것입니다.

가운데 우리나라에서는 완전한 수인 열보다 ☐☐의 꿈과 가능성을 가진 아홉을 더 사랑했음.

끝 **사** 하물며 여러분은 지금 한창 자라고, 한창 배우고, 한창 놀아야 할 중학생입니다. 여러분은 지금 무엇 한 가지도 완벽할 수가 없으며, 항상 어딘가가 부족하고 어설픈 것이 오히려 정상적인 학생입니다. 행여 무엇이 남들보다 모자란 것이 아닌가 싶어서 스스로 괴로워하고 외로워하고 서글퍼해 온 학생이 있다면, 어떨까요, 이제부터라도 열이란 수보다 아홉이란 수를 더 사랑해 보는 것은.

끝 ☐☐☐은 숫자 아홉이 지닌 특성을 닮음.

콕콕 정리

◆ '열'과 '아홉'의 의미

'열'의 의미	'아홉'의 의미
이미 이룰 것을 이룩한 완전한 수	완전에 거의 다다른 수
성공을 한 수	매우 아쉬움을 느끼게 하는 수
조금도 여유가 없는 꽉 찬 수, 그다음이 없이 아주 끝나 버린 수	다음다음을 바라볼 수 있는, 미래의 꿈과 가능성의 수
부족한 것 없이 모든 것을 이룬 어른과 같은 수	앞으로 무엇이든 할 수 있는 청소년과 같은 수

교과서 핵심 개념

◆ '열보다 큰 아홉'의 역설적 표현

'열보다 큰 아홉' ↔ (모순) 원래 아홉은 열보다 작음.

↓

의미	아홉은 미래의 꿈과 가능성을 담고 있는 수이기 때문에 열보다 더 클 수 있음.
효과	단조로운 문장 형태에 변화를 주어 자기 생각을 강조함.

교과서 핵심 개념

◆ 관용 표현과 그 효과

- 구만리장천, 구곡간장, 구절양장, 구중궁궐, 구사일생, 구천 등
- 앞길이 구만리 같다.

↓

말하고자 하는 바를 보다 명확하고 간결하게 표현하고 전달함.

교과서 핵심 개념

1 이 글의 표현상 특징을 파악한 내용 중 옳지 않은 것은?

① 여러 가지 일화를 나열하여 자신의 생각을 전달하고 있어.
② 역설적 표현을 제목으로 하여 글쓴이의 생각을 강조하고 있어.
③ 열과 아홉을 비교, 대조하며 각각의 수에 담긴 뜻을 말하고 있어.
④ 다양한 관용 표현을 예로 들어 아홉에 담긴 의미를 보여 주고 있어.
⑤ 스스로 묻고 답함으로써 내용을 강조하는 문답법을 사용하고 있어.

2 이 글에 제시된 '아홉'에 대한 우리 조상들의 생각으로 적절하지 않은 것은?

① 미래 지향의 수
② 성공을 보장하는 수
③ 조금의 여유가 있는 수
④ 완전에 거의 다다른 수
⑤ 아쉬움을 느끼게 하는 수

3 (사)로 보아, 글쓴이가 이 글을 쓴 궁극적인 의도로 가장 적절한 것은?

① 숫자 아홉과 열의 뜻을 비교하기 위해
② 중학생 시기에 갖추어야 할 아홉 가지 덕목을 알려 주기 위해
③ 우리 조상들이 아홉이라는 숫자에 어떤 뜻을 부여해 왔는지 설명하기 위해
④ 청소년은 아홉이라는 숫자처럼 미래를 향한 가능성이 열려 있는, 가치 있는 존재임을 일깨우기 위해
⑤ 실의에 찬 청소년들이 슬기롭고 끈기 있는 우리 선조들의 미덕을 본받았으면 하는 마음을 전하기 위해

교과서 핵심 개념

4 ㉠에 대한 답이 될 수 있는 관용 표현으로 적절하지 않은 것은?

① 구절양장 ② 구곡간장 ③ 구중궁궐 ④ 삼순구식 ⑤ 구사일생

02 흙을 밟고 싶다 ❶ _문정희

핵심 콕콕 • 글에 나타난 글쓴이의 관점 파악하기
• 글쓴이의 관점을 글에 등장하는 다른 인물의 관점과 비교하기

갈래	수필
성격	회상적, 경험적, 비판적, 교훈적
제재	흙
주제	흙(자연)을 가까이하는 삶을 살아야 한다.
특징	• '곱슬머리 소년의 엄마'와 '나'의 흙을 바라보는 관점이 대비됨. • 글쓴이의 경험과 사색을 통해 흙의 긍정적 가치를 제시함. • 흙을 멀리하는 요즘 사람들에 대한 비판적인 태도가 드러남.

처음 **가** 동네 꼬마들이 흙장난을 하고 있다. 그것도 ㉠흙냄새가 향기로운 아파트 정원에 앉아서.

'출입 금지'라는 팻말에도 아랑곳없이 흙 위에 풀썩 주저앉아 노는 모습이 좋은 놀이터라도 발견한 듯 신이 나 있는 표정이다.

화단 내에 들어가지 말 것을 주의를 주어야 함에도 나는 동심(어린아이의 마음)으로 돌아가 모르는 척 그들 노는 모습을 망연자실(茫然自失: 멍하니 정신을 잃음.) 지켜보고 있다. ㉡아파트 내에서 그나마 흙냄새 나는 곳이 있다는 게 다행이란 생각이 들었기 때문이다. 곱슬머리 남자아이가 운동화를 벗더니 신발 가득 흙을 담기 시작했다. 짐 실은 트럭을 만들기 위한 것이라고 한다. 이에 뒤질세라 그중 가장 나이 어려 보이는 여자아이는 무엇을 하려는지 흙을 산더미처럼 쌓기 시작했다.

흙을 갖고 온갖 놀이를 구상하는(예술 작품을 창작할 때, 작품의 골자가 될 내용이나 표현 형식 따위에 대하여 생각을 정리하는) 모습이 어찌나 진지해 보이는지, 군데군데 나무와 화초가 심어진 정원이 그들의 천국인 양 평온하기가 이를 데 없다.

나 한데 그것도 잠시였다. 아이를 찾던 곱슬머리 소년의 엄마가 헐레벌떡 달려오더니 다짜고짜 아이를 야단치기 시작했다. 놀이터를 놔두고 왜 하필 더러운 흙을 만지며 노느냐는 것이다. 트럭을 만들려고 흙을 담아 놓은 운동화를 보자 아이 엄마의 얼굴은 더 일그러졌다. 새 신발에 흙을 묻혀 놓아 짜증스럽다는 표정이다.

다 "내버려 두세요, 흙 놀이도 자연을 알게 하는 산(글이나 말, 또는 어떤 현상의 효력이 현실과 관련되어 생동성이 있는) 공부인데."라는 말이 목구멍까지 올라왔지만 차마 입이 떨어지질 않았다. 아이의 옷에 흙 묻히는 걸 싫어하는데 불난 집에 부채질하는 격(남의 재앙을 점점 더 커지도록 만들거나 성난 사람을 더욱 성나게 함을 비유적으로 이르는 말)이 될 것 같아서였다.

㉢흙을 가득 실은 운동화 트럭을 운전해 보지도 못한 채 엄마 손에 이끌려 가는 아이의 모습이 안타까웠다. 흙 내음을 맡으며 모처럼 도시의 딱딱함으로부터 해방된 것 같은 기분을 그 아이들은 느꼈을 터였다.

라 기성세대의 고집이 아이들의 감성을 짓누른다 생각하니 왠지 씁쓸한 생각이 들었다. 물론 아파트에 놀이터가 한두 군데 있기는 하지만 모두 모래여서 부드럽고 촉촉한 흙의 감촉에는 비할 바가 못 된다. ㉣온통 시멘트 바닥에다 빼곡 빼곡 붙어 있는 빌딩 숲에서 어찌 생명의 경이로움을 가슴으로 느낄 수 있으랴. 신기한 장난감도 오래 가지고 놀면 흥미를 잃기 마련인데, ㉤온갖 놀이 기구가 풍성해도 풀 한 포기 자라지 않은 아파트 놀이터에 싫증을 느꼈는지도 모른다.

처음 | 아파트 정원에서 흙장난을 하던 아이를 야단치는 □□ □□를 지켜보며 씁쓸해함.

콕콕 정리

교과서 핵심 개념

◆ '흙'에 대한 글쓴이의 관점이 드러난 표현

- 흙냄새가 향기로운 아파트 정원
- 아파트 내에서 그나마 흙냄새가 나는 곳이 있다는 게 다행이란 생각이 들었기 때문이다.
- 흙 놀이도 자연을 알게 하는 산 공부인데.
- 흙 내음을 맡으며 모처럼 도시의 딱딱함으로부터 해방된 것 같은 기분
- 부드럽고 촉촉한 흙의 감촉에는 비할 바가 못 된다.

교과서 핵심 개념

◆ 흙을 바라보는 글쓴이와 아이 엄마의 관점 차이

글쓴이		아이 엄마
흙장난을 하는 동네 꼬마들을 흐뭇하게 바라봄.		흙을 만지며 노는 아이를 야단치며 못마땅해함.
↓		↓
관점		**관점**
• 흙을 만지며 노는 것을 긍정적으로 바라봄. • 흙을 통해 자연을 느끼고 배울 수 있다고 여김.	↔	• 흙을 만지며 노는 것을 부정적으로 바라봄. • 흙을 몸에 묻으면 안 되는 더러운 것으로 여김.

◆ 대비되는 소재의 의미

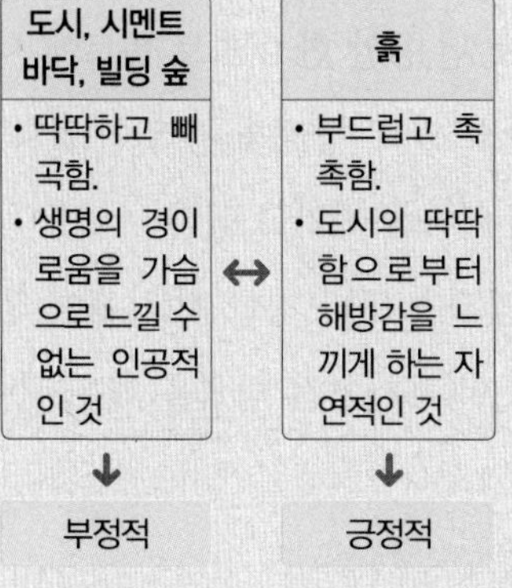

도시, 시멘트 바닥, 빌딩 숲		흙
• 딱딱하고 빼곡함. • 생명의 경이로움을 가슴으로 느낄 수 없는 인공적인 것	↔	• 부드럽고 촉촉함. • 도시의 딱딱함으로부터 해방감을 느끼게 하는 자연적인 것
↓		↓
부정적		긍정적

1 이 글에 대한 설명으로 적절하지 않은 것은?

① 글쓴이의 실제 경험이 구체적으로 제시되어 있다.
② 흙에 대한 글쓴이의 객관적인 평가가 드러나 있다.
③ 도시에 사는 요즘 사람들의 가치관을 짐작하게 한다.
④ 글쓴이가 사색을 통해 느낀 감정이 솔직하게 나타나 있다.
⑤ 글쓴이가 대상을 바라보는 관점을 통해 글쓴이의 세계관을 알 수 있다.

교과서 핵심 개념

2 이 글 속 '곱슬머리 소년의 엄마'의 생각에 해당하는 것은?

① '흙 놀이가 문제가 아니라 화단에 들어가서 논 것이 문제야.'
② '흙장난은 더 어린 아이들이 좋아하는 놀이니 못 하게 해야 해.'
③ '흙은 몸에 묻으면 안 되는 더러운 것이니 멀리하도록 해야 해.'
④ '흙의 가치는 알지만 운동화가 더러워지니 흙 놀이를 말려야 해.'
⑤ '흙을 가까이하는 삶도 중요하지만 그보다는 공부를 하는 게 더 중요해.'

교과서 핵심 개념

3 이 글에 나타난 글쓴이의 관점으로 알맞지 않은 것은?

① 자연을 멀리하는 삶을 안타깝게 생각한다.
② 기성세대가 지닌 흙에 대한 생각에 공감한다.
③ 흙장난을 하는 아이들을 긍정적으로 바라본다.
④ 시멘트 바닥과 빌딩 숲을 부정적으로 바라본다.
⑤ 흙 놀이가 자연을 알게 하는 산 공부라고 여긴다.

4 ㉠~㉤에 대해 바르게 이해하지 못한 학생은?

① 가현: ㉠은 흙에 대한 글쓴이의 관점이 후각적 표현으로 드러나.
② 영채: ㉡에서 글쓴이가 화단에 들어간 아이들을 내버려 둔 이유가 나타나.
③ 종석: ㉢은 곱슬머리 남자아이가 흙장난을 하며 흙을 담아 놓은 운동화를 의미해.
④ 민규: ㉣은 흙과 대조되는 인공적인 공간에서는 생명의 경이로움을 느낄 수 없다는 뜻이야.
⑤ 진혁: ㉤은 글쓴이가 흙 놀이를 대신할 수 있는 공간으로 추천하는 곳이야.

서술형

5 (다)~(라)를 바탕으로 다음 빈칸에 들어갈 알맞은 단어를 각각 쓰시오.

> '나'는 흙 놀이를 하다 엄마 손에 이끌려 가는 아이의 모습을 보고 (　　　　) 와/과 (　　　　)을/를 느꼈다.

02 흙을 밟고 싶다 ❷

가운데 **마** 나도 어렸을 적 흙 놀이를 즐겼었다. 학교 이동이 잦았던 아버지께서 외지로 발령이 나자 어머니는 나를 사랑채에 사시는 증조할머니와 기거토록 하였다. 비행기나 차를 타는 일에 정도 이상으로 공포증을 갖고 있었던 나는 아버지 부임지로 함께 떠난다는 것은 생각할 수도 없었다. 지나가는 오토바이만 보아도 무슨 괴물을 보듯 무서워서 도망치곤 했을 만큼, 문명의 이기(利器)에 적응을 못 했기에 할머니와 지내는 것을 편케 생각했는지도 모른다. 교육열이 대단하셨던 증조할머니도 어머니 못지않게 자상한 성품이어서 부모님께서도 안심이 되셨던 것 같다.

(외지: 자기가 사는 곳 밖의 다른 고장 / 발령: 명령을 내림. 또는 그 명령. 흔히 직책이나 직위와 관계된 경우를 이른다. / 사랑채: 사랑으로 쓰는 집채 / 기거: 일정한 곳에서 먹고 자고 하는 따위의 일상적인 생활을 하도록 / 부임지: 임무를 받아 근무하는 곳 / 이기: 실용에 편리한 기계나 기구)

바 신기한 놀이 시설도, 특별한 장난감도 없었지만 나는 할머니와 지내는 게 신이 났다. 촉촉한 흙냄새가 나는 마당에 앉아 손으로 흙을 주물며 놀아도 야단치는 일이 없었기 때문이다.

그래서 흙이 질펀한 ㉠마당은 언제나 내 놀이터였다. 길에서 민들레를 뽑아다 흙을 일구어 심기도 하고, 신발에 흙을 담아 할머니 ㉡채마밭 고랑에 뿌리기도 하였다. 주위가 어둑해질 때까지 흙장난에 지칠 줄 모르는 나를 보고도 증조할머니는 웬일인지 화를 내지 않으셨다. 흙강아지가 되도록 실컷 놀라고 하실 뿐이었다.

(채마밭: 채마(먹을거리나 입을 거리로 심어서 가꾸는 식물)를 심어 가꾸는 밭)

사 생명을 키워 내는 흙의 신비로움과 풍요를 온몸으로 느끼게 해 주고 싶어서일까. 흙을 만지다 나뭇가지에 찔려 피가 흘러도 할머니는 그다지 놀라지 않으셨다. 할머니 손은 약손이라며 흙 한 줌 손으로 집어 상처 난 부위에 훌훌 뿌리는 것으로 치료를 대신하곤 했다. 사람은 흙으로 빚어졌으니 상처도 흙을 바르면 낫는다는 것이었다.

할머니의 흙 치료가 비위생적으로 보여 앙탈을 부리곤 했지만 할머니의 행동이 흙의 영험을 확신하고 계시는 것 같아 거부할 수도 없었다. 집안에 평안을 기원하는 제의 일종인 토신제(土神祭)를 지낼 때에도 할머니는 흙 한 줌을 그릇에 담아 뒤뜰에 뿌리곤 했었다.

(앙탈: 생떼를 쓰고 고집을 부리거나 불평을 늘어놓는 짓 / 영험: 사람의 기원대로 되는 신기한 징조를 경험함. / 토신제: 마을 사람들이 마을을 지켜 주는 신인 동신(洞神)에게 공동으로 지내는 제사)

아 아무런 조건도 없이 오랜 세월을 베풀어 주기만 한 땅, 조상이 물려준 토지에 집을 짓고 편안히 사는 게 모두 땅의 은덕이라 생각하신 듯싶었다. 발을 딛고 다니는 땅이야말로 살 속에 깃든 영혼이고 모든 생명의 고향이라 생각한 것이다. 하지만 요즈음 땅을 밟고 산다는 게 하나의 사치처럼 되어 가는 느낌이다.

(은덕: 은혜로운 덕)

> 가운데 | 흙장난을 마음껏 했던 어린 시절과, 땅의 ☐☐을 생각하셨던 증조할머니를 회상함.

끝 **자** 하늘과 가까운 ㉢고층 아파트에 살다 보니 흙을 가까이할 기회가 적어진 것이다. 가끔 이러다가는 하늘의 공간에서 영영 땅으로 내려오지 못하는 건 아닐까 하는 생각이 들기도 한다. 손바닥만 한 마당이라도 있는 ㉣주택으로 주거지를 옮기겠다고 입버릇처럼 말하면서도 결국 아파트의 편리함에 젖어 다시 주저앉게 되니 말이다.

그래서인지 근래 들어선 마음까지도 ㉤시멘트 벽을 닮아 가고 있는 것 같다. 오 년 동안 한 아파트 통로에 사는 아주머니와는 엘리베이터에서 만났어도 가벼운 목례를 하는 것 정도가 고작이고 서로 왕래해 본 일이 없다. 가까운 이웃이 없다면 훈훈한 정도 느끼지 못할 텐데 철저하게 혼자 사는 생활에 익숙해져 가고 있다.

차 지구(地球)의 절반 이상이 흐르는 물로 덮여 있음에도 수구(水球)라 하지 않고 지구라 칭한 것도 흙이 생명의 모태이기 때문이 아닐까. 땅과 멀어질수록 병원을 가까이한다는 말이 있듯이 무디어진 심성을 깨우치는 건 자연과 가까이하는 일이지 않나 싶다.

(모태: 사물의 발생·발전의 근거가 되는 토대를 비유적으로 이르는 말 / 심성: 타고난 마음씨)

> 끝 | ☐과 멀어지고 ☐☐과도 왕래하지 않는 오늘날의 생활을 염려함.

콕콕 정리

◆ **글쓴이의 어린 시절의 경험에 담긴 의미**

- 흙이 질펀한 마당에서 날이 어두워지도록 흙을 갖고 놀았음.
- 흙을 만지다 나뭇가지에 찔려 상처가 나도 흙을 뿌리는 것으로 치료를 대신했음.

흙에 대한 긍정적 가치를 자연스럽게 깨닫게 됨.

교과서 핵심 개념

◆ **흙(땅)에 대한 '증조할머니'의 관점**

'증조할머니'의 모습
• 어린 '나'가 마음껏 흙 놀이를 하도록 내버려 둠. • 사람은 흙으로 빚어졌으므로 상처도 흙으로 치료할 수 있다고 믿음. • 토신제를 지낼 때 흙 한 줌을 뒤뜰에 뿌림.

관점
• 흙이 사람을 이롭게 한다고 여김. • 흙에 사람을 치료하는 이로운 기운이 있다고 여김. • 흙이 생명의 근원이라고 생각함.

교과서 핵심 개념

◆ **요즘 도시인의 삶의 모습에 대한 글쓴이의 관점**

- 고층 아파트에 살아 흙을 가까이 할 기회가 적음.
- 편리함과 문명의 이기에 젖어 시멘트 벽처럼 마음이 삭막하게 메말라 가고 있음.
- 이웃과 정 없이 혼자 사는 생활에 익숙해짐.

흙을 멀리하는 요즘 도시인에 대한 비판적 관점이 드러남.

1 **이 글에서 글쓴이가 자신의 어린 시절의 경험을 제시한 이유로 적절한 것은?**

① 교육열이 높은 증조할머니의 양육 방식을 널리 퍼뜨리기 위해
② 아파트에 살면 이웃과 단절될 수밖에 없다는 점을 알려 주기 위해
③ 도시 곳곳에 자연 친화적 공간이나 시설을 조성해 주기를 제안하기 위해
④ 생활의 편리함에 젖어 흙의 가치와 소중함을 잊고 사는 사람들을 일깨우기 위해
⑤ 상처 난 부위에도 흙을 뿌려 치료하는 증조할머니의 미신적인 생각을 바로잡기 위해

교과서 핵심 개념

2 **흙을 대하는 '증조할머니'의 태도와 거리가 먼 것은?**

① 흙이 영험함을 지니고 있다고 여긴다.
② 흙이 사람을 이롭게 한다고 긍정적으로 생각한다.
③ 흙을 이용해야 문명의 이기에도 적응한다고 여긴다.
④ 흙에 사람을 치료하는 이로운 기운이 있다고 여긴다.
⑤ 땅은 생명의 고향으로서 인간에게 은덕을 베푼다고 여긴다.

교과서 핵심 개념

3 **이 글을 통해 글쓴이가 궁극적으로 전하고자 하는 바로 가장 알맞은 것은?**

① 이웃과 정을 나누며 살아야 한다.
② 자연을 가까이하는 삶이 곧 건강한 삶이다.
③ 우리 조상들의 지혜를 본받도록 노력해야 한다.
④ 마음이 삭막해질 때는 흙을 만지러 시골로 가야 한다.
⑤ 어린 시절의 순수함을 지켜야 훈훈한 정을 느낄 수 있다.

교과서 핵심 개념

4 **㉠~㉤ 중, 글쓴이가 긍정적으로 바라보는 대상끼리 바르게 묶인 것은?**

① ㉠, ㉡, ㉢　② ㉠, ㉡, ㉣　③ ㉠, ㉡, ㉤
④ ㉡, ㉢, ㉣　⑤ ㉢, ㉣, ㉤

5 **(자)에서 알 수 있는 오늘날의 상황에 대한 글쓴이의 관점을 3음절로 쓰시오.**

03 맛있는 책, 일생의 보약 ① _성석제

핵심 콕콕 • 글쓴이의 읽기 경험 파악하기
• 읽기의 가치와 읽기를 생활화하는 방안 이해하기

갈래	수필
성격	회고적, 교훈적
제재	학창 시절의 읽기 경험
주제	읽기의 가치와 중요성
특징	• 중학교 때 읽기 경험을 회상하며 읽기의 중요성과 가치를 제시함. • 박지원의 소설을 읽었던 경험을 통해 고전의 가치를 강조함.

처음 **가** 사방이 산으로 둘러싸인 곳에서 태어나 아침에 눈을 떠서 저녁에 감을 때까지 늘 산을 보아야 하는 곳에서 중학교 1학년까지를 보내고 2학년 봄, 서울의 남쪽 관악산이 올려다보이는 중학교로 전학을 했다. 담임 선생님은 미술 선생님이셨는데 특별 활동으로 산악반을 맡고 계시기도 했다. 매주 화요일 6교시, 일주일에 단 한 시간 활동하는 그 '특별'한 '활동'은 내 취향과는 아무런 상관없이 시간 내내 산과 학교 사이를 뛰어 오가는 산악반으로 정해졌다.

(취향: 하고 싶은 마음이 생기는 방향. 또는 그런 경향)

나 3학년이 되면서 비로소 내가 좋아하는 특별 활동을 선택할 기회가 왔다. 나는 특별 활동 산악반의 경험에 비추어, 되도록 몸을 많이 움직이지 않는 특별 활동반을 점찍었는데 그게 바로 도서반이었다. ㉠도서반 담당 선생님은 특별 활동의 첫날, 도서반이 할 일에 관해 아주 짧고 쉽게 설명해 주셨다.

"여러분 곁에는 책이 있다. 그 책 가운데 자기 마음에 드는 책을 골라서 읽고 수업이 끝나는 종소리가 울리면 가면 된다." / 그리고 선생님 본인이 마음에 드는 책을 골라서 자리를 잡고 읽는 것으로 시범을 보여 주셨다. 나는 책을 고르러 가는 아이들의 뒤를 따라가서 한자로 제목이 씌어 있어서 아이들이 거의 손을 대지 않는 책 가운데 하나를 꺼내 들었다.

처음 | 중학교 3학년이 되면서 특별 활동으로 □□□을 선택하게 됨.

가운데 **다** 그 책은 《한국 고전 문학 전집》 같은 묵직한 제목 아래 편집된 수십 권의 시리즈 가운데 한 권이었다. 반드시 읽어야 한다는 것을 강조하는 고전 대부분이 그렇듯 책 표지는 사람의 손을 거의 거치지 않아서 깨끗했다. 지은이는 박지원, 내가 처음으로 펴 든 대목은 〈허생전〉이었다.

(고전: 오랫동안 많은 사람에게 널리 읽히고 모범이 될 만한 문학이나 예술 작품.)
(허생전: 의리가 있고 정의로우며 무술 실력이 뛰어난 사람의 이야기를 주된 내용으로 하는 소설)

라 나이가 두 자리 숫자가 되면서 무협지에 빠지기 시작해서 전학 오기 전 국내에서 출간된 대부분의 무협지를 읽었다고 생각하고 있던 내게, 한문 문장을 번역한 예스러운 문체는 별 거부감이 없었다. 오히려 옆자리나 앞자리의 아이들이 읽고 있는 현대 소설이 가볍게 느껴질 정도였다. 내용 역시 익숙했다. 허생이라는 인물은 깊고 고요한 곳에 숨어 있으면서 실력을 쌓은 뒤에, 일단 세상에 나갈 일이 생기자 한바탕 멋지게 세상을 뒤흔들어 놓고서는 다시 제자리로 돌아온다. 무협지에서 흔히 볼 수 있는 방식이었다.

(출간된: 서적이나 회화 따위를 인쇄하여 세상에 내놓은)
(예스러운: 옛것과 같은 맛이나 멋이 있는)
(문체: 문장의 개성적 특색)

마 〈허생전〉 다음에는 〈호질〉, 〈양반전〉도 있었다. 책이 꽤 두꺼웠으니 박지원의 저작 가운데 상당 부분이 책에 들어 있었을 것이다. 그런데 그 책 속에 있는 주인공들은 내가 읽었던 수천 권의 무협지의 주인공과는 달라도 많이 달랐다. 무협지를 읽고 나면 주인공 이름 말고는 기억에 남는 게 없는데 박지원 소설은 주인공이 다음에 어떻게 되었을지 궁금하게 하고 내가 주인공이 되었더라면 어떻게 했을지 자꾸만 생각을 하게 만들었다.

(저작: 예술이나 학문에 관한 책이나 작품 따위를 지음. 또는 그 책이나 작품)

바 한두 번 씹으면 단맛이 다 빠져 버리는 무협지와는 달리 읽을수록 새로운 맛이 우러나왔다. 보석처럼 단단하고 품위 있는 문장은 아름답기까지 했다. 책을 읽으면서 내 정신세계가 무슨 보약을 먹은 듯이 한층 더 넓어지고 수준이 높아지는 듯한 느낌이 들었다. 일주일에 단 한 시간, 도서관에서 단 한 권의 책을 거듭 펴서 읽었을 뿐인데도.

(보약: 몸의 기운을 높여 주고 건강하도록 도와주는 약)

콕콕 정리

교과서 핵심 개념

◆ 글쓴이의 책 읽기 경험

시기	중학교 3학년 1학기
주요 활동	특별 활동 시간으로 선택한 도서반에서 읽고 싶은 책 골라서 읽기
읽은 책	「허생전」을 비롯한 박지원의 소설
읽은 계기	한자로 제목이 씌어 있고, 책 표지가 사람의 손을 거의 거치지 않아 깨끗한 책을 우연히 꺼내 들게 됨.

교과서 핵심 개념

◆ 무협지와 박지원의 소설에 대한 글쓴이의 생각

	무협지	박지원의 소설
공통점	• 한문을 번역한 예스러운 문체 • 주인공이 실력을 쌓은 뒤에 한바탕 멋지게 세상을 뒤흔들어 놓고 다시 제자리로 돌아온다는 내용	
차이점	• 읽고 나면 주인공의 이름 말고 기억에 남는 것이 없음. • 한두 번 읽고 나면 단맛이 다 빠진 듯 재미가 없어짐.	• 다음 내용이 궁금하고 주인공에 대해 깊이 있게 생각하게 됨. • 읽을수록 새로운 맛이 우러나와 재미있음. • 문장이 보석처럼 단단하고 품위가 느껴짐. • 정신세계가 넓어지고 수준이 높아지는 듯한 느낌이 듦.

1 이 글에 대한 설명으로 적절한 것은?

① 중학교 때 특별 활동의 중요성에 대해 말하고 있다.
② 학창 시절에 대한 그리움을 담담하게 서술하고 있다.
③ 마음에 드는 책을 고르는 방법을 상세히 조언하고 있다.
④ 글쓴이가 자신의 경험을 회상하며 읽기의 가치를 전하고 있다.
⑤ 극한의 어려움을 이겨 낸 글쓴이의 경험을 솔직하게 담고 있다.

교과서 핵심 개념

2 책 읽기에 대한 글쓴이의 생각과 일치하는 것은?

① 선생님의 추천 도서를 읽는 것이 좋다.
② 한국 고전 문학 전집을 반드시 읽어야 한다.
③ 무협지와 같은 흥미 위주의 책을 읽는 것은 좋지 않다.
④ 학생들이 거의 읽지 않는 수준 높은 책을 읽어야 한다.
⑤ 책 읽기를 통해 정신세계가 넓어지는 듯한 경험을 할 수 있다.

교과서 핵심 개념

3 글쓴이가 박지원의 소설을 읽으며 했을 법한 생각으로 적절하지 <u>않은</u> 것은?

① 읽을수록 새로운 맛이 느껴지네.
② 주인공이 다음에 어떻게 되었을까?
③ 내가 주인공이라면 어떻게 했을까?
④ 한문 문장을 번역한 예스러운 문체는 좀 낯설군.
⑤ 무협지와는 달리 문장이 품위 있고 아름답게 느껴져.

교과서 핵심 개념

4 ㉠의 읽기 태도와 관련된 읽기의 생활화 방안으로 적절한 것은?

① 책을 읽고 감상문을 쓴다.
② 독서 동아리에서 독서 신문을 만든다.
③ 읽은 책에 관해 친구들과 이야기를 나눈다.
④ 작가와 함께하는 독서 캠프 활동에 참여한다.
⑤ 좋아하는 책을 골라 늘 가지고 다니며 읽는다.

서술형

5 (바)에서 다음 설명에 해당하는 소재를 찾아 2음절로 쓰시오.

• 허약한 기운을 보충하고 몸을 건강하게 만드는 것임.
• 책이 인간의 정신을 고양시켜 준다는 점을 강조한 비유적 표현임.

03 맛있는 책, 일생의 보약 ❷

사 중학교 3학년 1학기 특별 활동 시간에 나는 몇백 년 전 글을 쓴 사람의 숨결이 글을 다리로 하여 건너와 느껴지는 경험을 처음 해 보았다. 무엇보다 중요한 것은 그것이 무척 재미있었다는 것이다. 읽으면 내 피와 살이 되는 고전, 맛있는 고전, 내가 재미를 들인 최초의 고전이 우리의 조상이 쓴 것이라는 데에서 나오는 뿌듯함까지 맛볼 수 있었다.

아 3학년 2학기가 되었을 때 특별 활동 시간은 없어졌다. 내가 1학기의 특별 활동 시간에 읽은 것은 박지원의 책이 전부였다. 하지만 내가 지금 소설을 쓰고 있는 것은 바로 그 책 때문이라고 생각한다. 특별하지 않은 특별 활동 시간에 읽은 아주 특별한 그 책이 내 일생을 바꾸었다.

가운데 | 도서반 활동을 하며 읽은 박지원의 □□ □□이 일생을 바꿀 만큼 큰 영향을 줌.

끝 **자** 누구에게나 ㉠그런 일이 일어날 수 있다. 모르고 지나갈 수도 있다. 어떤 책을 계기로 인간의 지극한 정신문화, 그 높고 그윽한 세계에 닿고 그 일원이 되는 것은 겪어 보지 못한 사람은 알 수 없는 행복을 안겨 준다. 이 세상에 인간으로 나서 인간으로 살면서 인간다운 삶을 살고 드높은 가치를 추구하는 길을 책이 보여 준다. 책은 지구상에서 인간이라는 종만이 알고 있는, 진정한 인간으로 나아가는 통로이다. 그래서 사람들은 말하는지도 모른다, 책 속에 길이 있다고.

- 일원: 단체에 소속된 한 구성원
- 정신문화: 인간의 정신적 활동으로 이룬 문화. 학술, 사상, 종교, 예술, 도덕 따위이다.
- 길: 사람이 삶을 살아가거나 사회가 발전해 가는 데에 지향하는 방향, 지침, 목적이나 전문 분야

끝 | □ 읽기의 가치와 중요성에 대한 깨달음을 얻음.

콕콕 정리

◆ 글쓴이의 읽기 경험이 미친 영향

읽기 경험
특별 활동 시간에 고전 소설을 읽고, 몇백 년 전 글을 쓴 사람의 숨결이 느껴지는 경험을 함.

↓

영향
• 고전의 가치를 깨달음. • 책이 글쓴이의 일생을 바꾸어 소설가가 됨. • 읽기의 가치와 중요성을 깨달음.

교과서 핵심 개념

◆ 글쓴이가 말하는 책 읽기의 가치

- 인간의 지극한 정신문화를 알고 경험하게 함.
- 인간다운 삶을 살고 드높은 가치를 추구하는 길을 보여 줌.
- 인간만이 알고 있는, 진정한 인간으로 나아가는 통로임.

↓

책 속에 길이 있음.

교과서 핵심 개념

◆ 읽기를 생활화하기 위한 방법

- 독서 모임에 가입하여 주기적으로 책을 읽는다.
- 매일 조금씩이라도 책을 읽는다.
- 여가 시간에 책을 즐겨 읽는다.
- 한 달에 책 한 권을 읽는다.
- 책을 읽고 감상문을 쓴다.
- 읽은 책에 관해 친구들과 이야기를 나눈다.
- 우리 반 독서 신문을 만든다.
- 학교나 동네 도서관의 독서 캠프나 문학 기행과 같은 독서 행사에 참여한다.

1 글쓴이가 특별 활동의 경험을 통해 느낀 점으로 옳지 <u>않은</u> 것은?

① 고전 읽기의 재미
② 몇백 년 전 글을 쓴 사람의 숨결
③ 책을 읽고 친구들과 함께 이야기하는 재미
④ 우리 조상이 쓴 고전 소설을 읽은 데서 오는 뿌듯함
⑤ 고전을 충분히 이해하고 받아들여 자기 것으로 소화한 느낌

교과서 핵심 개념

2 다음 질문에 대한 글쓴이의 예상 답변으로 가장 알맞은 것은?

> 작가님이 생각하시는 읽기의 가치는 무엇인가요?

① 읽기는 진로에 대한 자부심을 갖게 합니다.
② 읽기는 지적 호기심을 충족시킬 수 있어요.
③ 읽기는 마음의 위로와 평안을 가져다줍니다.
④ 읽기는 인간다운 삶을 사는 길을 보여 줍니다.
⑤ 우리는 읽기를 통해 건전한 여가 생활을 누릴 수 있습니다.

교과서 핵심 개념

3 이 글을 읽은 독자가 읽기를 생활화하기 위해 떠올린 방법으로 적절하지 <u>않은</u> 것은?

① 작가와 작품에 관련된 독서 기행에 참여한다.
② 생활하는 장소 곳곳에 읽을 책을 비치해 둔다.
③ 등교 시간 등 자투리 시간을 활용해 책을 읽는다.
④ 친구들과 독서 소모임을 만들어 함께 책을 읽고 토의한다.
⑤ 일 년에 한 번 독서의 날을 정해 그날 여러 권의 책을 몰아 읽는다.

4 ㉠이 가리키는 구체적인 내용으로 가장 적절한 것은?

① 일생의 보약과 같은 책을 쓰는 일
② 누군가와의 인연이 평생 이어지는 일
③ 특별하지 않은 책이 일생을 바꾸는 일
④ 책이 일생을 바꾸는 데 영향을 미치는 일
⑤ 학창 시절의 경험이 오랫동안 기억에 남는 일

서술형

5 〈보기〉에서 말하는 책 읽기의 가치가 드러난 문장을 (아)에서 찾아 쓰시오.

> 보기
> 좋은 책은 인생의 전환점이 되기도 하고, 자신의 진로를 정하는 결정적 계기가 되기도 한다.

비상 안전 퀴즈 ❶

지하철에서 연기 발생! 어디로 대피할까?

지하철 객실에 연기가 가득 차고 지하철이 터널 중간에 멈췄을 때! 어떻게 행동하는 것이 가장 안전할까요?

❶ 문이 닫힌 객실 안에서 구조대가 올 때까지 기다린다.

❷ 지하철 문을 억지로 열고 나와 반대편 선로로 급히 뛰어간다.

❸ 코와 입을 막은 채로 밖으로 나온 뒤 바람이 불어오는 방향으로 간다.

 정답은?

①

문이 닫힌 객실 안에서 구조대가 올 때까지 기다린다.

지하철 객실 안에 그대로 남아 있으면 연기 때문에 위험할 수 있다. 연기를 마시지 않게 자세를 낮추고 빠르게 밖으로 탈출하자!

②

지하철 문을 억지로 열고 나와 반대편 선로로 급히 뛰어간다.

지하철 밖으로 나와서 무작정 반대편 선로로 뛰어가다 반대편으로 오는 열차에 치일 수 있다. 따라서 가능하면 선로가 아닌 쪽으로 탈출하자!

③

코와 입을 막은 채로 밖으로 나온 뒤 바람이 불어오는 방향으로 간다.

유독 가스를 흡입하면 위험해지므로 코와 입을 막고 밖으로 나온다. 어두운 터널 안에서는 방향을 찾기 어렵지만 바람이 불어오는 쪽으로 가야 불길이 번지더라도 피할 수 있다!

Ⓒ ◀

Ⅱ 읽기

		비상	미래엔	천재(박)	천재(노)	동아	지학사	창비	금성
1 설명하는 글	01 지혜가 담긴 음식, 발효 식품	★							
	02 우리는 왜 간지럼을 느낄까				★				
2 주장하는 글	01 착한 소비, 내 지갑 속의 투표용지				★				
	02 느림의 가치를 재발견하자					★			

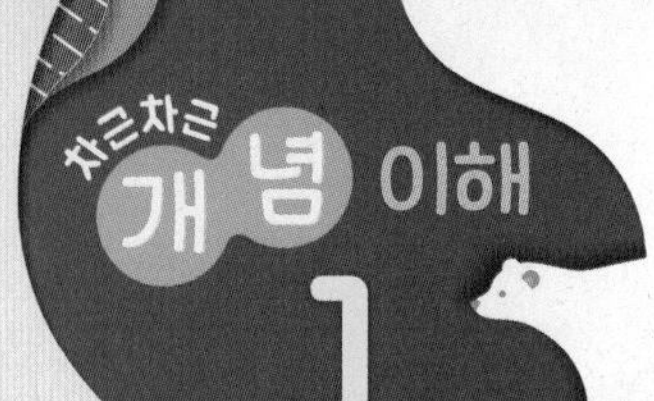

• 정답과 해설 24쪽

설명하는 글

1 설명하는 글

(1) 설명하는 글의 개념

어떤 사물이나 사실, 현상, 지식 등에 대한 정보를 읽는 이가 알기 쉽게 풀어 쓴 객관적인 글이다.

(2) 설명하는 글의 구조

처음		가운데(중간)		끝
• 읽는 이의 관심을 끄는 내용을 제시함. • 설명 대상과 글을 쓰게 된 동기를 제시함.	→	적절한 설명 방법을 사용하여 설명 대상을 구체적으로 설명함.	→	• 설명한 내용을 요약하고 정리하여 마무리함. • 앞으로의 과제나 전망, 당부의 말을 제시함.

교과서 핵심 개념

2 설명 방법의 종류

종류	뜻	예
정의	대상의 개념이나 뜻을 풀이하여 밝히며 설명하는 방법	문학은 언어를 표현 수단으로 하는 예술이다.
예시	대상에 대한 구체적인 예를 들어 설명하는 방법	봄에 피는 꽃에는 개나리, 진달래, 목련, 벚꽃 등이 있다.
비교	둘 이상의 대상을 견주어 공통점이나 유사점을 중심으로 설명하는 방법	숟가락과 젓가락은 밥을 먹을 때 쓰는 도구이다.
대조	둘 이상의 대상을 견주어 차이점을 중심으로 설명하는 방법	희곡은 연극의 대본이고, 시나리오는 영화의 대본이다.
분류	어떤 대상을 같은 종류끼리 묶어서 설명하는 방법 (작은 것을 큰 단위로 묶음.)	시, 소설, 수필, 희곡 등은 문학에 속한다.
구분	전체를 기준에 따라 몇 개로 나누어 설명하는 방법 (큰 것을 작은 단위로 나눔.)	국악기는 연주 방법에 따라 관악기, 현악기, 타악기로 나눌 수 있다.
인과	원인과 결과에 따라 설명하는 방법	꾸준히 공부를 했더니 성적이 향상되었다.
분석	하나의 대상을 그 구성 요소나 부분으로 나누어 설명하는 방법	꽃은 꽃잎, 암술, 수술, 꽃받침 등으로 이루어져 있다.

3 설명 방법을 파악하며 설명하는 글을 읽는 방법

• 글을 읽고 설명 대상과 글에 사용된 설명 방법을 파악한다.
• 글에 사용된 설명 방법을 중심으로 글의 전개 방식과 구조를 정리한다.
• 설명 방법이 설명 대상에 적합한지 판단한 후, 그 효과와 적절성을 평가한다.

더 알아 두기

◆ 그 밖의 설명 방법

열거	여러 가지 예나 사실을 낱낱이 죽 늘어놓아 설명하는 방법
부연·상술	중심 문장이나 문단의 내용을 보충하여 덧붙이거나, 상세하게 풀어 설명하는 방법
인용	다른 사람의 말이나 글을 자신의 말이나 글 속에 끌어 써서 설명하는 방법
비유	어떤 현상이나 대상을 다른 비슷한 현상이나 사물에 빗대어 설명하는 방법
과정	어떤 결과에 이르는 변화나 절차에 따라 설명하는 방법

◆ 설명 방법의 효과

글쓴이	내용을 정확하고 쉽게 전달할 수 있음.
읽는 이	글을 구조적으로 이해하게 되어 핵심 내용을 쉽게 파악하고 기억할 수 있음.

꼼꼼 확인 문제

1 둘 이상의 대상을 견주어 공통점을 드러내는 방법을 ☐☐, 차이점을 드러내는 방법을 ☐☐(이)라고 한다.

2 환경 오염의 원인과 실태에 대한 글을 쓸 때에 가장 적합한 설명 방법은 ☐☐(이)다.

3 설명 방법은 설명하고자 하는 대상을 이해하는 데 도움을 주지만 글의 전개 방식이나 구조와는 관련이 없다. (○, ×)

• 정답과 해설 24쪽

바로바로 개념 적용

중학생도 세금을 내나요 _조준현

갈래	설명하는 글	성격	분석적, 객관적
제재	세금	주제	직접세와 간접세의 특징
특징	• 세금의 종류를 직접세와 간접세로 분류하여 체계적으로 제시함. • 직접세와 간접세의 장단점을 대조하여 대상의 특징을 밝힘. • 구체적인 사례를 들어 세금의 필요성과 중요성을 쉽게 설명함.		

처음

가 케네디는 "국가가 당신을 위해서 무엇을 해 줄 것인가를 묻기 전에 당신이 국가를 위해서 무엇을 할 것인가를 생각하십시오."라고 하였다.

케네디 대통령의 말처럼 국가가 국민을 위해서 무엇인가를 해 주기 위해서는 국민이 먼저 국가에 대한 의무를 다해야 한다. ▶ 국민의 의무를 강조한 케네디 대통령의 일화 소개

가운데1

나 국가는 세금을 국민에게 걷는다. 세금은 국가가 국민에게 세금을 걷는 방식에 따라 일반적으로 직접세와 간접세로 나눌 수 있다. ▶ 직접세와 간접세로 나뉘는 세금

다 직접세는 세금을 내야 하는 개인이나 기업이 직접 내는 세금을 말한다. 개인이 내는 소득세, 기업이 내는 법인세, 그리고 증여세(증여에 의하여 재산이 무상으로 이전되는 경우에 부과되는 조세), 상속세(사망에 의하여 무상으로 이전되는 재산에 대하여 부과되는 조세) 등이 이에 포함된다. 간접세는 실제 세금을 부담하는 사람과, 그 세금을 내는 사람이 다른 세금이다. 물건을 살 때 사람들은 물건에 대한 세금을 직접 세무서(국세청 산하에서 내국세에 관한 사무를 맡아보는 지방 세무 행정 관청)에 내지 않는다. 이미 그 물건을 살 때 치른 물건 값에 세금이 포함되어 있기 때문이다. 그러면 그 세금은 누가 낼까? 그것은 그 물건을 판 기업이나 가게 주인이다. 이처럼 간접세는 물건이나 서비스에 매겨지는 것으로 부가 가치세(생산 및 유통 과정의 각 단계에서 창출되는 부가 가치에 대하여 부과되는 조세)나 개별 소비세(특정 물품을 사거나 골프장과 같은 특정한 장소에서 소비하는 비용에 부과하는 간접세)가 대표적인 예이다. ▶ 직접세와 간접세의 종류와 예

가운데2

라 직접세는 소득이나 재산에 따라 누진적으로(가격, 수량 따위가 더하여 감에 따라 상대적으로 그에 대한 비율이 점점 높아지게) 적용되는 경우가 많다. 소득이 높은 사람은 세금을 많이 내고 소득이 낮은 사람은 적게 내기 때문이다. 따라서 직접세는 소득 격차를 줄이는 기능을 한다. 세금을 통해 소득 격차를 줄일 수 있으니 공평해 보인다고 할 수도 있을 것이다. 물론 그 자체는 바람직하지만 단점도 있다. 소득이 높은 사람들에게 세율을 높이면, 그들이 열심히 일하고 싶은 의욕을 잃게 될 수도 있기 때문이다. ▶ 직접세의 장단점

마 반면에 간접세는 사람들의 소득이 많든 적든 간에 물건을 살 때 부담하는 세금이 똑같다. 돈을 많이 버는 사람이 음료수 한 잔을 사 마시든지, 돈을 적게 버는 사람이 음료수 한 잔을 마시든지, 둘이 내야 하는 세금은 동일하다. 생각하기에 따라서는 누구나 똑같이 내는 간접세가 더 공평하다고 생각할 수도 있다. 하지만 간접세는 소득이 적은 사람일수록 소득에 비해 내야 할 세금의 비율이 높기 때문에, 소득이 적은 이들에게 부담이 크다는 단점이 있다. ▶ 간접세의 장단점

끝

바 이처럼 국가는 나라의 살림살이와 국민의 복지 향상 등을 위해 국민에게 세금을 걷고 있으며 세금은 여러분의 생활과 밀접하게 관련을 맺고 있다. 국민의 의무인 납세의 의무, 그러므로 우리도 국민의 한 사람으로서 세금에 대해 알아야 하지 않을까? ▶ 중학생들이 세금에 대해 관심을 가져야 하는 이유

지문 체크

1 우리가 국민의 의무와 권리에 대해 관심을 보여야 하는 이유를 설명한 글이다. (○ , ×)

2 중심 화제와 관련지어 유명인의 말을 □□하여 국가에 대한 국민의 의무를 강조하고 있다.

3 개인이 부담하느냐 기업이 부담하느냐에 따라 간접세와 직접세로 구분할 수 있다. (○ , ×)

이 글에 사용된 설명 방법

인용	케네디는 "국가가 ~ 생각하십시오."라고 하였다.
구분	세금은 ~ 직접세와 간접세로 나눌 수 있다.
정의	직접세는 ~ 직접 내는 세금을 말한다.
열거	개인이 내는 소득세, 기업이 내는 법인세, 그리고 증여세, 상속세 등이 이에 포함된다.
예시	간접세는 물건이나 서비스에 ~ 대표적인 예이다.
인과	소득이 높은 사람은 ~ 따라서 직접세는 소득 격차를 줄이는 기능을 한다.
대조	직접세는 소득이나 재산에 따라 ~ 부담이 크다는 단점이 있다.

1 이 글에 사용된 설명 방법으로 적절하지 않은 것은?

① 직접세의 개념을 풀이하여 설명하고 있다.
② 직접세의 종류를 열거하여 설명하고 있다.
③ 구체적인 사례를 들어 간접세를 설명하고 있다.
④ 간접세의 장점을 원인과 결과에 따라 설명하고 있다.
⑤ 직접세와 간접세의 장단점을 대조하여 설명하고 있다.

01 지혜가 담긴 음식, 발효 식품 ❶ _진소영

핵심 콕콕
- 글에 사용된 다양한 설명 방법 파악하기
- 글에 사용된 설명 방법을 중심으로 글의 전개 방식과 구조 파악하기

갈래	설명하는 글
성격	객관적, 논리적, 설명적
제재	우리나라의 전통 발효 식품
주제	우리나라의 전통 발효 식품의 우수성
특징	• 다양하고 구체적인 예를 통해 발효 식품의 우수성을 설명함. • 발효 식품을 만드는 과정을 순서대로 나열함.

처음 **가** 중국 신장의 요구르트, 스페인 랑하론의 하몬(돼지 뒷다리를 소금에 절여 발효시킨 스페인의 생햄), 우리나라 구례 양동 마을의 된장. 이 음식들의 공통점은 무엇일까? 이것들은 모두 발효 식품으로, 세계의 장수 마을을 다룬 어느 방송에서 각 마을의 장수 비결로 꼽은 음식들이다.

나 발효 식품은 건강식품으로 널리 알려져 있다. 또한 다양한 발효 식품이 특유의 맛과 향으로 사람들의 입맛을 사로잡고 있다. 앞에서 소개한 요구르트, 하몬, 된장을 비롯하여 달콤하고 고소한 향으로 우리를 유혹하는 빵, 빵과 환상의 궁합을 자랑하는 치즈 등을 그 예로 들 수 있다. 이렇게 몸에도 좋고 맛도 좋은 식품을 만들어 내는 발효란 무엇일까? 그리고 발효 식품은 왜 건강에 좋을까? 먼저 발효의 개념을 알아보고, 우리나라의 전통 발효 식품을 중심으로 발효 식품의 우수성을 자세히 알아보자.

처음 세계적으로 인정받는 ☐☐ 식품

가운데 **다** 발효란 곰팡이나 효모와 같은 미생물(눈으로는 볼 수 없는 아주 작은 생물)이 탄수화물, 단백질 등을 분해하는 과정을 말한다. 미생물이 유기물(생물체를 이루며, 그 안에서 기관을 조직하고 생명력에 의하여 만들어지는 물질)에 작용하여 물질의 성질을 바꾸어 놓는다는 점에서 발효는 부패와 비슷하다. 하지만 발효는 우리에게 유용한 물질을 만드는 반면에, 부패는 우리에게 해로운 물질을 만들어 낸다는 점에서 차이가 있다. 그래서 발효된 물질은 사람이 안전하게 먹을 수 있지만, 부패한 물질은 식중독을 일으킬 수 있어서 함부로 먹을 수 없다.

라 그렇다면, 발효를 거쳐 만들어지는 전통 음식에는 무엇이 있을까? 가장 대표적인 전통 음식으로 김치를 꼽을 수 있다. 김치는 채소를 오랫동안 저장해 놓고 먹기 위해 조상들이 생각해 낸 음식이다. 김치는 우리가 채소의 영양분을 계절에 상관없이 섭취할 수 있도록 해 주고, 발효 과정에서 더해진 좋은 성분으로 우리의 건강을 지키는 데도 도움을 준다.

마 김치 발효의 주역은 젖산균이다. 채소를 묽은 농도(용액 따위의 진함과 묽음의 정도)의 소금에 절이면 효소(동식물 및 미생물의 생체 세포 내에서 생산되는 고분자 유기 화합물을 통틀어 이르는 말) 작용이 일어나면서 당분과 아미노산이 생기고, 이를 먹이로 삼아 여러 미생물이 성장하면서 발효가 시작된다. 이때 김치 발효에 가장 중요한 역할을 하는 젖산균도 함께 성장하고 증식한다. 젖산균은 포도당을 분해하면서 젖산을 만들어 낸다. ㉠젖산은 약한 산성 물질이어서 유해균이 증식하는 것을 억제하고, 김치가 잘 썩지 않게 한다. 그 덕분에 우리는 김치를 오래 두고 먹을 수 있다.

바 우리 김치가 우수한 것은 바로 이 젖산균과 젖산 때문이다. 젖산균과 젖산은 우리 몸 안에서 소화를 촉진하고 노폐물이 잘 배설될 수 있도록 돕는다. 또한 유해균이 번식하거나 발암 물질이 생성되는 것을 억제하기도 한다. 그래서 젖산균과 젖산이 풍부한 김치는 변비 및 대장암, 당뇨병 등을 예방하는 데에 효과적이다.

콕콕 정리

◆ 글의 구조와 문단별 중심 내용 ①

처음	(가)	장수 비결로 꼽히는 세계의 발효 식품 소개
	(나)	세계적으로 애용되는 다양한 발효 식품
가운데	(다)	발효의 개념과 특징
	(라)	전통 발효 식품 ① – 김치
	(마)	김치 발효에서 주된 역할을 하는 젖산균
	(바)	김치의 우수성

교과서 핵심 개념

◆ 이 글에 사용된 설명 방법

예시	앞에서 소개한 요구르트, 하몬, 된장을 비롯하여 달콤하고 고소한 향으로 우리를 유혹하는 빵, 빵과 환상의 궁합을 자랑하는 치즈 등을 그 예로 들 수 있다.
정의	발효란 곰팡이나 효모와 같은 미생물이 탄수화물, 단백질 등을 분해하는 과정을 말한다.
비교	미생물이 유기물에 작용하여 물질의 성질을 바꾸어 놓는다는 점에서 발효는 부패와 비슷하다.
대조	하지만 발효는 우리에게 유용한 물질을 만드는 반면에, 부패는 우리에게 해로운 물질을 만들어 낸다는 점에서 차이가 있다.
인과	젖산은 약한 산성 물질이어서 유해균이 증식하는 것을 억제하고, 김치가 잘 썩지 않게 한다.

◆ 김치의 우수성

- 채소의 영양분을 계절에 상관없이 섭취할 수 있도록 해 줌.
- 소화를 촉진하고 노폐물이 잘 배설될 수 있도록 도움.
- 유해균의 번식 및 발암 물질의 생성을 억제함.
- 변비 및 대장암, 당뇨병 등을 예방함.

1 이 글에서 설명하고 있는 내용이 아닌 것은?

① 발효의 개념 ② 김치의 우수성
③ 발효과 부패의 차이점 ④ 우리나라 전통 발효 식품의 예
⑤ 맛있는 김치를 담그는 전통 방식

2 이 글의 구조를 고려할 때, (가)와 (나)에 대한 설명으로 알맞지 않은 것은?

① 설명 대상을 밝히는 역할을 한다.
② 앞으로 전개될 내용을 소개하고 있다.
③ 질문을 통해 화제에 집중하도록 하고 있다.
④ 발효 식품을 예로 들어 흥미를 유발하고 있다.
⑤ 구체적인 식품을 언급하며 발효 과정을 설명하고 있다.

교과서 핵심 개념

3 (다)의 주된 설명 방법끼리 바르게 묶은 것은?

ㄱ. 구체적인 예를 들어 설명하는 방법
ㄴ. 대상을 그 구성 요소로 나누어 설명하는 방법
ㄷ. 대상의 본질, 개념, 뜻을 밝히며 설명하는 방법
ㄹ. 둘 이상의 대상을 견주어 서로 간의 공통점 또는 차이점을 밝혀 설명하는 방법

① ㄱ, ㄴ ② ㄱ, ㄷ ③ ㄴ, ㄷ ④ ㄴ, ㄹ ⑤ ㄷ, ㄹ

4 (라)~(바)에 나타난 '김치'에 대한 설명으로 잘못된 것은?

① 젖산은 김치가 잘 썩지 않게 하는 성분이다.
② 김치는 발효를 거쳐 만들어지는 전통 음식이다.
③ 김치는 크고 작은 질병을 예방하는 데에 효과적이다.
④ 김치의 발효 과정에서 증식하는 젖산균은 유해균이다.
⑤ 김치가 우리 몸에 좋은 까닭은 젖산균과 젖산 덕분이다.

5 ㉠에 쓰인 주된 설명 방법의 종류를 2음절로 쓰시오.

01 지혜가 담긴 음식, 발효 식품 ❷

사 맛있는 음식을 만들 때 빠질 수 없는 전통 양념인 간장과 된장도 발효 식품이다. 먼저 간장을 만드는 과정을 살펴보자. 콩을 푹 삶아서 찧은 다음, 덩어리로 만든다. 이 콩 덩어리가 바로 메주이다. 메주를 따뜻한 곳에 두어 발효하고 소금물에 담가 우려낸다. 그 국물을 떠내어 달이면 간장이 완성된다.

아 메주가 소금물 속에서 발효될 때, 젖산균의 일종인 바실루스가 콩에 들어 있는 단백질을 분해하여 아미노산을 만들어 낸다. 그리고 아미노산은 소금물에 녹아들어 감칠맛을 더하고 영양소를 공급한다. 이처럼 간장은 음식을 더 맛있게 만들고 건강에도 좋기 때문에 우리 조상들은 장 담그는 일에 정성을 기울였다.

자 이제 된장을 만드는 과정을 살펴보자. 간장을 만들고 나면 메주가 남는다. 이 메주를 건져 내어 잘게 으깨고, 여기에 소금을 넣어서 잘 섞는다. 이를 장독에 넣어 1개월 이상 숙성시키면, 맛있는 된장이 완성된다.

숙성시키면: 효소나 미생물의 작용에 의해 발효된 것을 잘 익히면

① 삶은 콩을 찧는다.
② 메주를 만든다.
③ 따뜻한 곳에서 발효된 메주를 바람이 잘 통하는 곳에 매달아 둔다.
④ 메주를 소금물에 담가 우려 낸 후 국물만 달인다.
→ 간장 완성.
⑤ 메주를 건져 소금을 넣고 으깬다.
⑥ ⑤를 장독에 넣어 발효시킨다.
→ 된장 완성.

차 된장은 필수 아미노산이 풍부해서, 아미노산이 적은 쌀밥을 주로 먹는 우리에게 꼭 필요한 식품이다. 또한 간 기능을 높이고, 피부병과 성인병을 예방하는 데에도 효과적이다. 이와 더불어 된장은 '암을 이기는 한국인의 음식' 중 하나로 꼽힐 정도로 항암 효과가 뛰어나다. 이는 메주가 발효되는 과정에서 항암 물질이 만들어지기 때문이다.

가운데 | 발효의 개념과 우리나라의 전통 발효 식품의 □□□

끝 **카** 지금까지 우리의 전통 음식을 중심으로 발효 식품의 우수성을 알아보았다. 발효 식품은 오래 보관할 수 있고, 영양가가 풍부할 뿐만 아니라 그 재료와 미생물의 종류에 따라 독특한 맛과 향을 지녀서 우리 밥상을 풍성하게 해 준다. 이렇게 멋진 발효 식품을 물려준 조상님께 고마워하면서, 오늘 저녁밥으로 보글보글 끓인 된장찌개와 아삭아삭한 김치를 먹는 것은 어떨까? 앞으로 전통 발효 식품을 발전시킬 방법도 생각해 보면서 말이다.

끝 | 우리나라의 전통 발효 식품을 □□시켜 나가자는 제안

콕콕 정리

◆ 글의 구조와 문단별 중심 내용 ②

가운데	(사)	전통 발효 식품 ② – 간장
	(아)	간장의 우수성
	(자)	전통 발효 식품 ③ – 된장
	(차)	된장의 우수성
끝	(카)	전통 발효 식품의 효용 가치에 대한 강조와 제언

◆ 간장과 된장의 우수성

간장	• 음식에 감칠맛을 더함. • 영양소를 공급하는 아미노산이 풍부함.
된장	• 필수 아미노산이 풍부함. • 간 기능을 높임. • 피부병, 성인병, 암 등의 예방에 효과적임.

교과서 핵심 개념

◆ 글쓴이가 이 글을 쓴 목적

발효 식품의 우수성
• 오래 보관할 수 있음. • 영양가가 풍부함. • 독특한 맛과 향을 지님.

글쓴이는 발효 식품의 효용 가치를 강조하고, 읽는 이에게 우리나라의 발효 식품을 발전시킬 방법을 생각해 보기를 제안하고 있음.

교과서 핵심 개념

◆ 이 글 전체에서 사용한 설명 방법: 예시

이 글 전체에서 설명하는 대상	우리나라 전통 발효 식품의 우수성

↓

구체적인 사례	• (라)~(바): 김치 • (사)~(아): 간장 • (자)~(차): 된장

설명 방법은 문장이나 문단, 글 전체 수준에서도 사용된다. 이 글의 중심 내용인 우리나라 전통 발효 식품의 우수성을 알리기 위해 구체적인 식품인 '김치', '간장', '된장'을 예로 들어 설명하고 있다.

1 이 글의 내용과 일치하지 않는 것은?

① 메주가 발효되는 과정에서 항암 물질이 만들어진다.
② 발효 중에 만들어진 아미노산은 간장의 감칠맛을 더한다.
③ 발효된 메주를 담가 우려낸 소금물을 달인 것이 간장이다.
④ 간장을 만들고 남은 메주를 한 달 이상 숙성시킨 것이 된장이다.
⑤ 된장에 부족한 아미노산을 우리가 주로 먹는 쌀밥이 보완해 준다.

교과서 핵심 개념

2 글쓴이가 이 글을 쓴 까닭으로 가장 적절한 것은?

① 발효와 부패의 차이점을 설명하기 위해
② 우리나라 전통 발효 식품의 우수성을 알리기 위해
③ 우리나라의 전통 발효 식품을 발전시킬 방법을 알리기 위해
④ 사라져 가는 전통 발효 식품에 대한 안타까움을 전하기 위해
⑤ 전통 발효 식품을 만들 줄 모르는 현대인에게 가르침을 주기 위해

교과서 핵심 개념

3 (사)와 (자)에 공통적으로 쓰인 설명 방법으로 알맞은 것은?

① 원인과 결과를 중심으로 설명하였다.
② 대상을 같은 종류끼리 묶어서 설명하였다.
③ 어떤 일이 되어가는 경로나 절차를 설명하였다.
④ 하나의 대상을 몇 개의 부분이나 구성 요소로 나누어 설명하였다.
⑤ 다른 사람의 말이나 글을 자신의 말이나 글 속에 끌어 써 설명하였다.

서술형

4 이 글의 전체적인 내용을 고려할 때, 다음 빈칸에 들어갈 적절한 설명 방법을 〈조건〉에 맞게 쓰시오.

조건
사용된 설명 방법을 2어절 이상으로 풀어 쓸 것

설명 방법은 문장이나 문단뿐 아니라 글 전체 수준에서도 사용된다. 이 글의 (라)~(차)는 이 글 전체에서 설명하고자 하는 우리나라의 전통 발효 식품의 우수성을 (   ) 설명한 문단이다.

02 우리는 왜 간지럼을 느낄까 ❶ _서동준

핵심 콕콕 • 글에 사용된 다양한 설명 방법 파악하기
• 글에 사용된 설명 방법의 적절성 판단하기

갈래	설명하는 글
성격	해설적
제재	간지럼
주제	간지럼을 타는 이유
특징	• 다양한 설명 방법을 사용하여 간지럼의 특성을 쉽게 설명함. • 간지럼을 타게 된 이유를 인간의 진화와 연관 지어 설명함.

처음 **가** 엄마와 딸 사이에, 형제끼리, 그리고 사랑하는 사람끼리 서로 몸 여기저기를 손으로 간질이면 분위기가 화기애애해지곤 합니다. 그런데 좀 이상하지 않나요? 촉감이라는 자극만으로 사람이 웃는다는 사실 말입니다. 단순히 살살 만지기 때문에 웃는 것일까요? 그렇다면 왜 바람이 옆구리를 지나갈 때나, 벌레가 팔 위를 기어가고 있을 때는 웃음이 나지 않는 것일까요. 손으로 간질이는 것보다 훨씬 가벼운 자극인데 말이지요. 사실 사람을 웃게 하는 간지럼은 아주 오래된 수수께끼입니다. 그럼 지금부터 이 수수께끼를 살펴볼까요?

처음 | 오래된 수수께끼인 ☐☐☐

가운데 1 **근질근질 가려움, 키득키득 간지럼**

나 어떤 물체가 살에 닿아 가볍게 스치면 간지러운 느낌 때문에 가만히 있기 어렵지요. 이처럼 견디기 어렵게 간지러운 느낌은 두 가지로 나누어 볼 수 있습니다. 하나는 '외부 자극에 의한 가려움[Knismesis]'이고, 또 다른 하나는 이 글에서 주의 깊게 살펴볼 ㉠'웃음이 나는 간지럼[Gargalesis]'입니다. 이 둘은 어떻게 다를까요?

다 먼저 외부 자극에 의한 가려움을 살펴보겠습니다. 벌레가 팔 위를 누비는 상황을 생각하시면 됩니다. 굉장히 성가신 가려움이지요. 몸 전체의 피부에서 나타나는데 특징은 아주 약한 움직임으로 발생한다는 것입니다. 이것이 느껴지면 '벅벅' 긁거나 문지르고 싶어지지요. / 가려움은 연구가 많이 진행됐습니다. 아토피 피부염, 두드러기 등 가려움과 관련된 피부 질환이 많고, 하나같이 견디기 어렵기 때문이지요. 과거에는 가려움을 통각(痛覺)의 일종으로 여겼습니다. 통각의 세기가 약하면 가려움이 발생한다고 생각해 왔지요. 하지만 최근 통각이 약하다고 해서 가려움을 느끼는 것이 아니라 가려움을 느끼는 신경이 따로 있다는 사실이 드러났습니다.

통각(痛覺): 고통스러운 감정이 따르는 감각. 피부의 자극이나 신체 내부의 자극에 의해 일어난다.

라 이번에는 이 글에서 본격적으로 주목할 '웃음이 나는 간지럼'을 살펴보겠습니다. 이것은 신체의 특정 부위에서 잘 일어나며, 가려움보다는 더 강한 촉감 때문에 생긴다는 특징이 있습니다. 간지럼도 가려움과 마찬가지로 이전에는 통각으로 여겼습니다. 1939년에 솜털로 고양이를 살살 간질이는 실험을 한 결과, 고양이의 통각과 관련된 신경들이 반응했고 이를 본 실험자가 간지럼이 통각과 관련이 있다고 주장했습니다. 그 뒤의 연구들도 간지럼은 통각과 관련이 있다는 사실을 뒷받침했지요.

그런데 1990년, 이와 반대되는 연구 결과가 나왔습니다. 척수 손상으로 통증을 못 느끼는 환자들도 간지럼을 탄다는 것입니다. 간지럼의 원인이 통각만이 아니었던 것입니다. 간지럼의 원인은 다시 혼란에 빠지게 되었습니다. 현재는 촉각과 통각의 혼합이 유력한 후보로 꼽히고 있으며, 압각(壓覺)과 진동각(振動覺) 등 여러 감각과의 연관성이 제시되고 있습니다.

압각(壓覺): 피부나 그 밖의 신체 일부가 눌렸을 때 생기는 감각
진동각(振動覺): 흔들려 움직이는 자극을 받아들이는 감각

가운데 1 | ☐☐☐과 대비되는 간지럼의 특성

콕콕 정리

◆ 내용 전개 방식 ①

처음	간지럼(설명 대상)에 대한 의문을 제기함.
가운데 1	간지러운 느낌을 가려움과 간지럼으로 나누어 그 차이점을 설명함.

교과서 핵심 개념

◆ 가려움과 간지럼의 차이

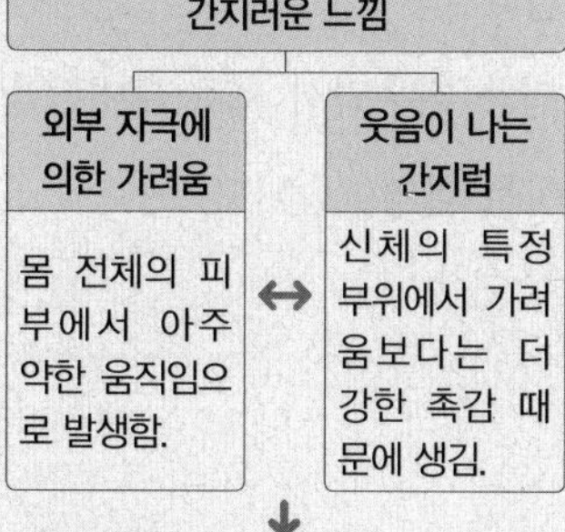
간지러운 느낌
외부 자극에 의한 가려움
웃음이 나는 간지럼
몸 전체의 피부에서 아주 약한 움직임으로 발생함.
신체의 특정 부위에서 가려움보다는 더 강한 촉감 때문에 생김.

설명 방법	구분, 대조
설명 방법의 효과	간지럼을 가려움과 대조하여 그 특성을 분명히 밝힘.

교과서 핵심 개념

◆ 이 글에 사용된 설명 방법 ①

구분	견디기 어렵게 간지러운 느낌은 두 가지로 나누어 볼 수 있습니다. 하나는 '외부 자극에 의한 가려움[Knismesis]'이고, 또 다른 하나는 이 글에서 주의 깊게 살펴볼 '웃음이 나는 간지럼[Gargalesis]'입니다.
대조	• 외부 자극에 의한 가려움을 살펴보겠습니다. ~ 아주 약한 움직임으로 발생한다는 것입니다. • '웃음이 나는 간지럼'을 살펴보겠습니다. ~ 가려움보다는 더 강한 촉감 때문에 생긴다는 특징이 있습니다.
인과, 예시	가려움은 연구가 많이 진행됐습니다. 아토피 피부염, 두드러기 등 가려움과 관련된 피부 질환이 많고, 하나같이 견디기 어렵기 때문이지요.

1 이와 같은 글을 읽는 방법으로 적절하지 않은 것은?

① 설명하고자 하는 대상의 특성을 파악하며 읽는다.
② 어떤 방식으로 내용이 전개될지 예측하며 읽는다.
③ 글의 구조와 글에 쓰인 설명 방법을 파악하며 읽는다.
④ 설명하는 내용의 객관성과 사실성을 판단하며 읽는다.
⑤ 글쓴이의 의견을 뒷받침하는 근거의 타당성을 판단하며 읽는다.

2 (가)에서 설명 대상을 소개하는 방법으로 적절한 것은?

① 설명 대상에 대한 명확한 정의를 내리고 있다.
② 글쓴이의 경험을 제시하여 흥미를 끌어내고 있다.
③ 독자에게 질문을 던져 설명 대상에 대한 호기심을 유발하고 있다.
④ 다른 사람의 말을 인용하여 설명 대상을 인상 깊게 제시하고 있다.
⑤ 수수께끼를 내어 설명 대상이 무엇인지 추측하도록 유도하고 있다.

교과서 핵심 개념

3 (나)에서 사용된 설명 방법과 가장 유사한 것은?

① 야구는 한 팀이 9명이지만, 축구는 11명이다.
② 문학은 갈래상 시, 소설, 희곡, 수필로 나눌 수 있다.
③ 야구와 축구는 모두 공을 사용하는 운동 경기 종목이다.
④ 나뭇잎이나 과일, 풀 등의 식물을 주로 먹는 동물을 초식 동물이라고 한다.
⑤ 현대 사회는 다양한 과학의 산물들이 배출한 이산화탄소로 인해 지구 온난화 문제가 심각해졌고 극심한 기후 변화에 시달리게 되었다.

4 ㉠에 대한 설명으로 알맞지 않은 것은?

① 아주 약한 움직임으로 발생한다.
② 신체의 특정 부위에서 잘 일어난다.
③ 촉각과 통각의 혼합이 유력한 원인이다.
④ 가려움보다 더 강한 촉감 때문에 생긴다.
⑤ 통증을 못 느끼는 환자들도 간지럼을 탄다.

서술형

5 (다)~(라)에 주로 쓰인 설명 방법과 설명하고자 하는 내용을 각각 쓰시오.

가운데2 ㉠왜 간지럼을 타게 됐을까?

마 왜 가려움을 느끼게 되었는지는 설명하기 쉽습니다. 가벼운 자극이라도 문지르거나 긁는 반응을 해야 곤충이나 기생충같이 몸에 해로운 것을 일차적으로 막을 수 있기 때문입니다. 하지만 간지럼은 다릅니다. 간지럼을 타지 않는다고 해서 살아가는 데 크게 불편한 점은 없어 보입니다.

바 진화적으로 간지럼을 타게 된 이유를 찾을 수 있을까요? 먼저 서로 간에 친밀해지는 작용을 한다는 해석이 있습니다. 가벼운 접촉을 통해서 부모 자식 사이에, 형제간에 유대감을 증진한다는 것이지요. 그런데 왜 하필 고통스러운 방법으로 유대감을 증진하는지는 의문으로 남습니다. / 그래서 두 번째로 등장한 해석이 방어 능력을 학습한다는 것입니다. 우리가 쉽게 간지럼을 타는 신체 부위는 사람의 약점이기도 합니다. 목, 겨드랑이, 옆구리 등이 바로 그런 부위이지요. 어릴 때부터 부모가 아이의 취약점을 가볍게 건드리면서 아이는 자연스럽게 자신의 신체 중 어디가 약한지를 알고, 방어하는 방법을 깨닫게 된다는 것입니다.

유대감: 서로 밀접하게 연결되어 있는 공통된 느낌

이 두 가지를 엮어서 설명하면 조금 자연스러워집니다. 한 심리학 교수는 "간지럼을 태우면서 서로 유대감을 끈끈하게 하는 동시에, 취약한 부분의 방어를 학습하게 하는 것"으로 간지럼의 진화를 설명했습니다.

가운데2 간지럼을 타게 된 □□

가운데3 예측 불가능한 간지럼

사 지금 실험을 하나 해 보지요. 자신의 손으로 자신이 가장 간지럼을 탈 만한 부위를 간질여 보세요. 겨드랑이 아래나 발바닥 등 어디든 좋습니다. 웃음이 나셨나요? 단순히 촉감이 있다는 느낌은 들었을 테지만 웃음은 나지 않았을 것입니다. 똑같이 간질이는 자극인데 왜 내가 할 때는 웃음이 나지 않을까요?

결론부터 말하자면, 내가 나를 간질이는 것은 예측할 수 있기 때문입니다. 어디를, 얼마나 세게, 얼마나 오랫동안 간질일지를 다 안다는 것이지요. 남이 나를 간질일 때는 이와 관련된 정확한 정보가 없습니다. 예측할 수가 없지요. / 1998년에 영국에서 남이 나를 간질일 때와 내가 스스로 간질일 때의 뇌 반응을 비교해 보았습니다. 여기서 분명한 차이를 보이는 것은 소뇌였습니다. 소뇌는 어떤 감각의 결과를 예측하는 역할을 하는데, 내가 나를 간질일 때는 간질이는 위치나 세기 등을 이미 다 알고 있어 예측할 필요가 없기 때문에 소뇌의 반응도 적었습니다. 내가 나를 만질 때마다 간지럼을 탄다면 정말 피곤하지 않을까요?

소뇌: 대뇌의 아래에 있는 뇌의 한 부분. 평형 감각과 근육 협동을 조절하는 역할을 함.

아 남이라고 전부 간지럼을 타는 것은 또 아닙니다. 영국에서 로봇으로 간질이는 실험을 했는데, 이때 실험 참가자는 간지럼을 타지 않았습니다. 눈으로 본 로봇의 움직임을 예측할 수 있었기 때문입니다. 처음에는 움찔했을지 몰라도 사람처럼 세기나 위치가 계속해서 바뀌지는 않거든요. 그런데 예상 범위를 벗어나도록 속도나 범위에 변화를 계속 주면 그때에는 간지럼을 탔습니다.

가운데3 □□ 불가능성과 밀접한 간지럼

끝 **자** 간지럼은 단순한 촉감도, 귀찮은 행동 중의 하나도 아닙니다. 이를 연구하는 것 또한 한낱 궁금증을 해결하는 데 그치는 것은 아니지요. 최근 들어 심리학과 신경 과학 분야에서 간지럼을 비롯해 사람의 행동과 관련된 연구가 점점 더 활발해지고 있습니다. 간지럼이 운동과 지각(知覺)의 통합 과정을 밝혀낼 수 있는 좋은 사례이기 때문입니다.

지각(知覺): 감각 기관을 통해 대상을 인식함. 또는 그런 작용

차 ㉡'예측'과 '행동', '피드백'은 사람에게는 매우 자연스러운 행위입니다. 예를 들어 사람은 공을 목표 지점에 던질 때 감각으로 거리를 가늠하고 그만큼 던집니다. 만약 공이 목표 지점보다 멀리 갔다면 다시 던질 때 힘을 약하게 조절해서 던지지요. 그런데 간지럼은 예외적인 사례입니다. 아무리 예측하려 해도 예측을 벗어나기 때문에 간지럼이 나타나고, 피드백 과정을 거쳐도 또다시 예측을 벗어날 수밖에 없습니다. 우리는 간지럼에서 '예측 불가능성'에 대처하는 법을 배울 수 있고, 이를 인공 지능에도 활용할 수 있습니다.

끝 간지럼 □□의 의의

콕콕 정리

◆ 내용 전개 방식 ②

가운데 2	간지럼을 타게 된 이유를 밝힘.
가운데 3	간지럼이 예측 불가능성과 관련 있음을 밝힘.
끝	간지럼 연구의 의의를 밝힘.

◆ 간지럼의 원인

원인	• 가까운 사이에 유대감을 증진함. • 취약한 부분의 방어 능력을 학습하게 함.
결과	간지럼을 타게 됨.

교과서 핵심 개념

◆ 예측 불가능성과 간지럼의 관계

내가 나를 간질일 때	원인	간질이는 행동을 예측할 수 있음.
	결과	간지럼을 안 탐.

↕ 대조

남이 나를 간질일 때	원인	간질이는 행동을 예측할 수 없음.
	결과	간지럼을 탐.

↓

간지럼을 타는 것은 예측 불가능성과 밀접한 관련이 있음.

교과서 핵심 개념

◆ 이 글에 사용된 설명 방법 ②

인과	최근 들어 심리학과 신경 과학 분야에서 간지럼을 ~ 좋은 사례이기 때문입니다.
예시	예를 들어 사람은 공을 목표 지점에 던질 때 감각으로 거리를 가늠하고 그만큼 던집니다.

1 이 글에 대한 설명으로 알맞지 않은 것은?

① 가려움과 간지럼을 느끼게 된 원인과 결과를 설명하고 있다.
② 간지럼을 가려움과 대조하여 그 특성을 분명하게 제시하고 있다.
③ 간지럼을 타게 된 이유를 인간의 진화와 관련지어 설명하고 있다.
④ 간지럼 연구의 흐름과 간지럼 연구가 지닌 의의를 언급하고 있다.
⑤ 글쓴이의 경험을 통해 간지럼과 예측 불가능성의 관련성을 밝히고 있다.

교과서 핵심 개념

2 (사)~(아)에 사용된 설명 방법의 적합성을 올바르게 판단한 것은?

① 간지러운 느낌을 몇 가지로 구분하여 적절하게 설명했다.
② 간지럼 타는 부위를 예로 들어 간지럼에 대해 쉽게 설명했다.
③ 간지럼 연구가 활용될 수 있는 분야를 열거하여 구체적으로 언급했다.
④ 최근 간지럼 연구가 활발해진 것을 비교의 방법으로 명확히 설명했다.
⑤ 내가 나를 간질일 때와 남이 나를 간질일 때의 차이를 대조를 통해 분명하게 설명했다.

3 ㉠에 대한 답으로 알맞은 것끼리 모두 골라 바르게 묶은 것은?

ㄱ. 취약한 신체 부위의 방어 능력을 학습하기 때문
ㄴ. 몸에 해로운 것을 일차적으로 막을 수 있기 때문
ㄷ. 가벼운 자극에 긁는 습관이 간지럼으로 진화했기 때문
ㄹ. 가벼운 접촉을 통해 가까운 사이에 유대감을 끈끈하게 하기 때문

① ㄱ, ㄴ ② ㄱ, ㄷ ③ ㄱ, ㄹ ④ ㄴ, ㄹ ⑤ ㄷ, ㄹ

서술형

4 ㉡과 〈보기〉를 비교할 때, 〈보기〉의 내용이 더 이해하기 어려운 이유를 쓰시오.

보기

'예측'과 '행동', '피드백'은 사람에게는 매우 자연스러운 행위입니다. 그런데 간지럼은 예외적인 사례입니다.

● 정답과 해설 26쪽

주장하는 글

1 주장하는 글

(1) 주장하는 글의 개념

글쓴이의 의견이나 주장을 타당한 근거를 들어 논리적으로 전개함으로써 읽는 이를 설득하려는 글이다.

(2) 주장하는 글의 특성

설득성	읽는 이를 설득하는 것을 목적으로 함.
주관성	글쓴이의 의견이나 주장이 뚜렷하게 드러남.
체계성	글의 논리가 일정한 체계에 따라 짜임새 있게 전개됨.
타당성	주장을 뒷받침하는 근거가 타당해야 함.

교과서 핵심 개념

2 매체에 드러난 표현 방법과 의도 평가하기

(1) 매체의 종류

	인쇄 매체	방송 매체	인터넷 매체
종류	책, 신문, 잡지 등	라디오, 텔레비전 등	누리집 게시판, 블로그 등
특징	주로 문자 언어를 사용하며, 사진, 그림, 도표 등의 시각 자료를 활용함.	음성 언어와 영상, 자막을 사용하며, 다양한 시청각 자료를 활용함.	음성 언어와 문자 언어, 영상 등을 사용하며, 다양한 멀티미디어 자료를 활용함.

(2) 매체의 표현 방법

글에 사용된 어휘나 문장 표현뿐 아니라 도표, 그림, 사진 등과 같은 시각 자료나 동영상 자료 등을 포함한다.

표, 그래프	대상을 체계적으로 구조화하거나, 대상의 양상 및 변화 과정을 나타내어 전체 내용을 한눈에 파악하도록 해 줌.
그림, 사진	대상의 모양이나 위치 등 언어로 표현하기 어려운 내용을 시각적으로 보여 줌.
동영상	상황이나 사건, 대상의 움직임을 실감 나게 보여 줌.

(3) 매체의 적절성을 평가하는 기준

- 각 매체의 특성을 이해하고 적절하게 활용했는가?
- 매체에 사용된 표현 방법이 무엇인지 파악했는가?
- 매체를 만든 사람의 의도가 무엇인지 파악했는가?
- 매체에 사용된 표현 방법이 글의 내용과 매체를 만든 사람의 의도를 효과적으로 드러냈는가?

더 알아 두기

◆ **주장하는 글을 읽는 방법**
- 글쓴이가 글을 쓴 의도와 글쓴이의 주장을 파악한다.
- 주장에 대한 근거가 타당하고 합리적인지 판단한다.
- 주장이 일관성이 있는지, 실현 가능성이 있는지 평가한다.

◆ **매체에 다양한 표현 방법을 사용하는 이유**
- 말하고자 하는 바를 효과적으로 전달하기 위해서이다.
- 읽는 이의 흥미를 유발하기 위해서이다.

◆ **매체 자료의 효과를 판단할 때 고려해야 할 점**
- 전달하려는 내용과 관련이 있어야 한다.
- 내용을 이해하는 데 도움이 되어야 한다.
- 읽는 이의 관심과 흥미를 끌어야 한다.

꼼꼼 확인 문제

1 주장하는 글을 읽을 때에는 글쓴이가 자신의 주장을 뒷받침하기 위해 제시한 □□이/가 타당하고 합리적인지 판단해야 한다.

2 인터넷 매체는 주로 문자 언어를 사용하며, 그림이나 사진 등의 시각 자료를 다양하게 활용한다. (○, ×)

3 표나 그래프는 대상을 체계적으로 구조화하여 한눈에 보여 주는 표현 방법이다. (○, ×)

• 정답과 해설 26쪽

바로바로 개념 적용 　벽화 마을의 명암

갈래	주장하는 글(신문 기사)	성격	논리적, 예시적, 비판적
제재	벽화 마을		
주제	겉만 번지르르한 벽화 마을 조성은 그만두는 게 낫다.		
특징	• 벽화 마을 조성에 대한 문제를 제기함. • 벽화 마을에 일어난 사건과 문제를 통해 벽화 마을 조성에 반대 입장을 드러냄.		

서론

가 유명한 벽화 마을 한 곳에서 최근 잇따라 벽화가 사라지는 사건이 발생했다. '잉어 계단'의 물고기 그림은 흰 페인트로 싹 지워졌고, 꽃 계단의 그림들 역시 훼손됐다. 주민 중 한 사람이 마을에 관광객이 몰려드는 데에 불만을 품고 몰래 지운 것이었다고 한다. 이 일로 마을에서는 갈등이 불거졌다. 벽화를 지운 주민을 상대로 마을의 다른 주민들과 해당 자치구, 벽화 작가가 고소장을 제출했기 때문이다.

▶ 벽화가 사라지는 사건으로 인한 갈등 발생

본론

나 2006년부터 진행된 공공 미술 프로젝트에 의해 이 마을에는 벽화가 그려졌다. 좁은 골목과 계단에 그려진 예쁜 그림들로 이 마을은 국내 관광객뿐 아니라 외국인 관광객까지 많이 찾는 명소가 되었다. 그런데 그로 인해 주민들은 불편에 시달려야 했다. 소음이나 쓰레기는 문제도 아닐 정도였다. 관광객이 불쑥 대문을 열고 들여다봐 놀라는 일까지 자주 생겨났다.

명소: 경치나 고적(옛 문화를 보여 주는 건물이나 터), 산물 따위로 널리 알려진 곳. 이름난 곳

▶ 벽화 마을 조성 내력과 그로 인한 주민들의 불편

다 벽화 마을은 마치 유행처럼 전국에 퍼져 있다. 지방 자치 단체는 물론 기업체와 문화 예술 단체, 봉사 단체 등이 경쟁이라도 하듯 마을을 형형색색으로 물들인 결과이다. 삭막하던 골목이 화사해지고, 크고 작은 범죄가 사라지는 순기능도 물론 있었다. 그러나 견디기 힘든 소음이나 쓰레기 무단 투기, 주민 사생활 침해 등 모든 벽화 마을마다 문제가 발생했다. 관리 부족으로 인해 그림이 지워지거나 색이 바래고 벽면 자체가 손상된 경우도 있다. 일부 조형물은 '흉물'로 변해 버리기도 한다. 그런가 하면 벽화 마을이 만들어지면서 경제적 이득을 많이 본 주민과 그렇지 않은 주민 간 갈등의 골이 깊어지는 경우도 많다.

형형색색: 형상과 빛깔 따위가 서로 다른 여러 가지

▶ 벽화 마을의 순기능과 역기능

라 벽화 마을, 어디서부터 잘못된 걸까. 주민들의 목소리를 충분히 듣지 않고, 마을 고유의 내력이나 사연을 무시한 채 그저 눈요깃거리에만 치중하여 마을을 조성한 데에 그 원인이 있다. '일단 조성하고 보자'는 식의 근시안적 발상으로 조성된 벽화 마을이 심각한 문제가 되는 경우도 적지 않다.

근시안적: 앞날의 일이나 사물 전체를 보지 못하고 눈앞의 부분적인 현상에만 사로잡히는. 또는 그런 것

▶ 벽화 마을 조성 과정의 문제점

결론

마 벽화는 도시를 화려하게 보이도록 하는 '화장'일 수 있다. 또한 보기 좋지 않은 것을 잠깐 가리기 위한 '위장'일 수도 있다. 화장도 지나치면 아니함만 못하고, 위장이라면 사회악이나 다름없다. 마을의 특성과 동떨어진, 겉만 번지르르한 벽화 마을 조성은 그만두는 게 낫다.

▶ 겉으로 보기에만 좋아 보이는 벽화 마을 조성 중단 촉구

지문 체크

1 이 글에서 다루고 있는 사회적 쟁점은 벽화 마을 조성이다. (○, ×)

2 벽화가 잇따라 사라지는 사건을 계기로 마을 주민들 간의 갈등이 발생하였다. (○, ×)

3 관광객으로 인한 소음, 마을 내 범죄 감소는 벽화 마을 조성의 순기능이라 할 수 있다. (○, ×)

문제 상황에 대한 글쓴이의 주장

구분	내용
문제 제기	• 관광객으로 인한 소음, 쓰레기 무단 투기, 주민 사생활 침해 • 관리 부족으로 인해 흉물로 변한 일부 조형물 • 경제적 이득을 본 주민과 그렇지 않은 주민 간 갈등
원인 분석	주민 의견을 충분히 수렴하지 않고 마을 고유의 내력이나 사연을 무시한 채 근시안적 발상으로 마을을 조성했기 때문
↓	
주장	겉만 번지르르한 벽화 마을 조성을 중단해야 한다.

1 이 글을 읽고 난 후의 반응으로 적절하지 않은 것은?

① 글쓴이는 벽화 마을 조성에 대한 문제를 제기하고 있군.
② 벽화 마을의 역기능만을 근거로 내세워 타당성이 떨어져.
③ 벽화 마을 문제에 대한 글쓴이의 의견과 주장이 논리적으로 일관성 있어 보여.
④ 벽화 마을을 조성하는 과정에서 문제가 된 근본적 원인을 해결해야 한다고 생각해.
⑤ 벽화 마을 조성으로 주민들이 불편을 겪는 것은 옳지 않다는 글쓴이의 주장에 동의해.

01 착한 소비, 내 지갑 속의 투표용지 ❶ _ 케이비에스(KBS) 〈명견만리〉 제작진

핵심 콕콕 • 매체에 드러난 표현 방법과 의도 파악하기
• 표현 방법의 적절성과 효과 평가하며 매체 읽기

갈래	주장하는 글
성격	논리적, 분석적, 체계적
제재	착한 소비
주제	착한 소비의 실천을 통해 기업, 사회, 세상의 미래를 바꿀 수 있다.
특징	사진, 그래프와 같은 시각 자료 등 다양한 표현 방법을 사용함.

서론 **가** 사탕, 초콜릿, 과자가 옹기종기 늘어서 있다. 메모지에 쓴 손 편지도 보인다. '힘내세요.', '행복하게 지내세요.' 같은 응원의 글도 있고, 감사 인사가 적힌 쪽지도 있다.

나 이러한 풍경을 볼 수 있는 곳은 뜻밖에도 지하철의 한 물품 보관함. 수많은 사람이 잠시 물건을 보관하는 용도로 사용하는 물품 보관함이 특별한 공간으로 변신한 것은 2015년의 일이다. 한 사회 관계망 서비스의 사용자가 서울 지하철 2호선 강남역의 물품 보관함에 초콜릿을 넣어 두었으니 누구든 꺼내 먹으라는 글을 올리면서부터였다.

다 이 소소한 나눔에 감동한 사람들이 동참했고, 달콤한 간식을 먹고 힘내라는 의미에서 '달콤 창고'라는 이름이 붙었다. 한 달에 5만 원인 물품 보관함 대여료를 기꺼이 내는 사람들과 가벼운 주머니를 털어 얼굴도 모르는 타인을 위해 간식을 넣어 두는 사람들 덕분에 달콤 창고는 전국 지하철역을 중심으로 퍼져 나갔고, 불과 몇 달 만에 백여 곳으로 늘어났다.

라 달콤 창고에 누가 간식을 가져다 놓고 가져가는지는 아무도 모르지만, 이 공간을 통해 익명의 사람들이 서로를 위로하며 마음을 나누고 있었다. 어떻게 일면식도 없는 사람들끼리 살갑게 챙겨 주고 따뜻한 말을 건넬 수 있을까? 이기기 위해 남을 밟고 올라서야 하는 무한 경쟁의 시대에 ㉠달콤 창고는 이해하기 힘든 낯선 흐름이다.

익명: 이름을 숨김. 또는 숨긴 이름이나 그 대신 쓰는 이름
일면식: 서로 한 번 만나 인사나 나눈 정도로 조금 앎.

서론 경제적 고통이 커지는 상황에서 자신이 가진 것을 다른 사람과 □□□□ 움직임이 늘어남.

본론1 **마** 한 나라 국민이 겪는 경제적 고통의 정도를 보여 주는 지표가 있다. 실업률과 물가 상승률을 바탕으로 산출되는 '체감 경제 고통 지수'가 그것인데, 지수가 높을수록 경제적 고통이 심하다는 뜻이다. / 우리나라의 체감 경제 고통 지수는 2006년 약 13포인트에서 점점 올라 2015년에는 22포인트까지 치솟았다. 국민이 느끼는 경제적 고통이 해가 갈수록 큰 폭으로 증가했다는 증거이다. 생활이 넉넉해지기는커녕 점점 더 어려워지는데, 강자만이 살아남는 정글 속에서 사람들은 왜 자신이 가진 것을 남과 나누려고 할까?

산출되는: 계산되어 나오는

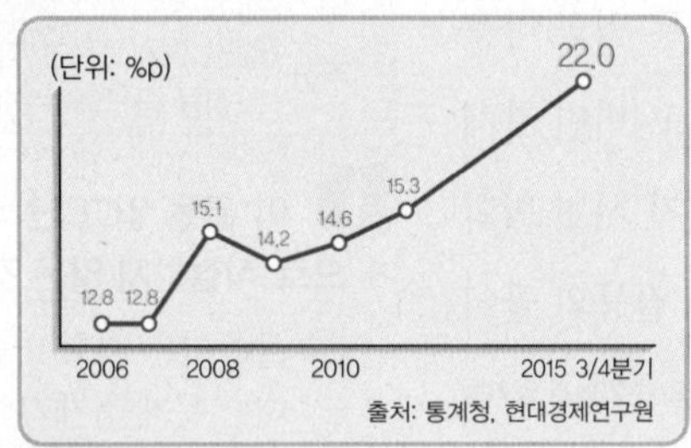

자료 1 체감 경제 고통 지수

바 확실한 것은 이러한 움직임이 몇몇 착한 사람만의 선행이 아니라는 사실이다. 지극히 평범한 사람들이 만들어 내는 새로운 일상의 풍경이다. 게다가 역설적이게도 위기가 닥칠 때 사람들의 착한 움직임은 더욱 커진다.

경제가 나빠질 때 착한 소비의 모습이 어떻게 변하는지를 분명하게 보여 주는 그래프가 있다. 세계 공정 무역 매출액은 지난 2004년 이래 꾸준히 증가해 왔는데, 특히 2008년 이후 금융 위기의 여파로 세계 경제 성장률이 마이너스로 돌아섰을 때에도 공정 무역 매출액은 증가 추세를 보였다.

공정 무역: 상호 간에 혜택이 동등한 가운데 이루어지는 무역
여파: 어떤 일이 끝난 뒤에 남아 미치는 영향
추세: 어떤 현상이 일정한 방향으로 나아가는 경향

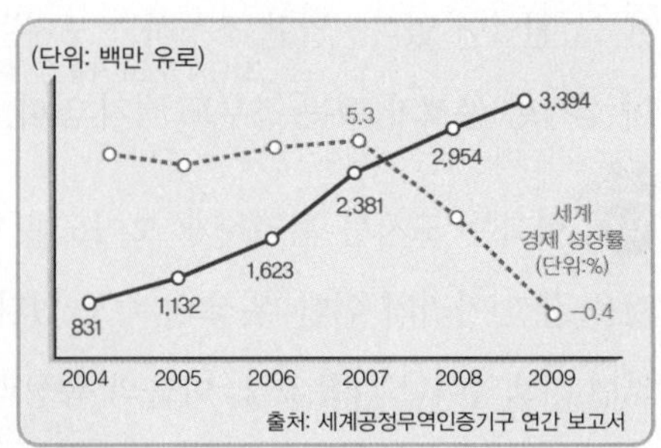

자료 2 세계 공정 무역 매출액

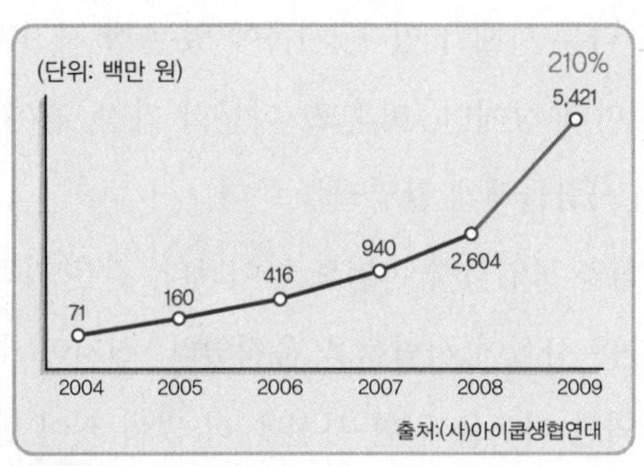

자료 3 세계 공정 무역 매출액

우리나라의 상황도 이와 다르지 않다. 우리나라의 공정 무역 매출액은 2008년에서 2009년까지 1년 사이에 무려 210퍼센트나 증가했다. 경제가 안 좋을 때 타인을 생각하는 착한 소비가 오히려 늘어나는 이상한 현상이 벌어진 것이다.

콕콕 정리

◆ 달콤 창고의 확산과 그 이유

시초	2015년 한 사회 관계망 서비스 사용자가 물품 보관함에 초콜릿을 넣어 두었으니 누구든 꺼내 먹으라는 글을 올림.
확산	물품 보관함 대여료를 기꺼이 내는 사람들과 타인을 위해 간식을 넣어 두는 사람들 덕분에 몇 달 만에 백여 곳으로 늘어남.

무한 경쟁의 시대라도 익명의 사람들이 서로를 위로하며 마음을 나누고자 함.

교과서 핵심 개념

◆ 표현 방법의 적절성과 효과 ①

• 언어 표현

강자만이 살아남는 정글 속에서 ~ 남과 나누려고 할까?

• 경제적으로 어렵고 각박한 현실을 '정글'에 빗대어 인상적으로 표현함.
• 의문형 문장을 통해 독자의 관심을 불러일으킴.

• 시각 자료

〈자료 1〉 체감 경제 고통 지수
경제적 고통을 수치화하여 해가 갈수록 큰 폭으로 증가하는 추세를 실감 나게 보여 줌.
〈자료 2〉 세계 공정 무역 매출액
세계 경제 성장률이 떨어질 때에도 공정 무역 매출액은 증가하는 현상을 비교할 수 있도록 적절하게 표현함.
〈자료 3〉 국내 공정 무역 매출액
1년 사이에 우리나라의 공정 무역 매출액이 급증한 사실을 한눈에 알아볼 수 있도록 효과적으로 표현함.

1 **이 글에 대한 설명으로 적절하지 <u>않은</u> 것은?**

① 제목에 비유적 표현을 사용하여 글쓴이의 주장을 강조하고 있다.
② 사회 현상을 묘사하며 글을 시작하여 독자의 관심을 유발하고 있다.
③ 매체 자료의 출처를 명확히 제시하여 주장에 대한 신뢰를 주고 있다.
④ 의문형 문장을 사용하여 대상에 대한 부정적인 인식을 드러내고 있다.
⑤ 말하고자 하는 바를 효과적으로 전달하기 위해 시각 자료를 활용하고 있다.

교과서 핵심 개념

2 **〈자료 1〉~〈자료 3〉에 대한 설명으로 적절하지 <u>않은</u> 것은?**

① 〈자료 1〉은 체감 경제 고통 지수가 높아진 원인을 드러내고 있다.
② 〈자료 2〉에서는 세계 경제 성장률이 떨어질 때에도 공정 무역 매출액은 증가하는 현상을 비교할 수 있다.
③ 〈자료 3〉은 1년 사이에 우리나라의 공정 무역 매출액이 급증한 사실을 효과적으로 보여 주고 있다.
④ 〈자료 1〉~〈자료 3〉을 통해 경제적 어려움 속에서 오히려 착한 소비가 확산하고 있음을 확인할 수 있다.
⑤ 〈자료 1〉~〈자료 3〉을 통해 수치의 증가·감소 추세를 한눈에 보여 줌으로써 글을 이해하는 데 도움을 주고 있다.

3 **글쓴이가 ㉠처럼 말한 이유로 가장 적절한 것은?**

① 선행을 베푸는 것은 주변의 시선을 끌기 위해서이기 때문이다.
② 경제가 어려워질수록 소비를 일절 안 하는 것이 바람직하기 때문이다.
③ 모두의 이익을 위해 선택하고 행동하는 것은 이상에 불과하기 때문이다.
④ 얼굴도 모르는 사람들이 마음을 나누면 남을 밟고 올라설 수 없기 때문이다.
⑤ 무한 경쟁의 시대에 익명의 사람들이 보여 주는 이타적 행동을 쉽게 이해할 수 없기 때문이다.

4 **이 글에서 '착한 소비'를 잘 보여 주는 사례 두 가지를 찾아 쓰시오.**

01 착한 소비, 내 지갑 속의 투표용지 ❷

사 의미 있는 소비를 하려는 사람들의 열망을 보여 주는 또 다른 사례가 있다. 서울에 있는 한 사진관은 고객이 사진을 찍을 때마다 장애인, 미혼모, 다문화 가정, 혼자 사는 노인 등 소외 계층의 사람들에게 촬영권을 준다.

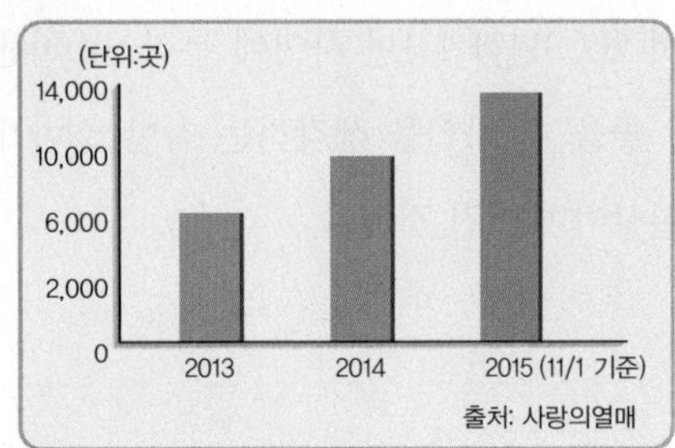

자료 4 전국 기부 가게의 수

일대일 기부 방식을 도입하자 손님도 늘어났다. 같은 가격에 좋은 일까지 할 수 있다는 사실이 사람들을 움직였다. 심지어 추가로 돈을 기부하면서 소외된 이웃을 위한 사진을 더 많이 찍어 달라고 부탁하는 사람들도 꽤 있다. 이 사진관과 같은 일대일 기부를 포함해, 정기적으로 기부에 참여하는 가게가 매년 급격하게 늘어나고 있다.

본론1 경제가 안 좋을 때 오히려 □□ □□가 늘어남.

본론2 **아** 사람들은 이제 가격이나 품질이 아무리 좋아도 비인간적이고 이기적인 과정을 거쳐 만들어진 물건이라면 더는 그것을 소비하려 들지 않는다. 따라서 기업들도 예전보다 훨씬 더 가치 지향적인 경영을 해야 한다. 한 세계적인 커피 회사는 2000년대 초반 제삼 세계 커피 농부들을 정당하게 대우하지 않는다는 사실이 알려지면서 엄청난 손가락질을 받은 뒤, 공정 무역 커피를 도입하며 친환경 기업의 이미지를 만들어 나갔다.

(가치 지향적인: 어떤 사고나 행위를 할 때 가치의 문제를 가장 중요한 기준으로 삼는)
(제삼 세계: 제2차 세계 대전 뒤, 아시아·아프리카·라틴 아메리카의 개발 도상국을 이르는 말)

자 물론 착한 가치를 내세운다고 해서 기업이 선한 의도와 목적을 갖게 되었다고 보기는 어렵다. 이것이 윤리 경영이 아니라 이미지 마케팅에 불과하다고 보는 시각도 많다. 그러나 기업이 선하게 행동하도록 만든 것 자체가 한 단계 나아가는 것임은 분명하다. 좋은 일을 하는 기업이 성공하는 사례가 거듭된다면 점차 시장의 질서도 합리적으로 바뀔 것이다. 그리고 세계는 이미 그러한 방향으로 변해 가고 있다.

(이미지 마케팅: 상표 콘셉트 등 감성에 의한 이미지를 고객의 마음속에 심어 주는 활동)

본론2 착한 소비는 □□의 경영에 영향을 미침.

본론3 **차** 그동안 경제학에서는 합리적인 선택을 하는 것, 즉 자신에게 가장 이익이 되는 쪽을 선택하는 것이 '호모 에코노미쿠스'인 인간의 본성이라고 여겨 왔다. 경제학에서 이제껏 인간의 이기적 본성을 부각해 왔던 것은 모두가 자기 위치에서 자기 이익을 추구하면 그것이 건강한 경쟁을 통해 모든 사람에게 행복을 가져다줄 것이라고 믿었기 때문이다. 하지만 이기심을 바탕으로 한 경쟁은 기대와 달리 환경 파괴, 물질 숭배, 지나친 경쟁, 인간성 상실 등 온갖 문제를 발생시켰다.

(호모 에코노미쿠스: 윤리적이거나 종교적인 동기와 같은 외적 동기에 영향을 받지 않고 순전히 자신의 경제적인 이득만을 위해 행동하는 사람)

카 지금 세계 곳곳에서 나타나는 착한 소비의 움직임은 그동안의 이기적 선택에 대한 반성과 함께 이타심(利他心)이라는 인간의 본성이 발현된 것이라고 할 수 있다. 경제가 어려울수록 착한 소비가 더욱 확산하는 이유 역시 여기에서 찾을 수 있다.

(이타심: 자기의 이익보다는 다른 사람의 이익을 더 중요하게 생각하는 마음)

본론3 착한 소비는 그동안의 이기적 선택에 따른 반성과 함께 □□□이라는 인간 본성이 발현된 것임.

결론 **타** 착한 소비는 단순히 경제 활동의 문제가 아니다. ㉠착한 소비는 한 장의 투표용지와 같다. 우리가 어디에, 어떻게 소비하느냐에 따라 기업이, 사회가, 그리고 세상의 미래가 달라질 수 있다.

결론 착한 소비는 기업, 사회, 세상의 미래를 바꿀 수 있는 □□□□와 같음.

콕콕 정리

교과서 핵심 개념

◆ 표현 방법의 적절성과 효과 ②

• 언어 표현

호모 에코노미쿠스
그동안 경제학이 인간의 이기적 본성을 강조해 왔음을 압축적으로 표현함.
기업이, 사회가, 그리고 세상의 미래가 달라질 수 있다.
'기업 → 사회 → 세상'과 같은 점층적 표현을 사용하여 착한 소비가 미치는 효과와 영향을 강조함.

• 시각 자료

〈자료 4〉 전국 기부 가게의 수
전국 기부 가게의 수가 매년 급격하게 증가하는 추세를 한눈에 파악할 수 있도록 표현함.

◆ 착한 소비에 참여하는 사람들의 마음

달콤 창고	얼굴도 모르는 사람들을 위해 간식을 나눔.
일대일 기부	상품 등을 소비할 때마다 소외 계층에 기부함.

↓

• 자신이 가진 것을 나누고 싶어 하는 마음
• 자신의 이익이 아닌 모두의 이익을 위해 행동하고자 하는 마음

교과서 핵심 개념

◆ 비유적 표현의 의미와 의도

착한 소비는 한 장의 투표용지와 같다.	
의미	착한 소비는 기업, 사회, 세상의 미래를 바꿀 수 있는 힘을 가진 실천 행위임.
의도	비유적 표현을 사용하여 말하고자 하는 바를 이해하기 쉽게 인상적으로 전달하기 위함.

교과서 핵심 개념

1 이 글을 읽은 학생들이 평가한 내용으로 적절하지 <u>않은</u> 것은?

① 두리: '호모 에코노미쿠스'라는 용어를 통해 그동안 경제학이 인간의 이기적 본성을 강조해 왔음을 압축적으로 표현했네요.
② 늘봄: 다양한 시각 자료가 내용을 이해하는 데 도움이 되었어요. 특히 그래프로 착한 소비의 추세를 수치화하여 실감 나게 나타냈네요.
③ 하늘: 제목을 보고 호기심이 생겨 읽었는데, 내가 어디에, 어떻게 소비를 하느냐에 따라 미래가 달라질 수 있다는 점이 인상적이었어요.
④ 지민: 착한 가치를 내세우는 기업은 이미지 마케팅을 통해 이익을 추구합니다. 글쓴이의 의견처럼 그에 속지 않는 현명한 소비자가 됩시다.
⑤ 정국: '기업이, 사회가, 그리고 세상의 미래가 달라질 수 있다.'와 같은 점층적 표현을 통해 착한 소비가 미치는 효과를 강조하여 전달하고 있네요.

2 이 글에 제시된 경제 활동 중, 그 성격이 <u>다른</u> 하나는?

① 일대일 기부 방식을 도입한 사진관에 늘어난 손님들
② 매년 급격하게 늘어나는, 정기적 기부에 참여하는 가게 수
③ 경제가 나빠져도 오히려 증가 추세를 보인, 공정 무역 매출액
④ 달콤 창고를 통해 서로를 위로하며 마음을 나누는 익명의 사람들
⑤ 모두가 자기 위치에서 자기 이익을 추구하면 그것이 건강한 경쟁을 통해 모든 사람에게 행복을 가져다준다고 믿는 사람들

교과서 핵심 개념

3 〈자료 4〉를 〈보기〉와 같이 바꾸었을 때의 변화를 바르게 설명한 것은?

보기

전국 기부 가게의 수

연도	2013	2014	2015
가게 수	6,917	9,008	14,139

① 〈보기〉의 자료가 〈자료 4〉보다 출처의 신빙성이 높다.
② 〈보기〉의 자료는 〈자료 4〉보다 매체의 활용 의도를 잘 드러낼 수 있다.
③ 〈자료 4〉는 연도별 전국 기부 가게의 수와 증가량을 정확하게 알 수 있다.
④ 〈자료 4〉와 〈보기〉의 자료는 같은 내용이므로 어느 것을 써도 효과는 같다.
⑤ 〈자료 4〉가 〈보기〉의 자료보다 전국 기부 가게의 수가 매년 급격하게 증가하는 추세를 한눈에 파악하기 쉽다.

교과서 핵심 개념

4 글쓴이가 ㉠과 같은 표현을 사용한 의도로 가장 적절한 것은?

① 내용의 타당성과 실현 가능성을 높이기 위해
② 글쓴이의 주장을 생동감 있게 전달하기 위해
③ 내용을 이해하기 쉽고 인상적으로 전달하기 위해
④ 구체적인 예를 들어 주장의 근거를 제시하기 위해
⑤ 앞으로의 전망을 제시하여 문제의 심각성을 부각하기 위해

02 느림의 가치를 재발견하자 _김종덕

핵심 콕콕 • 글쓴이의 주장과 근거 파악하기
• '느림'의 개념과 가치 파악하기

갈래	주장하는 글
성격	설득적, 논리적
제재	'느림'의 가치
주제	'느림'의 가치를 깨닫고, '느림'을 실천해야 한다.
특징	'느림'과 '빠름'을 대조하여 '느림'의 가치를 강조함.

서론 **가** 오늘날 우리 사회는 빨리빨리의 문화가 대세이다. 불과 수십 년 전만 해도 '느림'의 문화가 지배적이었는데 압축 성장 과정에서 속도의 문화가 이를 대체했다. 빨리빨리의 문화는 한편으로는 고속 성장을 가능하게 했지만, 다른 한편으로는 부작용도 낳았다. 부실 공사로 인한 건축물 붕괴, 높은 교통사고 사망률 등은 이 문화의 부정적 산물이다. 또 그 안에서의 경쟁으로 인해 사람들은 엄청난 스트레스를 겪고 있다.

(대체했다: 다른 것으로 대신했다. / 산물: 어떤 것에 의하여 생겨나는 사물이나 현상)

서론 □□□□의 문화 확산과 그로 인한 부작용

본론 **나** 흔히 느린 것을 게으른 것과 혼동하지만 느린 것과 게으른 것은 다르다. '느림'은 빠름에 반대되는 개념으로, 속도에 빠져든 사회를 치유하기 위해 꼭 필요한 요소이다. '느림'은 우리를 기본과 원칙에 충실하게 한다. 무엇보다도 '느림'은 우리를 보다 인간답게 만들어 준다. '느림'은 남을 제치고 자기만 아는 경쟁적인 삶에서 벗어나 남들과 더불어 사는 것을 가능하게 한다.

다 근래 들어 우리나라에도 '느림'의 순기능을 인식하고 '느림'에 관심을 기울이는 사람들이 점차 늘어나고 있다. '느림'을 실천하기 위해 두발로 걷거나 자전거를 타는 모임이 생겨나고, 패스트푸드가 아닌 슬로푸드에 대한 관심이 높아졌다. 또 다람쥐 쳇바퀴 같은 삶에서 벗어나 느리고 여유로운 삶을 즐기려는 사람도 늘고 있다.

라 하지만 아직도 많은 사람들은 느리게 사는 것의 중요성을 인식하지 못한다. 이들은 일을 빨리하면 시간이 남고, 그 남는 시간을 다른 데 쓸 수 있을 것으로 생각한다. 그러나 안타깝게도 이 범주에 속하는 이들은 여전히 바쁜 생활에서 벗어나지 못하는 경우가 대부분이다.

마 우리는 24시간 계속해서 일할 수 있는 기계가 아니라, 일도 하고 놀기도 해야 하는 사람이다. 기계가 아니라 사람으로서 존엄을 지키려면 속도 전쟁에서 벗어나 '느림'의 가치를 재발견해야 한다. '느림'은 작게는 개인의 인간적인 삶을 위해, 크게는 지구의 지속적 발전을 위해 반드시 실천해야 할 과제이다. 속도 전쟁은 개인에게 비인간적인 삶을 강요하는 동시에 엄청난 에너지를 낭비하게 하여 지구 환경의 지속 가능성을 저해하기 때문이다.

(저해하기: 막아서 못 하도록 해치기)

본론 '□□'의 기능과 가치

결론 **바** 이제 빨리빨리의 문화에서 벗어나 '느림'의 삶을 누려 보자. 날마다면 더 좋겠지만, 그게 안 될 경우에는 일주일에 하루만이라도 걸어 보자. 걸으면서 옆 사람과 이야기도 나누고 주변도 관찰해 보자. 집에서 음식을 조리해 먹고, 먹을거리를 생산한 사람을 생각하고, 우리가 먹는 음식의 맛을 즐겨 보도록 하자. '느림'을 실천하면 보다 건강하고 여유로운 삶이 펼쳐진다.

빨리빨리의 문화와 경쟁에 젖어 있는 이들에게 시작이 쉽지는 않겠지만, 사람다운 삶을 원한다면 생활의 작은 부분에서부터 '느림'을 실천하고 체험해 보기를 권한다.

결론 '느림'을 □□하는 삶 권유

콕콕 정리

◆ 이 글의 짜임

서론	'빨리빨리의 문화' 확산과 그로 인한 부작용을 소개함.
본론	'느림'의 기능과 가치를 역설함.
결론	'느림'을 실천하는 삶을 권유함.

◆ 빨리빨리의 문화가 가져온 사회의 변화

긍정적	사회의 고속 성장
부정적	• 부실 공사로 인한 건축물 붕괴 • 높은 교통사고 사망률 • 경쟁으로 인한 과도한 스트레스 유발

교과서 핵심 개념

◆ '느림'의 개념과 가치

개념	• 빠름에 대한 반대 개념 • 속도에 빠져든 사회를 치유하기 위해 꼭 필요한 요소
가치	• 기본과 원칙에 충실하게 함. • 우리를 보다 인간답게 만들어 줌. • 남들과 더불어 사는 것을 가능하게 함.

교과서 핵심 개념

◆ 글쓴이의 주장과 근거

주장	빨리빨리의 문화에서 벗어나 '느림'의 삶을 실천하고 체험해 보자.

↑

근거	• 속도 전쟁은 개인에게 비인간적인 삶을 강요하므로 개인의 존엄을 지키는, 인간적인 삶을 위해 '느림'의 가치를 재발견해야 함. • 속도 전쟁은 엄청난 에너지를 낭비하게 하여 지구 환경의 지속 가능성을 저해하므로 지구의 지속적 발전을 위해 '느림'의 과제를 반드시 실천해야 함.

1 이 글에 대한 설명으로 가장 알맞은 것은?

① 지구 환경의 지속 가능성을 위한 다양한 방안을 모색하고 있다.
② '느림'과 '빠름'을 대조하여 조화로운 삶의 중요성을 설명하고 있다.
③ 글쓴이 자신이 실천한 '느림'의 방법과 그로 인한 변화를 소개하고 있다.
④ '느림'을 실천하는 삶의 가치에 대한 글쓴이의 견해를 논리적으로 전개하고 있다.
⑤ 삶에 대한 사람들의 생각 변화를 중심으로 자신이 깨달은 점을 구체적으로 전달하고 있다.

교과서 핵심 개념

2 '느림'에 대한 글쓴이의 관점으로 알맞지 않은 것은?

① 우리를 보다 인간답게 만들어 준다.
② 우리를 기본과 원칙에 충실하게 한다.
③ 우리 사회가 고속으로 성장하도록 한다.
④ 속도에 빠져든 사회를 치유하기 위해 꼭 필요한 요소이다.
⑤ 경쟁적인 삶에서 벗어나 남들과 더불어 사는 것을 가능하게 한다.

교과서 핵심 개념

3 이 글을 읽은 독자가 〈보기〉와 같은 사람들에게 조언해 줄 말로 적절하지 않은 것은?

보기
• 패스트푸드를 즐겨 먹는 사람들
• 다람쥐 쳇바퀴 같은 삶을 사는 사람들
• 느리게 사는 것의 중요성을 인식하지 못하는 사람들

① '느림'을 실천하면 보다 건강하고 여유로운 삶이 펼쳐집니다.
② 일을 빨리 마치고, 남는 시간에 다양한 취미 활동을 즐겨 보세요.
③ '느림'은 지구의 지속적 발전을 위해 반드시 실천해야 할 과제입니다.
④ 우리는 24시간 계속해서 일할 수 있는 기계가 아닙니다. 일도 하고 놀기도 해야 하는 사람입니다.
⑤ 빨리빨리의 문화에서 벗어나 '느림'의 삶을 누려 보세요. 일주일에 하루만이라도 걸으면서 주변을 관찰해 보세요.

서술형

4 〈보기〉에 제시된 현상들의 공통적인 원인을 (바)에서 찾아 2어절로 쓰시오.

보기
• 부실 공사로 인한 건축물 붕괴
• 높은 교통사고 사망률
• 경쟁으로 인한 과도한 스트레스 유발

비상 안전 퀴즈 ❷

엘리베이터가 멈췄다! 어떻게 해야 할까?

엘리베이터를 타고 가는데 갑자기 멈췄을 때! 휴대 전화도 없고 비상 호출 단추를 눌러도 아무도 대답하지 않을 때! 덜컹 하는 소리가 들린다면 어떻게 하는 게 가장 안전할까요?

❶ 엘리베이터 문틈을 강제로 벌려 문을 열어 본다.

❷ 제자리에서 쿵 하고 뛰어 다시 내려가게 한다.

❸ 자세를 낮추고 가만히 앉아 기다린다.

정답은?

엘리베이터 문틈을 강제로 벌려 문을 열어 본다.

강제로 문을 열고 밖으로 탈출하려는 순간 엘리베이터가 움직여 몸이 끼일 수도 있으므로 이와 같은 행동은 매우 위험하다!

제자리에서 쿵 하고 뛰어 다시 내려가게 한다.

엘리베이터 안에서 뛰거나 구르는 등의 충격을 주는 행동은 금물이다. 자칫 바닥이 꺼지거나 오작동을 일으켜 더 위험해질 수 있다!

자세를 낮추고 가만히 앉아 기다린다.

비상 호출 단추를 눌러 계속 구조를 요청하면서 가만히 앉은 자세로 기다리는 것이 가장 안전하다. 자세를 낮추고 있어야 혹시 모를 충격에 대비할 수 있다!

ⓒ ◀

듣기·말하기

		비상	미래엔	천재(박)	천재(노)	동아	지학사	창비	금성
1 대화	01 황희 정승의 일화 / 선생님과 학생의 대화	★							
2 연설/발표	01 기아 문제의 심각성과 해결 방법	★							
3 방송 보도/강연	01 만약 지진이 일어난다면?	★							

대화

교과서 핵심 개념

1 대화

(1) 대화의 개념

마주 대하여 이야기를 나누는 과정에서 서로의 생각이나 의견, 감정을 주고받는 의사소통 활동이다.

(2) 대화의 특성

- 대화는 일방적으로 이루어지는 것이 아니라, 말하는 이와 듣는 이가 함께 내용을 창조하고 그 의미를 공유하는 과정이다.
- 대화의 흐름은 정해진 방향으로만 흘러가는 것이 아니라, 참여자들의 배경지식이나 경험, 참여자들 사이의 관계 등에 따라 결정된다.
- 대화를 나누며 서로의 생각을 변화시키고, 그 차이를 좁혀서 새로운 생각으로 나아갈 수 있다.

예

지윤: 동화야, 주말 잘 보냈어?
동화: 응. 어제 형이랑 집 근처에 새로 생긴 서점에 갔었어.

↙

지윤: 그래? 무슨 책을 샀어?
동화: 우주 관련 책을 사려고 갔었는데 이것저것 살펴보다가 못 고르고 그냥 왔어.
지윤: 나 저번에 산 과학 잡지 있는데 빌려줄까?

↘

지윤: 아, 거기 나도 며칠 전에 가 봤는데 규모도 크고 책도 많더라.
동화: 맞아. 서점 주인 아저씨도 친절하시더라고.
지윤: 그렇구나. 동네에 깨끗하고 큰 서점이 생겨서 좋아.

같은 내용의 말로 대화를 시작했지만 상대의 반응에 따라 대화가 서로 다른 방향으로 진행됨. 이와 같이 대화는 말하는 이와 듣는 이가 함께 참여하여 상호 작용함으로써 새로운 의미를 만들어 나가는 과정임.

(3) 원활한 대화를 하기 위해 고려할 점

- 대화 참여자들 간에 의사소통이 원활하게 이루어지기 위해서는 의사소통의 목적, 참여자의 지식수준, 참여자 간의 친밀도 등을 고려하여 말해야 한다.
- 의미 있고 즐겁게 의사소통을 하기 위해서는 말하는 이와 듣는 이 모두 대화에 적극적이고 협력적으로 참여하는 자세가 필요하다.

(4) 대화할 때 지녀야 할 올바른 태도

- 말할 때는 상대의 의도를 파악하며 자신의 생각을 구체적으로 전달해야 한다.
- 들을 때는 집중하여 귀담아듣고, 상대의 말에 적절한 반응을 보여야 한다.
- 들을 때는 상대의 감정이나 상황을 이해하려고 노력해야 한다.

더 알아 두기

◆ 의미 공유 과정으로서의 듣기와 말하기

- 말하는 이와 듣는 이가 지식, 정보, 의견, 감정 등을 주고받으며 협력적으로 의미를 공유하는 과정이다. 그 과정에서 말하는 이가 듣는 이가 되기도 하고 듣는 이가 말하는 이가 되기도 하면서, 말하는 이와 듣는 이가 계속 바뀌게 된다.
- 대화, 강연, 소개, 수업 등 모든 듣기·말하기 활동은 같은 내용으로 시작해도 참여자들의 상황, 지식수준, 참여자들 간의 관계 등에 따라 이야기가 전혀 다르게 전개될 수 있다.

꼼꼼 확인 문제

1 대화는 일방향적으로 이루어지는 것이 아니라 쌍방향적으로 소통하며 의미를 구성하는 과정이다. (○ , ×)

2 대화를 할 때, 대화 참여자들의 배경지식이나 경험에 따라 대화가 흘러가는 방향이 바뀌기도 한다. (○ , ×)

3 원활한 대화가 이루어지도록 하기 위해서는 의사소통의 ☐☐, 참여자의 지식수준, 참여자 간의 친밀도 등을 고려해야 한다.

교과서 핵심 개념

2 공감하며 대화하기

(1) 공감적 듣기의 개념

상대의 말을 분석하거나 비판하기보다는, 상대의 관점에서 문제를 바라보며 상대의 생각이나 감정을 깊이 있게 이해하려는 것을 목적으로 하는 듣기이다.

(2) 공감적 듣기의 효과

- 상대와 대화를 원활하게 이어 나갈 수 있도록 한다.
- 상대의 관점에서 문제를 바라보며 협력적으로 소통할 수 있다.
- 대화 상대와 신뢰감과 유대감을 형성하여 원만한 인간관계를 유지할 수 있다.

(3) 공감적 듣기의 방법

소극적 들어 주기	대화를 계속할 수 있도록 상대와 눈을 맞추면서 고개를 끄덕이거나, 적절하게 맞장구치며 지속적으로 관심을 표현함. 예 (동생을 향해 앉아 눈을 바라보며), “그렇구나.”, “계속 말해 봐.”
적극적 들어 주기	상대가 객관적인 관점에서 문제를 바라볼 수 있도록 상대의 말을 요약정리해 주거나, 상대가 한 말의 의미를 재구성하여 진술함. 예 “그러니까 네 말은 친구에게 사과하고 싶은데 친구가 사과를 받아 주지 않을까 봐 걱정이 되는 거구나.”

(4) 공감하며 대화할 때에 주의해야 할 점

- 상대의 처지나 감정을 고려하여 상대를 무시하는 말이나, 상대를 함부로 평가하는 말을 하지 않는다.
- 상대의 문제를 바로 해결해 주고자 자신의 생각을 강요하거나 지시하는 듯한 말을 하지 않는다.

공감하며 대화하지 않은 예

다운: 나 지갑을 잃어버린 것 같아. 어쩌지?
지수: 너는 참, 칠칠치 못하게. 지갑 같은 중요한 걸 잃어버리냐?
→ 상대의 처지를 생각하지 않고 상대를 무시하는 말을 함부로 함.
다운: 속상하다. 할머니께 생일 선물로 받은 건데.
지수: 할머니께서 아시면 무척 서운해 하시겠는걸? 넌 늘 덜렁거려서 문제야. 다음부턴 잘 좀 챙겨!
→ 상대를 함부로 평가하며 상대의 감정을 고려하지 않고 말함.

↓

공감하며 대화한 예

다운: 나 지갑을 잃어버린 것 같아. 어쩌지?
지수: 정말? 속상하겠다. 지갑을 언제 마지막으로 봤어?
다운: 아까 편의점에서 물 사려고 가방에서 꺼냈었어.
지수: 그럼 편의점에 다시 가 보자. 찾을 수 있을 거야. 너무 걱정하지 마.
→ 상대의 말에 관심을 표현하며 상대의 생각과 감정을 파악하고 위로해 줌.

더 알아 두기

◆ 공감의 의미

상대의 감정과 생각을 이해하고 수용하는 것을 공감이라고 한다. 공감은 대화 과정에서 서로에게 믿음과 친밀감을 느끼도록 하는 데 중요한 역할을 한다.

◆ 공감하며 대화하는 방법

- 상대의 말을 끝까지 듣고 집중하는 반응을 보인다.
- 상대의 생각과 감정을 파악하고 자신의 말로 재진술한다.
- 상대와 공감을 형성할 수 있는 자신의 경험을 공유하여 상대를 격려한다.

꼼꼼 확인 문제

4 □□□ 듣기는 대화 상대와 신뢰감과 유대감을 형성할 수 있다는 장점이 있다.

5 상대의 생각과 감정을 파악하고 자신의 말로 재진술하는 것은 소극적 들어 주기 방법에 해당한다. (○, ×)

6 대화할 때에는 상대의 감정을 상하게 하거나 상대를 무시하는 말을 하지 않도록 주의해야 한다. (○, ×)

바로바로 개념 적용　아빠와 아들의 대화

갈래	장편 소설, 성장 소설, 외국 소설	성격	자전적, 회상적
배경	미국 버몬트주의 한 농장	시점	1인칭 주인공 시점
제재	울타리를 세우는 일	주제	울타리의 의미에 대한 깨달음
특징	• 대화를 하면서 아들의 생각이 바뀌어 가는 과정을 그림. • 상대가 이해하기 쉽게 구체적인 예를 들어 설명하는 모습이 나타남.		

우리는 태너 아저씨네 땅과 우리 땅을 나누는 울타리에서 기둥을 고치고 있었다.

"울타리라는 거 참 우스워요. 안 그래요, 아빠?"

"왜 그렇게 생각하니?"

"아빠랑 태너 아저씨는 친구잖아요. 이웃사촌 말예요. 그런데도 마치 전쟁을 하듯이 이렇게 울타리를 세우고 있잖아요. 이 세상에서 사람만이 자기 걸 지키려고 울타리를 세우는 것 같아요."

"그렇지 않아." / 아빠가 말했다.

"동물들은 울타리를 세우지 않잖아요."

"아니야, 동물들도 울타리를 세운단다. 봄에 수컷 울새가 보금자리를 마련해야 암컷이 수컷에게 날아가거든. 수컷은 보금자리로 울타리를 세우는 거야."

"그런 말은 처음 들어요."

"울새가 노래하는 거 많이 들어 봤지? 그 소리는 말야. 이 나무는 내 거니까 가까이 오지 말라는 뜻이야. 그 소리도 울새의 울타리인 셈이지." / "엉터리."

"여우를 본 적 있니?" / "물론 여러 번 봤죠."

"내 말은, 자세히 살펴봤냐구. 여우는 매일같이 자기 영토를 돌아다니며 나무나 바위 여기저기에 소변을 보지. 그게 여우의 울타리야. 그 이상은 잘 모르겠지만, 살아 있는 모든 생명체는 어떤 식으로든 울타리를 세울 것 같아. 나무가 뿌리로 울타리를 만들 듯이 말이야."

"그렇다면 그건 전쟁이 아니네요."

"평화로운 전쟁이야. 내가 알기로는 벤저민 플랭클린 태너는 자기네 소가 우리 옥수수밭을 망가뜨리는 걸 좋아하지 않을 사람이야. 우리 소가 자기네 밭을 망가뜨린다면 나보다 더 속상해할 사람이고 말이야."

"태너 아저씨는 좋은 이웃이에요, 아빠."

"그 사람도 나처럼 자기네 땅과 우리 땅을 구분하는 울타리가 있어야 한다고 생각할 거다. 울타리는 이웃을 갈라놓는 게 아니라 하나로 만들어 준다는 사실을 태너 아저씨도 잘 알고 있어."

"그런 생각은 미처 못 했어요."

"이제 알게 됐잖니."

▶ 울타리가 이웃을 하나로 만들어 준다는 것을 '아들'에게 알려 주는 '아빠'

지문 체크

1 '아들'은 대화 초반에 울타리를 세우는 것에 대해 부정적인 시각을 드러냈다. (○, ×)

2 '아빠'는 사람과 동물은 울타리를 세우는 목적이 상반됨을 '아들'에게 알려 준다. (○, ×)

3 '아빠'는 이웃 간의 땅을 구분하기 위해 울타리를 만들 수밖에 없는 현실을 안타까워한다. (○, ×)

협력적 듣기·말하기 태도의 중요성

대화 전

울타리를 세우는 것에 대해 '아빠'와 '아들'이 의견 차이를 보임.

↓

'아빠'	'아들'
'아들'의 눈높이에 맞게 쉬운 예를 들어 울타리의 의미를 설명해 줌.	자신과 다른 의견에도 귀를 기울이고, 동의하는 부분은 맞장구를 침.

• 상호 작용을 통해 의미를 공유해 나감.
• 협력적 태도를 보임.

↓

대화 후

울타리를 세우는 것에 대해 '아빠'와 '아들'의 의견이 일치함.

1 '아빠'와 '아들'의 대화가 잘 이루어질 수 있었던 요인으로 적절하지 않은 것은?

① '아들'은 '아빠'의 말에 관심을 보인다.
② '아들'은 '아빠'의 말에 적극적으로 반응한다.
③ 두 사람 모두 대화에 협력적으로 참여한다.
④ '아빠'는 감정에 호소하여 '아들'을 설득한다.
⑤ '아빠'는 '아들'의 지식수준을 고려하여 말한다.

• 정답과 해설 28쪽

달리는 차은 _민예지 외

갈래	시나리오	성격	일상적, 현실적, 교훈적
배경	현대, '차은'네 마당	제재	새 운동화
주제	서로의 입장을 고려하지 않은 '차은'과 '엄마' 사이의 갈등		
특징	다문화 가정에서 일어나는 갈등과 화해의 과정이 잘 드러남.		

지금까지의 이야기 ≫ '차은'이 다니던 학교의 육상부가 해산되자, 육상부 친구들은 서울로 전학을 간다. '차은'도 육상부 코치 선생님에게 전학을 권유받는다. '차은'은 서울로 전학 가 육상을 계속하고 싶지만, 아버지는 이를 허락하지 않는다. 어느 날, '차은'과 '영찬'이 함께 있는 것을 본 '차은'의 엄마는 '영찬'을 집으로 초대한다. '차은'의 엄마가 필리핀 출신인 것을 알게 된 '영찬'은 학교 친구들에게 이 사실을 알리고, 몇몇 친구는 '차은'을 '필리핀'이라고 부르며 놀린다.

S# 18. 차은네 마당 / 낮

툇마루에 누워 만화책을 읽고 있는 차은, 새 운동화에 신이 난 동민이 차은을 부르며 마당으로 들어온다. 동민을 따라 들어오는 엄마.

동민: 누나! 이것 좀 봐라! 새 운동화다!

차은이 별 관심을 보이지 않자, 동민은 "아빠!" 하고 부르며 쪼르르 밖으로 나가고, 쇼핑백을 들고 선 엄마가 차은의 곁에 앉는다.

엄마: 차은아! 집에 있었어? 안 나갔어? / 차은: (꿈적도 않는다.)

엄마: 엄마가 뭐 사 왔어. 맞혀 봐!

엄마가 들고 있던 쇼핑백에서 신발을 꺼내 차은 앞에 자랑하듯 내놓는다.

엄마: 짜잔! 차은아! 이거 봐 봐! / 차은: …….

엄마: 너, 달리기 잘한다며? 너 달리기할 때 신으라고.

차은, 읽던 만화책을 챙겨 들고 일어선다.

차은: 달리기할 때 그런 거 신는 거 아니거든!

엄마: 왜? 이거 마음에 안 들어?

차은, 엄마가 뽐내는 새 운동화를 쳐다보지도 않고, 제 신발을 챙겨 신는다.

엄마: 안 예뻐? 되게 비싼 건데. (새 운동화를 차은 앞에 내려놓으며) 그럼 남자 친구 만날 때 신어!

차은: 걔 남자 친구 아니거든. 내가 남자 친구 아니라고 몇 번이나 말해! 내 말 못 알아들어!

엄마: ……. / 차은: …….

엄마: (속상한 마음에 새 운동화를 차은의 앞에 던지듯 놓으며) 그래! 신지 마! 갖다 버려!

차은: 그래! 버려!

차은, 새 운동화를 발로 차더니, 대문을 향해 걸어 나간다.

▶ '엄마'와 갈등을 겪는 '차은'

지문 체크

4 '엄마'는 '차은'이 기뻐할 것이라고 생각하고 □□□을/를 사 온다.

5 '차은'은 기대했던 새 운동화가 달리기용이 아니자 실망한다. (○, ×)

6 '엄마'는 짜증만 내는 '차은'과 갈등을 풀기 위해 포기하지 않고 끝까지 노력한다. (○, ×)

협력적 듣기·말하기의 방법

말하기 방법의 문제점	
'차은'	'엄마'
'엄마'의 성의를 무시하고 자신의 기분에만 집중해 '엄마'에게 화를 냄.	'차은'에게 속상한 일이 있었다는 것을 눈치채지 못하고, 운동화 이야기만 함.

↓

해결 방법

- 상대가 자신의 마음을 알아주기만 바라지 말고, 속마음을 솔직히 얘기하면서 문제를 함께 해결하려는 자세 갖기
- 상대의 상황과 심정을 배려하여 말하기

2 이 대화가 원활하게 이루어지기 위한 방법으로 적절하지 <u>않은</u> 것은?

① 상대의 말에 귀를 기울인다.
② 상대를 배려하는 자세를 갖는다.
③ 문제를 함께 해결하려는 태도를 갖는다.
④ 자신의 속마음을 얘기하며 함께 고민한다.
⑤ 자신의 상황을 고려해 상대의 말에 반응한다.

토닥토닥
실력 쌓기

01 '황희 정승'의 일화 / 선생님과 학생의 대화

핵심 콕콕
- 공감적 듣기의 개념과 효과 이해하기
- 공감적 듣기의 방법 파악하기

가

대감마님, 오늘이 제삿날인데 아내가 아이를 낳았습니다. 그래도 제사를 지내야겠지요?
그렇지, 지내야지.
대감마님, 오늘이 제삿날인데 키우는 개가 새끼를 낳았지 뭡니까? 개가 새끼를 낳았으니 제사를 지내면 안 되겠지요?
그래. 안 지내야지.
대감, 사람이 아이를 낳았는데 제사를 지내라 하고, 개가 새끼를 낳았는데 제사를 지내지 말라니, 왜 다른 대답을 하십니까?
처음 온 사람은 제사를 지내고 싶은 마음이었고, 다음 사람은 제사를 지내기 싫은 마음이었소. 사람에게 법보다 각자의 마음이 더 중요하다는 생각에서 그러라고 했을 뿐이오.

갈래	일화
성격	공감적, 교훈적
제재	제사를 지낼 것인지 여부
주제	상대의 처지와 심정을 헤아려 듣는 태도의 중요성

나 우울한 표정의 민정, 옆에는 선생님이 서 있다. 민정을 바라보는 선생님.

선생님: 민정아! 너 얼굴이 안 좋아 보이는데, 무슨 일 있니?

민정: 아니에요. 아무 일도 없어요. 그냥 답답하고 그래서…….

선생님: ㉠(민정이의 눈을 부드럽게 바라보며) 아니긴, 얼굴에 다 쓰여 있는데? 무슨 일인지 말해 봐. 혹시 선생님이 도와줄 수 있는 일인지도 모르잖아.

민정: 실은……. 옆 반에 도현이 있잖아요.

선생님: ㉡응, 계속 이야기해 봐.

민정: 도현이와 친해지고 싶어서 음료수를 건넸는데, 아무런 말이 없었어요. 무시당한 것 같고, 저를 싫어하는 것 같기도 해서 너무 속상해요.

선생님: ㉢그러니까 네가 용기 내서 마음을 표현했는데, 도현이가 반응이 없어서 속상한가 보구나.

민정: (풀 죽은 목소리로) 네. / 선생님: 민정이가 도현이에게 좋은 감정이 있나 보다.

민정: 네. 어젯밤에는 잠도 설쳤어요.

선생님: (안타까운 표정으로) 저런, 정말 신경이 많이 쓰였구나. ㉣그런데 민정아. 혹시 도현이가 어떤 성격인지 생각해 봤니?

민정: 도현이요? 음……. 차분하고 조용한 성격인 것 같아요. 부끄러움도 많은 것 같고요.

선생님: 그렇지? 혹시 네가 음료수를 건넬 때, 다른 친구들도 있었니?

민정: 네. 청소 시간이었거든요. 아, 도현이 성격이라면 친구들이 있는 자리에서 저한테 음료수를 잘 받았다고 말하기가 쑥스러웠을 것 같아요.

갈래	대화
성격	일상적, 공감적
제재	좋아하는 친구와 관련된 고민
주제	상대의 고민을 공감하며 들어 주며 스스로 문제를 해결해 나가도록 돕는 태도의 중요성

선생님: 맞아. 내 생각도 그래.

민정: 그럼 다음에 둘만 있을 때 다시 말을 걸어 봐야겠어요.

선생님이 고개를 끄덕이고, 얼굴에 웃음이 번지는 민정.

콕콕 정리

교과서 핵심 개념

◆ 공감적 듣기의 개념과 효과

개념	상대의 생각이나 감정을 깊이 있게 이해하는 것을 목적으로 하는 듣기
효과	• 상대가 편하게 이야기할 수 있도록 함. • 상대에 대한 신뢰와 친밀감을 높일 수 있음. • 상대의 관점에서 문제를 바라보며 협력적으로 소통할 수 있게 함.

◆ '황희 정승'의 공감적 듣기 방법

아내가 아이를 낳았어도 제사를 지내야 한다고 답함. ↔ 개가 새끼를 낳았으니 제사를 지내지 않아야 한다고 답함.

↓

상대방의 처지와 심정을 헤아려 서로 다른 대답을 해 줌.

교과서 핵심 개념

◆ 공감적 듣기의 방법

소극적 들어 주기	• 상대와 눈을 맞추면서 고개를 끄덕이기 예 (민정이의 눈을 부드럽게 바라보며) • 상대가 이야기를 계속할 수 있도록 적절하게 맞장구치기 예 응, 계속 이야기해 봐.
적극적 들어 주기	• 상대의 말을 요약정리하기 예 그러니까 네가 용기 내서 마음을 표현했는데, 도현이가 반응이 없어서 속상한가 보구나. • 상대가 객관적인 관점에서 문제에 접근하고, 스스로 해결할 수 있도록 돕기 예 그런데 민정아, 혹시 도현이가 어떤 성격인지 생각해 봤니?

교과서 핵심 개념

1 공감적 듣기에 대한 설명으로 적절하지 않은 것은?

① 상대와 긍정적인 관계를 맺거나 유지하는 데 도움을 준다.
② 상대의 문제점을 분석하고, 이를 일깨워 주는 것이 목적이다.
③ 상대가 고민이나 걱정을 해결할 실마리를 찾는 데 도움이 된다.
④ 듣는 이가 말하는 이를 이해하기 위해 노력하고 있음을 보여 준다.
⑤ 상대의 상황에 감정을 이입하고 상대의 생각을 수용하려는 자세가 필요하다.

교과서 핵심 개념

2 다음 중 공감적 듣기의 방법으로 적절하지 않은 것은?

① 상대를 집중해서 바라보고 고개를 끄덕이기
② 상대의 말에 "그래?", "맞아."와 같이 맞장구치기
③ 자신의 관점에서 상대의 문제를 바라보고 대신 해결해 주기
④ "계속 말해 볼래?"와 같이 상대가 말을 이어 갈 수 있도록 격려하기
⑤ "네 말은 ……라는 거구나."와 같이 상대의 말을 요약하고 정리해 주기

3 (가)에서 '황희 정승'이 두 사람에게 한 대답이 다른 이유로 가장 적절한 것은?

① 상대의 반응을 시험해 보고 싶었기 때문이다.
② 어리석은 질문임을 깨닫게 해 주고 싶었기 때문이다.
③ 상대가 스스로 답을 찾아가도록 돕고 싶었기 때문이다.
④ 두 사람의 처지와 심정을 각각 헤아리며 들었기 때문이다.
⑤ 격식을 차리는 것에 얽매여서는 안 된다고 여겼기 때문이다.

서술형

4 ㉠~㉣ 중, 〈보기〉의 설명에 해당하는 예를 모두 찾아 그 기호를 쓰시오.

보기
• 상대의 말을 요약정리하기
• 상대가 객관적인 관점에서 문제에 접근하고, 스스로 해결할 수 있도록 돕기

• 정답과 해설 29쪽

연설/발표

교과서 핵심 개념

1 연설

(1) 연설의 개념

공적인 자리에서 다수의 청중을 대상으로 하여 정보를 전달하거나 설득하는 것을 목적으로 하는 말하기이다.

(2) 연설을 할 때 고려해야 할 점

• 연설의 목적, 연설 장소와 상황 등을 고려해야 하며, 연설자의 입장이 명료하게 드러나야 한다.
• 청중의 지식과 수준, 감정과 태도 등을 충분히 고려하고, 소통하는 과정에서 청중의 반응을 살펴 가며 말하기 방식이나 태도를 조정해야 한다.

(3) 연설을 들을 때 갖춰야 할 태도

• 자신의 배경지식을 충분히 활용하여 연설자의 의도, 전달하려는 핵심 내용 등을 파악하며 듣는다.
• 연설자가 청중의 공감 정도나 이해 상태를 파악할 수 있도록 그에 맞는 적절한 반응을 보인다.
• 이해가 잘 되지 않거나 더 알고 싶은 내용은 메모해 두었다가 연설이 끝난 후에 질문한다.

교과서 핵심 개념

2 발표

(1) 발표의 개념

여러 사람들 앞에서 어떤 사실이나 이에 대한 자신의 생각과 의견을 전달하는 말하기이다.

(2) 발표 내용의 구성

도입		전개		정리
발표 주제 및 목적, 발표 순서 등을 소개함.	→	발표의 핵심 정보를 짜임새를 갖추어 발표함.	→	발표 내용 요약정리 및 당부 내용을 언급함.

(3) 핵심 정보가 잘 드러나도록 발표하는 방법

• 예상 청중을 분석하고, 발표 목적을 고려하여 주제를 분명히 정한다.
• 발표 목적이나 대상의 특성을 고려하여 내용을 체계적으로 구성한다.
• 핵심 정보가 잘 드러나는 여러 가지 매체 자료를 알맞게 활용한다.
• 발표 주제와 관련이 있는 정보를 명확하고 간결하게 전달한다.

(4) 발표할 때 주의할 점

• 발표자는 청중에게 예의를 갖추고, 준언어적 표현과 비언어적 표현을 적절하게 사용해야 한다.
• 매체 자료는 청중의 관심을 끌거나 발표 내용을 이해하는 데 도움이 되어야 한다.
• 발표에 사용한 정보와 자료는 반드시 출처를 밝혀야 한다.

더 알아 두기

◆ 연설의 특징

• 연설자가 청중에게 일방적으로 자신의 의사를 전달하기 위한 공식적 말하기이다.
• 여러 사람 앞에서 말하기 때문에 격식을 갖춘 정중한 말투를 사용한다.
• 연설자가 청중의 생각이나 태도, 행동이 바뀌도록 유도하는 설득적 성격이 강하다.

◆ 발표의 과정

발표 주제 선정하기
↓
발표 내용 마련하기
↓
발표 내용 조직하기
↓
발표문과 발표 자료 만들기
↓
발표하기

◆ 준언어적·비언어적 표현

준언어적 표현	목소리의 크기, 말하기 속도, 억양, 강세 등
비언어적 표현	몸짓, 시선, 표정 등

꼼꼼 확인 문제

1 다수의 청중 앞에서 자신의 의사를 표현하는 설득적 성격의 말하기는 □□이다.

2 발표는 특정 대상에게 자신의 생각이나 의견을 개인적으로 전달하는 말하기이다. (○, ×)

3 매체 자료를 알맞게 활용하여 발표하면 핵심 정보를 잘 드러낼 수 있다. (○, ×)

• 정답과 해설 29쪽

바로바로 개념 적용 세상의 모든 어버이께 _세번 컬리스 스즈키

갈래	연설(문)	성격	논리적, 설득적
제재	지구의 환경 문제와 전쟁 문제, 빈곤 문제		
주제	지구의 환경을 지키고 전쟁과 빈곤이 없는 세상을 만들기를 바람.		
특징	• 연설의 대상을 '세상의 모든 어버이'로 설정하고, 정중한 말투를 사용함. • 말하고자 하는 내용을 구체적 사례를 들어 호소력 있게 제시함.		

처음 **가** 안녕하세요. 저는 세번 스즈키입니다. 저는 에코(ECHO-환경을 지키는 어린이 조직)의 대표로 여기에 왔습니다. / 저희들은 열두 살에서 열세 살 사이의 캐나다 아이들로서 무언가 변화에 기여하려는 모임을 만들었는데, 바네사 수티, 모건 가이슬러, 미셜 퀴그, 그리고 제가 회원이에요. 어른들께 살아가는 방식을 바꾸지 않으면 안 될 거라는 말씀을 드리기 위해 오천 마일(mil)을 여행하는 데 필요한 경비를 저희 스스로 모금했답니다. / 저는 미래의 모든 세대를 위해 여기에 섰습니다. 저는 세계 전역의 굶주리는 아이들을 대신하여 여기에 섰습니다. 저는 이 행성 위에서 죽어 가고 있는 수많은 동물들을 위해 여기에 섰습니다. ▶ 자기소개, 연설의 동기 및 목적 제시

가운데 **나** 저는 오존층의 구멍 때문에 햇빛 속으로 나가기가 두렵습니다. 공기 속에 무슨 화학 물질이 들어 있을지 모르기 때문에 숨 쉬기가 두렵습니다. 저는 아빠와 함께 밴쿠버에서 낚시를 즐겼습니다. 그런데 바로 몇 해 전에 암에 걸린 물고기들을 발견했습니다. 그리고 지금 우리는 날마다 동식물이 사라지고 있다는, 그들이 영원히 소멸되고 있다는 소식을 듣고 있습니다. ▶ 환경 문제의 심각성

다 저는 어린아이일 뿐이고, 따라서 해결책을 가지고 있지 않습니다. 저는 여러분께 과연 해결책을 가지고 있으신지 묻고 싶습니다. 여러분은 오존층에 난 구멍을 수리하는 방법, 죽은 강으로 연어를 다시 돌아오게 할 방법, 사라져 버린 동물을 되살려 놓는 방법을 알지 못합니다. 그리고 여러분은 이미 사막이 된 곳을 푸른 숲으로 되살려 놓을 능력도 없습니다. / 여러분이 고칠 방법을 모른다면, 제발 그만 망가뜨리시기 바랍니다! 여러분은 정부의 대표로, 기업가로, 기자나 정치가로 여기에 와 계실 겁니다. 그렇지만 여러분은 그 이전에 누군가의 어머니와 아버지, 형제와 자매, 아주머니와 아저씨 들이며, 그리고 여러분 모두 누군가의 자녀입니다. ▶ 지구의 환경 파괴 방지에 대한 호소

끝 **라** 어른들은 서로 싸우지 말고 존중하며, 자원을 절약하고, 몸과 주변을 청결히 하고, 다른 생물들을 해치지 말고 보호하며, 자원을 더불어 나누어야 한다고 가르칩니다. 그런데 어째서 여러분 어른들은 우리에게 하라고 한 것과는 정반대의 행동을 하십니까?

여러분이 이 회의에 참석하고 계신 이유가 무엇이며, 누구를 위해서 이런 회의를 열고 있는지 잊지 마십시오. 저희는 여러분의 아이들입니다. 여러분은 저희가 앞으로 어떤 세계에서 자라날지 결정하고 계신 겁니다. ▶ 지구의 환경 보존을 위한 어른들의 태도 변화 촉구

지문 체크

1 연설자는 □□□을/를 대상으로 살아가는 방식을 바꾸라는 말을 하기 위해 연설을 하고 있다.

2 어른들은 파괴된 환경을 되돌릴 수 있는 해결책을 갖고 있으면서도 실천에 옮기지 않는다. (○, ×)

3 어른들은 아이들에게 올바른 삶의 가치를 가르치지 않고 있다. (○, ×)

공적인 상황에서의 듣기 · 말하기

말하기 태도
- 연설의 목적, 연설 대상, 장소와 상황 등을 고려해 자신의 입장을 분명하게 드러내기
- 듣는 이의 지식과 수준, 감정과 태도를 고려해 말하기 방식이나 태도 조정하기
- 격식을 갖춘 정중한 어투로 말하기

↑ 상호 작용 ↓

듣기 태도
- 자신의 경험과 배경지식 등을 활용해 말하는 이의 의도, 전달 내용의 타당성을 파악하기
- 적절한 반응 보이기
- 궁금한 점은 연설 후에 질문하기

1 이 글에서 연설자가 청중과의 의미 공유를 위해 사용한 방법으로 적절하지 않은 것은?

① 청중과의 자유로운 대화를 통해 연설 동기를 나열한다.
② 다수의 청중에게 격식을 갖춘 정중한 말투를 사용한다.
③ 구체적 사례를 들어 전달 내용을 설득력 있게 제시한다.
④ 회의의 목적을 환기하고 문제 해결을 위한 태도 변화를 촉구한다.
⑤ 연설자가 어린아이임을 강조하며 어버이의 입장에서 생각해 줄 것을 호소한다.

01 기아 문제의 심각성과 해결 방법 ❶

핵심 콕콕 • 핵심 정보가 잘 드러나도록 내용 조직하기
• 자료에 담긴 핵심 정보와 그 효과 파악하기

갈래	발표(문)
성격	체계적, 설득적, 예시적
제재	기아 문제
주제	기아 문제의 심각성과 해결 방법
특징	• 문제의 원인을 다양한 측면에서 분석해 체계적으로 제시함. • 권위 있는 기관의 통계 자료를 인용해 내용의 신뢰도를 높임.

도입 **가** 안녕하세요? 저는 ○○ 모둠에서 발표를 맡은 양세민입니다. 저희 모둠에서는 지난번 독서 모둠 활동 때, 유엔 인권 위원회 식량 특별 조사관이었던 장 지글러가 쓴 『왜 세계의 절반은 굶주리는가?』라는 책을 읽었습니다. 이 책을 읽으면서 그동안 우리가 세계의 기아 문제에 얼마나 무관심했는지를 깨달았습니다. 그래서 오늘은 이 문제를 여러분과 함께 살펴보려고 합니다.

도입 인사 및 발표자 소개, 발표 주제를 선정한 □□ 및 발표 목적 소개

전개 1 **나** 여러분! 혹시 '보릿고개'라는 말을 아시나요? '보릿고개'는 지난가을에 수확한 양식이 바닥나 굶주려야만 했던 시기를 뜻합니다. 약 60년 전만 해도 우리나라에는 '보릿고개'가 존재했지만 지금의 우리에게는 낯선 말입니다. 그런데 세계에는 아직도 한 끼조차 제대로 먹지 못하는 사람들이 상상할 수 없을 정도로 많다고 합니다.

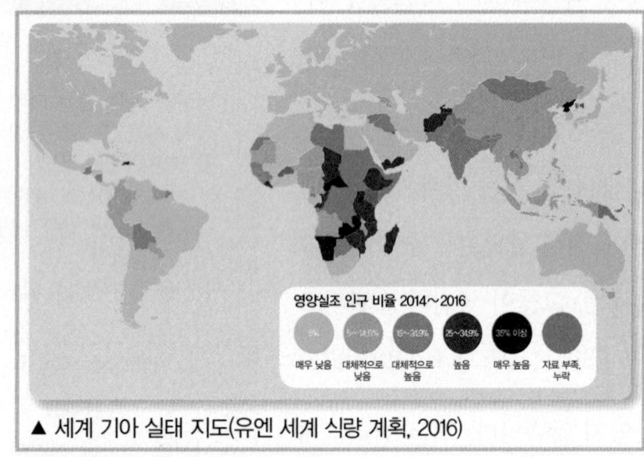

▲ 세계 기아 실태 지도(유엔 세계 식량 계획, 2016)

다 먼저 이 지도를 보시죠. 이 지도는 전 세계에서 영양실조를 겪고 있는 사람들의 분포와 비율을 나타낸 ㉠'세계 기아 실태 지도'입니다. 보시는 바와 같이 기아 인구는 세계 곳곳에 넓게 퍼져 있으며, 심각한 곳은 전체 인구의 35 퍼센트 이상이 기아로 고통받고 있습니다. ⓐ유엔 세계 식량 계획[WFP]에서 발표한 통계 자료에 따르면 세계 인구의 약 9분의 1이 극심한 영양실조를 겪고 있고, 5세 이하의 영·유아 중 절반이 영양실조로 사망하고 있다고 하니, 정말 안타까운 일입니다.

전개 1 □□ 문제의 심각성 제시

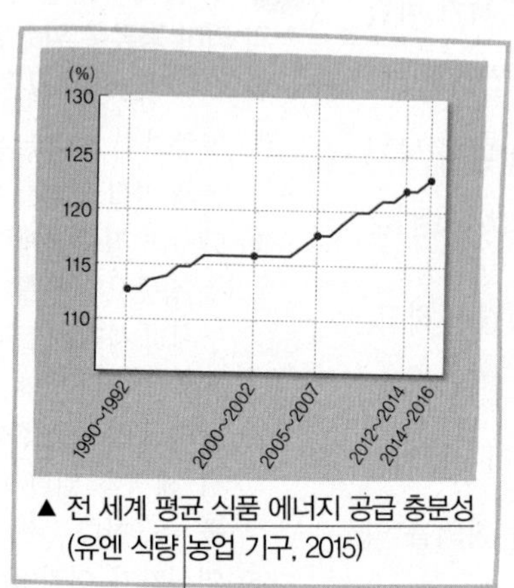

▲ 전 세계 평균 식품 에너지 공급 충분성 (유엔 식량 농업 기구, 2015)

식품 에너지 공급량(사람이 이용하는 식품을 열량으로 환산한 것)을 국가별 평균 식품 에너지 필요량의 비율로 나타낸 지수로 3개년 평균치로 나타낸다.

전개 2 **라** 그렇다면 이러한 문제는 식량이 부족해서 일어나는 것일까요? ⓑ유엔 식량 농업 기구[FAO]에서 발표한 ㉡'평균 식품 에너지 공급 충분성' 자료를 보면, 전 세계 평균 식품 에너지 공급 충분성 지수는 계속 증가하여 2014년~2016년에는 약 125 퍼센트에 이르고 있습니다. 이는 전 세계 모든 사람에게 식품을 충분히 공급하고도 남는다는 것을 뜻합니다. 이처럼 충분한 식량이 있는데도 수많은 사람이 기아에 시달리고 있다니 이해하기 어렵습니다. 과연 그 원인은 무엇일까요? 이 책의 글쓴이는 다양한 관점에서 문제의 원인을 분석하고 있는데요, 저희는 그 중 몇 가지만 소개하겠습니다.

콕콕 정리

◆ 발표 주제와 목적

발표 주제	기아 문제의 심각성과 해결 방법
발표 목적	기아 문제의 심각성을 알리고, 기아 문제를 해결하기 위해 함께 노력할 것을 권유하려고

교과서 핵심 개념

◆ 자료에 담긴 핵심 정보와 그 효과 ①

세계 기아 실태 지도
기아에 시달리고 있는 사람들의 분포와 비율
↓
세계 기아 인구의 분포와 비율을 한눈에 파악하도록 하여, 기아 문제의 심각성을 분명하게 드러냄.

전 세계 평균 식품 에너지 공급 충분성 그래프
전 세계 평균 식품 에너지 공급 충분성 지수
↓
식량이 충분한데도 기아 문제가 발생하는 원인을 생각해 보게 하여, 이어질 내용에 집중하도록 함.

◆ 발표자의 말하기 전략 ①

'보릿고개'라는 말을 아시나요?
듣는 이에게 질문을 던져 듣는 이의 관심을 불러일으킴.

이러한 문제는 식량이 부족해서 일어나는 것일까요?
듣는 이에게 질문을 하여 기아 문제의 근본적인 원인을 생각해 보도록 유도함.

• 유엔 세계 식량 계획[WFP]에서 발표한 통계 자료에 따르면
• 유엔 식량 농업 기구[FAO]에서 발표한 '평균 식품 에너지 공급 충분성' 자료를 보면
발표하는 내용이 권위 있는 기관의 자료를 바탕으로 한 것임을 밝혀, 내용의 신뢰도를 높임.

이 책의 글쓴이는 다양한 관점에서 문제의 원인을 분석하고 있는데요
앞으로 설명할 내용이 장 지글러의 책을 바탕으로 한 것임을 밝혀, 발표 내용의 신뢰도를 높임.

1 이 발표에 대한 설명으로 적절하지 않은 것은?

① 발표의 주제를 선정하게 된 동기 및 목적을 소개하였다.
② 청중에게 질문을 던져 청중의 관심과 생각을 유도하였다.
③ 발표 내용의 이해를 돕는 다양한 매체 자료를 활용하였다.
④ 권위 있는 기관에 속한 사람이 쓴 책을 읽고 감상을 발표하였다.
⑤ 핵심 정보가 잘 드러나도록 발표 내용을 짜임새 있게 구성하였다.

교과서 핵심 개념

2 ㉠에 대한 설명으로 적절하지 않은 것은?

① 기아 문제의 심각성을 분명하게 드러내는 효과가 있다.
② 기아 인구가 세계 곳곳에 퍼져 있음을 파악할 수 있게 돕는다.
③ 2014년부터 2016년까지의 영양실조 인구 비율에 관한 자료이다.
④ 세계 각 지역의 기아 인구가 해마다 증가하고 있음을 알 수 있다.
⑤ 기아에 시달리고 있는 사람들의 분포와 비율이라는 핵심 정보를 담았다.

교과서 핵심 개념

3 ㉡을 제시하여 얻을 수 있는 효과로 적절한 것을 모두 골라 바르게 묶은 것은?

| 보기 |
ㄱ. 전 세계 식품 에너지 공급량을 한눈에 파악할 수 있게 해 준다.
ㄴ. 최근의 기아 문제가 식량 부족으로 인한 것임을 예측할 수 있게 한다.
ㄷ. 식량이 충분한데도 기아 문제가 해결되지 않는 원인을 생각해 보게 한다.
ㄹ. 전 세계 평균 식품 에너지 공급 충분성 지수가 증가하고 있음을 보여 준다.
ㅁ. 식품 에너지 공급이 특정 국가에만 집중되어 있음을 수치로 확인시켜 준다.

① ㄱ, ㄴ, ㅁ　② ㄱ, ㄷ, ㄹ　③ ㄱ, ㄹ, ㅁ
④ ㄴ, ㄷ, ㄹ　⑤ ㄴ, ㄹ, ㅁ

서술형

4 ⓐ, ⓑ와 같은 출처 제시의 이유를 〈조건〉에 맞게 쓰시오.

조건
• 발표 내용과 관련지어 쓸 것
• '~ 있기 때문' 형식의 한 문장으로 쓸 것

01 기아 문제의 심각성과 해결 방법 ❷

마 첫 번째는 '시장 경제 체제'의 문제입니다. 일부 기업이나 정부에서는 이익을 많이 남기려고 농산물의 가격을 올리거나 농산물의 생산량을 줄이기도 합니다. 그러면 식량 가격이 상승하고, 가난한 나라들은 식량을 구하는 것이 점점 어려워집니다. 결국 그 피해는 다시 굶주리던 사람들에게 돌아가는 것이죠.

바 두 번째는 '부정부패'의 문제입니다. 기아 문제를 해결하려고 여러 단체에서 다양한 구호 물품을 지원하고 있지만, 일부 지배 계층이 이를 가로채거나 기아에 시달리는 국민을 통제하기 위한 수단으로 악용하고 있다고 해요. 정치적으로 질서가 잡혀 있지 않으니 구호 조치가 제대로 이루어지지 않는 것입니다.

구호: 재해나 재난 따위로 어려움에 처한 사람을 도와 보호함.
악용하고: 알맞지 않게 쓰거나 나쁜 일에 쓰고

사 또한 현재 지구 곳곳에서 일어나고 있는 '사막화 현상'도 원인으로 볼 수 있습니다. 사막화 현상이란 가뭄이 지속되거나 무분별한 개발로 숲이 사라지면서 농사를 지을 수 있는 땅이 사막으로 변하는 것입니다. 이러한 현상이 지속되면 식량과 식수가 부족해질 수밖에 없는데, 앞서 기아 문제가 심각하다고 했던 지역에서도 이러한 환경 문제를 겪고 있습니다.

▲ 사막화가 진행되면서 바닥을 드러낸 호수

아 결국 현재 식량이 부족한 나라는 자기 나라의 땅에서 식량을 일구기도 마땅치 않을뿐더러, 다른 나라의 식량조차 얻기 어려운 실정입니다. 심지어 이 중에는 전쟁을 겪는 나라도 많아, 날이 갈수록 문제가 심각해지고 있습니다.

전개 2 기아 문제가 쉽게 해결되지 못하는 세 가지 □□ 분석

전개 3 **자** 이처럼 세계의 기아 문제는 여러 원인이 복잡하게 얽혀 있어 해결하기 쉽지 않습니다. 그렇지만 아무도 노력하지 않으면 기아 문제는 영원히 해결할 수 없을 것입니다. 그럼 우리는 그들을 위해 무엇을 할 수 있을까요? 다음 영상을 보시겠습니다.

▲ 만 원의 기적 캠페인(월드 비전)

차 이 영상에서 말하는 것처럼, 만 원이면 무려 5인 가족에게 한 달 동안 먹을 식량을 제공할 수 있습니다. 우리 반 친구들이 다함께 돈을 모은다면, 한 달에 만 원 정도는 기부할 수 있을 것입니다. 또 저희 모둠처럼 기아 문제의 심각성을 주변에 알리거나, 기아 관련 정책이나 소식에 관심을 기울이는 일도 기아 문제를 해결하는 데 큰 도움이 됩니다.

전개 3 기아 문제의 □□ 방법 제시 및 동참 권유

정리 **카** 지금까지 기아 문제의 심각성과 그 원인, 그리고 우리가 할 수 있는 일을 알아보았습니다. 여러분, 법정 스님은 "나만 다 차지하고 살 수 있는 세상이 아니다. 서로 얽혀 있고 서로 의지해 있다."라고 하였습니다. 그렇습니다. 법정 스님의 말처럼 세계의 기아 문제는 결코 우리와 동떨어진 일이 아닙니다. 우리 모두의 문제입니다. 오늘 발표를 듣고, 여러분도 세계의 이웃을 생각하여 함께 고민해 주세요. 우리의 생각이 모이면 세계를 바꿀 수 있습니다.

정리 내용 □□□□ 및 듣는 이의 인식 변화 촉구

콕콕 정리

 교과서 핵심 개념

◆ 이 발표의 내용 조직 방법과 그 효과

문제의 심각성과 원인을 살펴보고 그 해결 방법을 제시함.	
도입	발표 주제 및 목적 소개
전개 1	문제의 심각성 제기
전개 2	문제의 원인 분석
전개 3	문제 해결 방법 제시
정리	주제 강조 및 당부

↓

듣는 이가 문제에 대한 경각심과 문제 해결에 동참해야 하는 필요성을 느끼게 함.

◆ 발표자의 말하기 전략 ②

우리 반 친구들이 다함께 ~ 해결하는 데 큰 도움이 됩니다.

듣는 이의 수준에서 기아 문제 해결에 동참하는 방법을 제안하여 발표 내용의 설득력을 높임.

법정 스님은 "나만 다 차지하고 살 수 있는 세상이 아니다. 서로 얽혀 있고 서로 의지해 있다."라고 하였습니다.

권위 있는 사람의 말을 인용하여 발표자의 생각을 호소력 있게 전달함.

 교과서 핵심 개념

◆ 자료에 담긴 핵심 정보와 그 효과 ②

사막화가 진행된 호수 사진
사막화에 따른 문제

↓

사막화가 진행된 지역의 모습을 시각적으로 확인하도록 하여, 사막화 현상에 대해 쉽게 이해하게 함.

만 원의 기적 캠페인 영상
구호 단체에서 펼치고 있는 기부 활동

↓

듣는 이가 참여할 수 있는 구호 단체의 활동을 소개함으로써, 문제 해결에 동참하도록 유도함.

1 이 발표를 통해 알 수 있는 내용이 아닌 것은?

① 현재 식량이 부족한 나라 중 전쟁을 겪는 나라의 기아 문제는 더욱 심각하다.
② 일부 기업이나 정부가 식량 가격을 조절해 이익을 취하는 것도 기아 문제의 원인이 된다.
③ 일부 지배층이 구호 물품을 가로채거나 국민 통제 수단으로 쓰는 것도 기아 문제의 원인이 된다.
④ 학생들은 기아 문제를 해결하기 위해 금전적인 도움을 주기보다는 기아 관련 정책 마련에 적극 참여해야 한다.
⑤ 사막화 현상은 식량과 식수 부족 문제를 가져오는데, 기아 문제가 심각한 지역에서도 이러한 환경 문제를 겪고 있다.

 교과서 핵심 개념

2 이 발표에서 사용한 내용 조직 방법과 그 효과에 대한 설명으로 가장 적절한 것은? (정답 2개)

내용 조직 방법	• 대상의 구조를 분석하여 내용을 구성함. ······ ① • 문제와 그 해결 방법에 따라 내용을 조직함. ······ ② • 시간의 순서에 따라 차례대로 내용을 제시함. ······ ③
효과	• 듣는 이가 문제 해결에 동참해야 하는 필요성을 느끼게 함. ······ ④ • 듣는 이가 사건의 흐름과 진행 상황을 쉽게 파악할 수 있게 함. ······ ⑤

3 이 발표에 대한 평가 내용으로 적절하지 않은 것은?

① 권위 있는 사람의 말을 인용하여 주제를 호소력 있게 전하는구나.
② 문제의 원인을 다양한 측면에서 분석하여 체계적으로 제시하는구나.
③ 실제 사례를 들어 듣는 이로 하여금 기아 문제에 관심을 갖게 하는구나.
④ 듣는 이의 수준에서 실천할 수 있는 방법을 제안하여 설득력을 높이는구나.
⑤ 다양한 비유를 활용하여 문제 상황을 생생하게 드러냄으로써 경각심을 주는구나.

서술형

4 다음은 (사)와 (자)에서 제시한 각 자료의 활용 효과를 정리한 것이다. ㉠, ㉡에 들어갈 알맞은 말을 각각 2어절로 쓰시오.

사막화가 진행된 호수 사진	만 원의 기적 캠페인 영상
사막화 현상에 대한 (㉠).	문제 해결에 (㉡).

• 정답과 해설 30쪽

방송 보도/강연

1 방송 보도

(1) 방송 보도의 개념

사회적 관심사가 될 만한 정보나 사건을 선택하여 방송 매체를 통해 알리는 것이다.

(2) 방송 보도의 평가 기준

- 언어 정보와 영상 정보의 내용과 양이 적절한가?
- 보도의 대상이 적절하며 육하원칙에 따라 내용이 구성되었는가?
- 방송 보도에 사용된 매체 자료가 보도 내용을 효과적으로 뒷받침하는가?

2 강연

(1) 강연의 개념

일정한 주제를 청중에게 이해시키기 위해 강의 형식으로 전달하는 말하기이다.

(2) 강연의 구성

처음		가운데		끝
• 강연의 주제와 강연자 자신을 소개함. • 청중의 관심과 흥미를 유발함.	➔	• 강연 주제를 일정한 순서대로 풀어 제시함. • 다양한 매체 자료를 활용하기도 함.	➔	• 전체 내용을 요약하고, 보충 내용을 추가함. • 강연자가 하고 싶은 말을 간결하게 제시함.

교과서 핵심 개념

3 매체 자료의 효과 판단하며 듣기

(1) 매체 자료의 개념

표, 그래프, 그림, 사진, 동영상 등 내용을 구체적으로 형상화하거나 요약해서 보여 주는 자료이다.

(2) 매체 자료의 종류와 특성

표	해당 자료의 구체적인 수치를 전달하는 것이 목적일 때 활용함.
그래프	자료 간의 상대적 차이나 시간에 따른 변화를 부각하고자 할 때 활용함.
그림, 사진	대상의 모양이나 위치 등 언어로 표현하기 어려운 내용을 시각적으로 보여 줄 때 활용함.
동영상	상황이나 사건, 대상의 움직임을 실감 나게 보여 줄 때 활용함.

(3) 매체 자료의 효과를 판단하며 듣는 방법

- 전달하려는 내용과 관련된 매체 자료를 활용했는지 판단한다.
- 매체 자료가 듣는 이의 관심과 흥미를 유발하는지 판단한다.
- 매체 자료가 듣는 이가 내용을 이해하는 데 도움이 되는지 판단한다.
- 매체 자료의 형태, 제시 방법, 제시 순서가 적절한지 판단한다.

더 알아 두기

◆ 방송 보도의 특징

현장성	시청자에게 현장의 모습을 생생하게 전달함.
복합성	문자 언어, 음성 언어, 이미지 등 시청각적 요소가 복합적으로 쓰임.
간결성	시간이 한정되어 있어 신속하고 간략하게 요점만 전달함.

◆ 강연의 특징

- 주로 음성 언어를 통한 의사소통 활동이다.
- 청중을 대상으로 공식적인 상황에서 이루어진다.

◆ 매체 자료의 효과를 판단하며 들으면 좋은 점

- 집중하여 들을 수 있고, 들은 내용을 이해하는 데 도움이 된다.
- 말하는 사람의 의도를 파악하는 데 도움이 된다.
- 비판적으로 듣는 능력을 키울 수 있다.

꼼꼼 확인 문제

1 방송 보도는 사회적 관심사가 될 만한 정보나 사건을 방송을 통해 여러 사람들에게 알리는 것이다. (○, ×)

2 일정한 주제에 대해 청중에게 강의 형식으로 전달하는 말하기를 □□(이)라고 한다.

3 표, 그래프, 그림, 사진, 동영상과 같이 전달하려는 내용을 구체적으로 형상화하여 보여 주는 자료를 □□ □□(이)라고 한다.

바로바로 개념 적용 목뼈 휘는 '거북목 증후군' 질환 급증

갈래	텔레비전 뉴스(방송 보도)	성격	객관적, 사실적
재재	거북목 증후군		
주제	스마트폰 사용 급증이 거북목 증후군을 유발할 수 있음.		
특징	• 매체 자료를 활용하여 중심 내용을 한눈에 파악할 수 있도록 함. • 거북목 증후군의 증가 원인, 위험성, 예방 방법 등에 대한 정보를 제공함.		

앵커: 바르지 않은 자세 때문에 목뼈가 휘어 변형되는 증상을 '거북목 증후군'이라고 합니다. 고개를 숙이고 스마트폰이나 컴퓨터 등을 오래 사용하는 사람에게 많이 발생하는데, 이를 방치하면(내버려 두면) 목 디스크(등이나 목의 뼈가 밀려 나와서 근처의 신경을 눌러 아픈 병)와 척추 변형 등 관련 질환이 생길 수 있습니다.

기자: 업무 때문에 종일 컴퓨터와 스마트폰을 사용하는 직장인 정○○ 씨. 평소 목에 통증이 있었지만 금방 사라져 대수롭지(중요하게 여길 만하지) 않게 생각했습니다. 그런데 최근 들어 어깨에도 통증이 오고 목을 좌우로 돌리기가 힘들어 병원을 찾았는데 거북목 증후군 진단을 받았습니다.

[거북목 증후군 환자: 평상시에 컴퓨터를 많이 다루다 보니까 목이 뻐근했는데 6월에 통증이 나타나기 시작하더니 그 통증이 어깨까지 오게 돼서 병원에서 진료를 받게 됐습니다.]

기자: 거북목 증후군은 거북이 목처럼 몸에서 머리가 길게 빠져나온 자세를 빗대어 부르는 질환입니다. 최근 환자가 꾸준히 늘어 지난 2011년 600여 명에서 지난해에는 1,100명이 넘었습니다. 환자를 나이별로 봤더니 인구 10만 명당 20대가 가장 많았고 10대와 30대, 40대의 순이었습니다. 젊은 층 환자가 많은 이유는 스마트폰 사용이 급증한 것과 밀접한 관련이 있습니다. 방송통신위원회에서 밝힌 스마트폰 보급률과 거북목 증후군 진료 인원의 추이(시간이 지나면서 일이나 상황이 변함. 또는 그 변하는 모습)를 보면 스마트폰 보급률이 높아지면서 거북목 증후군 진료 인원이 늘었음을 알 수 있습니다. 거북목 증후군을 치료하지 않고 놔두면 목 디스크와 척추 변형 등 여러 질환이 생길 수 있어 신속히 치료하는 것이 좋습니다.

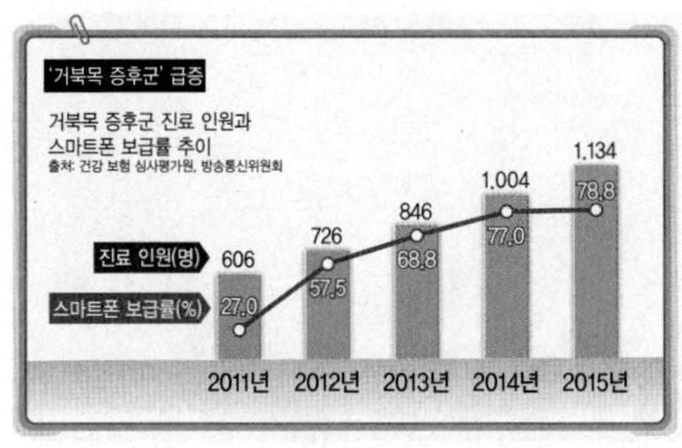

[신경외과 교수: 젊은 분이라고 하더라도 최소 2주 이상 지속되는 경추부(목뼈 부분) 통증이나 어깨 통증이 있으면 진료를 한번 받아 보시는 것이 좋을 것 같고요.]

기자: 예방을 위해서는 스마트폰 등 디지털 기기를 사용할 때 눈높이에 맞춰야 합니다. 또 장시간 사용을 피하고 가끔 스트레칭을 통해 긴장을 풀어 주는 등 바른 자세를 유지하는 것이 중요합니다.

▶ 거북목 증후군 질환이 급증한 이유

지문 체크

1 거북목 증후군은 목 디스크와 척추 변형 등을 유발할 수 있다. (○, ×)

2 연령층이 높아질수록 거북목 증후군에 걸릴 확률이 높다. (○, ×)

3 거북목 증후군을 예방하기 위해서는 가끔 □□□□을/를 해서 긴장을 풀어 주고 바른 자세를 유지해야 한다.

방송 보도에 사용된 매체 자료의 효과

매체 자료
스마트폰 보급률과 거북목 증후군 진료 인원의 추이를 보여 주는 그래프
↓
효과
스마트폰 보급률이 높아지면서 거북목 증후군 진료 인원이 늘었음을 한눈에 파악할 수 있음.

1 이 텔레비전 뉴스에 추가할 수 있는 매체 자료로 적절하지 않은 것은?

① 거북목 증후군의 연령대별 진료 인원을 알려 주는 표
② 거북목 증후군이 있는 경우와 정상적인 경우를 비교한 목뼈 그림
③ 거북목을 하고 스마트폰을 사용하면서 걸어가는 대학생들의 모습을 담은 사진
④ 거북목 증후군 환자들과 그렇지 않은 사람들이 스마트폰을 교체하는 시기를 비교한 그래프
⑤ 스마트폰 등 디지털 기기를 이용할 때 권장되는 바른 자세 및 스트레칭 동작을 담은 영상

01 만약 지진이 일어난다면? 1

핵심 콕콕 • 강연이 이루어지는 상황과 강연 내용 파악하기
• 매체 자료의 효과 판단하며 듣기

갈래	강연(문)
성격	설명적, 구체적
제재	지진
주제	지진과 관련된 다양한 정보와 지진 발생 시 대처법
특징	다양한 매체 자료를 활용해 듣는 이의 이해를 도움.

처음 가 행복 중학교 2학년 3반 학생 여러분, 안녕하세요? 저는 오늘 지진을 주제로 강연할 ○○ 소방서에 근무하는 △△△입니다. 본론에 들어가기에 앞서, 중학교에 다니는 제 딸과 함께 며칠 전에 본 영화를 소개하려 합니다. 화면을 볼까요? 「샌 안드레아스」라는 영화의 포스터인데요, 무엇을 다룬 영화일까요? (잠시 후에) 네, 맞습니다. 지진입니다. '샌 안드레아스'라는 단층대가 무너지면서 지진이 발생하자, 주인공이 가족을 구하려고 고군분투하는 이야기예요. 영화를 본 후, 제 딸은 영화 속 상황이 실제로 벌어지면 어떡하냐며 무척 걱정했답니다.

고군분투: 남의 도움을 받지 아니하고 힘에 벅찬 일을 잘해 나가는 것을 비유적으로 이르는 말

여러분은 어떤가요? 지진을 직접 겪어 보지 못한 학생들은 지진을 남의 일처럼 생각할 수도 있고, 제 딸처럼 막연히 두려워할 수도 있겠죠. 그래서 오늘은 지진에 대한 다양한 정보와 지진이 일어났을 때의 대처 방안을 여러분에게 알려 주려 합니다. 아는 것이 힘이라고 했습니다. 오늘 제 강연을 듣고 지진이 일어나더라도 침착하고 안전하게 대처할 수 있기를 바랍니다.

처음 □□□□와 강연 내용 안내

가운데 나 1. 지진의 개념과 발생 원인

• 지진의 개념: 큰 힘을 받은 지층이 끊어지면서 땅이 흔들리는 현상.

• 지진의 발생 원인

지진이 왜 일어나는지 파악하려면, 우선 우리가 딛고 있는 이 땅의 특성을 알아야 합니다. 땅은 여러 지층으로 이루어져 있습니다. 지층은 진흙, 모래, 자갈과 같은 퇴적물이 오랫동안 층층이 쌓이면서 만들어집니다. 여기에 큰 힘이 계속 작용하면 그 힘을 견디지 못한 지층은 결국 끊어집니다. 그 과정에서 땅이 흔들리는 현상을 바로 지진이라고 합니다.

그럼 다음 영상을 보면서 지진이 발생하는 원인을 좀 더 자세히 살펴볼까요? (잠시 후에) 이처럼 지진은 대륙의 이동이나 해저의 확장, 산맥의 형성 등에 작용하는 지구 내부의 커다란 힘 때문에 발생합니다. 이 밖에 화산 활동으로 지진이 일어나기도 하죠.

해저: 바다의 밑바닥

▲ 지진이 어떻게 일어나는지 보여 주는 동영상

다 2. 지진 피해 사례

그럼 지진이 일어나면 어떤 피해가 생길까요? 지진의 강도에 따라 다르겠지만, 강한 지진이 발생하면 그 피해는 매우 큽니다.

(㉠사진을 가리키며) 지진이 발생하면 이 사진 속 모습처럼 땅이 뒤틀리면서 지상 및 지하 구조물이 붕괴되기도 하고, 해일과 산

▲ 지진으로 삶의 터전이 무너진 네팔의 어느 마을

▲ 거대한 해일로 큰 피해를 입은 일본의 해안 마을

해일: 해저의 지각 변동이나 해상의 기상 변화에 의하여 갑자기 바닷물이 크게 일어서 육지로 넘쳐 들어오는 현상

사태가 일어나기도 합니다. 그 과정에서 친구나 이웃, 가족을 잃는 참혹한 일이 생길 수도 있습니다. 수도·가스·통신 등의 사회 기반 시설이 파괴되면서 사회가 혼란스러워지기도 하지요.

혹시 2015년에 네팔에서 일어난 지진을 기억하시나요? 피해가 어마어마해서 세상이 떠들썩했죠. 이 지진 때문에 8,400명 이상이 목숨을 잃었고, 유네스코(UNESCO) 세계 문화유산으로 지정된 유적지가 파괴되었다고 합니다. 또한 이 지진의 여파로 에베레스트산에서 눈사태가 일어나 17명 이상이 사망했다고 하니, 피해 범위도 굉장히 넓다는 것을 알 수 있지요.

콕콕 정리

◆ 강연이 이루어지는 상황

말하는 이	○○ 소방서에 근무하는 △△△
듣는 이	행복 중학교 2학년 3반 학생들
목적	지진과 관련된 다양한 정보와 지진 발생 시 대처법 소개
장소	교실

교과서 핵심 개념

◆ 매체 자료의 활용 및 그 효과 ①

매체 자료	효과
지진을 다룬 영화 「샌 안드레아스」 포스터	• 강연 주제에 대한 듣는 이의 관심을 유발함. • 앞으로 전개될 내용을 짐작하게 함.
지진의 발생 과정을 보여 주는 동영상	• 강연 중에 제시되어 분위기를 환기함. • 지진 발생 과정을 쉽게 이해하게 함.
네팔, 일본의 지진 피해 사진	지진 발생으로 인한 피해 사례와 그 심각성을 실감 나게 전달함.

1 이 강연에 대한 설명으로 적절하지 않은 것은?

① 강연자와 듣는 이가 누구인지 드러나 있다.
② 인사말과 자기소개로 강연을 시작하고 있다.
③ 강연 중에 잘 모르는 부분은 듣는 이에게 질문을 던지고 있다.
④ 강연을 시작할 때 매체를 활용하여 듣는 이의 관심을 유발하고 있다.
⑤ 듣는 이가 알 만한 사건을 소개하여 듣는 이의 주의를 집중시키고 있다.

교과서 핵심 개념

2 (나)에서 활용한 매체 자료에 대한 설명으로 적절하지 않은 것은?

① 강연 중에 제시되어 분위기를 환기한다.
② 말로만 설명하는 것보다 생생한 느낌을 준다.
③ 지진의 발생 원인을 상상하는 즐거움을 준다.
④ 지진이 발생하는 여러 가지 원인을 보여 준다.
⑤ 지진이 발생하는 과정을 쉽게 이해하도록 돕는다.

교과서 핵심 개념

3 강연자가 ㉠을 제시하면서 기대했을 효과로 가장 적절한 것은?

① 지진 피해를 입은 마을들의 특징을 알리는 것
② 지진 피해의 심각성을 실감 나게 느끼게 하는 것
③ 지진이 발생했을 때의 해결 방안을 깨닫게 하는 것
④ 세계 각국의 지진 피해 사례를 빠짐없이 전달하는 것
⑤ 지진 피해를 줄이기 위한 노력을 할 것을 제안하는 것

4 이 강연의 주제를 (가)에서 찾아 9어절로 쓰시오.

01 만약 지진이 일어난다면? ②

라 3. 지진이 자주 발생하는 지역

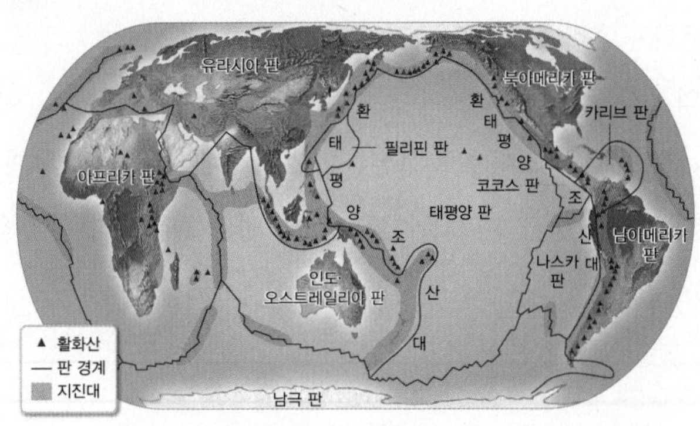

▲ 세계의 지진대

이렇게 무서운 지진은 주로 어디에서 일어날까요? 다음은 지진 발생 지역을 표시해 놓은 지도입니다. 지진이 자주 일어나거나 일어나기 쉬운 지역을 붉은 띠로 나타내고 있습니다. (그림을 가리키며) 이 지역은 '환태평양 조산대'입니다. 태평양을 중심으로 고리 모양을 하고 있다고 하여 '불의 고리[Ring of Fire]'라고 불리기도 하지요. 세계에서 발생하는 지진 대부분은 바로 이곳에서 집중적으로 일어났습니다. 최근에도 이 지역에 있는 일본 구마모토현과 남미 에콰도르 등에서 대형 지진이 발생했습니다.

우리나라는 '불의 고리'에서 살짝 벗어나 있어 지진 안전지대라고 생각하기 쉽습니다. 하지만 우리나라에서도 크고 작은 지진이 계속해서 발생하고 있지요. 한 예로 2017년 11월, 포항에서 발생한 지진은 그 진동을 전국 각지에서 느낄 수 있을 정도로 강력해, 온 국민이 깜짝 놀랐죠. 이처럼 우리나라도 지진의 안전지대라고 안심할 수 없는 상황입니다.

마 4. 지진 발생 시 대처법

우리가 서 있는 이 땅에서도 지진이 일어날 수 있습니다. 만약 지금 당장 지진이 발생한다면, 우리는 어떻게 대처해야 할까요? 지진이 발생했을 때 실내에 있다면 일단 책상이나 탁자 밑으로 몸을 피하고 방석, 베개 등으로 머리를 보호합니다. 강한 흔들림이 멈추면 가스와 전기 등을 차단하여 화재를 예방하고, 밖으로 나갑니다. 이동할 때에는 승강기를 타지 말고, 운동장이나 공원 등 넓은 공간으로 대피합니다. 대피한 다음에는 전신주(전봇대)나 자판기 등 넘어질 우려가 있는 사물 근처에 서 있지 않아야 합니다. 지금까지 말씀드린 지진 발생 시 대처법을 건물 안에 있을 경우와 건물 밖에 있을 경우로 나누어 표로 정리해 보았습니다. 화면을 함께 볼까요?

건물 안에 있을 경우	건물 밖에 있을 경우
• 책상이나 탁자 밑으로 몸을 숨긴다. • 방석, 베개 등으로 머리를 보호한다. • 가스와 전기 등을 차단한다. • 승강기를 이용하지 않고 밖으로 나간다.	• 가방, 책 등으로 머리를 보호한다. • 운동장처럼 넓은 공간으로 대피한다. • 전신주, 자판기, 벽돌담 등 넘어지기 쉬운 사물 옆은 피한다.

▲ 장소에 따른 지진 대처법

가운데 | 지진에 대한 다양한 정보와 지진 발생 시 □□□ 설명

끝 **바** (잠시 후에) 제가 준비한 내용은 여기까지입니다. 지진이 무엇인지 알 수 있는 유익한 시간이었나요? 오늘 강연 내용을 잘 기억해 둔다면, 지진이 발생하더라도 현명하게 대처할 수 있을 것입니다.

이만 강연을 마칩니다. (고개를 숙이며) 고맙습니다.

끝 | 당부의 말과 □□ 인사

교과서 핵심 개념

1 이와 같은 강연에 사용된 매체 자료의 효과를 판단하는 기준으로 적절하지 않은 것은?

① 중요한 순서대로 제시했는가?
② 강연 상황과 목적을 고려했는가?
③ 듣는 이의 관심과 흥미를 끄는가?
④ 전달하려는 내용과 관련이 있는가?
⑤ 내용을 이해하는 데 도움이 되는가?

교과서 핵심 개념

2 (라)에서 활용한 매체의 효과로 적절한 것을 모두 골라 바르게 묶은 것은?

보기
ㄱ. 지진이 자주 발생하는 지역을 한눈에 볼 수 있다.
ㄴ. '불의 고리'가 무엇을 가리키는지 쉽게 알 수 있다.
ㄷ. 우리나라가 지진 안전지대라는 것을 쉽게 파악할 수 있다.
ㄹ. 환태평양 조산대에서 지진이 자주 발생하는 이유를 이해할 수 있다.

① ㄱ, ㄴ ② ㄷ, ㄹ ③ ㄱ, ㄷ
④ ㄱ, ㄴ, ㄷ ⑤ ㄴ, ㄷ, ㄹ

3 (바)에 대한 설명으로 적절하지 않은 것은?

① 강연을 마무리하고 있다. ② 감사 인사를 전하고 있다.
③ 당부의 말을 남기고 있다. ④ 새로운 과제를 제시하고 있다.
⑤ 듣는 이의 반응을 확인하고 있다.

서술형

4 (마)에서 사용한 매체 자료 대신 〈보기〉의 매체 자료를 활용한다면 어떤 점이 좋을지 쓰시오.

보기

콕콕 정리

교과서 핵심 개념

◆ 매체 자료의 효과를 판단하며 강연 듣기

- 강연 장소와 시간, 듣는 이, 목적에 맞는지 판단하며 듣는다.
- 강연 내용을 이해하는 데 도움이 되는지 판단하며 듣는다.
- 강연 중 적절한 부분에 사용되었는지 판단하며 듣는다.
- 듣는 이의 관심과 흥미를 끄는지 판단하며 듣는다.

교과서 핵심 개념

◆ 매체 자료의 활용 및 그 효과 ②

매체 자료	효과
세계의 지진대를 나타낸 그림	• 지진이 자주 발생하는 지역을 한눈에 파악할 수 있게 함. • '불의 고리'가 무엇을 가리키는지 쉽게 이해하게 함.
장소에 따른 지진 대처법을 안내한 표	각 상황에 적합한 대처법을 명확히 구별할 수 있게 해 주고, 화면으로 내용을 다시 한 번 확인할 수 있게 함.

교과서 핵심 개념

◆ 매체 자료의 종류별 특성

표, 그래프	대상을 체계적으로 구조화하거나, 대상의 양상 및 변화 과정을 나타내어 전체 내용을 한눈에 파악하도록 해 줌.
그림, 사진	대상의 모양이나 위치 등 말이나 글로 표현하기 어려운 내용을 시각화하여 쉽게 이해할 수 있게 함.
동영상	상황이나 사건, 대상의 움직임을 청각적 요소와 함께 표현하여 실감 나게 보여 주는 데 효과적임.

비상 안전 퀴즈 ❸

긴급 난파 상황! 물속으로 뛰어들까?

여객선을 타고 가다 배가 기울었을 때! 갑판에서 구조를 기다리는데 구조대도, 구명정도 보이지 않을 때! 어떻게 행동하는 것이 안전할까요?

❶ 갑판에 그대로 머무른다.

❷ 겉옷을 입고 신발을 벗는다.

❸ 구명조끼를 포함하여 겉옷과 신발을 모두 벗는다.

정답은?

갑판에 그대로 머무른다.

배가 곧 침몰할 것 같으면 우선 탈출부터 해야 한다. 배가 기울어서 갑판 위 큰 물건들에 부딪혀 다칠 수도 있다!

겉옷을 입고 신발을 벗는다.

물속에서 겉옷을 입고 있는 것이 체온 유지에 도움이 되고, 옷과 몸 사이에 공기가 생겨 물에서 잘 뜰 수 있다. 신발은 수영하기 편하게 벗도록 한다!

구명조끼를 포함하여 겉옷과 신발을 모두 벗는다.

구명조끼는 꼭 착용해야 하며, 몸을 가볍게 할 생각으로 옷을 벗고 뛰어들면 물이 차가우므로 저체온증으로 위험해질 수 있다!

ⓩ ◀

Ⅳ 쓰기

1
설명하는 글 쓰기

2
다양한 표현 활용하여 글 쓰기

3
고쳐쓰기

● 정답과 해설 31쪽

설명하는 글 쓰기

1 설명하는 글을 쓰는 과정

단계	내용
계획하기	글의 주제, 글을 쓰는 목적, 예상 독자 등을 구체적으로 정함.
내용 생성하기	• 내용 수집하기: 다양한 매체를 활용해 주제와 관련된 내용의 자료를 수집함. • 내용 선정하기: 수집한 자료 중 주제와 거리가 멀거나 불필요한 자료는 삭제하고, 주제와 밀접한 관련이 있는 자료를 선정함. • 객관성과 신뢰성을 갖춘 자료를 활용해야 하며, 활용할 자료의 출처를 알아 둠.
내용 조직하기	• 수집한 자료를 정리해 '처음-가운데-끝'의 구조에 맞게 개요를 작성함. • 내용에 적절한 설명 방식을 정하고, 수집한 자료의 활용 계획을 세움.
표현하기	• 글의 목적과 주제에 맞게 씀. • 대상을 효과적으로 설명하는 방법을 사용함. • 예상 독자가 내용을 쉽게 이해할 수 있도록 씀.
고쳐쓰기	글을 다시 읽어 보면서 점검하여 글, 문단, 문장, 단어 수준에서 적절하게 고쳐 씀.

2 설명하는 글을 쓸 때 유의할 점

- 대상의 특성에 맞는 효과적인 설명 방법(예시, 인과, 정의, 비교, 대조, 구분, 분류, 분석 등)을 활용하여 설명한다.
- 설명하는 글은 객관적인 사실이나 정보를 전달하는 글이므로 지나치게 개인적인 경험이나 정서를 드러내는 내용은 쓰지 않는 편이 좋다.
- 글 수준: 글 전체의 분량을 고려하여 글을 몇 문단으로 구성할지, 한 문단은 어느 정도 분량으로 구성할지를 미리 생각해 보는 것이 좋다. 이때 특정 문단이 다른 문단들에 비해 지나치게 많은 분량을 차지하지 않도록 주의한다.
- 문단 수준: 한 문단에는 하나의 중심 생각만 담기도록 구성하고, 관련이 있는 문단들은 서로 가까이 배치한다.
- 낱말 수준: 의미가 분명한 단어를 사용하고, 생소할 수 있는 전문 용어나 개념을 쓸 때에는 독자가 쉽게 이해할 수 있도록 그에 관한 설명을 함께 제시한다.
- 다른 사람의 말이나 글을 인용하거나 자료를 활용할 때에는 반드시 출처를 밝힌다.

더 알아 두기

◆ 개요 작성하기

구분	내용
개념	글의 내용을 어떻게 구성할 것인지 일목요연하게 표로 나타내는 것
효과	• 글쓰기의 지침이 됨. • 내용을 좀 더 구체적이고 체계적으로 조직하고 배열할 수 있음.
방법	• 글의 중심 제재와 종속 제재 혹은 전체 주제와 종속 주제를 바탕으로 하여 작성할 수 있음. • 글의 중심 내용들을 나열하는 방식의 개요표를 작성할 수 있음. • 글의 중심 내용들 사이의 위계 관계를 명시적으로 드러내는 방식의 내용 구조도를 작성할 수 있음.

꼼꼼 확인 문제

1 설명하는 글 쓰기를 계획할 때는 예상 □□의 흥미와 수준 등을 고려하여야 한다.

2 설명하는 글을 쓸 때는 글의 구조에 맞게 개요를 작성한 후 필요한 자료를 수집한다. (○ , ×)

3 설명하려는 대상의 □□에 맞는 적절한 설명 □□을/를 활용하여 효과적으로 표현한다.

1 설명하는 글 쓰기

• 정답과 해설 31쪽

핵심 콕콕 • 대상의 특성에 맞는 설명 방법을 활용하여 글쓰기
• 설명하는 글을 쓸 때 유의할 점을 바탕으로 글쓰기

1~4 다음 글을 읽고, 물음에 답하시오.

가 민재: 이렇게 재미있는 줄다리기가 어떻게 생겨났을까? (인터넷 검색 후) 아, 줄다리기에 이런 깊은 뜻이 담겨 있구나. 이참에 줄다리기에 관한 여러 정보를 찾아보고, 친구들에게 알려 줘야지.

나 자료 1 책

줄다리기

❶『민속』 여러 사람이 편을 갈라서, 굵은 밧줄을 마주 잡고 당겨서 승부를 겨루는 놀이. ≒ 견구(牽鉤)·마두희·발하(拔河)·삭전03(索戰)·타구04(拖鉤)·혈하희.

❷ 서로 지지 아니하려고 맞섬을 비유적으로 이르는 말.

–『표준 국어 대사전』

다 자료 2 신문 기사

민속 문화의 상징, 줄다리기의 가치

줄다리기는 매우 가치 있는 놀이이다. 우선 우리는 줄다리기에 참여함으로써 몸을 움직일 수 있다. 줄다리기는 오락거리로서 우리에게 즐거움을 주고, 근심과 걱정을 잊을 수 있도록 하여 정신적 건강에도 도움을 준다.

그뿐만 아니라, 줄다리기는 놀이에 참여하는 공동체를 결속하게 하고, 개인에게는 집단 구성원으로서의 정체성을 확립할 수 있도록 해 준다. 이기기 위해서는 모두가 힘을 합쳐야 하기 때문이다. 이렇듯 줄다리기는 신체적·정신적·사회적 측면에서 조화를 이루는 놀이여서 교육적으로 가치가 있다. 우리는 이를 잘 보존하고 계승하기 위해 노력해야 한다.

라 자료 3 누리집

줄다리기에 사용하는 줄은 지역마다 조금씩 다르지만 일반적으로 올가미 모양의 머리, 중심이 되는 몸줄, 사람들이 실제로 줄을 당길 수 있도록 연결한 곁줄로 이루어져 있다. 두 줄을 연결할 때에는 수줄의 머리를 암줄의 머리에 끼우고 중간에 비녀목이라는 굵고 긴 나무 빗장을 끼운다. 이렇게 연결한 줄은 멀리서 보면 무수한 발을 가진 지네와 비슷하다.

1 (가)의 민재가 글을 쓸 때, 설명할 내용과 그에 맞는 설명 방법이 바르게 연결되지 <u>않은</u> 것은?

	설명할 내용	설명 방법
①	줄다리기가 생겨난 까닭	인과
②	줄다리기의 규칙을 순서대로 제시	구분
③	줄다리기의 가치에 관한 전문가의 말 제시	인용
④	지역 간 줄다리기의 편 구성 방식의 공통점과 차이점	비교·대조
⑤	줄다리기를 전승하기 위한 노력의 구체적인 예	예시

2 (나), (다)에서 각각 사용된 설명 방법의 예가 바르게 연결된 것은?

ㄱ. 시계는 태엽, 톱니바퀴, 시침, 분침으로 구성된다.
ㄴ. 곤충에는 소금쟁이, 매미, 풍뎅이, 사마귀, 잠자리 등이 있다.
ㄷ. 야구와 축구는 여럿이 한 팀이 되어 공을 가지고 하는 경기라는 공통점이 있다.
ㄹ. 발효란 곰팡이나 효모와 같은 미생물이 탄수화물, 단백질 등을 분해하는 과정을 말한다.
ㅁ. 젖산은 약한 산성 물질이어서 유해균이 증식하는 것을 억제하고, 김치가 잘 썩지 않게 한다.

① (나) – ㄱ, (다) – ㄴ
② (나) – ㄱ, (다) – ㅁ
③ (나) – ㄴ, (다) – ㄷ
④ (나) – ㄹ, (다) – ㄷ
⑤ (나) – ㄹ, (다) – ㅁ

3 (라)에서 대상의 특성을 드러내기 위해 사용한 설명 방법으로 바르게 묶인 것은?

① 분석, 비유
② 구분, 비교
③ 정의, 비교
④ 분석, 정의
⑤ 구분, 비유

4 (가)에서 민재가 글을 쓰려는 목적을 쓰시오.

5~8 다음 글을 읽고, 물음에 답하시오.

가 자료 수집

설명할 항목	찾은 내용 정리	출처
귀의 구조	귀는 외이, 중이, 내이로 나뉨.	백과사전
귀지의 뜻	귓구멍 속에 낀 때를 말함.	표준 국어 대사전
귀지가 생기는 까닭	귓구멍 속 분비물이 죽은 피부 껍질이나 이물질과 섞여 점액으로 변한 것임.	텔레비전 뉴스
귀지의 역할	귀지는 귓속으로 들어오는 이물질을 막아 주고, 귀를 따뜻하게 함.	건강 관련 누리집

나 글의 개요

	설명할 항목	설명 방법	간략한 내용
처음	귀지의 뜻	㉠	귓구멍 속에 낀 때를 말함.
가운데	귀의 구조	㉡	외이, 중이, 내이 중에서 외이에서 귀지가 만들어짐.
	귀지가 생기는 까닭	㉢	귓구멍 속 분비물이 변한 것임.
	귀지의 역할	㉣	귓속으로 들어오려는 이물질을 막고, 귀를 따뜻하게 함.
끝	귀지를 파면 안 되는 까닭	㉤	세균이 쉽게 침범하고, 만성 외이도염이 생길 수 있음.

다 제목: 귀지, 자주 파도 될까요?

귀지란 귓구멍 속에 낀 때를 말한다. 때라고 하니까 더럽고 쓸데없는 것이라고 생각하기 쉽지만 사실은 그렇지 않다. 귀지를 파지 않아도 되는 까닭을 알아보자.

ⓐ<u>귀는 외이, 중이, 내이로 나뉘는데, 귀지는 외이에서 만들어진다. 외이는 외부의 침입자를 막는 작은 털들과 수많은 분비샘으로 이루어져 있다.</u>

귀지는 우리 귀를 보호하는 다양한 역할을 한다. 외이도에 있는 작은 털들과 함께 귀지는 귓속으로 들어오려는 이물질을 막아 준다. (후략)

5 글쓰기 과정에 대한 설명으로 적절하지 <u>않은</u> 것은?

① (가)를 정리하기 이전에 글의 주제, 글의 목적, 예상 독자 등을 미리 정한다.
② (가)와 같이 내용을 생성할 때에는 객관성과 신뢰성을 갖춘 자료를 찾아야 한다.
③ (가) 이외에도 글의 주제와 관련된 자료가 생긴다면 빠짐없이 글쓰기에 활용해야 한다.
④ 내용을 조직할 때에는 (나)와 같이 개요를 작성한 후 이를 바탕으로 (다)와 같이 글로 표현한다.
⑤ (다)와 같이 글로 표현할 때에는 예상 독자의 수준을 고려하여 이해하기 쉽게 쓰도록 한다.

6 (가), (나)를 바탕으로 쓴 글인 (다)를 점검할 때의 평가 기준으로 적절하지 <u>않은</u> 것은?

① 대상을 이해하기 쉽게 설명하였는가?
② 대상의 특성을 효과적으로 전달하였는가?
③ 중복된 설명 방법이 나타나지 않게 썼는가?
④ '처음 – 중간 – 끝'의 짜임에 맞게 구성하였는가?
⑤ 대상에 대한 정확한 정보와 사실을 바탕으로 썼는가?

7 ㉠~㉤에 들어갈 설명 방법으로 가장 적절한 것은?

① ㉠ – 인용
② ㉡ – 분류
③ ㉢ – 비교
④ ㉣ – 예시
⑤ ㉤ – 분석

8 ⓐ를 〈보기〉와 같이 고쳐 썼다고 할 때, 평가 내용으로 가장 적절한 것은?

보기
사람의 귀는 바깥귀, 가운데귀, 속귀 세 부분으로 나눌 수 있다. 이 중 바깥귀에는 외부의 침입자를 막아 주는 작은 털들과 수많은 분비샘이 있는데, 바로 이 바깥귀에서 귀지가 만들어진다.

① 귀지의 역할을 구체적으로 제시했다.
② 대상에 대한 글쓴이의 평가를 드러냈다.
③ 귀지가 생기는 까닭에 중점을 두고 설명했다.
④ 읽는 이의 흥미를 유발할 만한 내용을 추가했다.
⑤ 쉬운 표현으로 바꾸고, 내용이 자연스럽게 연결되도록 했다.

• 정답과 해설 31쪽

2 다양한 표현 활용하여 글 쓰기

1 다양한 표현의 개념과 특성

구분		내용
속담	개념	예로부터 오랜 세월에 걸쳐 전해져 온 조상들의 지혜, 교훈이나 풍자가 담긴 쉽고 짧은 말 예 가는 말이 고와야 오는 말이 곱다, 공든 탑이 무너지랴
	특성	• 내용을 인상적으로 전할 수 있음. • 우리말의 고유한 표현이 잘 나타남. • 조상들이 터득해 온 삶의 지혜가 담겨 있음. • 설명하기 복잡한 상황을 간결하게 표현할 수 있음. • 글에 재미를 더하여 읽는 이의 관심을 불러일으킬 수 있음.
관용 표현	개념	특정 사회나 언어 공동체에서 쓰이는 관습적인 언어 표현 방식으로, 둘 이상의 낱말이 결합하여 본래의 의미와는 다른 특별한 의미를 갖게 된 말 예 눈을 붙이다, 손이 맞다, 찬물을 끼얹다, 머리 위에 앉다
	특성	• 둘 이상의 낱말이 한 덩어리로 굳어져 하나의 낱말처럼 쓰여, 표현을 마음대로 바꿀 수 없음. • 상황을 간결하고 함축적으로 표현할 수 있음. • 내용을 인상 깊게 전달할 수 있음.
격언	개념	오랜 역사적 생활 체험을 통하여 이루어진, 인생에 대한 교훈이나 경계 따위를 간결하게 표현한 짧은 글 예 시간은 금이다, 실패는 성공의 어머니
	특성	주로 삶의 이치, 도덕률, 행동 규범 등을 강조함.
명언	개념	유명한 사람의 입에서 나와 널리 알려진 말로, 사리에 맞는 훌륭한 말 예 천재는 1 퍼센트의 영감과 99 퍼센트의 노력으로 만들어진다.(에디슨)
	특성	• 교훈이나 가르침을 줌. • 명언 대부분은 처음 그 말을 한 사람이 분명함.

2 다양한 표현을 활용하여 개성 있는 글을 쓸 때 고려할 점

- 글쓴이의 의도나 생각을 효과적으로 드러내었는가?
- 표현하고자 하는 바를 보다 인상 깊게 드러내었는가?
- 글쓴이의 생각이나 느낌, 경험을 간결하고 참신하게 표현하였는가?
- 읽는 이의 관심과 흥미를 불러일으킬 만한 다채로운 표현을 활용하였는가?

더 알아 두기

◆ 속담과 관용 표현의 비교

구분	내용
속담	• 일상생활 속에서 얻은 지혜를 비유적이고 간결하게 나타낸 것 • 교훈성, 풍자성이 강함.
관용 표현	• 둘 이상의 낱말이 습관적으로 붙어서 쓰이는 말 • 교훈성, 풍자성이 약함.

◆ 신체 부위와 관련된 관용 표현의 예

표현	뜻
발이 빠르다	알맞은 조치를 신속히 취하다.
눈이 높다	정도 이상의 좋은 것만 찾는 버릇이 있다.
입을 모으다	여러 사람이 같은 의견을 말하다.
배가 아프다	남이 잘되어 심술이 나다.
머리를 식히다	흥분되거나 긴장된 마음을 가라앉히다.
귀에 익다	들은 기억이 있다.

꼼꼼 확인 문제

1 □□은/는 조상들의 지혜나 교훈, 풍자가 담긴 쉽고 짧은 말이고, □□은/는 사리에 맞고 널리 알려진 훌륭한 말이다.

2 관용 표현은 동일한 언어 공동체 내에서라도 듣는 사람마다 해석이 달라질 수 있다. (○, ×)

3 속담, 관용 표현, 격언, 명언 등을 활용해 글을 쓰면 생각이나 느낌을 보다 효과적으로 전달할 수 있다. (○, ×)

2 다양한 표현 활용하여 글 쓰기

핵심 콕콕
• 속담, 관용 표현, 격언과 명언의 활용 효과 파악하기
• 적절한 속담, 관용 표현, 격언과 명언을 활용하여 글 쓰기

1~4 다음을 읽고, 물음에 답하시오.

가 하루 종일 놀다가 밤늦게 허겁지겁 숙제를 하려는데 "㉠게으른 놈 짐 많이 진다더니, 쯧쯧……." 하는 핀잔을 들어본 적 있는가? 또 방학이 거의 다 끝나가도록 방학 숙제에 손도 안 대서 걱정하고 있는데, 할머니가 등을 툭툭 두드리며 이렇게 말씀하시기도 한다. "인석아, ㉡만 리 길도 한 걸음으로 시작된다고 했으니 지금부터 부지런히 하면 돼. ㉢시작이 반이라고 하지 않더냐?"

이렇게 속담은 우리 생활에 널리 쓰인다. 〈중략〉 속담에는 까마득한 옛날부터 우리 조상들이 터득해 온 지혜가 차곡차곡 쌓여 있다. 또, 우리말의 고유한 표현이 살아 있어서 때 묻지 않은 진짜 우리말도 배울 수 있다.

나

다

1 (가)의 ㉠~㉢에 대한 설명으로 적절하지 <u>않은</u> 것은?

① ㉠~㉢은 우리말의 고유한 표현에 해당한다.
② ㉠~㉢은 예로부터 사람들 사이에서 전해져 오는 교훈이 담긴 말이다.
③ ㉠은 뒤늦게라도 일을 해결하기 위해 노력하는 사람을 격려하는 말이다.
④ ㉡은 아무리 큰 일도 작은 일로부터 비롯된다는 말이다.
⑤ ㉢은 무슨 일이든지 시작이 어렵지 일단 시작하면 일을 끝마치기는 그리 어렵지 않다는 말이다.

2 (가)에 쓰인 표현의 효과로 적절하지 <u>않은</u> 것은?

① 내용을 인상적으로 전할 수 있다.
② 의미를 직설적으로 전할 수 있다.
③ 전하려는 바를 간결하게 나타낼 수 있다.
④ 친숙한 표현으로 내용을 쉽게 전할 수 있다.
⑤ 내용에 재미를 더해 상대방의 관심을 끌 수 있다.

3 (다)의 ㉮~㉱의 상황에 맞는 속담에 대한 설명으로 적절하지 <u>않은</u> 것은?

① ㉮처럼 자기 지식만 믿고 경솔하게 행동할 때에는 '낫 놓고 기역 자도 모른다'고 한다.
② ㉯처럼 각자 자기주장만 내세워서 의견이 모이지 않을 때에는 '사공이 많으면 배가 산으로 간다'고 한다.
③ ㉰처럼 겸손한 사람을 칭찬할 때에는 '벼 이삭은 익을수록 고개를 숙인다'고 한다.
④ ㉱처럼 일을 너무 일찍부터 서두를 때에는 '새벽달 보자고 초저녁부터 기다린다'고 한다.
⑤ ㉱처럼 일의 순서를 무시하고 성급하게 일을 처리하려고 할 때에는 '우물에 가 숭늉을 찾는다'고 한다.

서술형

4 ⓐ에 들어가기에 가장 적절한 속담 한 가지를 쓰시오.

5~7 다음을 읽고, 물음에 답하시오.

(가) ㄱ. 스스로의 힘으로 실천하지 않는 것은 자포자기와 같다. – 이황

ㄴ. 사랑하는 것이 인생이다. 사람과 사람 사이의 결합이 있는 곳에 기쁨이 있다. – 괴테

ㄷ. 내가 헛되이 보낸 오늘 하루는 어제 죽은 이들이 그토록 바라던 하루이다. – 소포클레스

ㄹ. 친구를 얻는 유일한 방법은 스스로 완전한 친구가 되는 것이다. – 에머슨

ㅁ. 당신은 지체할 수도 있지만 시간은 그러하지 않을 것이다. – 벤자민 프랭클린

ㅂ. 친구란 두 신체에 깃든 하나의 영혼이다. – 아리스토텔레스

ㅅ. 사랑은 서로를 마주 보는 게 아니라, 서로 같은 방향을 바라보는 것이다. – 생텍쥐페리

ㅇ. 기회는 준비된 사람에게 찾아온다. – 파스퇴르

(나)

5 (가)에 대한 설명으로 적절하지 않은 것은?

① 오랜 생활 체험을 통해 이루어진 간결한 글이다.
② 유명한 사람의 입에서 나와 널리 알려진 말이다.
③ 조상들의 지혜와 풍자가 담긴 쉽고 짧은 말이다.
④ 우리의 삶과 인생을 되돌아볼 수 있는 교훈이나 가르침을 준다.
⑤ 주로 삶의 올바른 이치나 도덕률, 사리에 맞는 훌륭한 말과 관련된다.

6 〈보기〉와 같은 상황에서 활용할 수 있는 말을 (가)에서 찾아 바르게 연결한 것은?

| 보기 |
㉠ 방학이 길다고 생각하고 종일 빈둥대는 아들에게 경각심을 주고 싶을 때
㉡ 예술 고등학교에 진학하고 싶지만 경쟁률 때문에 주저하는 친구에게 도전 정신을 불어넣어 주고 싶을 때

	㉠	㉡		㉠	㉡
①	ㄱ, ㄴ	ㄹ, ㅁ	②	ㄱ, ㄹ	ㅁ, ㅇ
③	ㄷ, ㅁ	ㄱ, ㅇ	④	ㄷ, ㅇ	ㄹ, ㅂ
⑤	ㅁ, ㅇ	ㄴ, ㅅ			

7 다음은 (나)의 대화에 대한 반응이다. 올바른 내용을 모두 찾아 바르게 묶은 것은?

동환: ⓐ는 '몹시 지쳐서 기운이 아주 느른하게 되다'라는 뜻이야.
진우: 관용 표현을 사용해서 상황을 함축적으로 표현하고 있어.
준희: ⓐ는 둘 이상의 낱말이 결합한 표현으로, 한 낱말을 마음대로 바꿔 쓸 수 있어.
형준: ⓐ, ⓓ는 원래의 뜻과는 다른 특별한 뜻으로 쓰는 말이고, ⓑ, ⓒ는 원래의 뜻대로 쓰는 말이야.
종근: ⓓ는 '어떤 일에 무관심한 태도로 상관하지도 아니하고 간섭하지도 아니하다'라는 뜻이야.

① 동환, 진우 ② 준희, 종근
③ 진우, 형준 ④ 동환, 진우, 종근
⑤ 준희, 형준, 종근

8 다음 밑줄 친 표현의 쓰임이 어색한 것은?

① 외로웠던 나에게 친구가 먼저 손을 내밀었다.
② 우리는 범인의 눈을 속이고 방에서 빠져나왔다.
③ 그는 수상자를 발표하기 전에 김칫국부터 마셨다.
④ 우리 팀이 공을 넣지 못하자 응원단은 발을 디뎠다.
⑤ 이 상황을 해결할 방안을 찾기 위해 머리를 굴렸다.

9~12 다음 글을 읽고, 물음에 답하시오.

가 우린 ㉠배꼽을 쥐고 웃었다. ㉡무엇인가를 너무 아끼거나, 남과 나누기를 싫어하고 혼자 욕심껏 그러잡거나, 쓰기를 미룬 나머지 쓸모가 없어지는 경우에 해당하는 속담일 텐데, 그러고 보니 옛날이야기 속에는 자반을 걸어 두고 냄새만으로 찬을 삼는 자린고비도 있고, 된장독에 앉았다 날아간 파리를 잡아 쪽쪽 빨아 먹는 구두쇠 이야기도 있었다.

(자반: 생선을 소금에 절여서 만든 반찬감. 또는 그것을 굽거나 쪄서 만든 반찬 / 자린고비: 인색한 사람을 낮잡아 이르는 말)

그날 우리 식구들은 자기가 알고 있는 '아끼다 똥 된 이야기'를 하나씩 하느라고 ㉢시간 가는 줄 몰랐다.

나 무엇이든지 조금은 부족해야 귀하다. 아침에 고구마를 스무 개쯤 쪄서 출근할 때 가져가면 우리 반 아이들은 사흘은 굶은 녀석들처럼 (　　ⓐ　　). 반씩 잘라서 나눠 줄 때에는 조금이라도 더 큰 걸 고르려고 난리를 피운다. 만약 한 바구니 넘치게 고구마를 가져간다면 그러지 않을 것이다. 예쁜 엽서가 많이 생겨서 반 아이들에게 선물하고 싶을 때도 일부러 다섯 장만 들고 간다.

"딱 다섯 장밖에 없는데, 필요한 사람?"

지금까지 그 엽서가 없어도 아무렇지도 않았는데 녀석들은 엽서 한 장 가지려고 가위바위보까지 한다. 우리 아이들이 가진 게 좀 더 부족했으면 좋겠다. 가진 게 너무 많아서, 똥이 될 만큼 아끼는 대상이 없다.

다 우리 반 아이들이 적어 온 사연은 뭘까. 무척 궁금했다. 기대와는 달리 아이들은 대부분 빈칸을 채워 오지 못했다. 써 온 아이들도 간혹 있었지만 소파, 냉장고, 자동차 같은 것들이었다. 사소하지만 나만의 사랑, 나만의 이야기가 담긴 물건이 없었다. 결핍이 없는 곳에는 풍요함도 자리할 수 없는가 보다.

라 승식이가 신문지에 물을 묻혀 거울을 깨끗이 닦아 줄 때, 법성이가 칠판을 파랗게 닦아 놓을 때 기쁘다. 나는 게시판에 예쁜 그림을 걸기도 하고 창가의 화분을 바꿔 놓기도 한다. 아이들은 책상 서랍과 가방 속, 필통을 정돈하고 체육복을 차곡차곡 개어 놓고, 청소 용구함에 빗자루를 단정하게 포개어 놓는다. 비 오는 날에는 교실 뒤에 우산을 영화처럼 펼쳐 놓는다. 그러면 선생님이 좋아하면서 자신들을 칭찬해 주니까 그렇게 해 주는 것 같다. 하지만 자주 하면 습관이 될 것이다. ㉣함부로 구기지 말고 함부로 버리지 말고 함부로 쓰지 않고 모든 걸 아끼면서, ㉤귀하게 다독이면서 살자. 아끼다 똥 될지라도.

9 이 글에 대한 설명으로 적절하지 않은 것은?

① 재치 있는 표현을 활용하여 쓴 수필이다.
② 학생들에게 들려주고 싶은 명언을 인용하였다.
③ 글쓴이가 겪은 경험들을 단편적으로 나열하였다.
④ 모든 것을 귀하게 여기는 태도의 중요성을 드러내고 있다.
⑤ 속담과 관용 표현을 활용하여 글쓴이의 경험을 진솔하게 표현하였다.

10 〈보기〉와 같이 속담을 활용할 때의 효과로 가장 적절한 것은?

보기
"아끼다 똥 된다."라는 속담을 재구성하여 이 글의 제목을 '아끼다가 똥 될지라도'라고 붙였다.

① 속담의 문제점을 논리적으로 비판할 수 있다.
② 글쓴이의 생각을 숨겨서 긴장감을 불어넣는다.
③ 내용을 구체적으로 전달하고, 글의 설득력을 높인다.
④ 글을 읽는 재미를 더하고, 글쓴이의 생각을 강조한다.
⑤ 속담에 담긴 원래 뜻이 그대로 삶에 적용됨을 강조한다.

11 ㉠~㉤에 대한 설명으로 적절하지 않은 것은?

① ㉠ – '웃음을 참지 못하여 배를 움켜잡고 크게 웃다'라는 뜻이다.
② ㉡ – "아끼다 똥 된다."라는 속담의 뜻을 직접 제시하였다.
③ ㉢ – '시간을 확인하지 못해 중요한 일을 지나치다'라는 뜻이다.
④ ㉣ – 같은 낱말과 문장 구조를 나열하여 글쓴이의 생각을 강조하고 있다.
⑤ ㉤ – 정상적인 언어 배열 순서에 변화를 주어 글쓴이의 바람을 전하고 있다.

서술형

12 ⓐ에 들어갈 적절한 표현을 〈조건〉에 맞게 2어절로 쓰시오.

조건
'음식 따위를 몹시 먹고 싶어 하다'라는 뜻의 관용 표현을 현재형으로 나타낼 것

• 정답과 해설 32쪽

고쳐쓰기

1 고쳐쓰기의 개념과 목적

개념	글을 쓸 때에 글의 잘못된 부분을 바로잡아서 다시 쓰는 일
목적	글의 주제나 글을 쓴 목적에 맞게 글을 다듬어서 읽는 이가 이해하기 쉽게 개선하는 것

2 고쳐쓰기의 방법

글 수준	• 글의 주제가 잘 드러나는가? • 글의 제목이 적절한가? • 글의 흐름이 자연스러운가? • 보충해야 할 내용이나 삭제해야 할 내용이 있는가?

↓

문단 수준	• 문단과 문단, 문장과 문장의 연결이 자연스러운가? • 문단의 중심 생각이 잘 드러나는가? • 문단의 길이가 적절한가?

↓

문장 수준	• 어법에 맞게 표현하였는가? • 문장의 호응이 자연스러운가? → 높임 표현, 시제 표현이 적절한가? → 수식어와 피수식어가 바르게 연결되었는가? • 문장의 길이가 적절한가? • 접속어와 지시어 등이 적절하게 쓰였는가?

↓

낱말 수준	• 낱말 사용은 명료하고 정확한가? • 문맥에 적절한 낱말을 사용하였는가? • 맞춤법이나 띄어쓰기에 어긋난 표현은 없는가?

→ 고쳐쓰기는 글을 쓰는 마지막 단계에서만 하는 것이 아니라, 글쓰기의 모든 과정에서 점검과 조정을 진행하여 글의 내용을 수정·보완하는 것이다.

3 고쳐쓰기의 일반 원리

추가	부족하거나 빠뜨린 내용을 새롭게 덧붙이는 것
삭제	불필요한 내용을 빼는 것
대치	그 위치에서 다른 내용으로 바꾸는 것
재구성	앞뒤 순서를 바꾸거나 몇 부분을 하나로 줄이거나 늘이면서 내용을 조정하는 것

더 알아 두기

◆ 고쳐쓰기의 효과

• 글을 짜임새 있고 통일성 있게 구성할 수 있다.
• 주제가 잘 드러나는 글을 쓸 수 있다.
• 읽는 이가 이해하기 쉬운 글을 쓸 수 있다.
• 글을 처음 쓸 때 미처 생각하지 못한 내용이 떠오르기도 한다.

◆ 고쳐쓰기에 사용하는 교정 부호

부호	쓰임
∨	띄어 쓸 때
⌒	붙여 쓸 때
⌒(원)	한 글자를 고칠 때
⌐	줄을 바꿀 때
∽	줄을 이을 때
⊔	여러 글자를 고칠 때
ℓ	글자를 뺄 때
⌄	내용을 추가할 때
∽	앞뒤 순서를 바꿀 때

꼼꼼 확인 문제

1 고쳐쓰기는 '낱말 수준 → 문장 수준 → 문단 수준 → 글 수준'의 차례로 이루어져야 한다. (○, ×)

2 접속어와 지시어의 조정, 사용된 낱말 사이의 호응 여부 등은 □□ 수준에서 글을 고쳐 쓸 때 고려할 사항이다.

3 고쳐쓰기의 원리 중 앞뒤 순서를 자연스럽게 조정하는 것을 □□□(이)라 하고, 그 위치에서 다른 내용으로 바꾸는 것을 □□(이)라 한다.

3 고쳐쓰기

핵심 콕콕 • 고쳐쓰기의 방법과 원리 파악하기
• 고쳐쓰기의 일반 원리를 고려해 글을 고쳐 쓰기

1~4 다음 글을 읽고, 물음에 답하시오.

가 그 날은 가만히 있어도 땀이 날 정도로 무척 더웠다. 나는 빨리 집에 들어가 씻고 싶다는 ㉠기억뿐이었다. 나는 걸음을 재촉하여 집 근처에 도착했다. 그런데 골목길 한구석에서 주인을 잃어버린 강아지가 나를 애처롭게 바라보고 있었다. 모른체하고 집에 들어가려 했지만, 난 발을 뗄 수 없었다. 문득 민들레가 떠올랐기 때문이다. 힘없는 눈빛으로 날 바라보던 민들레가.

나 초등학교 2학년 때, 어느 봄날이었다. 한 할머니께서 병아리를 나누어 주는 걸 보았다. 노란 털로 덥여 있는 병아리는 정말 매력적이었다. ㉡그런데 난 그 앞에 쪼그리고 앉아 한참이나 병아리를 바라보았다. 나는 병아리를 키우게 해 달라고 엄마께 ㉢타이르기 시작했다. 처음에는 반대하셨던 엄마도 결국은 허락해 주셨다. 그렇게 나와 민들레의 인연이 시작되었다.

다 사랑스러운 민들레는 우리 집 마당에서 지냈다. 그래서 비가 오는 날이면 마당에 혼자 있을 민들레가 걱정스러웠다. 나는 비가 오면 엄마 몰래 민들레를 방 안에 데리고 올 것이다. 엄마께 들킬지도 모른다는 생각에 가슴이 두근거렸다. 하지만 민들레와 함께하는 기쁨이 더 컸기에 엄마의 꾸중도 대수롭지 않았다. 당시 나는 동생과 한방을 써서 조금 불편했다.

라 그러나 그런 기쁨도 잠시뿐이었다. 어느 날, 민들레는 어디가 아픈지 꼼짝도 않고 하루 종일 시름시름 앓았다. 우리 가족은 밤을 꼬박 새우며 민들레를 정성껏 보살폈다. 하지만 민들레는 일어날 낌새를 전혀 보였고, 결국 우리 곁을 떠났다. 나는 작별 인사도 제대로 하지 못하고 민들레를 떠나보냈다는 생각에 가슴이 ㉣막막했다. 그 후로 오랜 시간이 지났지만, 이렇게 안쓰러운 동물들을 볼 때면 어김없이 민들레가 떠오른다. 난 강아지를 어두운 길에 두고 올 수 없어서, 우리 집으로 데리고 들어갔다. 가족들은 깜짝 놀랐지만, 내게 ㉤감언이설을 듣고 강아지의 주인을 찾는 것도 도와주었다. 그리고 다음 날 다행이 강아지의 주인을 찾을 수 있었다. 강아지를 보내고 돌아오는 길이었다. 무심코 바닥을 보니, 길 틈세에 핀 민들레가 바람에 흔들리고 있었다. 마치 하늘나라에 있는 민들레가 내게 손을 흔들어 주는 것 같았다. 민들레와 함께한 시간은 짧았지만, 나와 민들레의 시간은 앞으로 계속될 것이다. 민들레와의 추억은 영원할 테니까.

1 **(가)~(라)를 고쳐 쓴 것으로 적절하지 않은 것은?**

① (가)에서 '모른체하고'는 '모른 체하고'로 띄어 써야 한다.
② (나)에서는 높임 표현을 고려해 '나누어 주는 걸'을 '나누어 주시는 걸'로 고쳐야 한다.
③ (나)에서 '덥여'는 '덮여'로, (라)에서 '다행이'는 '다행히'로, '틈세'는 '틈새'로 고쳐야 한다.
④ (라)를 두 문단으로 나누어 쓴다면 '가족들은'부터 문단을 나누어야 자연스럽다.
⑤ (라)에서는 문장의 호응을 고려해 '전혀 보였고'를 '전혀 보이지 않았고'로 바꿔 써야 한다.

2 **이 글의 흐름을 고려할 때 〈보기〉가 들어갈 위치로 알맞은 것은?**

보기
병아리를 집으로 데려온 날, 우리 가족은 병아리에게 민들레라는 이름을 지어 주었다. 병아리가 민들레처럼 튼튼하게 어느 곳에서나 잘 자라길 바라면서 말이다.

① (가) 앞 ② (가) 뒤 ③ (나) 뒤
④ (다) 뒤 ⑤ (라) 뒤

3 **㉠~㉤을 문맥에 맞게 바르게 고쳐 쓴 것으로 적절하지 않은 것은?**

① ㉠ – 생각 ② ㉡ – 또
③ ㉢ – 조르기 ④ ㉣ – 먹먹했다
⑤ ㉤ – 자초지종

4 **(다)를 어떻게 고쳐야 할지 〈조건〉에 맞게 한 문장으로 쓰시오.**

조건
• 문단 수준에서 고쳐 써야 할 부분일 것
• 고쳐쓰기의 일반 원리 중 하나를 포함할 것

5~8 다음 글을 읽고, 물음에 답하시오.

(가) 지난 설 때였다. 명절을 맞이하여 온 친척이 오랜만에 우리 집에 모이기로 하였다. 해외에 있는 사촌 동생 서정이도 말이다. 나는 오랫동안 보지 못했던 서정이를 볼 수 있다는 생각에 마음이 들떴다. 그날 아침부터 부모님께서는 음식을 장만하고, 집안을 청소하느라 매우 분주하셨다. 나 역시 부모님을 도와 내 방이며 집안을 정리하느라 정신이 없었지만, 서둘러야만 했다. 나는 서정이가 오기 전에 서정이가 좋아하는 과자를 사 놓을 생각이었다. 그래서 서둘러 집안일을 마치고, 곧장 가게로 향했다.

(나) 나는 집에 돌아와서 예쁜 접시에 과자를 담기 시작했다. 어? 나는 고개를 갸우뚱할 수밖에 없었다. 과자를 세 봉지나 뜯었는데, 그 내용물이 접시 하나도 가득 채우지 못한 것이다. 가격은 비싼데 봉지 안에 들어 있는 내용물이 터무니없이 적으니 정말 화가 났다. 단 음식을 많이 먹으면 건강에 해로우니 소비자가 먹는 양을 조절해 주려고 배려한 것인가 싶었다. 과자 회사가 어찌나 고맙던지. 다행히 서정이는 적은 양에도 투정을 부리지 않고, 과자를 맛있게 먹었다. 조그만 입안에 과자를 꾸역꾸역 집어넣어서 양쪽 볼이 한없이 빵빵했다. 서정이는 통통한 볼이 부풀어서 입안 가득 도토리를 채워 넣은 다람쥐처럼 귀여웠다. 하지만 서정이가 과자를 먹는 모습을 보고 있어도 분노와 의문은 사라지지 않았다. 나는 정말 궁금했다. 과자의 양이 왜 이렇게 ㉠적은 지가 말이다. 우리 집에 오느라 피곤했는지, 아니면 과자를 먹고 배가 불렀는지 서정이는 텔레비전을 보다가 이내 잠들었다. 난 내 방으로 들어가 컴퓨터를 켰다. 그리고 인터넷에서 '과자 포장'을 검색해 보니 과대 포장과 관련하여 불만을 드러낸 블로그 글이나 그 문제에 대한 기사가 많았다. 글들은 하나같이 과대 포장의 문제점을 지적하는 내용을 담고 있었다. 과자가 손상되지 않도록 봉지 안에 질소를 채워 넣은 것이라고는 하지만, 터무니없이 양이 적은 과자를 비싸게 사야 하는 소비자의 마음을 헤아리지 못했다는 생각이 들었다.

(다) 그래서 난 과자 회사의 누리집에 이와 관련하여 항의하는 글을 올려야겠다고 결심했다. 내 항의에 귀를 기울일지는 모르겠지만, '공기 반, 과자 반'에 불만이 있는 소비자가 있다는 사실을 알려 주고 싶다. 그러나 나처럼 생각하는 사람들이 하나둘 불만을 드러낼 때, 과자 회사도 생각을 바꿀 것이라 믿기 때문이다.

5 고쳐쓰기에 대한 설명으로 적절하지 않은 것은?

① 글의 주제나 글을 쓴 목적에 맞게 다듬는 것이다.
② 추가, 삭제, 대치, 재구성 등의 원리가 활용된다.
③ 글쓰기의 마지막 단계에서만 이루어지는 활동이다.
④ 자신의 생각을 더 정확하게 드러내기 위한 활동이다.
⑤ 글 수준, 문단 수준, 문장 수준, 낱말 수준에서 이루어진다.

6 이 글을 고쳐 쓰기 위해 세운 계획으로 적절하지 않은 것은?

① (가)에서 부모님을 도와 집안일을 한 내용은 글의 주제와 크게 관련이 없으므로, 더 간략하게 줄이자.
② (나)에 두 개의 중심 내용이 담겨 있으니 '서정이가 과자 먹는 부분'을 기준으로 하여 두 문단으로 나누자.
③ (나)에서 과자를 먹는 서정이의 귀여운 모습을 묘사한 부분은 글의 자연스러운 흐름에 방해가 되므로 삭제하자.
④ (나)에서 '과자 회사가 어찌나 고맙던지.'라는 문장은 과자의 양이 적어서 화가 난 상황에 맞지 않는 표현이므로 삭제하자.
⑤ (다)의 마지막 문장에서 '그러나'는 문맥에 맞지 않는 접속어이므로 삭제하자.

7 ㉠을 고쳐 쓰기 위한 점검 항목으로 적절한 것은?

① 맞춤법에 맞게 표현하였는가?
② 문단의 중심 생각이 잘 드러나는가?
③ 문장과 문장의 연결이 자연스러운가?
④ 문장에 쓰인 낱말들 사이의 호응이 자연스러운가?
⑤ 보충해야 할 내용이나 삭제해야 할 내용이 있는가?

8 이 글의 제목을 〈보기〉와 같이 고쳐 썼을 때, 읽는 이가 얻을 수 있는 효과를 한 가지 쓰시오.

보기

과자 양이 적어 실망한 일 → 공기 반 과자 반

비상 안전 퀴즈 ❹

독극물을 마셨을 때! 어떻게 해야 할까?

친구가 미술실에 있던 페인트 통 옆 시너를 음료인 줄 알고 마셨을 때! 어떻게 대처해야 할까요?

❶ 등을 두드려 즉각 토하게 한다.

❷ 액체류를 마시게 해 묽게 한 다음 병원에 간다.

❸ 아무것도 하지 않고 바로 119를 불러 병원에 간다.

정답은?

등을 두드려 즉각 토하게 한다.

시너나 살충제와 같은 독극물은 억지로 토하게 하다 몸속 폐로 잘못 흘러 들어가 폐가 크게 손상될 수 있다!

액체류를 마시게 해 묽게 한 다음 병원에 간다.

시너를 마셨을 때 액체류를 마셨다가는 역시 토할 수 있어서 위험하다. 단, 화장실 탈취제, 표백제 등은 물을 마셔서 묽게 만들 필요가 있다!

아무것도 하지 않고 바로 119를 불러 병원에 간다.

아무것도 하지 않고 구급 요원을 불러 가능한 한 빨리 병원에 가야 한다. 독극물의 종류가 정확하지 않을 땐 마신 독극물 그대로를 함께 가지고 간다!

③ ◀

운법

1
단어의 정확한 발음과 표기

2
담화의 개념과 특성

3
한글의 창제 원리

1 단어의 정확한 발음과 표기

1 올바른 발음

(1) 표준 발음의 원리

[표준 발음법 제1장 총칙 제1항] 표준 발음법은 표준어의 실제 발음을 따르되, 국어의 전통성과 합리성을 고려하여 정함을 원칙으로 한다. └교양 있는 사람들이 두루 쓰는 현대 서울말

(2) 받침의 발음 (어말 또는 자음 앞)

우리말은 받침소리로 'ㄱ, ㄴ, ㄷ, ㄹ, ㅁ, ㅂ, ㅇ'의 7개 자음만 발음한다. 받침 'ㄴ, ㄹ, ㅁ, ㅇ'은 변화 없이 본음대로 각각 [ㄴ, ㄹ, ㅁ, ㅇ]으로 발음하고, 다음 받침은 각각 대표음으로 발음한다.

받침	발음	예
ㄱ, ㄲ, ㅋ	[ㄱ]	박[박], 밖[박], 부엌[부억]
ㄷ, ㅅ, ㅆ, ㅈ, ㅊ, ㅌ, ㅎ	[ㄷ]	낟[낟], 낫[낟], 났다[낟-], 낮[낟], 낯[낟], 낱[낟], 히읗[히읃]
ㅂ, ㅍ	[ㅂ]	입[입], 잎[입]

(3) 겹받침의 발음 (어말 또는 자음 앞)

	받침	발음	예
첫 번째 받침의 대표음으로 발음	ㄳ	[ㄱ]	넋[넉], 몫[목]
	ㄵ	[ㄴ]	앉다[안따]
	ㄼ, ㄽ, ㄾ	[ㄹ]	여덟[여덜], 외곬[외골], 핥다[할따]
	ㅄ	[ㅂ]	값[갑]
두 번째 받침의 대표음으로 발음	ㄺ	[ㄱ]	닭[닥], 맑다[막따] ┌단, 용언의 어간 말음 'ㄺ'은 'ㄱ' 앞에서 [ㄹ]로 발음함. 예 맑게[말께]
	ㄻ	[ㅁ]	삶[삼:], 젊다[점:따]
	ㄿ	[ㅂ]	읊다[읍따]

└단, '밟-'은 자음 앞에서 [밥]으로 발음하고, '넓적하다[넙쩌카다], 넓죽하다[넙쭈카다], 넓둥글다[넙뚱글다]'로 발음함.

(4) 뒤에 오는 말이 모음일 때 받침의 발음

	뒤에 오는 모음이 실질적 의미가 있을 때	뒤에 오는 모음이 실질적 의미가 없을 때
앞말이 홑받침	대표음으로 바꾸어 뒤 음절의 첫소리로 발음함. 예 옷 안[오단]	제 소릿값으로 뒤 음절의 첫소리로 발음함. 예 옷을[오슬]
앞말이 겹받침	겹받침 중 하나만 뒤 음절의 첫소리로 발음함. 예 값있다[가빋따]	앞엣것은 남고, 뒤엣것은 뒤 음절의 첫소리로 발음함. 예 닭이[달기]

└단, 'ㅅ'은 된소리로 발음함. 예 값을[갑쓸]

꼼꼼 확인 문제

1 표준 발음법은 □□□의 실제 발음을 따르되, 국어의 전통성과 합리성을 고려하여 정함을 원칙으로 한다.

2 우리말은 받침소리로 'ㄱ, ㄴ, ㄷ, ㄹ, ㅁ, ㅇ, ㅈ'의 7개 자음으로만 발음한다. (○, ×)

3 '여덟', '외곬', '핥다', '읊다'의 겹받침은 모두 [ㄹ]로 발음한다. (○, ×)

4 '깎아서', '덮이다' 등과 같은 받침을 발음할 때 뒤에 오는 단어가 실질적인 의미가 없으므로 제 소릿값으로 뒤 음절의 첫소리로 발음한다. (○, ×)

5 '옷'은 [□]으로, '옷 안'은 [□□]으로, '옷을'은 [□□]으로 발음한다.

(5) 이중 모음의 표준 발음

'ㅑ, ㅒ, ㅕ, ㅖ, ㅘ, ㅙ, ㅛ, ㅝ, ㅞ, ㅠ, ㅢ'는 이중 모음으로 발음한다. 다만, 다음과 같은 예외가 있다.

용언의 활용형에 나타나는 '져, 쪄, 쳐'는 [저, 쩌, 처]로 발음한다.	예 커져[커저], 쪄서[쩌서], 다쳐[다처]
'예, 례' 이외의 'ㅖ'는 [ㅔ]로도 발음한다.	예 시계[시계/시게]
자음을 첫소리로 가지고 있는 음절의 'ㅢ'는 [ㅣ]로 발음한다.	예 희망[히망], 무늬[무니]
단어의 첫음절 이외의 '의'는 [ㅣ]로, 조사 '의'는 [ㅔ]로 발음함도 허용한다.	예 주의[주의/주이], 너의[너의/너에]

2 올바른 표기

(1) 단어의 표기 원리

[한글 맞춤법 제1장 총칙 제1항] 한글 맞춤법은 표준어를 소리대로 적되, 어법에 맞도록 함을 원칙으로 한다.

표준어를 소리 나는 대로 적는 방법	예 가위[가위], 설거지[설거지]
단어의 의미를 쉽게 파악하기 위해 원래 형태를 밝혀 적는 방법	예 책꽂이[책꼬지], 꽃과[꼳꽈]

(2) '안'과 '않'의 표기

아니 →(줄여서) 안 (부사(수식언))	예 그곳에 안 갔다.
아니하– →(줄여서) 않– (동사·형용사(용언))	예 그곳에 가지 않았다.

(3) '되'와 '돼'의 표기

되– + –고 = 되고	예 나는 가수가 되고 싶어.
되– + –어 = 되어 →(줄여서) 돼	예 이 책 빌려가도 돼.

(4) 발음이 같은 단어의 표기

다치다	부딪쳐서 상하다.	예 발을 다쳤다.
닫히다	'닫다'의 피동형	예 문이 닫혔다.
마치다	어떤 일이나 과정, 절차 등이 끝나다.	예 수업을 마치고 학원에 갔다.
맞히다	문제의 답이 틀리지 않게 하다.	예 한 문제만 틀리고 다 맞혔다.
반드시	꼭, 틀림없이.	예 그는 반드시 온다.
반듯이	비뚤어지거나 기울거나 굽지 않고 바르게.	예 선을 반듯이 그어라.

꼼꼼 확인 문제

6 자음을 첫소리로 가지고 있는 음절의 'ㅢ'는 [ㅣ]로 발음하므로, '늴리리'는 [□□□]로 발음한다.

7 '우리의'는 [우리의]로 발음하는 것이 원칙이지만, [우리에]로 발음하는 것도 허용한다. (○, ×)

8 한글 맞춤법은 표준어를 소리대로 적되, 어법에 맞도록 함을 원칙으로 한다. (○, ×)

9 '안'은 '□□'을/를 줄여서 쓴 말이고, '않다'는 '□□□□'을/를 줄여서 쓴 말이다.

10~11 <보기>를 참고하여 다음 문장에서 올바른 표기를 고르시오.

| 보기 |
'ㅚ' 뒤에 '–어, –었–'이 어울려 'ㅙ, ㅙㅆ'으로 될 적에는 준 대로 적는다.

10 수민이의 꿈은 상담사가 (되는, 돼는) 것이다.

11 그분 말을 듣고 안심이 (됬습니다, 됐습니다).

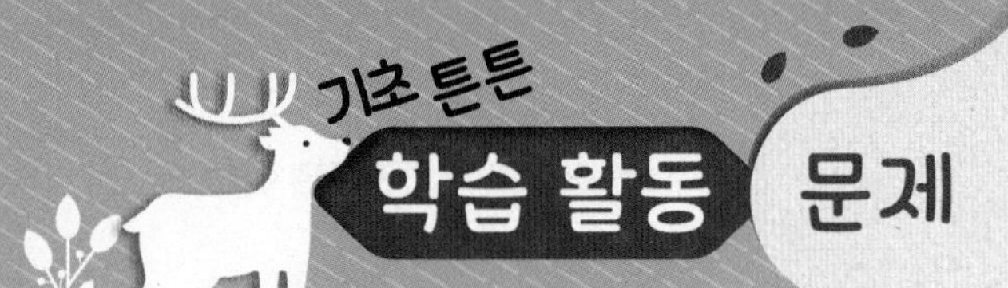

받침소리의 발음 알기

시험에는 이렇게

1 다음 중 받침소리의 발음이 나머지와 다른 것은?

① 닻
② 잣
③ 낮
④ 삽
⑤ 히읗

1 다음 활동을 통해 받침소리의 발음을 알아보자.

(1) 다음 단어를 소리 나는 대로 써 보자.

박[ ]	안[ ]	낟[ ]	밖[ ]
삽[ ]	밤[ ]	낫[ ]	낮[ ]
달[ ]	강[ ]	낯[ ]	낱개[ ]
났다[ ]	부엌[ ]	히읗[ ]	숲[ ]

(2) (1)을 바탕으로 빈칸에 알맞은 자음을 써 보자.

우리말은 받침소리로 '( ), ㄴ, ( ), ( ), ㅁ, ( ), ㅇ'의 7개 자음만 발음한다.

단어의 정확한 발음 알기

시험에는 이렇게

2 다음 문장에서 밑줄 친 부분의 발음이 알맞은 것은?

① 이 옷은[오든] 너무 작아.
② 잎으로[이프로] 피리 소리를 내 봐.
③ 우리 담임[다님] 선생님은 일찍 오셔.
④ 귀한 물건이니 옷 안에[오사네] 넣어 가라.
⑤ 우리 실력에 상대편은 무릎을[무르블] 꿇었다.

2 다음 말들을 발음해 보고, 제시된 조건을 연결해 보면서 받침 'ㅍ'의 발음이 어떻게 달라지는지 알아보자.

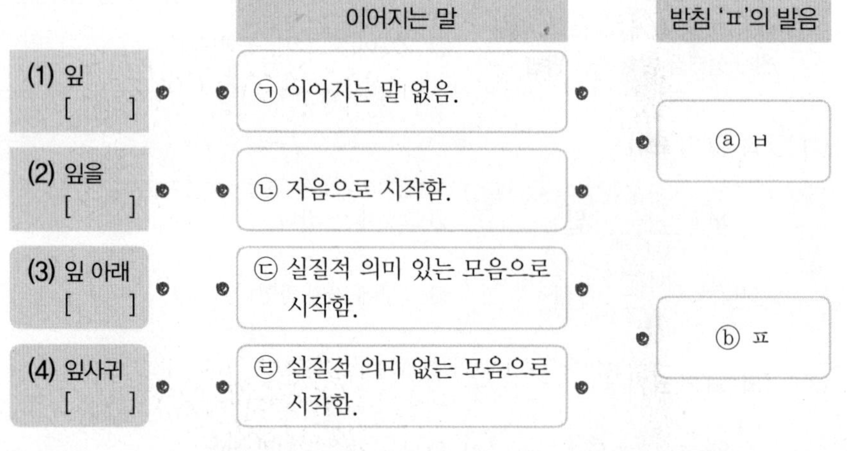

이중 모음 'ㅢ'의 발음 알기

시험에는 이렇게

3 다음 중 '민주주의의 의의'의 발음으로 잘못된 것은?

① [민주주의의 의의]
② [민주주의에 의이]
③ [민주주이에 의이]
④ [민주주이의 이의]
⑤ [민주주이의 의의]

3 다음 대화를 참고하여 '의'를 정확하게 발음한 것을 모두 골라 보자.

서우: '민주주의의 의의'를 어떻게 발음해야 하는지 조사하는 숙제 좀 도와주세요.
삼촌: 'ㅢ' 발음에 관한 숙제인가 보구나. 'ㅢ'는 발음할 때 입술 모양이나 혀의 위치가 변하는 이중 모음 중 하나야. 그렇지만 발음하기가 너무 어려워서 자음을 첫소리로 가지고 있는 음절의 'ㅢ'는 [ㅣ]로 발음해야 한단다. 그리고 단어의 첫음절 이외의 '의'는 [ㅣ]로, 조사 '의'는 [ㅔ]로 발음하는 것도 허용하고 있단다.

(1) 청소년은 우리의[우리에, 우리으, 우리의] 희망[희망, 히망]이다.

(2) 이번 회의의[회의에, 회의의, 회이에, 회이의] 결론은 이것입니다.

발음이 비슷해 헷갈리는 단어의 표기 구분하기

시험에는 이렇게

4 다음 문장의 밑줄 친 부분의 표기가 바르지 못한 것은?

① 짐을 외국으로 부쳤다.
② 반드시 책임을 져야 해.
③ 감기가 어서 낳기를 바란다.
④ 내가 그 문제의 정답을 맞혔다.
⑤ 우리 수업 마치고 간식 먹으러 갈래?

4 다음 활동을 통해 한글 맞춤법의 필요성을 알아보자.

(1) 다음 문장을 소리 나는 대로 써 보자.

나는 길을 걷다가 본 꽃의 이름이 궁금했다.

(2) (1)의 문장에서 표기와 소리가 일치하는 단어와 그렇지 않은 단어로 나누어 보자.

표기와 소리가 일치하는 단어	표기와 소리가 일치하지 않는 단어

(3) (1)~(2)를 바탕으로 한글 맞춤법이 필요한 까닭을 정리해 보자.

모든 말을 소리 나는 대로만 쓰면 □□□□이 원활하게 이루어지지 않기 때문에 한글 맞춤법이 필요하다.

'안'과 '않'의 표기 구분하기

시험에는 이렇게

5 다음 문장에서 '안'과 '않'의 표기가 알맞은 것은?

① 잠이 않 와서 책을 읽었다.
② 비가 오지 안아 걱정이야.
③ 나는 그 말을 하지 안았어.
④ 나는 이제 자전거를 타지 않겠다.
⑤ 아침밥을 않 먹으면 집중력이 떨어진대.

5 〈보기〉를 참고하여 '안'과 '않-'의 쓰임의 차이를 정리해 보자.

보기

• 아침을 아니 먹었다. ⇒ 아침을 안 먹었다.
• 책을 읽지 아니하다. ⇒ 책을 읽지 않다.

(1) '안'은 부정 또는 반대의 뜻을 나타내는 부사 '□□'를 줄여서 쓴 말이다.

(2) '않-'은 앞말이 뜻하는 행동이나 상태를 부정하는 뜻을 나타내는 동사 또는 형용사 '□□□-'를 줄여서 쓴 말이다.

'되'와 '돼'의 표기 구분하기

시험에는 이렇게

6 다음 문장에서 잘못 쓰인 말을 찾아 바르게 고쳐 쓰시오.

시냇물이 얼어서 얼음이 됬어.

6 〈보기〉의 내용을 참고하여 다음 문장에서 올바른 표기를 찾아 ○표를 해 보자.

보기

[한글 맞춤법 제35항] 모음 'ㅗ, ㅜ'로 끝난 어간에 '-아/-어, -았-/-었-'이 어울려 'ㅘ, ㅝ', 'ㅘㅆ/ㅝㅆ'으로 될 적에는 준 대로 적는다.
[붙임 2] 'ㅚ' 뒤에 '-어, -었-'이 어울려 'ㅙ, ㅙㅆ'으로 될 적에도 준 대로 적는다.

(1) 지영: 삼촌! 일요일에 삼촌 댁에 놀러 가도 (되요 / 돼요)?
(2) 삼촌: 일정을 (보아야 / 봐야) 알겠지만 어려울 것 같아. 다음 주는 어때?
(3) 지영: 네, 그럼 다음 주 일요일에 (뵈요 / 봬요).
(4) 삼촌: 그래, 그러자. 우영이도 (될 / 됄) 수 있으면 데려오고!

시험에는 이렇게 정답 1④ 2② 3④ 4③ 5④ 6 '됬어' → '되었어' 또는 '됐어'

1 단어의 정확한 발음과 표기

핵심 콕콕
- 단어의 올바른 발음 이해하기
- 단어의 올바른 표기 이해하기

1 다음 대화에서 남학생이 고려해야 할 점으로 가장 알맞은 것은?

> 남학생: 신이시여! 제게 빛을[비슬] 내려 주소서!
> 여학생: 빗? 나 빗 있는데 빌려줄까?

① 상대방의 상황을 고려하며 말해야 한다.
② 상대방의 지식수준을 고려하여 말해야 한다.
③ 표준어를 사용해야 정확하게 소통할 수 있다.
④ 올바르게 발음해야 자신의 의도를 정확하게 전달할 수 있다.
⑤ 발음에 따라 여러 가지 의미로 해석되는 단어는 사용을 유의해야 한다.

2 받침 'ㅅ'의 발음이 같은 것끼리 바르게 묶은 것은?

> ㉠ 옷 ㉡ 옷이 ㉢ 옷 위 ㉣ 옷차림 ㉤ 옷을

① ㉠, ㉡, ㉢ ② ㉠, ㉢, ㉣
③ ㉡, ㉢, ㉣ ④ ㉡, ㉣, ㉤
⑤ ㉢, ㉣, ㉤

3 다음 단어의 발음이 바르지 않은 것은?

① 내 곁을[겨틀] 떠나지 마세요.
② 몸을 항상 따뜻이[따뜨치] 하여라.
③ 이 그림은 값을[갑쓸] 매길 수가 없다.
④ 아이가 중심을 잃고[일코] 쓰러질 뻔했다.
⑤ 밭을[바틀] 갈았더니 밭이[바치] 좋게 변했다.

서술형

4 <보기>의 질문에 대한 답을 할 때 ㉠, ㉡에 들어갈 말을 차례대로 쓰시오.

> 보기
> 궁금해: '넓죽한'의 발음은 어떻게 해야 하나요?
> 발음왕: 겹받침 'ㄼ'이 자음 앞에 오는 '넓다'의 경우, '넓'은 [㉠](으)로 발음하지요. 하지만 '넓적하다[넙쩌카다], 넓둥글다[넙뚱글다]'와 같은 예외적인 경우, '넓'은 [넙]으로 발음합니다. 그러므로 '넓죽한'의 발음은 [㉡]입니다.

5 다음 밑줄 친 단어와 그 발음이 알맞지 않은 것은?

> 도시락을 먹고 나서 삼 형제는 흙장난을 하러 나갔습니다. 화단에 핀 꽃을 지나 정원 한 켠에 자리를 잡았습니다. 첫째와 둘째는 흙을 파며 놀았고, 막내는 겉옷을 벗고 흙 위를 굴렀습니다.

① 흙장난[흑짱난] ② 꽃을[꼬츨]
③ 흙을[흐글] ④ 벗고[번꼬]
⑤ 흙 위[흐귀]

6 ㉠~㉤ 중, 발음이 올바른 것끼리 묶은 것은?

> 재선: 여기가 바로 창덕궁 후원이야.
> 희정: 그 유명한 창덕궁 후원을 내가 ㉠밟게[밥께] 되다니!
> 재선: 창덕궁 후원은 예약해야 입장할 수 있어.
> 희정: 네 ㉡덕분에[덕부네] ㉢이렇게[이렇게] 아름다운 경치를 보네. ㉣후원의[후워네] 연못이 정말 아름다워.
> 재선: 맞아. 연못가의 나무들도 참 ㉤굵다[국따]. 오래된 나무들인가 봐.

① ㉠, ㉡, ㉢ ② ㉠, ㉡, ㉣
③ ㉠, ㉢, ㉣ ④ ㉠, ㉢, ㉤
⑤ ㉠, ㉣, ㉤

7 다음 단어 중 겹받침 소리가 첫 번째 받침의 대표음으로 발음되지 않는 것은?

① 얹다 ② 짧다 ③ 핥다
④ 읊다 ⑤ 없다

8 다음 밑줄 친 단어의 발음이 올바른 것은?

① 꽃을 꺾지 마세요. → [꺽찌]
② 오리는 다리가 짧다. → [짭따]
③ 그 책은 아주 재미있다. → [재미이따]
④ 나는 육 남매 중 여섯째이다. → [여설째]
⑤ 철수는 책을 읽고 잠이 들었다. → [익고]

9 다음 일기 예보에서 밑줄 친 부분의 발음이 잘못된 것은?

> 휴일인 오늘 맑고 파란 하늘이 기분을 더욱 좋게 만들어 줍니다. 나들이 가시는 분이 많으실 텐데요. 다만, 볕을 가려 줄 구름이 없어서 자외선 지수가 매우 높으니 주의 바랍니다.

① 맑고[말꼬] ② 많으실[마느실]
③ 볕을[벼슬] ④ 없어서[업써서]
⑤ 높으니[노프니]

10 다음 문장의 밑줄 친 단어 중, 〈보기〉에 해당하는 예로 알맞지 않은 것은?

> 보기
> 표준 발음법 제14항 겹받침이 모음으로 시작된 조사나 어미, 접미사와 결합되는 경우에는, 뒤엣것만을 뒤 음절 첫소리로 옮겨 발음한다.(이 경우, 'ㅅ'은 된소리로 발음함.)

① 조용히 앉아서 기다리세요.
② 자기 몫을 자기가 챙겨야 한다.
③ 도형의 넓이와 둘레를 알아보자.
④ 닭이 먼저일까? 달걀이 먼저일까?
⑤ 사람의 값어치는 돈으로 매길 수가 없다.

11 다음 표준 발음법 규정에 맞게 발음하지 못한 것은?

> 제15항 받침 뒤에 모음 'ㅏ, ㅓ, ㅗ, ㅜ, ㅟ'들로 시작되는 실질 형태소가 연결되는 경우에는, 대표음으로 바꾸어서 뒤 음절 첫소리로 옮겨 발음한다.

① 꽃 위[꼬뒤] ② 겉옷[거솓]
③ 맛없다[마덥따] ④ 헛웃음[허두슴]
⑤ 밭 아래[바다래]

12 다음 단어 중, 받침소리가 다른 하나를 고르시오.

> 외곬 읽지 닮은 늙어 젊으니

13 단어의 발음과 그에 대한 설명이 바르게 연결되지 않은 것은?

①	삶[삼]	겹받침 'ㄻ'은 어말인 경우 [ㅁ]으로 발음한다.
②	밝아[발가]	겹받침 'ㄺ'은 모음 앞에서 [ㄱ]으로 발음한다.
③	읊다[읍따]	겹받침 'ㄿ'은 자음 앞에서 [ㅂ]으로 발음한다.
④	닦다[닥따]	쌍받침 'ㄲ'은 자음 앞에서 대표음 [ㄱ]으로 발음한다.
⑤	묽고[물꼬]	용언의 어간 말음 'ㄺ'은 'ㄱ' 앞에서 [ㄹ]로 발음한다.

14 밑줄 친 단어 중, 받침 'ㅎ'을 발음하지 않는 것은?

① 옳지, 참 잘했다.
② 우리 사이좋게 지내자.
③ 너를 보니 마음이 놓여.
④ 그는 볼수록 정말 괜찮다.
⑤ 나는 마음을 솔직하게 털어놓는 편이야.

15 〈보기〉의 표준 발음법 규정을 참고하여 다음 물음에 대한 답을 쓰시오.

> 보기
> 제5항 'ㅑ, ㅒ, ㅕ, ㅖ, ㅘ, ㅙ, ㅛ, ㅝ, ㅞ, ㅠ, ㅢ'는 이중 모음으로 발음한다.
> 다만 3. 자음을 첫소리로 가지고 있는 음절의 'ㅢ'는 [ㅣ]로 발음한다.
> 다만 4. 단어의 첫음절 이외의 '의'는 [ㅣ]로, 조사 '의'는 [ㅔ]로 발음함도 허용한다.

> '무늬'의 발음은 [무늬]일까? [무니]일까?

16 밑줄 친 단어 중, 'ㅢ'로 발음할 수 없는 것은?

① 의사가 제 병을 못 고친다.
② 주의를 살피고 길을 건너라.
③ 선생님의 의상이 참 예쁘네요.
④ 미수는 흰 옷을 좋아한다고 말했다.
⑤ 그녀는 아픈 친구의 가방을 들어 주었다.

17 다음 문장에 대한 반응으로 적절하지 않은 것은?

> 꼬치 매우 아름다워서 꼰만 보고 꼳꽈 함께 살고 십따.

① 산호: 단어를 소리 나는 대로만 표기하였군.
② 주연: 하나의 단어가 다양한 형태로 표기되었어.
③ 지우: 단어의 의미를 파악하는 데 시간이 걸리겠어.
④ 미주: 단어의 원래 형태를 밝혀 적는 방법이 필요해.
⑤ 서윤: 우리말은 발음과 표기가 일치하지 않으니 올바른 표기법을 익혀야 해.

18 다음 밑줄 친 단어를 바르게 고치지 못한 것은?

> •설겆이를 하면 달갈말이 무료 제공!
> •입가심으로 먹기 조은 빙수 있슴!
> •정신도 놓고 갈 맛! 떡볶기가 매워도 맛있어요.

① 설겆이 → 설거지 ② 달갈말이 → 달걀마리
③ 조은 → 좋은 ④ 있슴 → 있음
⑤ 떡볶기 → 떡볶이

서술형

19 다음 문자 메시지를 보고, 잘못 표기한 단어를 찾아 바르게 고쳐 쓰시오.

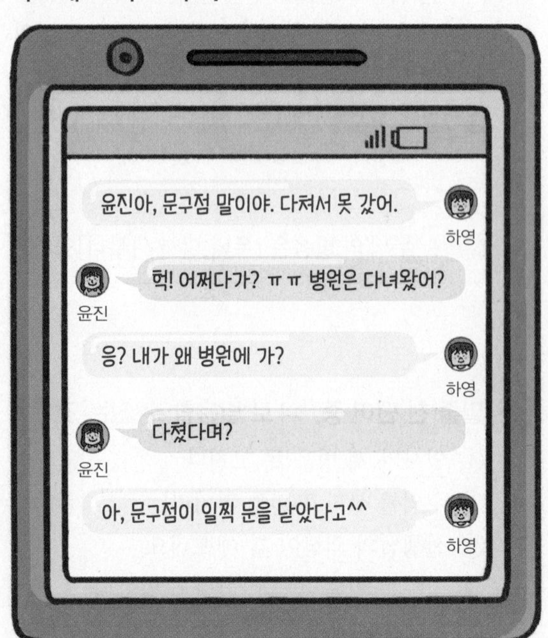

20~21 다음 글을 읽고, 물음에 답하시오.

□ 민재의 일상

고마운 친구

나는 ⓐ덜렁거리는 것을 ⓑ않 좋아하는데, 그날은 ⓒ왠지 이상했다. 발을 ⓓ헛디뎌 옆에 있던 선호에게 음식을 쏟아, 잘 ⓔ다려 입은 선호의 교복이 엉망이 돼 버린 것이다. 나는 얼른 물휴지로 얼룩을 닦아 보았지만, 지워지지 않았다. 무척 난처했다. 그런데 선호가 체육복을 입고 있으면 됐다며, 내게 싱긋 웃어 주는 것이 아닌가! 선호에게 정말 미안하고 고마웠다.

↳ 댓글
민재의 글 재미있게 읽었어. 그런데 이 글을 읽다 보니 민재가 헷갈려 하는 표기가 있네. '돼'는 '되어'가 줄어든 말이므로 '되어'로 쓸 수 있으면 '돼'로 적고, 그렇지 않으면 '되'로 적어.

20 이 글의 댓글 내용을 참고할 때, 다음 문장의 '되다'와 '돼다'의 쓰임이 바르지 않은 것은?

① 어느새 밤이 됐다.
② 밥이 맛있게 돼서 좋아.
③ 그 말을 듣고 고민이 됬습니다.
④ 나는 자라서 선생님이 되고 싶어.
⑤ 씨앗이 자라서 꽃이 되는 과정이 흥미롭다.

21 ⓐ~ⓔ 중, 잘못 표기한 말에 대한 조언으로 가장 적절한 것은?

① ⓐ: '덜렁거리는'을 표준어인 '덜렁대는'으로 표기하는 것이 좋겠어.
② ⓑ: '않'은 '아니하-'가 줄어든 말이니, '아니'가 줄어든 부사 '안'으로 써야 해.
③ ⓒ: '왜 그런지 모르게'의 뜻을 가진 말은 '웬지'가 맞아.
④ ⓓ: '헛디뎌'는 소리 나는 대로 '헏디뎌'로 적어야 해.
⑤ ⓔ: '다려'와 '달여'의 발음은 같지만 그 뜻은 달라. 이 경우에는 '달여'라고 써야 해.

22 다음 중 한글 맞춤법에 따라 바르게 표기하지 못한 것은?

① 지난번에 뵀던 분이요?
② 줄을 꽈 만든 공예품이야.
③ 그 물건은 서랍 안에 뒀다.
④ 오랜만에 밖에 나가 바람을 쐈다.
⑤ 그녀의 두 눈에 눈물이 가득 괐다.

23 다음 댓글 중, 잘못된 표기를 찾아 바르게 고쳐 쓰시오.

[연예계 뉴스]
가수 ○○○ 과로로 쓰러져…….

↳ 1호팬: 오빠, 빨리 낳으세요. ㅠㅠ
↳ ○○○바라기: '낳으세요'가 뭡니까? 애 낳는 것도 아니고. 오빠, 빨리 낫으세요!
↳ 세종대왕: 하…….

24 밑줄 친 단어 중, 발음과 표기가 일치하는 것은?

① 나는 풀잎을 밟으면서 산을 올라갔다.
② 어디서 이따금 개 짖는 소리가 들리지?
③ 그는 밤낮을 모르고 만화책만 읽고 있다.
④ 밤이 깊어 갈수록 별빛은 더욱더 빛난다.
⑤ 아버지는 몸을 납작하더니 땅에 엎드렸다.

25 다음 문장의 빈칸 중, '부치다'가 들어가기에 가장 알맞은 것은?

① 책상을 벽에 ________.
② 봉투에 우표를 ________.
③ 외국으로 짐을 ________.
④ 친구에게 별명을 ________.
⑤ 피아노 연주에 취미를 ________.

26 다음 문장의 밑줄 친 단어가 모두 바르게 표기된 것은?

① 너 어떻게 학교에 왔어? 오늘도 늦으면 어떡해?
② 교복이 누렇게 바래도 우리의 우정은 영원하길 바래.
③ 문제를 풀고 나서 친구와 답을 맞추어 보니 한 문제만 틀리고 모두 맞추었다.
④ 선생님은 시곗바늘을 가리키며 아이들에게 시계 보는 법을 가리키고 있다.
⑤ 반드시 앉아 책을 읽기 시작한 동생은 이번에는 반듯이 끝까지 읽겠다고 다짐했다.

27 다음 글에서 ㉠~㉤의 표기가 올바른 것은?

오늘은 친구 희정이와 함께 전통 시장에 갔다. 생긴 지 110년이 넘은 시장인데 ㉠음식에 맛이 좋기로 유명한 곳이다. 빈대떡, ㉡육계장 등 싸고 맛있는 음식을 많이 팔고 있었다.
우리는 맛집으로 유명한 식당에서 ㉢순두부찌게를 먹었는데 반찬으로 나온 ㉣오이소박이가 정말 시원하고 맛있었다. 평소에 오이를 ㉤건들이지도 않는 희정이도 감탄한 맛이었다.

① ㉠ ② ㉡ ③ ㉢ ④ ㉣ ⑤ ㉤

28 ㉠~㉤을 한글 맞춤법 규정에 맞게 표기하지 못한 것은?

㉠하라버지가 다구리 아프로 가면 쪼르르 몰려드러 하라버지를 ㉡살갑께 마자 주고는 함니다. 물론 머글 껄 주려나 하고 몰려드는 거시지만 마림니다.
㉢아를 나아 줄 꺼시고, 또 ㉣아프로 병아리를 깨어 줄 달기 하라버지에게는 가까운 친구, 아니 ㉤가족꽈 다르미 업썬씀니다.

① ㉠: 할아버지가 닭 우리 앞으로 가면
② ㉡: 살갑게 맞아 주고는 합니다.
③ ㉢: 알을 나아 줄 것이고
④ ㉣: 앞으로 병아리를 깨어 줄 닭이
⑤ ㉤: 가족과 다름이 없었습니다.

• 정답과 해설 36쪽

단어의 정확한 발음

받침의 발음

받침	발음	예
ㄱ, ㄲ, ㅋ	[ㄱ]	속[속], 밖[박], 녘[녁]
ㄴ	[ㄴ]	문[문]
ㄷ, ㅅ, ㅆ, ㅈ, ㅊ, ㅌ, ㅎ	[❶□]	곧[곧], 옷[옫], 있다[읻따], 빚[빋], 꽃[꼳], 솥[솓], 히읗[히읃]
ㄹ	[ㄹ]	말[말]
ㅁ	[ㅁ]	섬[섬]
ㅂ, ㅍ	[ㅂ]	집[집], 짚[❷□]
ㅇ	[ㅇ]	공[공]

겹받침의 발음

	받침	발음	예
첫 번째 받침의 대표음으로 발음하는 경우	ㄳ	[ㄱ]	삯[삭]
	ㄵ	[ㄴ]	앉다[안따]
	ㄼ, ㄽ, ㄾ	[ㄹ]	넓다[❸□□], 곬[골], 핥다[할따]
	ㅄ	[ㅂ]	[업:따]
두 번째 받침의 대표음으로 발음하는 경우	ㄺ	[ㄱ]	긁다[극따]
	ㄻ	[ㅁ]	젊다[점:따]
	ㄿ	[ㅂ]	읊다[읍따]

이중 모음 'ㅢ'의 발음

	발음	예
원칙	[ㅢ]	의자[의자], 의상[의상]
자음을 첫소리로 가지고 있는 음절의 'ㅢ'	[❹□]	띄어쓰기[띠어쓰기/띠여쓰기], 무늬[무니]
단어의 첫음절 이외의 '의'	원칙: [ㅢ] / 허용: [ㅣ]	협의[혀븨/혀비]
조사 '의'	원칙: [ㅢ] / 허용: [❺□]	너의[너의/너에]

단어의 정확한 표기

한글 맞춤법

- 우리말을 한글로 표기할 때의 원리와 규칙을 밝혀 놓은 것
- 우리말을 한글로 표기하는 원칙에는 두 가지가 있는데, 하나는 '하늘[하늘]'과 같이 표준어를 소리 나는 대로 적는 방법이고, 다른 하나는 '짚어[❻□□]'처럼 단어의 원래 형태를 밝혀 적는 방법임.

• 정답과 해설 36쪽

담화의 개념과 특성

1 담화의 개념과 구성 요소

(1) 담화의 개념

담화란 말하는 이(글쓴이)와 듣는 이(읽는 이)를 포함하여 구체적인 맥락 속에서 이루어지는 발화(문장)나 발화의 연속체를 말한다.

(2) 담화의 구성 요소

담화 참여자	말하는 이(글쓴이), 듣는 이(읽는 이)
맥락	의사소통에 영향을 미치는 여러 가지 배경이나 환경(상황 맥락, 사회·문화적 맥락)
내용	전달하려는 내용

2 담화의 상황 맥락

담화에 직접적으로 영향을 미치는 것으로, 담화 참여자의 처지, 시간적·공간적 상황, 담화 참여자의 의도와 목적 등을 말한다.

(1) 담화 참여자의 처지: 말하는 이(글쓴이)와 듣는 이(읽는 이)의 처지나 관계에 따라 의미가 다르게 해석될 수 있다.

음식점 주인과 손님	치과 의사와 환자

식사하기에 불편한 점은 없으셨나요?

서비스나 음식 맛이 괜찮았나요? [해석] 식사하실 때 아픈 이는 없으셨나요?

(2) 시간과 공간: 의사소통이 이루어지는 구체적인 시간과 공간에 따라 의미가 다르게 해석될 수 있다.

등굣길에 교문 근처에서	점심시간에 교실에서

큰일 났어! 지각이야!
5분 남았어.
야! 매점 가자!
5분 남았어.

5분이나 남았어. [해석] 5분밖에 남지 않았어.

꼼꼼 확인 문제

1 구체적인 맥락 속에서 이루어지는 발화나 발화의 연속체를 □□(이)라고 한다.

2 담화에 영향을 미치는 여러 가지 배경이나 상황을 □□(이)라고 한다.

3 담화의 맥락은 □□ 맥락과 사회·문화적 맥락으로 구분할 수 있다.

4 상황 맥락은 담화에 간접적으로 영향을 미치는 요소이다. (○, ×)

5 말하는 이(글쓴이), 듣는 이(읽는 이)의 처지나 관계에 따라 담화의 의미 해석이 달라질 수 있다. (○, ×)

6 같은 말도 언제, 어디에서 말하느냐에 따라 의미가 달라질 수 있다. (○, ×)

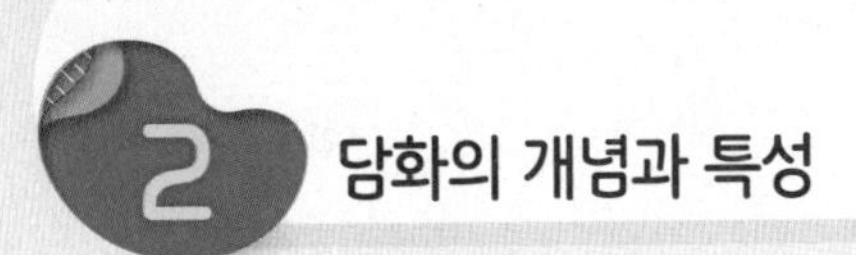

2 담화의 개념과 특성

• 정답과 해설 36쪽

(3) **의도와 목적**: 담화 참여자의 의도나 목적에 따라 의미가 다르게 해석될 수 있다.

궁금증 해소의 의도		질책의 의도
텔레비전 프로그램이 재미있니?	해석	넘어진 걸 보고 웃으면 안 되지.

3 담화의 사회·문화적 맥락

담화에 영향을 주는 역사적·사회적 상황, 언어 공동체의 의식이나 가치, 지역, 세대, 문화 등을 말한다.

구분	내용
지역	같은 언어 안에서도 지역적인 차이에 의해 말이 달라지기도 함(지역 방언). 예 제주도 지역에서는 '고생했어.'라는 말을 '속았져.'라고 사용하기도 함.
세대	세대에 따라 어휘, 문장 종결 방식 등에 차이가 있기도 함. 예 젊은 세대는 '공구', '만찢남'과 같은 줄임말이나 온라인상의 용어를 즐겨 사용하고, 어른 세대는 '춘부장'과 같은 한자어나 격식적인 표현을 자주 사용함.
문화	문화권에 따라 그 나라만의 관습적인 언어 표현이 있음. 예 한국인이 뜨거운 국물을 먹으면서 '시원하다.'라고 표현하는 것을 다른 나라 사람들은 이해하지 못함.
성별	남녀 성별에 따라 사용하는 어휘가 다름. 예 여성은 손위 형제자매를 부를 때 '오빠', '언니'라는 말을 주로 사용하고, 남성은 '형', '누나'라는 말을 주로 사용함.
역사적 상황	특정한 역사를 배경으로 한 담화 표현이 있음. 예 넬슨 만델라의 연설을 들을 때 '아파르트헤이트 정책'의 의미는 남아프리카 공화국과 넬슨 만델라에 대한 역사적 상황을 알아야 이해할 수 있음.

4 담화의 특성과 의사소통 방법

(1) 담화의 특성

담화는 내용이 하나의 주제로 통일되어야 하고, 담화를 이루는 문장들은 적절한 접속어나 지시어 등으로 긴밀하게 연결되어야 한다.

(2) 담화 상황을 고려한 의사소통 방법

- 담화의 구체적인 뜻은 맥락 속에서 결정되므로 원활하게 의사소통하려면 맥락을 고려해야 한다.
- 말하는 목적을 분명하게 하여 오해나 혼란을 일으키지 않게 하고, 상황이나 내용에 맞게 적절하게 표현해야 한다.
- 사회·문화적 맥락을 고려하여 상대와의 인종, 국적, 지역, 성별 등에 따른 차이를 인정하고, 차별적인 표현을 사용하지 않아야 한다.

꼼꼼 확인 문제

7 같은 언어를 사용하는 사람들 사이에도 지역적인 차이에 의해 말의 해석이 달라지기도 한다. (○, ×)

8 어른 세대는 젊은 세대와는 달리 '버카충', '문상'과 같은 줄임말이나 온라인에서 사용하는 말을 즐겨 사용한다. (○, ×)

9 한국인이 뜨거운 국물을 먹으면서 '시원하다'라고 표현하는 것을 다른 나라 사람들이 이해하지 못하는 이유는 □□의 차이 때문이다.

10 특정한 역사를 배경으로 한 담화는 담화 참여자가 그 역사적 상황과 정서를 공유하고 있을 때 원활하게 소통이 이루어질 수 있다. (○, ×)

11 담화는 내용이 하나의 주제로 □□되어야 담화의 의미를 분명하게 전달할 수 있다.

12 담화의 의미를 제대로 이해하고 원활하게 의사소통을 하려면 구체적인 맥락을 고려해야 한다. (○, ×)

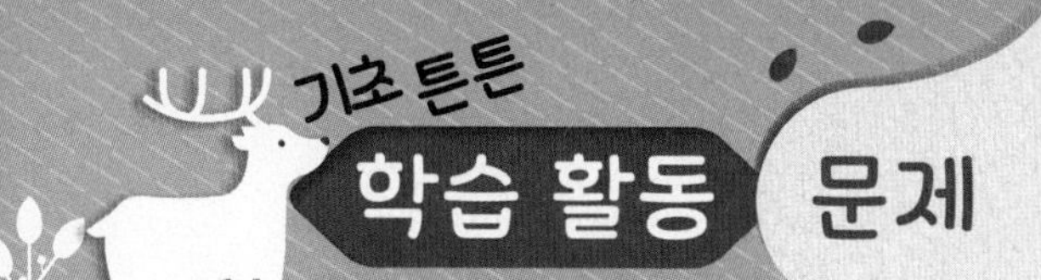

문제

• 정답과 해설 36쪽

담화의 구성 요소 이해하기

시험에는 이렇게

1 다음 중 담화의 구성 요소가 아닌 것은?

① 맥락
② 듣는 이
③ 말하는 이
④ 관찰하는 이
⑤ 말하려는 내용

1 다음 대화를 살펴보고, 담화의 구성 요소를 정리해 보자.

> 지영이는 ○○ 복지관 자원봉사자 모집 공고를 보고 학교를 마친 후 집에 가는 길에 ○○ 복지관에 들렀다.
>
> 지영: 안녕하세요?
> 복지관 담당자: 안녕하세요? 어떤 일로 오셨나요?
> 지영: 자원봉사자 모집 안내문을 보고 왔어요. 봉사 활동을 할 수 있을까요?
> 복지관 담당자: 네, 신청하려는 날짜는 언제인가요?
> 지영: 이번 주 일요일이요.
> 복지관 담당자: 그럼 그날 오전 8시까지 복지관으로 오시면 돼요.
> 지영: 네, 알겠습니다. 그럼 일요일에 뵐게요.

(1) 말하는 이와 듣는 이	
(2) 내용	
(3) 맥락	

상황 맥락 고려하기

시험에는 이렇게

2 다음 밑줄 친 말에 담긴 의미로 알맞은 것은?

> A: 축구 할래?
> B: 발을 다쳤어.

① 동의 ② 제안 ③ 거절
④ 충고 ⑤ 비난

2 (가)~(다)의 상황에서 다음과 같은 문구가 각각 어떤 뜻을 나타낼지 써 보자.

> 다른 사람을 배려해 주세요.

(가) 지하철 노약자석 앞: ____________________

(나) 도서관 열람실 안: ____________________

(다) 장애인 주차 구역 앞: ____________________

사회·문화적 맥락 고려하기

시험에는 이렇게

3 다음 담화 상황에서 원활한 의사소통이 이루어지지 않은 이유와 관련이 있는 것은?

> 손자: 할머니, 오늘 체육 대회 킹왕짱 재밌었어요.
> 할머니: 뭐라고? '킹왕짱'이 무슨 말이냐?

① 성별 ② 성격 ③ 세대
④ 지역 ⑤ 역사적 상황

3 (가)~(다)의 담화 상황에서 원활한 의사소통을 위해 고려할 점을 알아보자.

> (가) 아빠와 딸이 문자 메시지를 주고받는 상황
> 딸: 아빠! 저 남아공 해야 해서 오늘 좀 늦을 것 같아요.
> 아빠: 남아공? 갑자기 남아공은 왜? 그 나라를 조사하는 과제라도 있니?
>
> (나) 수민이의 집에 외국인 친구 파블로가 놀러 온 상황
> 수민 엄마: 차린 건 없지만 많이 먹으렴.
> 파블로: (수민에게) 음식이 이렇게 많은데 왜 차린 게 없다고 하시는 거야?
>
> (다) 제주도 삼촌 댁에 조카가 놀러 간 상황
> 주하: 삼촌, 아까 부탁하신 거 가지고 왔어요.
> 삼촌: 응, 주하야, 속았쩌.
> 주하: 속았다고요? 그럼 장난으로 말씀하신 거예요?

원활하게 의사소통하려면 (가)는 □□, (나)는 □□, (다)는 □□의 차이를 고려해야 한다.

시험에는 이렇게 정답 1④ 2③ 3③

2 담화의 개념과 특성

핵심 콕콕 • 담화의 개념과 구성 요소 이해하기
• 담화의 특성을 고려하여 의사소통하기

1 담화에 대한 설명으로 적절하지 않은 것은?

① 발화가 모여 하나의 이야기를 이룬 것이다.
② 담화의 내용은 하나의 주제로 통일되어야 한다.
③ 같은 내용의 담화는 언제, 어디서나 같은 의미를 지닌다.
④ 문장이 접속어나 지시어로 긴밀하게 연결되어야 의미 전달이 잘 된다.
⑤ 말하는 이와 듣는 이, 발화 내용, 담화가 이루어지는 상황으로 구성된다.

2~3 다음 담화 상황을 보고, 물음에 답하시오.

가

나 (아침에 체험 활동 장소에서, 한 친구가 다른 친구에게 무엇을 타고 왔는지 물어보는 상황)

지민: 어떻게 왔어?
소영: 난 버스 타고 왔어.

2 (가)에 제시된 담화 상황에 대한 설명으로 적절하지 않은 것은?

① 듣는 사람은 학생이다.
② 담화 시간을 알 수 없다.
③ 말하는 이의 의도를 알 수 있다.
④ 보건실에서 이루어진 담화이다.
⑤ 보건 선생님이 아픈 데가 어딘지 묻고 있다.

3 (가)와 (나)에서 같은 말의 의미를 다르게 해석하게 하는 요소와 거리가 먼 것은?

① 듣는 이가 처한 상황
② 담화가 이루어지는 시간
③ 담화가 이루어지는 공간
④ 담화 참여자들이 속한 문화
⑤ 말하는 이와 듣는 이의 관계

4 다음 담화의 의미를 정확하게 이해하기 어려운 이유로 가장 적절한 것은?

> 오빠: 그냥 나랑 같이 쓸까?
> 동생: 그래, 같이 써도 괜찮을 거야.
> 오빠: 같이 쓰려면 조금 작을 수도 있겠다.
> 동생: 불편하기는 하겠네.

① 담화에 통일성이 없기 때문에
② 담화의 참여자를 모르기 때문에
③ 오빠의 발화 의도를 모르기 때문에
④ 신조어와 줄임말을 사용하고 있기 때문에
⑤ 담화가 이루어지는 상황 맥락을 모르기 때문에

5 〈보기〉의 글에 나타난 담화의 구성 요소에 대한 설명으로 적절하지 않은 것은?

> 보기
> "아래층인데요, 댁이 그런 식으로 말할 건 없잖아요? 나도 참을 만큼 참았다구요. 공동 주택에는 지켜야 할 규칙들이 있잖아요? 난 그 소리 때문에 병이 날 지경이에요."
> "여보세요. 난 날아다니는 나비나 파리가 아니에요. 내 집에서 맘대로 움직이지도 못하나요? 해도 너무하시네요. 이틀거리로 전화를 해 대시니 저도 피가 마르는 것 같아요. 절더러 어쩌라는 거예요?"
> "하여튼 아래층 사람 고통도 생각하시고 주의해 주세요."
>
> – 오정희, 「소음 공해」

① 대화하는 사람은 위층 사람과 아래층 사람이다.
② 아래층 사람은 위층에서 나는 소음에 대해 항의하고 있다.
③ 위층 사람은 아래층 사람의 항의 전화에 불쾌해하고 있다.
④ 층간 소음 때문에 위층과 아래층 사람이 다투고 있는 상황이다.
⑤ 상대방의 처지를 고려하여 자신의 의도를 분명하게 전달하고 있다.

6 (가)와 (나)에 대한 설명으로 적절하지 않은 것은?

① (가)에서 말하는 이는 식당 주인이고, (나)에서 말하는 이는 치과 의사이다.
② (가)에서 듣는 이는 손님이고, (나)에서 듣는 이는 환자이다.
③ (가)는 식당에서 식사 중에 나눈 대화이고, (나)는 병원에서 진찰 중에 나눈 대화이다.
④ (가)는 식당 주인이 손님에게 평소 식사 습관에 대해 묻는 상황이다.
⑤ (나)는 치과 의사가 환자에게 치아 상태에 문제가 있는지 확인하고 있는 상황이다.

7 다음 담화 상황을 이해한 내용 중, 적절하지 않은 것은?

> 할머니: (사랑스러운 표정으로 얼굴을 쓰다듬으며) 우리 민지, 참 복스럽게 생겼다.
> 민지: (싫은 표정으로) 네? 제 얼굴이 복스럽다고요?
> 할머니: 그래, 복스럽다고.

① 민지와 할머니는 세대가 달라서 소통이 되지 않는 말이 있어.
② 맞아. '복스럽다'를 서로 다른 의미로 이해한 것처럼 말이야.
③ 민지는 '복스럽다'는 말을 뚱뚱하다는 의미로 받아들여 기분이 나쁜 것 같아.
④ 할머니는 민지를 배려하여 '뚱뚱하다'는 말을 '복스럽다'고 돌려서 표현하고 있어.
⑤ 할머니는 '모난 데가 없이 복이 있어 보여 보기 좋다'는 의미를 전하고 싶었을 거야.

8 〈보기〉의 말의 의미가 담화 상황과 의도에 맞게 바르게 연결된 것은?

> 보기
>
> "잘한다."

	담화 상황	의도
①	내 우산을 잃어버린 동생에게	격려
②	장난을 치다가 넘어진 언니에게	설득
③	축구 경기에서 골을 넣은 친구에게	비난
④	장난을 치다 화분을 깨트린 아들에게	칭찬
⑤	친구들이 싸우고 있는 모습을 바라보며	질책

9 다음은 외국인이 쓴 일기이다. 이 글을 통해 알 수 있는 점으로 가장 적절한 것은?

> 20○○년 ○월 ○일
>
> 한국말은 어려워
>
> 민재와 설렁탕을 먹으러 갔는데, 민재가 식당에서 일하는 아주머니에게 "이모, 여기 설렁탕 두 그릇 주세요."라고 했다. 그런데 우리 옆자리 손님도 "이모, 저희는 된장찌개요."라고 하는 것이 아닌가? 나는 깜짝 놀라 민재에게 "모두 친척이야?"라고 물었다. 민재는 웃으며 아니라고 말했다.
>
> 한국 사람들은 왜 아무에게나 '이모'라고 부르는 걸까? 나는 잘 모르겠다. 한국말은 참 어렵다.

① 남녀 성별의 차이가 언어 표현에 반영될 수 있다.
② 관용 표현을 사용하면 의사소통에 큰 도움이 될 수 있다.
③ 말하는 이의 발화 의도에 따라 의미가 달라질 수 있다.
④ 문화의 차이가 의사소통을 하는 데 어려움을 일으킬 수 있다.
⑤ 지역에 따라 같은 의미를 나타내는 말이 다르게 통용될 수 있다.

2 담화의 개념과 특성

• 정답과 해설 36쪽

10~11 다음 담화를 보고, 물음에 답하시오.

희연: 아, 글씨 잘못 썼다. 지우개가 없네.
희연: (승재 자리로 가서) 승재야, ㉠지우개 있어?
승재: 응, 있어.
희연: (난감해하며) …….

서술형

10 상황 맥락을 고려하여 ㉠의 의미를 쓰시오.

11 이 담화에서 승재가 고려하지 못한 것은?

① 성별 ② 의도 ③ 세대
④ 지역 ⑤ 지식수준

12 다음 담화가 원활하게 이루어지지 않은 데 영향을 미친 요소로 알맞은 것은?

고모: 주연아, 고모 집에 오랜만이지? 너 줄라고 푸짐허게 차렸으니께 싸게 먹어.
주연: 와, 갈비 맛있겠다! 그런데 고모, 여기는 갈비를 싸게 파나 봐요.
고모: 갈비가 싸다는 것이 아니고 식기 전에 밥이랑 빨리 먹으라는 말이여.
주연: 아하, 이제 이해했어요.

① 지역 ② 세대 ③ 성별 ④ 문화 ⑤ 의도

13 다음 손자와 할아버지 간 담화에서 의사소통에 문제가 생긴 이유로 적절한 것은?

손자: 할아버지, 이번에 공구로 산 옷인데 어때요?
할아버지: 집에 있는 공구를 팔아서 샀다는 거냐?
손자: 그게 아니에요. 어쨌든 잘 어울리죠? 만찢남 같지 않아요?
할아버지: 당최 무슨 말을 하는지 알 수가 없구나.

① 지역에 따른 단어의 의미 차이
② 문화에 따른 단어 사용의 차이
③ 시대에 따른 말하기 예절의 차이
④ 세대에 따른 언어 사용 방식의 차이
⑤ 사회적 지위에 따른 지식수준의 차이

14 다음 각 장소에서 〈보기〉의 문구가 쓰일 때, 그 의미가 적절하지 않은 것은?

| 보기 |
양심을 지키세요.

① (지하철역에서) 차례를 지키세요.
② (시험장에서) 부정행위를 하지 마세요.
③ (공원에서) 쓰레기를 함부로 버리지 마세요.
④ (도서관에서) 노약자에게 자리를 양보하세요.
⑤ (신호등 건널목 앞에서) 무단 횡단을 하지 마세요.

15 다음 학생들이 〈보기〉의 연설을 이해하는 데 어려움을 느낀 이유로 가장 적절한 것은?

| 보기 |
남아프리카 공화국의 흑인과 백인 대부분은 '아파르트헤이트'에 미래가 없다는 것을 잘 알고 있습니다. 평화와 안전을 위해, 우리는 결단력 있게 집단행동을 하여 인종 차별 체제를 끝내야 합니다. 자유를 얻기 위해 우리가 저항하고 행동할 때 민주주의는 우리의 눈앞에 다가올 것입니다.

자유를 위한 우리의 행진은 돌이킬 수 없습니다. 우리는 두려움이 우리의 길을 막도록 내버려 두어서는 안 됩니다. 통합되고 민주적이며 인종 차별이 없는 남아프리카 공화국에서 이루어지는, 모든 유권자가 참여하는 보통 선거만이 평화와 인종 화합을 이룰 수 있는 유일한 길입니다.

– 베로니크 타조, 『넬슨 만델라』

서영: '아파르트헤이트'가 뭐길래 이 연설자는 '아파르트헤이트'에 미래가 없다고 말하는 걸까?
재민: 나도 그 말을 이해하기 어려웠어. 그리고 이 연설자가 보통 선거를 주장하는 까닭도 잘 모르겠어.

① 연설하는 시간과 공간이 드러나지 않았기 때문에
② 연설자가 주장하는 내용이 현실과 다르기 때문에
③ 남아프리카 공화국의 지리적 위치를 모르기 때문에
④ 남아프리카 공화국의 역사적 상황을 모르기 때문에
⑤ 연설자가 말하고자 하는 바가 직접적으로 드러나지 않았기 때문에

● 정답과 해설 37쪽

담화의 개념

담화	구체적인 의사소통 상황에서 생각이 ❶□□ 단위로 실현된 것을 발화라고 하며, 이 발화가 모여서 이루어진 언어 단위를 ❷□□라고 함.

담화의 구성 요소

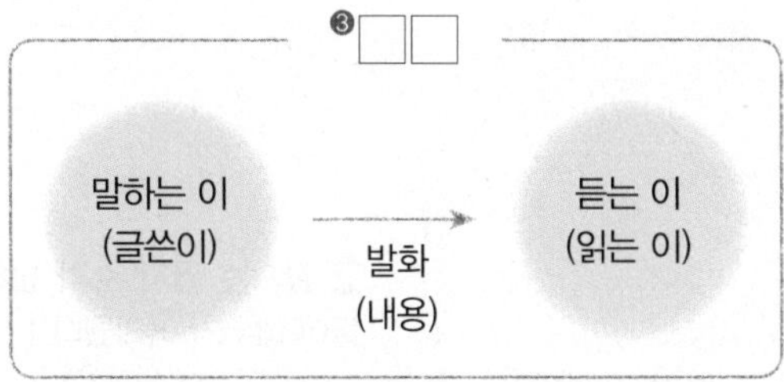

말하는 이와 듣는 이	담화의 참여자로, 자신의 생각을 표현하고 전달받는 사람
발화	의사소통에서 전달하고자 하는 내용
맥락	담화가 이루어지는 배경이나 환경

담화의 상황 맥락

말하는 이와 듣는 이

말하는 이와 듣는 이의 관계 및 화제에 대한 지식수준이나 관심 정도, 심리적 태도 등에 따라 담화의 ❹□□가 다르게 전달됨.

예 "식사하기에 불편한 점이 없으셨나요?"

식당 주인이 손님에게	치과 의사가 환자에게
음식 맛이나 서비스가 괜찮았는지 물음.	이가 아파서 불편한 점이 없었는지 확인함.

시간과 공간

같은 말이라도 언제, 어디에서 말하느냐에 따라 그 의미가 다르게 해석될 수 있음.

예 "연수야, 뭐하니?"

문구점에서 마주친 친구가	수업 시간에 교실에서 선생님이
무엇을 사려고 하는지 궁금해서 물음.	수업에 집중하지 않아 주의를 주고자 함.

의도와 목적

말하는 이의 의도나 목적에 따라 같은 언어 표현이라도 다양한 의미로 해석될 수 있음.

예 "지금 몇 시니?"

점심시간이 끝나가는 상황	약속 시간에 친구가 늦은 상황
점심시간이 얼마나 남았는지 궁금하여 물음.	약속 시간에 늦은 친구를 질책하기 위함.

담화의 사회·문화적 맥락

지역	같은 언어 안에서도 지역적인 차이에 의해 말이 달라지기도 함. 예 전라남도에서는 '고구마'를 '진감자'라고 부르기도 함.
세대	사회·문화적 변화로 세대 간의 차이가 생겨 말의 내용이나 말하기 방식이 달라지기도 함. 예 ❺□□ 세대에서 한자어나 격식을 갖춘 표현을 자주 사용하는 모습이나 젊은 세대에서 줄임말이나 통신 언어를 자주 사용하는 모습 등
❻□□	국가나 종교 등이 달라 발생하는 문화의 차이 때문에 담화의 방법이나 내용이 달라질 수 있음. 예 "차린 것은 없지만 많이 드세요."라는 표현을 한국인들은 겸양의 표현으로 이해하지만, 외국인들은 이해하기 어려울 수 있음.

3 한글의 창제 원리

1 한글의 창제 배경

창제 배경	• 우리말을 표기할 고유한 문자가 없어 한자를 사용함. • 한자는 글자 수가 많아 백성이 배우기 어려움. • 한자로는 우리말을 제대로 표현하기 어려움.

↓

우리 문자의 필요성이 증대됨.

2 한글의 창제 정신

자주 정신	우리말은 중국어와 말소리와 문장 구조가 달라, 한자를 빌려 우리말을 표기하는 데 한계가 있으므로 우리만의 독창적인 문자가 필요함.
애민 정신	백성이 글자를 몰라 억울한 일을 당하거나, 배우지 못하는 것을 가엾게 여김.
실용 정신	누구나 쉽게 배우고 편하게 쓸 수 있는 글자를 원함.

3 한글의 창제 원리

(1) 자음자를 만든 원리

• 상형의 원리: 발음 기관의 모양을 본떠 기본 글자 'ㄱ, ㄴ, ㅁ, ㅅ, ㅇ'을 만들었다.

• 가획의 원리: 기본자에 획을 하나씩 더해서 새로운 글자를 만들었는데, 획을 하나씩 더할 때마다 소리가 더 세지는 특성이 있다. 다만, 'ㄹ, ㅿ(반치음), ㆁ(옛이응)'은 소리가 세지지 않는데, 이를 '이체자'라고 한다.

발음 기관 모양	글자를 만든 원리	기본자	가획자
	혀뿌리가 목구멍을 막는 모양을 본뜸.	ㄱ	ㅋ
	혀끝이 윗잇몸에 닿는 모양을 본뜸.	ㄴ	ㄷ, ㅌ, ㄹ
	입 모양을 본뜸.	ㅁ	ㅂ, ㅍ
	이 모양을 본뜸.	ㅅ	ㅈ, ㅊ, ㅿ
	목구멍의 모양을 본뜸.	ㅇ	ㆆ, ㅎ, ㆁ

꼼꼼 확인 문제

1 한글이 창제되기 전에 우리 조상들은 □□을/를 빌려 우리말을 적었다.

2 한자는 글자 수가 많아 백성들이 배우기 어려웠다. (○ , ×)

3 한글의 창제 배경에는 중국어와 우리말이 달라, 우리만의 독창적인 문자가 필요함을 인식했던 □□ 정신이 담겨 있다.

4 자음의 기본자는 □□ 기관의 모양을 본떠서 만들었는데, 이는 한글의 창제 원리 중 상형의 원리에 해당한다.

5 목구멍의 모양을 본떠 만든 자음의 기본자는 (ㅁ, ㅇ)이다.

6 자음 기본자에 획을 더해 새로운 글자를 만드는 것을 □□의 원리라고 한다.

(2) 모음자를 만든 원리

• 상형의 원리: 하늘, 땅, 사람, 즉 자연의 모양을 본떠서 기본 글자 '•, ㅡ, ㅣ'를 만들었다.
• 합성의 원리: 기본자를 합하여 새로운 글자를 만들었다.
  - 초출자: 기본자인 'ㅡ, ㅣ'에 '•'를 한 번 합성하여 만들었다.
  - 재출자: 초출자에 '•'를 한 번 더 합성하여 만들었다.

본뜬 모양	글자를 만든 원리	기본자	초출자	재출자
	하늘의 둥근 모양을 본뜸.	•	ㅗ ㅏ ㅜ ㅓ	ㅛ ㅑ ㅠ ㅕ
	땅의 평평한 모양을 본뜸.	ㅡ		
	사람이 서 있는 모양을 본뜸.	ㅣ		

(3) 그 외의 글자를 만든 방법

자음	자음자 둘을 위아래로 잇대어 쓰는 방법 (연서)	ㅱ, ㅸ, ㆄ, ㅹ
	자음자 둘 이상을 옆으로 나란히 쓰는 방법 (병서)	ㄲ, ㄸ, ㅃ, ㅆ, ㅉ, ㅳ, ㅶ, ㅺ 등
모음	모음자끼리 글자를 더하여 쓰는 방법	ㅘ, ㅝ, ㆎ, ㅢ, ㅚ, ㅐ, ㅟ, ㅔ, ㆉ, ㅒ, ㆌ, ㅖ, ㅙ, ㅞ 등

4 한글의 특성

제자 원리가 과학적이고 체계적임.	• 발음 과정에 대한 정확한 관찰을 바탕으로 발음 기관을 본떠 자음의 기본자를 만들었기 때문에 발음의 특성이 글자에 체계적으로 반영됨. • 소리의 관련성을 획을 더함으로 표시하여, 비슷한 발음 기관을 사용하는 같은 계열의 글자들은 그 모양이 비슷함.
배우기 쉬움.	• 거의 한 글자가 한 소리로 발음되어 쉽게 배우고 활용할 수 있음. • 기본 자음자와 모음자를 익히면 다른 글자도 쉽게 익힐 수 있음.
모아쓰기 방식으로 표기함.	• 24개의 자모만으로 11,172가지의 글자 조합을 만들 수 있어 효율적임. • 읽기가 편하고 뜻을 알기 쉬워 정보 전달력이 좋음.
정보화 사회에서 유용함.	• 컴퓨터나 휴대 전화 자판 이용 시 문자 입력 속도가 다른 문자에 비해 빠름. • 문자와 소리의 일치성이 뛰어나 기계 번역이나 음성 인식 컴퓨터에 유용함.

모아쓰기: 한글 자모를 가로세로로 묶어서 쓰는 방식

꼼꼼 확인 문제

7 모음 기본자는 하늘, 땅, 나무의 모양을 본떠서 만들었다. (○, ×)

8 모음 기본자인 '•'와 'ㅣ'를 합성하여 만든 글자는 □와/과 □(이)다.

9 모음 기본자를 한 번 합성하여 만든 글자를 초출자, 초출자에 '•'를 한 번 더 합성하여 만든 글자를 □□□(이)라고 한다.

10 'ㅘ'나 'ㅝ'와 같이 모음자끼리 글자를 더하여 새로운 글자를 만드는 방법도 있다. (○, ×)

11 한글은 소리 낼 때를 고려하여 자음자와 모음자를 음절 단위로 □□□□을/를 하므로 읽기가 편하고, 뜻을 알기 쉬워 독서에 효율적이다.

12 한글은 문자 입력 속도가 다른 문자에 비해 빠르고 효율성이 높아 정보화 시대에 적합한 문자이다. (○, ×)

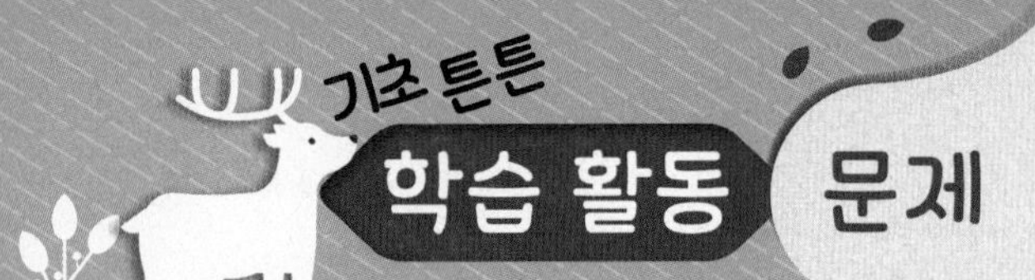

한글의 창제 정신 이해하기

시험에는 이렇게

1 ㉠에 나타난 한글의 창제 정신으로 가장 적절한 것은?

① 자주 정신
② 애민 정신
③ 실용 정신
④ 창조 정신
⑤ 봉사 정신

1 다음은 세종 대왕이 한글 창제 이유를 밝힌 글이다. 이 글을 읽고 한글의 창제 정신을 알아보자.

㉠우리나라 말이 중국과 달라 한자와 서로 통하지 아니하여서, 이런 까닭으로 어리석은 백성이 말하고자 하는 바가 있어도 끝내 제 뜻을 펴지 못하는 사람이 많으니라. 내가 이것을 가엾게 여겨 새로 스물여덟 글자를 만드니, 모든 사람으로 하여금 쉽게 익혀서 날마다 쓰는 데 편하게 하고자 할 따름이니라.

창제 이유	창제 정신
ㄱ. 우리말은 중국어와 달라 우리의 문자가 필요함.	ⓐ 애민 정신
ㄴ. 백성이 글을 몰라 제 뜻을 펴지 못함을 가엾게 여김.	ⓑ 실용 정신
ㄷ. 누구나 쉽게 익혀 늘 쓰기 편하게 함.	ⓒ 자주 정신

자음 기본자 제자 원리 알기

시험에는 이렇게

2 한글의 자음 기본자와 본뜬 모양의 연결이 잘못된 것은?

① ‘ㄱ’: 혀뿌리가 목구멍을 막는 모양
② ‘ㄴ’: 혀끝이 입천장에 닿는 모양
③ ‘ㅁ’: 입 모양
④ ‘ㅅ’: 이 모양
⑤ ‘ㅇ’: 목구멍의 모양

2 다음 빈칸에 알맞은 내용을 쓰고, 자음의 기본자가 만들어진 원리를 알아보자.

발음 기관 모양	글자를 만든 원리	기본자
어금닛소리	혀뿌리가 목구멍을 막는 모양을 본뜸.	ㄱ
혓소리	혀끝이 윗잇몸에 닿는 모양을 본뜸.	(　　)
입술소리	(　　　　) 모양을 본뜸.	ㅁ
잇소리	이 모양을 본뜸.	ㅅ
목구멍소리	목구멍의 모양을 본뜸.	(　　)

↓

한글 자음자는 (　　　　　　　　) 만듦.

가획의 원리 알기

시험에는 이렇게

3 기본자 ‘ㅁ’에 획을 더하여 만든 글자로 알맞은 것은?

① ㅋ　② ㅂ
③ ㄹ　④ ㅌ
⑤ ㅿ

3 〈보기〉를 통해 자음자가 만들어진 원리를 탐구해 보자.

보기

ㄱ → ㅋ

(1) 〈보기〉와 같은 원리에 따라 만들어진 자음자를 빈칸에 써 보자.

• ㄴ → ㄷ → (　　)　　• ㅅ → (　　) → ㅊ

(2) (1)에서 자음자를 만든 원리를 써 보자.

모음자 제자 원리 알기

시험에는 이렇게

4 다음 모음자 중, 창제 원리가 다른 하나는?

① ㅏ ② ㅓ
③ ㅡ ④ ㅗ
⑤ ㅜ

4 모음자가 만들어진 원리를 알아보자.

(1) 다음 빈칸에 알맞은 내용을 써 보자.

글자를 만든 원리	기본자
(　　　)을 본떠서 둥글게 함.	•
땅을 본떠서 평평하게 함.	(　　　)
(　　　)을 본뜨되 서 있는 모양으로 함.	ㅣ

(2) 다음을 참고하여 모음의 기본자에서 다른 모음자가 만들어진 원리를 써 보자.

•, ㅡ, ㅣ → ㅏ, ㅓ, ㅗ, ㅜ → ㅑ, ㅕ, ㅛ, ㅠ

모아쓰기의 특징 알기

시험에는 이렇게

5 다음 빈칸에 들어갈 알맞은 말을 쓰시오.

> 한글은 글자를 적을 때 [　　　]을/를 하기 때문에 음절 단위로 의미를 정확하게 파악할 수 있다.

5 다음 활동을 통해 한글 표기 방식의 특징을 알아보자.

(1) 다음 문장을 자음자와 모음자를 결합하는 모아쓰기 방식으로 다시 써 보자.

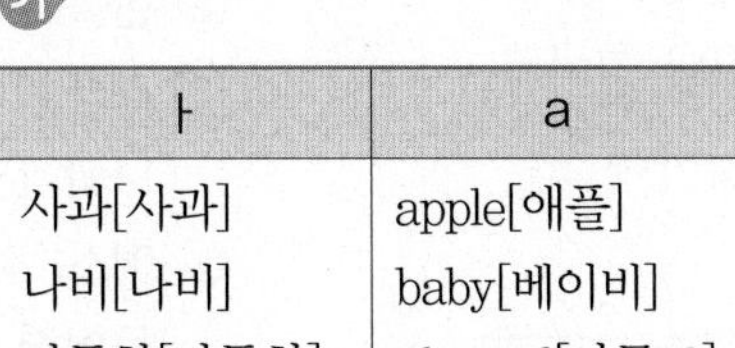

(2) 자음자와 모음자를 늘어놓는 방식을 사용하는 영어 알파벳과 비교하여, 모아쓰기의 장점을 두 가지 써 보자.

한글의 우수성 이해하기

시험에는 이렇게

6 다음에서 알 수 있는 한글의 특성으로 가장 적절한 것은?

한글	알파벳
ㄱ – ㅋ ㄴ – ㄷ – ㅌ	g – k n – d – t

① 글자 모양이 소리와 관련 있다.
② 한 글자가 다양한 소리를 낸다.
③ 발음 기관을 상형한 과학적인 문자이다.
④ 컴퓨터 자판으로 입력할 때 효율성이 높다.
⑤ 다른 문자를 모방하지 않은 독창적인 문자이다.

6 한글과 영어 알파벳을 비교하여 한글의 우수성을 알아보자.

(가)

ㅏ	a
사과[사과] 나비[나비] 자동차[자동차]	apple[애플] baby[베이비] almond[아몬드]

(나)

한글	알파벳
ㄱ – ㅋ ㄴ – ㄷ – ㅌ ㅁ – ㅂ – ㅍ	g – k n – d – t m – b – p

(1) (가)에 제시된 한글과 알파벳 모음의 차이점을 써 보자.

(2) (나)를 바탕으로 한글과 알파벳 자음을 비교해 빈칸에 알맞은 내용을 써 보자.

	한글	알파벳
발음		소리가 비슷함.
모양	모양이 비슷함.	

시험에는 이렇게 정답 1 ① 2 ② 3 ② 4 ③ 5 모아쓰기 6 ①

3 한글의 창제 원리

핵심 콕콕 • 한글의 제자 원리 이해하기
• 한글의 특성 이해하기

1 다음 상황을 통해 알 수 있는 한글 창제 이전의 조상들의 문자 생활 모습으로 가장 적절한 것은?

① 백성들도 한자를 읽고 쓰는 데 불편함이 없었다.
② 지배 계층과 백성들 사이의 의사소통은 원활했다.
③ 글을 읽지 못해 억울한 일을 당하는 백성이 있었다.
④ 한자, 이두, 향찰 등 다양한 문자를 사용하고 있었다.
⑤ 지배 계층은 한자를 모르는 백성들과 의사소통하기 위해 노력했다.

2~3 세종 대왕이 한글을 창제하며 쓴 다음 글을 읽고, 물음에 답하시오.

우리나라 말이 중국과 달라 한자와 서로 통하지 아니하여서, 이런 까닭으로 어리석은 백성이 말하고자 하는 바가 있어도 끝내 제 뜻을 펴지 못하는 사람이 많으니라. <u>㉠내가 이것을 가엾게 생각하여 새로 스물여덟 글자를 만드니</u>, 모든 사람으로 하여금 쉽게 익혀서, 날마다 쓰는 데 편하게 하고자 할 따름이다.

---

2 이 글을 읽고 짐작할 수 있는 내용이 <u>아닌</u> 것은?
① 한글은 백성을 위해 만든 글자이다.
② 한글을 처음 만들었을 때는 28자였다.
③ 한글은 중국의 문자를 응용해서 만들었다.
④ 한자로 우리말을 표현하기에 어려움이 있었다.
⑤ 한글은 누구나 쉽게 배우고 편리하게 쓸 수 있다.

서술형
3 ㉠에서 알 수 있는 한글의 창제 정신을 쓰시오.

4~6 다음 글을 읽고, 물음에 답하시오.

가 한글 창제의 첫 번째 원리는 '상형의 원리'이다. 『훈민정음해례본』에서는 "정음 28글자는 각각 그 모양을 본떠 만들었다."라고 했다. 한글은 다른 문자를 모방해서 만든 것이 아니라 혀, 입술, 치아, 목구멍 같은 사람의 발음 기관의 모양을 본뜨고, 하늘, 땅, 사람의 생김새를 본떠 만든 독창적인 문자이다.

나 한글 자음의 기본 글자는 'ㄱ, ㄴ, ㅁ, ㅅ, ㅇ'의 다섯 글자인데, 어금닛소리(아음, 牙音) 'ㄱ'은 혀뿌리가 목구멍을 막는 모양을, 혓소리(설음, 舌音) 'ㄴ'은 혀끝이 윗잇몸에 붙는 모양을, 입술소리(순음, 脣音) 'ㅁ'은 입 모양을, 잇소리(치음, 齒音) 'ㅅ'은 이 모양을, 목구멍소리(후음, 喉音) 'ㅇ'은 목구멍 모양을 본떠서 만들었다. 이렇듯 한글 자음자는 발음 기관을 상형하여 만든 세계 유일의 소리글자이다.

다 모음의 기본 글자는 'ㆍ, ㅡ, ㅣ'의 세 글자인데, 이 또한 상형의 원리에 따라 하늘의 둥근 모양을 본떠 'ㆍ'를, 땅의 평평한 모양을 본떠 'ㅡ'를, 사람이 서 있는 모양을 본떠 'ㅣ'를 만들었다.

---

4 이 글을 읽고 보인 반응 중, 가장 적절한 것은?
① 준수: 한글은 세계에서 유일한 상형 문자였네.
② 한울: 자음의 기본자는 'ㄱ, ㄷ, ㅁ, ㅅ, ㅇ'이구나.
③ 소라: 『훈민정음해례본』에 한글의 창제 원리가 나와 있어.
④ 예소: 정음 28글자 모두 상형의 원리에 따라 만들어졌구나.
⑤ 지민: 모음자는 발음 기관의 생김새를 본떠 독창적으로 만들었네.

5 다음 〈조건〉을 모두 만족시키는 글자로 알맞은 것은?

조건
• 하늘의 둥근 모양을 본떠서 만듦.
• 오늘날 사용하지 않음.

① ㆅ ② ㆍ ③ ㅡ ④ ㅣ ⑤ ㆆ

6 **(나)를 바탕으로 한글 자음자의 제자 원리를 정리할 때, 내용이 적절하지 않은 것은?**

	한글 자음자 모양	발음 기관	기본자
①	혀뿌리가 목구멍을 막는 모양		ㄱ [아음(牙音)]
②	혀끝이 윗잇몸에 닿는 모양		ㄴ [설음(舌音)]
③	입술(입)의 모양		ㅁ [순음(脣音)]
④	혀 아래와 이 사이의 모양		ㅅ [치음(齒音)]
⑤	목구멍의 모양		ㅇ [후음(喉音)]

7~9 **다음 학생들과 세종 대왕과의 가상 인터뷰를 읽고, 물음에 답하시오.**

가영: 기본자를 제외한 나머지 글자들은 어떻게 만드셨나요?

세종 대왕: 자음자는 기본자에 획을 하나씩 더해서 만들기도 했어요. 이를 ㉠'가획의 원리'라고 합니다. 획을 하나씩 더할 때마다 소리가 더 세지는 특성이 있지요.

지호: ______㉡______. 그럼 글자 모양과 소리가 관련이 있는 거네요?

세종 대왕: 그렇지요. 그래서 비슷한 발음 기관을 사용하는 같은 계열의 글자는 모양이 비슷해요.

7 **다음 중 한글의 특성을 골라 바르게 묶은 것은?**

ㄱ. 기존의 문자를 모방하여 익숙하다.
ㄴ. 제자 원리가 체계적이라 배우기 쉽다.
ㄷ. 글자와 소리의 연관성을 이해하기 쉽다.
ㄹ. 다른 나라 언어를 발음하는 데 효과적이다.

① ㄱ, ㄴ ② ㄱ, ㄷ ③ ㄴ, ㄷ
④ ㄴ, ㄹ ⑤ ㄷ, ㄹ

8 **㉠에 따라 자음자를 바르게 배열한 것은?**

① ㄱ－ㄴ－ㄷ ② ㄴ－ㄷ－ㄸ
③ ㅅ－ㅈ－ㅎ ④ ㅁ－ㅂ－ㅍ
⑤ ㅇ－ㆁ－ㅿ

9 **㉡에 들어갈 수 있는 예로 가장 적절한 것은?**

① '덜썩'보다 '털썩'이 더 거센 느낌이 들어요.
② '울걱'과 '울컥'의 소리의 세기가 같은 거군요.
③ '감감하다'와 '깜깜하다'의 차이를 생각하면 이해가 돼요.
④ 'ㄴ, ㅁ'이 같은 조음 위치에서 발음되어 모양도 비슷해요.
⑤ '종종' 걸음이 '총총' 걸음보다 더 서둘러 빠르게 걷는 느낌이 나요.

10 **다음 자음자들에 대한 설명으로 알맞은 것은? (정답 2개)**

ㄹ(리을) ㅿ(반치음) ㆁ(옛이응)

① '이체자'라고 부른다.
② 기본자보다 소리가 더 세다.
③ 오늘날에는 사용하지 않는다.
④ 상형의 원리에 따라 만들었다.
⑤ 기본자에 획을 더하여 만들었다.

11 **<보기>에 대해 설명한 내용으로 적절하지 않은 것은?**

보기
ㄱ. ㅱ, ㅸ, ㆄ, ㅹ
ㄴ. ㄲ, ㄸ, ㅃ, ㅆ, ㅉ
ㄷ. ㅲ, ㅴ, ㅺ

① ㄱ은 자음자 두 개를 위아래로 잇대어 쓴 것이다.
② ㄴ은 같은 자음자 두 개를 옆으로 나란히 쓴 것이다.
③ ㄷ은 서로 다른 자음자 두 개 이상을 옆으로 나란히 쓴 것이다.
④ ㄱ~ㄷ은 현대 국어에서는 사용되지 않는 글자들이다.
⑤ ㄱ~ㄷ의 방법으로 한글은 얼마든지 더 많은 글자를 만들어 쓸 수 있다.

12 다음 글자들에 대한 설명으로 알맞은 것은?

ㅑ, ㅕ, ㅛ, ㅠ

① 상형의 원리에 따라 만든 글자이다.
② 하늘, 땅, 사람을 본떠 만든 글자이다.
③ 초출자에 '•'를 합성하여 만든 재출자이다.
④ 모음자 'ㅡ'와 'ㅣ'에 '•'를 합성하여 만든 초출자이다.
⑤ 모음의 기본자에 획을 더하는 방식으로 만든 글자이다.

13 다음은 모음자의 제자 원리에 대한 설명이다. ㉠~㉢에 들어갈 모음자를 순서대로 쓰시오.

모음자의 경우 'ㅗ'와 'ㅏ', 'ㅜ'와 '(㉠)'를 더하여 '(㉡), ㅝ'를 만들고, '•, ㅡ, ㅗ, ㅏ, ㅜ, ㅓ'에 '(㉢)'를 더하여 'ㆎ, ㅢ, ㅚ, ㅐ, ㅟ, ㅔ'를 만들었다. 그리고 'ㅛ, ㅑ, ㅠ, ㅕ'와 'ㅘ, ㅝ'에 다시 'ㅣ'를 더하여 'ㆉ, ㅒ, ㆌ, ㅖ, ㅙ, ㅞ' 등과 같은 글자를 만들어 썼다.

㉠: (   ), ㉡: (   ), ㉢: (   )

14 〈보기〉를 참고할 때, 모음자를 만드는 과정이 잘못된 것은?

보기

ㅣ + • → ㅏ
ㅏ + • → ㅑ

① • + ㅣ → ㅓ　② ㅓ + • → ㅕ
③ • + ㅡ → ㅗ　④ ㅡ + • → ㅜ
⑤ ㅜ + • → ㅟ

15 〈보기〉의 설명에 해당하는 모음자가 포함된 단어로 알맞은 것은?

보기

모음의 기본자를 두 번 합성하여 만든 것을 '재출자'라고 한다.

① 과자　② 양말　③ 우정
④ 피리　⑤ 개나리

16 ㄱ에 비해 ㄴ의 표기 방법이 효과적인 이유로 알맞지 않은 것은?

보기

ㄱ. ㄴㅏㅅㄴㅗㅎㄱㅗㄱㅣㅇㅕㄱㅈㅏㄷㅗㅁㅗㄹㅡㄴㄷㅏ
ㄴ. 낫 놓고 기역 자도 모른다

① 읽기가 편하고 의미를 쉽게 이해할 수 있다.
② 가로쓰기와 세로쓰기를 자유롭게 할 수 있다.
③ 각각의 음운이 잘 보여 정확히 발음할 수 있다.
④ 풀어쓰기에 비해 문장이 짧아 읽는 속도가 빨라진다.
⑤ 단어를 활용했을 때 어근 또는 어간을 찾아내기 쉽다.

17 〈보기〉를 통해 알 수 있는 한글의 특성을 쓰시오.

보기

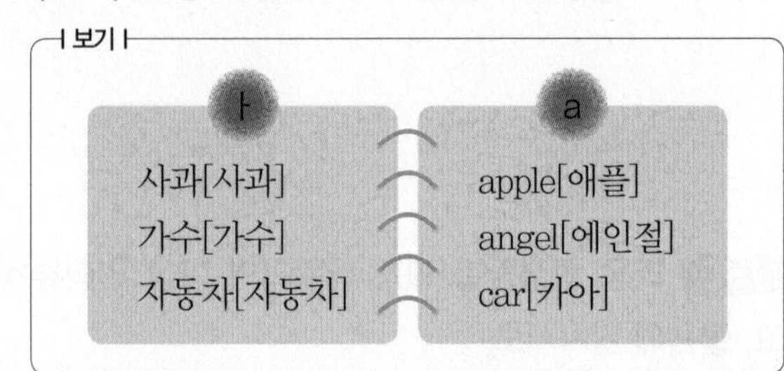

ㅏ
사과[사과]
가수[가수]
자동차[자동차]
a
apple[애플]
angel[에인절]
car[카아]

18 다음 컴퓨터 자판과 관련된 한글의 특징에 대한 설명으로 가장 적절한 것은?

① 자음 기본자가 자판의 중앙에 배열되어 있어 사용하기 편하다.
② 자음자와 모음자의 수가 똑같아 왼쪽과 오른쪽에 적절히 배치할 수 있다.
③ 왼손과 오른손을 번갈아 가며 글자를 입력할 수 있어 입력이 쉽고 빠르다.
④ 모음자의 초출자와 재출자를 다른 줄에 구분하여 배열해서 혼란을 막을 수 있다.
⑤ 자음자는 가획의 원리에 따라 비슷한 글자를 바로 옆에 배치하여 입력하는 데 효율적이다.

19 〈보기〉의 언어와 비교하여 컴퓨터 자판에서 한글을 입력할 때의 장점으로 가장 적절한 것은?

| 보기 |

가나와 한자의 경우 컴퓨터로 문자를 입력하려면, 알파벳으로 발음을 입력한 뒤에 해당 문자로 변환해야 한다. 예컨대, 일본어에서 '사랑'은 '아이(あい)'인데, 이를 컴퓨터에 입력하려면 로마자 'A'와 'I'를 자판으로 쳐야 한다. 중국어를 컴퓨터에 입력하려면 중국어 발음을 알파벳으로 옮긴 후 해당 단어를 찾아 입력하거나, 5개 획을 기본으로 글씨를 그려 내야 한다.

① 문자와 소리의 일치성이 뛰어나 정보화 사회에 유리하게 작용한다.
② 적은 수의 자모로도 많은 글자를 만들어 낼 수 있어서 실용적이다.
③ 같은 계열에 해당하는 글자끼리 비슷한 모양을 지니고 있어서 체계적이다.
④ 자음자와 모음자를 모아쓰기 하여 글자의 의미를 정확하게 전달할 수 있다.
⑤ 알파벳과 발음이 유사하여 알파벳으로 입력한 뒤 한글로 변환할 필요가 없다.

20 〈보기〉와 한글 사랑의 실천 방안이 가장 유사한 것은?

| 보기 |

'21세기 세종 대왕 프로젝트'의 목적은 세계인들에게 더 적극적으로 한글을 알리는 것이다. 먼저 대한민국 누리꾼들을 세계 속 한글 바로 알림이, 즉 '21세기 세종 대왕'으로 양성한다. 이들을 통해 세계의 유명 누리집, 교과서, 백과사전 등에 잘못 알려진 한글에 대한 정보를 바로잡고, 세계인들에게 더 정확한 정보를 제공하는 등 다양한 활동을 기대할 수 있다.

① 블로그에 한글을 소재로 한 예술 작품을 영어로도 소개한다.
② 일상생활에서 한자어나 영어를 무분별하게 사용하지 않는다.
③ 세종 대왕의 삶을 다룬 드라마를 보며 훌륭한 점을 본받는다.
④ 한글의 우수성과 가치를 깊이 있게 이해하기 위해 『훈민정음언해』를 읽어 본다.
⑤ 한글의 우수성을 인정한 유네스코의 조직과 활동을 누리소통망(SNS)을 통해 홍보한다.

21~23 다음 그림을 보고, 물음에 답하시오.

(가)

(나)

21 (가)와 (나)를 통해 한글의 창제 원리를 탐구한 내용으로 적절하지 않은 것은?

① (가)는 '·, ㅡ, ㅣ'를 합하여 다른 모음자를 만드는 원리를 적용하였다.
② (가)는 대개 상형한 발음 기관이 같은 글자를 하나의 자판에 표시하였다.
③ (나)에서 '쌍자음' 자판은 자음자를 나란히 쓰는 원리를 활용한 입력 방법이다.
④ (가)와 (나)에서 모음 재출자를 입력하기 위해서 누르는 자판의 수는 동일하다.
⑤ (나)에서 '획 추가' 자판은 획을 추가하여 다른 자음자를 만드는 가획의 원리가 담겨 있다.

22 (가)와 (나)를 통해 알 수 있는 한글의 우수성으로 가장 적절한 것은?

① 글자의 모양만 봐도 발음 기관을 알 수 있다.
② 글자를 입력할 때 발생하는 실수를 줄일 수 있다.
③ 다양한 기호와 글자의 결합이 쉬워 효율적이다.
④ 한 번만 눌러도 음절 단위 글자를 입력할 수 있어 독창적이다.
⑤ 적은 수의 자모 자판만으로도 많은 글자를 입력할 수 있어 경제적이다.

23 (나)를 이용하여 글자를 입력할 때, '획 추가'와 '쌍자음' 자판을 모두 눌러야 하는 것은?

① 파도 ② 꽃병 ③ 태극기
④ 까마귀 ⑤ 다람쥐

자음자의 창제 원리

본뜬 모양	기본자 (상형의 원리)	❶□□□ (가획의 원리)	그 외
혀뿌리가 목구멍을 막는 모양	❷□	ㅋ	ㄲ
혀끝이 윗잇몸에 붙는 모양	ㄴ	ㄷ, ㅌ, ㄹ	ㄸ
입 모양	ㅁ	ㅂ, ❸□	ㅃ
이 모양	ㅅ	ㅈ, ㅊ, ㅿ	ㅆ, ㅉ
목구멍 모양	ㅇ	ㆆ, ㅎ, ㆁ	

모음자의 창제 원리

본뜬 모양	기본자 (상형의 원리)	초출자 (합성의 원리)	재출자 (합성의 원리)	그 외
❹□□의 둥근 모양	ㆍ	ㅗ ㅏ ㅜ ㅓ	ㅛ ㅑ ㅠ ㅕ	ㅘ ㅝ ㅚ ㅐ ㅟ ㅔ ㅢ 등
땅의 평평한 모양	ㅡ			
사람이 서 있는 모양	❺□			

한글의 우수성

효율적이고 경제적인 문자	• 적은 수의 글자를 조합해서 많은 단어를 만들어 낼 수 있음. • 자음자와 모음자가 결합하여 음절 단위로 쓰는 '❻□□□□' 방식을 사용함.
체계적이고 쉽게 배울 수 있는 문자	• 비슷한 소리를 내는 문자는 그 모양도 비슷함. • 익혀야 할 글자 수가 다른 문자에 비해 적음.
정보화 시대에 적합한 문자	• 문자 입력 속도가 다른 문자에 비해 빠름. • 문자와 소리의 일치성이 뛰어남.

한끝 중등 국어 통합편 2 수록 목록

저작자 및 출처 표시

◆ 〈한끝 중등 국어 통합편 2〉는 다음 저작물을 인용하여 개발하였습니다.

대단원	소단원	교재 쪽	제재	저자	출처
Ⅰ 문학	바로바로 개념 적용	012쪽	고향	백석	『나와 나타샤와 흰 당나귀』(다산북스, 2014), 37쪽
		013쪽	두꺼비 파리를 물고	작자 미상	류수열 엮음, 『시를 품고 옛 노래를 부르다』(글누림출판사, 2012), 116쪽
	토닥토닥 실력 쌓기	014쪽	엄마 걱정	기형도	『입속의 검은 잎』(문학과지성사, 1989, 127쪽)
		016쪽	귀뚜라미	나희덕	『그 말이 잎을 물들였다』(창비, 2016, 69쪽)
		018쪽	모진 소리	황인숙	『자명한 산책』(문학과지성사, 2016, 20쪽)
		020쪽	먼 후일	김소월	『진달래꽃』김수복 엮음 (도서출판 청동거울, 2002), 14쪽
		022쪽	넌 바보다	신형건	『바퀴 달린 모자』(푸른책들, 2013, 76~77쪽)
		024쪽	봄 길	정호승	『사랑하다가 죽어버려라』(창비, 1997)
		026쪽	독은 아름답다	함민복	『모든 경계에는 꽃이 핀다』(창비, 2006, 93쪽)
	바로바로 개념 적용	032쪽	내가 그린 히말라야시다 그림	성석제	『내가 그린 히말라야시다 그림』(창비, 2017, 61~76쪽)
		034쪽	운수 좋은 날	현진건	『운수 좋은 날』(문학과지성사, 2017), 143~159쪽
	토닥토닥 실력 쌓기	036쪽	동백꽃	김유정	『조광』, 『원본 김유정 전집』(전신재 엮음, 강, 2012, 219~226쪽)에서 재인용함.
		046쪽	사랑손님과 어머니	주요섭	『중학교 국어 교과서 2-1』(교육부, 2006)
		054쪽	흑설 공주	이경혜	『어린이를 위한 흑설 공주 이야기』 (뜨인돌어린이, 2008, 10~31쪽)
		062쪽	이상한 선생님	채만식	『이상한 선생님』, 이오덕 엮음 ((주)사계절출판사, 2006), 13~27쪽
		072쪽	양반전	박지원	『연암집』, 『세상을 흘겨보며 한번 웃다』(박희병·정길수 편역, 돌베개, 2010, 131~138쪽)에서 재인용함.
	바로바로 개념 적용	082쪽	들판에서	이강백	『이강백 희곡 전집 6』(평민사, 2005, 217~238쪽)
	토닥토닥 실력 쌓기	084쪽	소나기	황순원 원작, 염일호 각본	방송 대본 데이터베이스 (http://db.kocca.kr/db/broadcastdb/scriptList.do)
	바로바로 개념 적용	093쪽	나의 모국어는 침묵	류시화	『작은 것이 아름답다』(도서출판녹색세상, 1998년 11월호, 36~41쪽)
	토닥토닥 실력 쌓기	094쪽	열보다 큰 아홉	이문구	『끝장이 없는 책』 (랜덤하우스, 2005, 160~162쪽)
		096쪽	흙을 밟고 싶다	문정희	『바라보는 것만으로도 난 행복하다』(문학풍경, 1999), 99~105쪽

대단원	소단원	교재 쪽	제재	저자	출처
Ⅰ 문학	토닥토닥 실력 쌓기	100쪽	맛있는 책, 일생의 보약	성석제	국립어린이청소년도서관 누리집 (https://www.nlcy.go.kr/menu/14620/program/50015/columnDetail.do?currentPageNo=1&searchCondition=author&searchKeyword=%EC%84%B1%EC%84%9D%EC%A0%9C&idx=76)
Ⅱ 읽기	바로바로 개념 적용	107쪽	중학생도 세금을 내나요	조준현	『중학독서평설』, 2012년2월호
	토닥토닥 실력 쌓기	108쪽	지혜가 담긴 음식, 발효 식품	진소영	『맛있는 과학 – 44 음식 속의 과학』 (김영사, 2012), 80~85쪽
		112쪽	우리는 왜 간지럼을 느낄까	서동준	『동아사이언스』, 2016년 6월호
	바로바로 개념 적용	117쪽	벽화 마을의 명암	국민일보	『국민일보』(2016. 5. 4.)
	토닥토닥 실력 쌓기	118쪽	착한 소비, 내 지갑 속의 투표용지	케이비에스(KBS) 〈명견만리〉 제작진	《명견만리–윤리기술중국교육편》(인플루엔셜,2017), 22~41쪽, 케이비에스(KBS) 〈명견만리〉, 2015년 12월 11일자 방송
		122쪽	느림의 가치를 재발견하자	김종덕	『농민 신문』 (2010. 12. 6.)
Ⅲ 듣기·말하기	바로바로 개념 적용	128쪽	아빠와 아들의 대화	로버트 뉴턴 펙	『돼지가 한 마리도 죽지 않던 날』, 김옥수 옮김, ((주)사계절출판사, 2005), 26~28쪽
		129쪽	달리는 차은	민예지 외	《달리는 차은》 (국가 인권 위원회, 2008)
	바로바로 개념 적용	133쪽	세상의 모든 어버이께	세번 컬리스 스즈키	『중학교 생활 국어 1－1』 (교육부, 127~130쪽)
	바로바로 개념 적용	139쪽	목뼈 휘는 '거북목 증후군' 질환 급증	뉴스 나이트	《와이티엔(YTN)》 (http://www.ytn.co.kr/_ln/0103_201610192159492944, 2016. 10. 19.)
Ⅳ 쓰기	토닥토닥 실력 쌓기	147쪽	줄다리기의 가치	정창교	『경남도민신문』(2016. 5. 29.)
	토닥토닥 실력 쌓기	150쪽	속담의 가치	허은실	『국어 교과서도 탐내는 맛있는 속담』((주)웅진씽크빅, 2007), 4쪽
		152쪽	아끼다가 똥 될지라도	최은숙	『미안, 네가 천사인 줄 몰랐어』 (샨티, 2006), 215~219쪽
Ⅴ 문법	토닥토닥 실력 쌓기	170쪽	소음 공해	오정희	『돼지꿈』(랜덤하우스, 2009, 194쪽)
		172쪽	넬슨 만델라	베로니카 타조	『넬슨만델라』, 권지현 옮김 (북콘, 2014), 104~105쪽

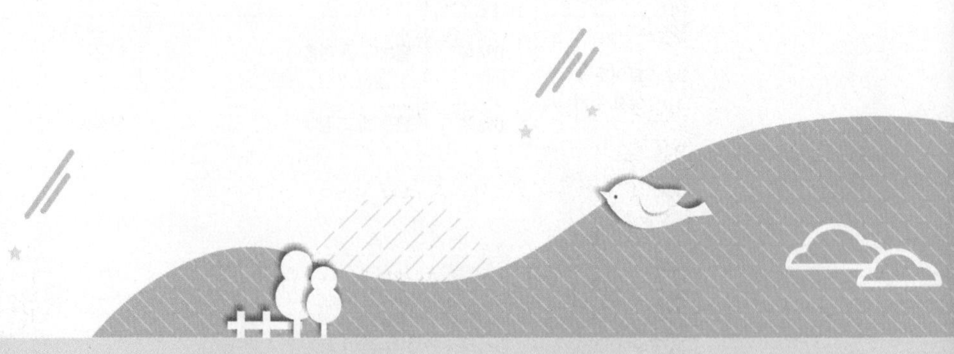

15개정 교육과정

한끝 정답과 해설

중등 국어 2 통합편

visang

ABOVE IMAGINATION

우리는 남다른 상상과 혁신으로
교육 문화의 새로운 전형을 만들어
모든 이의 행복한 경험과 성장에 기여한다

한끝

정답과 해설

통합편

중등 국어 2

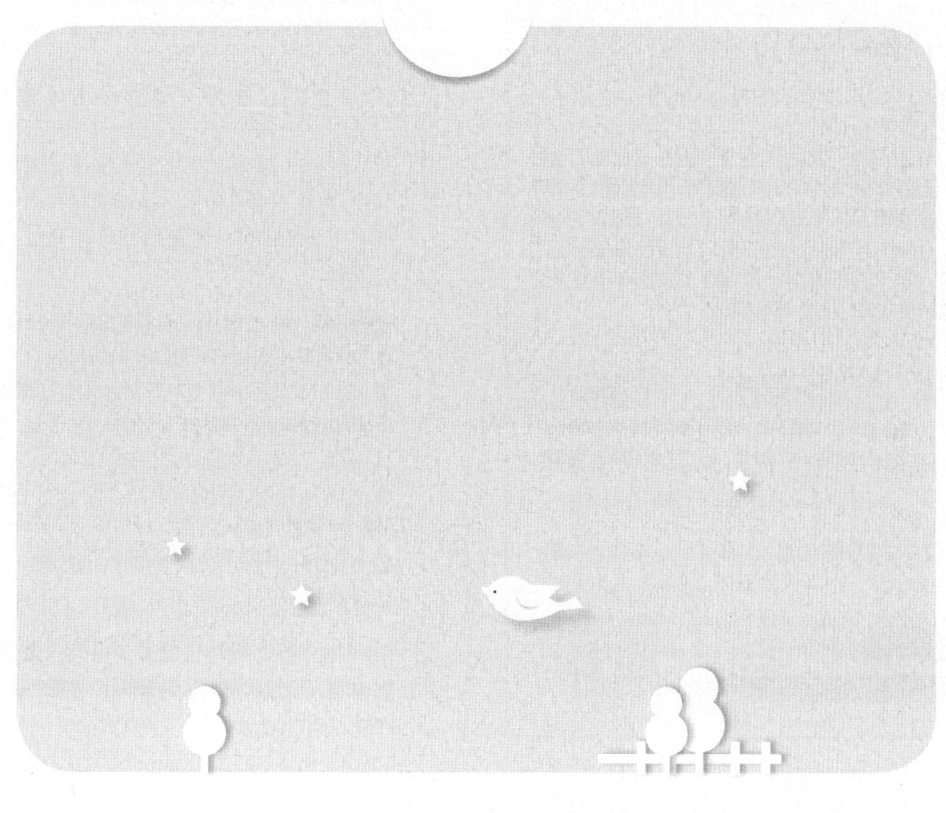

정답과 해설

I 문학

1 시/시조

 이해 008~011쪽

1 ○ 2 말하는 이 3 태도 4 ○ 5 4 6 공감각적
7 반어 8 × 9 역설 10 비판 11 ○ 12 재구성

 적용 고향 / 두꺼비 파리를 물고 012~013쪽

◆ 고향

• **작품 설명**: 이 시는 타향에서 병을 앓게 된 화자가 의원을 찾아갔다가 아버지로 섬기는 분과 그 의원이 막역지간인 것을 알게 되고, 그를 통해 따스한 고향의 정을 느끼게 된다는 내용을 담고 있다. 화자에게 고향은 그리움의 대상이면서 낯선 곳에서의 생활에서 위안이 되는 공간이다. 또 일제 강점기라는 시대적 상황과 연관 지어 생각해 본다면 고향은 식민 지배 이전의 공동체적 공간이라고 볼 수 있다. 이렇듯 이 시는 고향에 대한 그리움과 그 고향이 불러일으키는 따스한 정을 주된 정서로 하고 있다.

• **핵심 보기**

화자의 상황	화자의 정서
타향에서 혼자 앓아누워 있음.	외로움, 힘듦.
↓	
화자가 아버지처럼 섬기는 이와 의원이 친한 사이임을 알게 됨.	반가움.
↓	
의원이 말없이 웃으면서 진맥함.	따뜻함, 친근함.

◆ 두꺼비 파리를 물고

• **작품 설명**: 이 사설시조는 힘없는 백성 앞에서는 군림하고 높은 권력자에게는 굽실거리는 탐관오리의 횡포와 비굴함을 '두꺼비'의 행동과 처신을 통해 우의적으로 풍자하고 있다. 초장과 중장에서는 약자에게 강하고 강자에게 약한 인간의 비굴한 모습을, 종장에서는 겁 많은 자신의 모습을 감추기 위해 허세를 부리는 인간의 모습을 신랄하게 비꼬고 있는 작품이다.

• **핵심 보기**

백송골		두꺼비		파리
막강한 권력을 가진 중앙 관리	← 비굴	백성은 괴롭히고, 권력자에게는 비굴하게 구는 지방 관리	→ 횡포	지배 계층에게 수탈당하는 힘없는 백성

지문 체크 1 ○ 2 아무개 씨 3 × 4 ○ 5 ×
6 모쳐라

말하는 이의 상황과 정서 1 ②

시조에 반영된 세태와 주제의 형상화 방식 2 ②

1 이 시의 화자가 의원의 따스한 손길을 통해 고향과 가족을 떠올리는 것으로 보아, 고향이나 가족을 따뜻함과 그리움의 대상으로 인식하고 있음을 알 수 있다. 따라서 화자가 떠나온 고향에 대해 상실감이나 쓸쓸함을 느끼고 있다는 것은 적절하지 않다.

2 이 시조에서 '두꺼비'를 희화화함으로써 자신보다 더 큰 권력을 가진 중앙의 고위 관료에게는 굽실거리고, 자신보다 힘없는 백성에게는 온갖 방법으로 수탈하고 괴롭히는 탐관오리의 부조리함을 풍자하고자 하였다.

토닥토닥 실력 쌓기 01 엄마 걱정 014~015쪽

• **작품 설명**: 이 시는 어른이 된 화자가 가난했던 어린 시절을 회상하며 외롭고 고달팠던 때의 상황과 정서를 그리고 있는 작품이다. 어린 시절의 화자는 열무를 팔러 장에 간 어머니를 걱정하면서 홀로 빈방에서 어두워지도록 돌아오지 않는 엄마를 기다리고 있다. 그리고 그때 느꼈던 고독과 소외감을 성인이 된 지금에도 간직하고 있다. 성인이 된 화자는 자신의 유년 시절의 쓸쓸했던 기억을 차분한 어조로 섬세하게 형상화하고 있다. 또한 시간적 배경과 감각적 이미지를 통해 어둡고 무거운 시의 분위기와 화자의 정서를 생생하게 표현하고 있다.

• **핵심 보기**

엄마의 고된 삶	'나'의 외롭고 서글픈 모습
• 열무 삼십 단을 이고 • 배춧잎 같은 발소리	• 나는 찬밥처럼 방에 담겨 • 금 간 창틈으로 고요히 빗소리 • 빈방에 혼자 엎드려 훌쩍거리던

↓

어린 시절을 바라보는 '나'의 관점
화자는 유년 시절을 '내 유년의 윗목'으로 표현함으로써 그 시절 자신의 모습을 안타까움과 연민의 시선으로 바라보고 있음.

1 ① 2 ② 3 ③ 4 ⑤ 5 내 유년의 윗목

1 열무를 팔러 시장에 가신 엄마가 해가 지도록 돌아오지 않아, '나'는 혼자 빈방에서 엄마를 걱정하며 기다리고 있으므로, 시장에서 엄마와 아이가 함께 열무를 팔고 있는 장면은 적절하지 않다.

오답 풀이 ② 1연에서 금 간 창틈으로 빗소리가 들리고 빈방에 혼자 엎드려 훌쩍거렸다는 표현이 나타나 있다.
③ 2연에서 어른이 된 화자가 어린 시절의 외롭고 서글펐던 기억을 회상하며 슬퍼하는 내용이 제시되어 있으므로, 어린 시절을 떠올리며 눈시울을 적시는 사람의 모습을 연상할 수 있다.
④ 1연에서 '나'는 빈방에서 혼자, 열무 삼십 단을 이고 시장에 간 엄마를 기다리고 있다.
⑤ 1연에서 '나'는 아무리 천천히 숙제를 해도 엄마가 오시지 않는다고 하였다.

2 이 시는 어른인 화자가 장에 가신 엄마를 혼자 집에서 기다렸던 어린 시절의 기억을 회상하는 내용으로, 외롭고 쓸쓸한 정서가 드러나고 있다.

3 어른이 된 화자는 외롭고 쓸쓸했던 자신의 어린 시절의 기억을 떠올리며 눈시울을 붉히고 있다. 따라서 화자는 자신의 어린 시절을 외롭고 서글펐던 시기로 바라보고 있다.

오답 풀이 ❶ 어린 시절이 가난했던 것은 맞지만 화자가 이를 잊어버리고 싶어 하는지는 알 수 없다.
❷ 이 시에서 '나'는 시장에 간 엄마를 기다리고 있는 상황이므로, 화자가 자신의 어린 시절을 엄마와 함께할 수 있는 시간으로 추억하고 있지는 않다.
❹, ❺ 화자가 자신의 어린 시절을 긍정적으로 바라보고 있지는 않으며, 어른이 된 현재의 삶이 고단하다는 내용도 제시되어 있지 않다.

4 이 시에서 빈방에 덩그러니 있는 '나'는 가슴 시리도록 외로움과 서글픔을 느끼고 있으며(미나), 고요한 빗소리 때문에 그 외로움이 더 고조되고 있다(준우). 또한 '안 오시네'와 같은 시구를 반복하여 운율을 형성하고 엄마를 기다리는 화자의 슬픈 감정을 두드러지게 하고 있다(제니).

오답 풀이 주원: 이 시는 과거(화자의 어린 시절의 시점)에서 현재(어른의 시점)로 시상이 전개되고 있다.
시후: 엄마의 힘없는 발소리를 시들시들한 '배춧잎'에 빗대어 늦은 시간까지 장사를 하고 집으로 돌아오는 엄마의 지친 모습을 나타내고 있다.

5 '윗목'은 불길이 잘 닿지 않아 아랫목보다 상대적으로 차가운 쪽이다. 화자는 외롭고 힘들었던 유년 시절을 상대적으로 차가운 공간인 '윗목'에 빗대어 표현하고 있다.

실력 쌓기 02 귀뚜라미 016~017쪽

• **작품 설명**: 이 시는 화자가 귀뚜라미로, 화자 자신의 울음이 다른 사람에게 감동을 주는 노래가 되기를 소망하고 있다. 그러나 현재는 높은 가지 위에서 큰 소리를 내는 매미 떼 소리에 묻혀 귀뚜라미의 소리는 노래가 아니라, 차가운 바닥 위에 토하는 울음일 뿐이다. 이렇듯 화자는 지하도 콘크리트 벽 좁은 틈에서 고통스럽게 존재하며 울고 있지만, 여름이 가고 가을이 오면 자신의 울음도 누군가의 가슴에 실려 가는 노래가 될 수 있기를 희망하고 있다.

• **핵심 보기**

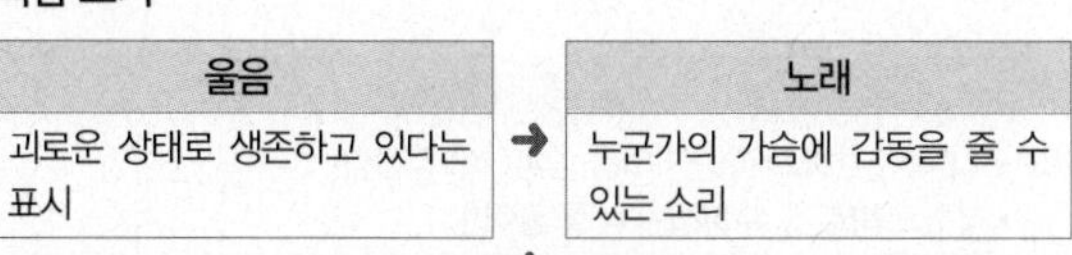

울음
괴로운 상태로 생존하고 있다는 표시
노래
누군가의 가슴에 감동을 줄 수 있는 소리

현재의 화자가 지향하는 바
화자인 귀뚜라미는 아직 제 목소리를 내지 못하는 존재이지만, 여름이 가고 가을이 와서 자신도 다른 사람들에게 감동을 주는 노래를 들려주고 싶다는 소망을 지니고 있음.

1 ④ 2 ④ 3 ① 4 ⓐ: 의인화, ⓑ: 감동을 주는 노래를 들려줄 수 있는

1 이 시의 화자는 귀뚜라미이다. 귀뚜라미는 현재 매미 떼 소리에 묻혀 구슬픈 울음을 울고 있는 처지이지만, 가을이 되어 자신의 울음이 다른 사람에게 감동을 줄 수 있는 노래가 되기를 희망하고 있다.

오답 풀이 ❶, ❸ 이 시의 화자는 귀뚜라미이므로 화자와 시인은 일치하지 않는다.
❷ 화자의 울음이 매미 떼 소리에 묻혀 다른 사람들에게 전해지지 않고 있지만 그렇다고 매미 떼를 동경하고 있지는 않다.
❺ 화자는 현재 지하도 콘크리트 벽 좁은 틈에서 울고 있는 처지이지만, 가을이 되면 자신의 울음도 노래가 될 수 있다는 희망과 의지를 지니고 있기 때문에 지금 현재의 시점에서 좌절하고 있다고 보기는 어렵다.

2 '울음'은 매미 떼 소리에 묻혀 아직 사람들에게 전해지지 않아 감동을 줄 수 없는 귀뚜라미의 소리이다.

오답 풀이 ❶ 귀뚜라미의 울음은 숨 막히는 지하도 콘크리트 벽 틈에서 자신의 존재를 알리는 생존의 울음이다.
❷ 아직 노래가 되지 못한 귀뚜라미의 울음은 차가운 바닥 위에서 발길에 눌려 우는 울음이다.
❸, ❺ 매미 떼가 하늘을 찌르는 여름날에 화자인 귀뚜라미의 소리는 사람들에게 전해지지 못하는 울음이며, 이는 곧 화자가 처한 현재 상황을 의미한다.

3 이 시의 화자인 귀뚜라미는 비록 지금은 자신의 울음이 노래가 되지 못하지만, 맑은 가을이 와 자신의 노래가 다른 사람들에게 감동을 줄 수 있기를 소망하고 있다. 그러므로 지금은 비록 힘든 처지이지만 희망을 갖고 노력하는 사람의 모습이 귀뚜라미와 같은 모습일 것이다. ① '새로운 길을 가려고 도전하는 사람'은 현재의 처지를 알 수 없으므로 귀뚜라미와 같은 모습으로 보기에 가장 거리가 멀다.

4 귀뚜라미는 이 시의 화자로 사람이 아닌 대상을 사람에 비겨 표현한, 의인화된 존재이다. 또한 3연의 마지막 행을 중심으로 볼 때, 귀뚜라미는 가을이 되어 자신의 노래가 다른 사람에게 감동을 줄 수 있기를 바라고 있다.

실력 쌓기 03 모진 소리 018~019쪽

• **작품 설명**: 이 시는 '모진 소리'가 나와 누군가, 나아가 세상까지 아프게 한다는 내용을 노래하고 있다. 쌀쌀맞고 독한 모진 소리는 자신이 한 말이 아니어도, 또한 자신에게 한 말이 아니어도 온몸을 아프게 하며, 결국엔 세상까지 아프게 한다는 것이다. 이처럼 이 시는 모진 소리에 상처를 받는 마음을 감각적으로 표현하고 있으며 말에 대한 영향력에 대해 생각해 보게 하는 작품이다.

• **핵심 보기**

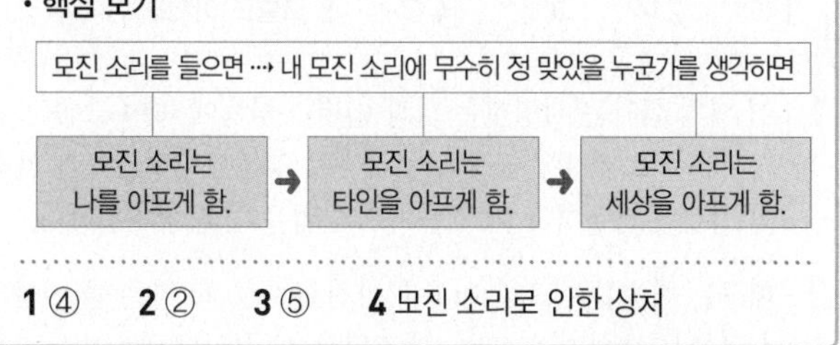

모진 소리를 들으면 ··· 내 모진 소리에 무수히 정 맞았을 누군가를 생각하면
모진 소리는 나를 아프게 함.
모진 소리는 타인을 아프게 함.
모진 소리는 세상을 아프게 함.

1 ④ 2 ② 3 ⑤ 4 모진 소리로 인한 상처

1 '쿡쿡'과 같은 의태어나 '쩡'과 같은 의성어를 사용하여 모진 소리에 상처받는 마음을 인상적으로 표현하였다.

2 모진 소리는 나와 타인과 세상을 아프게 하는 소리로, 화자는 이것이 당사자만이 아니라 주변 사람, 나아가 사회 전체를 아프게 한다고 생각한다.

3 이 시는 모진 소리가 나와 타인과 세상을 아프게 함을 말하고 있고, 〈보기〉의 시는 좋은 말이 나에게 주는 영향에 대해 노래하고 있다. 따라서 두 시의 공통점은 말이 지닌 영향력과 말할 때의 바람직한 태도에 대해 생각해 볼 수 있다는 것이다.

오답 풀이 ❶ 〈보기〉의 시는 밝은 분위기를 지니고 있으나, 이 시는 밝고 활기찬 분위기라고 볼 수 없다.
❷ 두 작품 모두 과거의 경험을 회상하고 있는 내용은 제시되어 있지 않다.
❸ 두 작품 모두 대비되는 의미의 시어를 사용하고 있지 않다.
❹ 이 시에서는 '쿡쿡', '쩡'과 같은 음성 상징어를 사용하고 있으나, 〈보기〉의 시에서는 음성 상징어를 사용하지 않고 있다.

4 제시된 시구는 '모진 소리'가 마음에 상처를 주는 것을 감각적으로 표현한 것이다.

토닥토닥 실력 쌓기 04 먼 후일

020~021쪽

• **작품 설명**: 이 시는 떠나간 임을 잊을 수 없는 마음을 반어를 활용하여 간결한 형식으로 표현한 작품이다. 화자는 자신을 버리고 떠난 임이 다시 나타난다면 당신을 '잊었노라'고 말할 것을 다짐하고 있으나, 이는 임을 쉽게 잊을 수 없는 자신을 달래는 말일 뿐이다. 시 전체에서 반복되는 표현인 '잊었노라'는 '잊었다'라는 사실의 확인이 아니라 오히려 '잊을 수 없다'라는 마음을 반어적으로 표현한 것으로, 임에 대한 간절한 그리움을 효과적으로 드러내고 있다. 또한 동일한 시어와 문장 구조, 3음보가 반복되어 운율을 쉽게 느낄 수 있다.

• **핵심 보기**

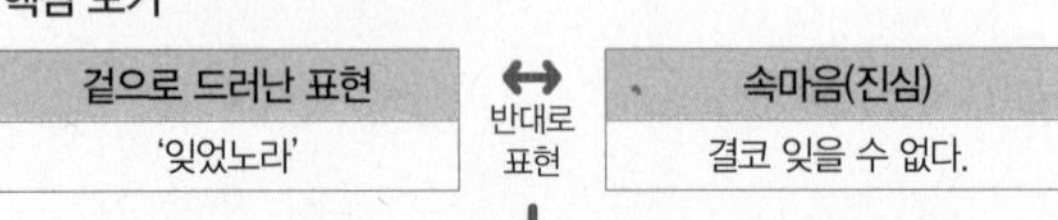

반어의 의미

겉으로는 불특정한 미래에 '당신'을 다시 만날 상황을 가정하고 그때에 '잊었노라'라고 말하겠다고 반복하여 표현하지만, 이를 통해 '당신'을 결코 잊을 수 없다는 속마음을 드러냄.

반어의 효과

• 임을 그리워하는 마음을 간절하게 표현하여 주제를 강조함.
• 직설적인 표현으로는 나타내기 어려운 애절한 감정을 효과적으로 표현함.

1 ⑤ 2 ④ 3 ④ 4 ② 5 오늘도 어제도 아니 잊고

1 이 시의 화자는 사랑하는 임과 이별한 상황에 놓여 슬픔과 안타까움을 느낄 뿐, 임을 나무라지는 않는다. 떠난 임과 재회할 상황을 가정하고 아직 돌아오지 않은 임을 그리워한다.

2 대구는 비슷한 어조나 어세를 가진 것으로 짝 지은 둘 이상의 시구에서 흔히 나타나며, 대조되는 시어를 대구로 반복하면 운율이 형성되고 구조적 안정감을 준다. 하지만 이 시에 대조적 시어의 대구는 나타나 있지 않다.

오답 풀이 ❶ '먼 훗날∨당신이∨찾으시면∨ / 그때에∨내 말이∨'잊었노라'∨'와 같은 3음보의 율격으로 운율을 형성하고 있다.
❷ '먼 훗날, 당신이, 나무라면, 잊었노라' 등의 같은 시어의 반복으로 운율을 형성하고 있다.
❸, ❺ '~면 ~ 잊었노라'의 가정형 문장 구조의 반복을 통해 운율을 형성하고 있다.

3 이 시의 화자는 반어법을 사용하여 임을 잊지 못하는 속마음을 '잊었노라'라고 표현하였다. 이를 통해 화자의 속마음을 인상 깊게 드러낼 수 있고, 화자의 애틋한 마음과 그리움이 보다 강조될 수 있다. ④의 모순된 표현은 역설적 표현에 대한 설명이다.

4 이 시는 반어법을 통해 시적 의미를 강조하고 있다. 이와 같이 반어법을 활용한 말은 ②이다.

오답 풀이 ❶은 도치, ❸은 은유, ❹는 역설, ❺는 직유의 표현 방법이 사용되었다.

5 '오늘도 어제도 아니 잊고'라는 표현에는 '당신'을 잊었다고 말하고 있지만, 실제로는 '당신'을 계속해서 잊지 못하고 있다는 화자의 속마음이 드러나 있다.

토닥토닥 실력 쌓기 05 넌 바보다

022~023쪽

• **작품 설명**: 이 시는 화자가 좋아하는 아이를 관찰한 경험과 그것을 통해 얻은 깨달음을 반어 표현을 활용하여 나타낸 작품이다. 1연에서 화자는 착하고 바르게 생활하는 '너'의 행동들을 나열하며 '바보'라고 한다. 하지만 2연에서 그러한 '너'를 좋아하고 본받고 싶은 '나'의 진심을 밝힘으로써 '바보'라는 말이 반어적인 표현이었음을 극적으로 드러내고 있다. '너는 참 바보다.'를 반복하여 운율을 형성하고, 1연 마지막 시구에서 '정말 정말 바보다.'라고 점층적으로 강조하여 2연에 드러날 극적 반전을 살리고 있다.

• **핵심 보기**

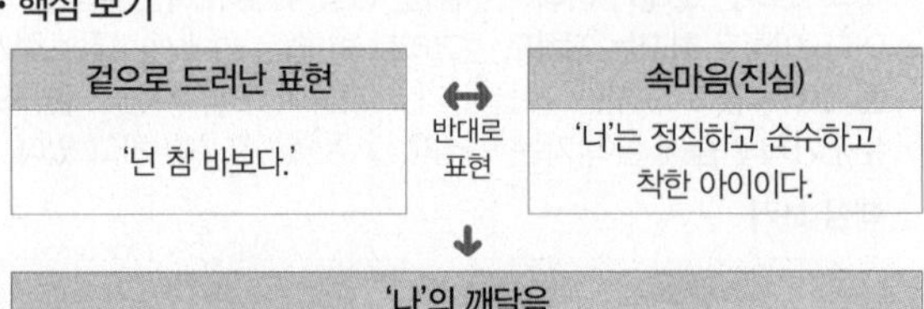

겉으로 드러난 표현
'넌 참 바보다.'
반대로 표현
속마음(진심)
'너'는 정직하고 순수하고 착한 아이이다.

'나'의 깨달음

• '너'의 순수하고 따뜻한 마음 씀씀이에 감탄함.
• 착하고 바르게 살아가는 '너'를 좋아함.

'나'의 표현 의도

화자는 자신의 마음을 반대되게 표현하여 '너'의 바른 행동과 그러한 행동을 본받고 싶어 하는 마음을 강조함.

1 ① 2 ② 3 ① 4 너는 참 바보다.

1 이 시는 화자가 자신이 좋아하는, 착하고 바른 아이를 관찰한 경험을 바탕으로 하고 있으며, 반어 표현을 활용하여 주제 의식을 강조하고 있다.

2 '너'는 친구의 말이 허풍이라고 하더라도 진지하게 공감하며 들어 주는 착한 아이이다.

오답 풀이 ❶ '그까짓 게 뭐 그리 대단하다고 / 민들레 앞에 쪼그리고 앉아 한참 바라보는'에서 알 수 있다.
❸ '바보라고 불러도 화내지 않고 / 씨익 웃어 버리고 마는'에서 알 수 있다.
❹ '개구멍으로 쏙 빠져나가면 금방일 것을 / 비잉 돌아 교문으로 다니는'에서 알 수 있다.
❺ '얼굴에 검댕 칠을 한 연탄장수 아저씨한테 / 쓸데없이 꾸벅, 인사하는'에서 알 수 있다.

3 이 시의 주된 표현 방법은 반어법으로, ①은 '고와서 서러워라.'에서 역설의 표현 방법이 사용되었다.

오답 풀이 ❷ 눈물을 참을 수 없을 정도로 임이 떠나는 것이 슬프다는 마음을 '죽어도 눈물을 흘리지 않겠다'고 반어적으로 표현한 것이다.
❸ 일반적으로는 기다림보다 사랑의 감정이 더 행복하겠지만, 사랑하는 임에 대한 간절한 그리움을 강조하기 위해 '사랑하는 일보다 기다리는 일이 더 행복하다'고 반어적으로 표현한 것이다.
❹ 배앓이를 견디게 해 준 소중한 아랫목이 물에 잠길 정도로 다급하고 처참한 상황을 강조하기 위해 '서럽지 않다'라고 반어적으로 표현한 것이다.
❺ 내가 그대를 사랑하는 마음이 '사소한 일'이라고 반어적으로 표현한 것이다.

4 '너는 참 바보다.'라는 시구는 '너'를 좋은 아이라고 생각하는 '나'의 마음을 반대되게 표현한 것이며, 이러한 표현이 반복됨으로써 의미가 강조되고 운율이 형성된다.

토닥토닥 실력 쌓기 06 봄 길 024~025쪽

• **작품 설명**: 이 시는 절망적인 상황일지라도 희망과 사랑이 있다는 믿음을 강조하기 위해 역설 표현을 활용하고 있다. '길'이 끝났지만 '길'이 있고, '사랑'이 끝났지만 '사랑'으로 남아 있다는 모순적인 상황이 제시된다. 이로써 어떤 상황 속에서도 희망과 사랑을 품은 채로 꿋꿋하게 살아가는 삶을 강조하고 있다. 이 시의 제목이자 제재인 '봄 길'은 만물이 소생하는 계절인 '봄'과 미래, 가능성의 의미를 내포하는 '길'이 조합된 것으로, 긍정적, 희망적 가치를 추구하는 화자의 삶의 태도를 상징한다. 화자는 사랑이 소멸된 절망적인 상황을 제시한 후, '보라'와 같은 단정적 어조의 명령형을 사용하여 시상을 전환함으로써 읽는 이의 주의를 환기시키는 한편, 절망적 상황을 극복할 수 있다는 의지를 강조하고 있다.

• **핵심 보기**

절망적인 상황에서도 희망을 잃지 않는 사람이 있음. ➜ 사랑이 끝난 절망적인 상황이 찾아옴. ➜ 사랑이 끝난 곳에서도 사랑을 베푸는 사람이 있음.

↓

'봄 길을 걸어가는 사람'
• 힘들고 어려운 일이 닥치더라도 희망을 잃지 않고 묵묵히 걸어가는 사람
• 절망적 상황을 극복하기 위해 노력하고 사랑을 베풀 줄 아는 사람

↓

역설적 표현을 통해 '시련을 극복하고 스스로 사랑을 추구하는 삶의 태도'라는 주제 의식을 강조함.

1 ④ 2 ② 3 ⑤ 4 ③ 5 ㄱ, ㄹ, ㅁ

1 강물이 멈추고, 새들이 돌아오지 않는 상황을 통해 희망적 가치를 전하는 것이 아니라, 희망이 사라진 절망적인 상황을 제시하고 있다.

오답 풀이 ❶ 이 시에는 '길이 끝나는 곳에서도 / 길이 있다', '길이 끝나는 곳에서도 / 길이 되는 사람이 있다', '사랑이 끝난 곳에서도 / 사랑으로 남아 있는 사람이 있다'와 같은 역설 표현이 사용되었다. 이러한 역설 표현을 통하여 절망적인 상황일지라도 희망과 사랑이 있다는 주제를 강조하여 드러내고 있다.
❷ 이 시에서는 '~이 있다'와 같은 시구를 반복하여 통일성을 주고 운율을 형성하고 있다.
❸ 10행의 '보라'와 같이 명령형 어미의 사용으로 화자의 의지를 강조함과 동시에 시상을 전환하고 있다.
❺ 이 시에서 '봄 길'은 긍정적이고 희망적인 가치를 뜻하며, 이를 통해 따뜻하고 포근한 분위기를 조성하고 있다.

2 이 시의 화자는 자연 친화적인 삶을 바라고 있지는 않다. 또한 이 시에서 자연물은 극도의 절망이 닥친 상황을 구체적으로 보여 주기 위해 제시된 것이다. 화자는 절망적 상황 속에서도 희망이 있다고 믿으며, 스스로 사랑을 실천하는 삶의 태도를 중요하게 여기고 있다.

3 ㉠에 사용된 표현은 역설이다. 역설적 표현을 활용하면 읽는 이가 앞뒤가 맞지 않는 표현 안에 어떤 의미가 담겼는지 깊이 생각해 보게 함으로써 읽는 이의 주의를 끌고 참신한 느낌을 줄 수 있다.

4 이 시는 상반된 이미지를 갖는 시구를 대조적으로 사용하여 어떤 절망적인 상황 속에서도 분명히 희망은 있다는 주제 의식을 효과적으로 드러내고 있다. '하늘과 땅 사이의 모든 꽃잎은 흩어져도'는 절망적 상황을 뜻하는 부정적 의미의 시구이다.

오답 풀이 ❶ '길이 되는 사람'은 절망적인 상황을 극복하려는 의지가 있는 사람을 뜻한다.
❷ '스스로 봄 길이 되어'는 것은 긍정적 가능성을 갖고 희망을 잃지 않는 자세를 갖는다는 뜻이다.
❹ '사랑으로 남아 있는 사람'은 사랑이 끝나도 절망하지 않고 사랑으로 극복하려는 사람을 뜻한다.
❺ '한없이 봄 길을 걸어가는 사람'은 고통만 남은 곳에서도 다른 이에게 사랑을 베푸는 사람을 뜻한다.

5 이 시는 역설적 표현이 두드러지는데, 역설은 표면적으로는 비논리적으로 보이는 진술을 통해 그 이면의 진실을 강조하여 말하기 위한 표현 방법이다. ㄱ에서 '소리 없는'과 '아우성'이, ㄹ에서 '찬란한'과 '슬픔'이, ㅁ에서 '님은 갔지마는'과 '님을 보내지 아니하였습니다'가 바로 겉보기에는 모순이지만 그 안의 의미를 강조하고 있는 역설법을 사용하고 있다.

오답 풀이 ㄴ. '오랑캐꽃'은 사람이 아닌 식물일 뿐인데 '울어나 보렴'이라고 표현하고 있다. 이는 사람이 아닌 대상을 사람인 것처럼 표현한 의인법이 사용된 것이다.
ㄷ. 화자가 바라는 자신의 모습을 너그러우면서도 포용력이 있는 존재인 '바다'에 빗대어 표현하고 있다. 이는 '~처럼'의 연결어를 사용하여 직접 비유한 직유법이 사용된 것이다.

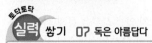

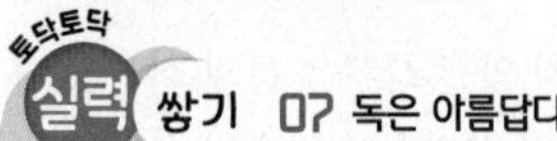

토닥토닥 실력 쌓기 07 독은 아름답다 026~027쪽

• **작품 설명**: 이 시는 일상에서 접할 수 있는 몇 가지 소재를 활용하여, 각각이 지닌 부정적 특성에서 발견한 긍정적 가치를 노래한 작품이다. 은행나무 열매의 구린내, 날카롭게 찌르는 밤송이의 가시, 복어의 독 등은 일반적으로 부정적으로 여기는 것들이다. 하지만 화자는 이러한 특성이 '은행나무 열매', '밤톨', '복어알'을 보호하기 위해서라고 여기므로 대상의 부정적인 특성을 오히려 긍정적으로 바라보고 있다. 그리고 '은행나무 열매', '밤톨', '복어알'은 마지막 연에 이르러 '자식'으로 이어진다. 화자는 습관처럼 술을 마시던 친구가 자식을 낳고 술을 끊은 그 독한 마음을 아름답다고 역설적으로 표현함으로써 자식을 소중히 여기는 부모의 마음을 강조하고 있다.

• **핵심 보기**

역설의 뜻	겉보기에는 모순이지만 대상에 관한 통찰을 통해 얻은 진실을 담고 있는 표현 방법
역설적 표현	• 구린내가 향기롭다 • 날카롭게 찌르는 가시가 너그럽다 • 복어의 독이 복어의 사랑이다 • 친구의 독한 마음이 아름답다

↓

표현 효과	• 모순된 표현 속에 깊은 뜻이 숨어 있어 한 번 더 생각해 보게 함. • 이치에 맞지 않는 것 같지만 진리를 담고 있어 그 의미를 강조함.

1 ② 2 ② 3 ④ 4 차갑지만 따뜻한 손

1 이 시의 화자는 은행나무 열매를 보호하기 위한 구린내, 밤톨을 보호하기 위한 가시, 복어알을 보호하기 위한 독을 긍정적으로 바라보고 있다. '은행나무 열매', '밤톨', '복어알'은 4연에서 자연스럽게 '자식'과 연관된다. 즉 이 시는 자식을 소중히 여기고 보호하려는 부모의 사랑, 본능적인 애정의 감정이 아름답고 가치 있다는 것을 노래하고 있다.

2 모순된 표현은 앞뒤의 말이 이치에 맞지 않는 것이다. '밤송이가 따가워진다'에는 모순된 표현이 사용되지 않았다.

오답 풀이 ❶ '구린내'는 '똥이나 방귀 냄새와 같이 고약한 냄새'인데 '향기롭다'고 표현하였다.
❸ 술을 끊은 친구가 독하다고 생각하지만, 그 '독한 마음'을 '아름답다'고 표현하였다.
❹ '복어의 독'은 건강이나 생명에 해가 되는 것이지만, 이를 '사랑'이라고 표현하였다.
❺ '밤송이'의 가시에 찔리면 아프지만, 밤송이가 가시로 밤톨을 '너그럽게' 감싸고 있다고 표현하였다.

3 술을 마시던 친구가 자식을 낳고 술을 끊은 것을 보고 독하다고 했지만, 그 독한 마음은 자식을 소중히 여기는 마음이므로 '아름답다'고 표현하여 강조하고 있다. 따라서 친구의 마음을 직설적으로 드러낸 것이 아니라 역설을 통해 의미를 강조한 것이다. 역설은 모순된 표현 속에 깊은 뜻이 숨어 있어 표현하고자 하는 의미가 더 강조되는 효과가 있다.

4 이 시에 사용된 주된 표현 방법은 역설이다. 〈보기〉의 시에서 '차갑지만 따뜻한'은 모순된 표현이지만, 아빠의 차가운 손에서 느껴지는 따뜻한 마음을 강조하는 역설적 표현이다.

2 소설

차근차근 개념 이해 028~031쪽

1 × 2 인물 3 직접 4 1인칭 주인공 5 × 6 ○
7 결말 8 ○ 9 반어 10 × 11 ○ 12 맥락

바로바로 개념 적용 내가 그린 히말라야시다 그림 032~033쪽

• **작품 설명**: 이 소설은 어린 시절 사생 대회 결과를 바로잡지 않은 두 인물의 선택이 그들의 인생에 어떤 영향을 주었는지를 보여 주는 성장 소설이다. 성인이 된 주인공이 자신의 유년 시절을 회상하는 역순행적 구성 방식을 취하고 있다. 그리고 유년 시절의 한 사건을 바라보는 두 주인공이 서술자로 교차하면서 각자 자신의 입장에서 서술하고 있어, 동일한 사건에 대한 서로 다른 심리와 생각이 효과적으로 드러나 있다.

• **핵심 보기**

〈1〉의 '나'	〈0〉의 '나'
사생 대회의 장원이 자신이었지만 참가 번호를 잘못 적어 상을 받지 못했고, 귀찮은 일이라고 생각하여 심사 착오를 바로잡지 않았던 일을 서술함.	사생 대회의 장원이 바뀐 것을 알게 되면서 당황했고, 자신에게 기대한 사람들을 실망시킬 수 없다는 이유로 진실을 말할 수 없었던 일을 서술함.

↓

1인칭 주인공 시점으로 서술자 두 명이 교차하면서 동일한 사건에 대한 각자의 심리와 대응을 서술함.

지문 체크 1 × 2 ○ 3 회상 4 × 5 ○

이 글의 서술상 특징 1 ①
두 주인공의 상반된 처지 2 ④

1 이 글은 두 주인공이 서술자로 교차하며 각자 자신의 입장에서 사건을 바라보고 자기 내면의 생각을 서술하고 있다. 이를 통해 동일한 사건을 바라보는 각기 다른 관점을 드러내고 있다.

2 〈0〉의 '나'는 장원을 받은 그림이 자신이 그린 그림이 아님을 알고 당황하며 사실을 밝혀야 할지 말아야 할지 고민한다. 하지만 '주 선생님'의 품에서 울었던 일이 창피하고, 자신에게 기대를 걸었던 사람들을 실망시킬 수 없어서 결국 사실대로 말하지 않는다.

보충 자료

| 이 소설이 한 서술자의 시점에서만 서술되었다면? |
• 한 서술자의 고백적인 내면의 소리에 집중할 수 있을 것이다.
• 한 서술자의 심리만 드러나서, 같은 상황에 처한 두 인물의 심리를 비교해 보는 재미가 줄어들었을 것이다.
• 한 인물의 관점만 알 수 있고 다른 인물이 무슨 생각으로 끝까지 사실을 말하지 않았는지 정확하게 알 수 없어 독자들은 답답함을 느꼈을 것이다.

바로바로 개념 적용 운수 좋은 날 034~035쪽

• **작품 설명**: 이 소설은 일제 강점기 도시 하층민의 비참한 삶을 '김 첨지'라는 인력거꾼의 하루를 통해 사실적으로 그려 낸 작품이다. '김 첨지'의 그 하루는 표면상으로는 거듭되는 행운에 뜻하지 않게 큰돈을 벌게 된 날로 보이지만 실제로는 아내가 죽음에 이르는 큰 불행이 닥친 날이다. 이와 같은 결말의 반어적인 상황과, 주인공의 비참한 하루를 '운수 좋은 날'이라고 반어적으로 표현한 제목 모두 작품의 비극적 정서를 극대화하고 있다.

• **핵심 보기**

운수 좋은 날		운수 나쁜 날
오랜만에 손님이 많아 여느 날과 달리 많은 돈을 벌게 된 날	↔	병든 아내가 죽은 불행하고 비참한 날

↓

반어의 사용과 그 효과
계속된 행운으로 돈을 많이 번 운수 좋은 날이었지만 이와 반대로 아내가 죽은 불행한 날이라는 반어적 상황을 통해 하층민의 비참한 삶을 효과적으로 보여 주고, 작품의 비극성을 부각함.

지문 체크 1 비 2 ○ 3 × 4 ○ 5 설렁탕

'김 첨지'의 심리와 상황 1 ⑤

이 글에 사용된 표현 방법의 특징 2 ②

1 아내는 자신의 죽음을 예감하며 '김 첨지'에게 오늘은 일을 나가지 말라고 한다. 하지만 '김 첨지'는 가난한 집의 가장으로 아내가 병까지 앓고 있어 돈벌이가 급하다. 따라서 '김 첨지'는 아내에게 서운한 것이 아니라 병든 아내를 두고 일하러 나온 것에 마음이 무거운 상황이다.

오답 풀이 ❶ (다)의 "맞붙들고 앉았으면 누가 먹여 살릴 줄 알아." 라고 하며 비가 추적추적 내려도 돈벌이에 나서는 '김 첨지'의 모습에서 가장으로서의 책임감이 드러난다.
❷ 취중에도 아내를 먹이고자 설렁탕을 사 가는 모습에서 쌀쌀맞은 겉 태도와는 다른 '김첨지'의 속정이 드러난다.
❸ (라)에 아픈 아내가 염려되어 집에 가까워질수록 마음이 불안해지면서 다리가 무거워지는 '김 첨지'의 모습이 나타난다.
❹ (가), (나)에 아침 댓바람에 앞집 마마님과 양복쟁이를 각각 전찻길과 학교까지 태워다 주고 팔십 전을 받은 일이 흔치 않다고 나와 있다.

2 이 글은 표면상으로 '김 첨지'가 돈을 많이 벌어서 운수 좋은 날처럼 보였지만 결과적으로 아내의 죽음이라는 큰 불행을 맞이하여 비극적 결말을 맺고 있다. 따라서 제목에서 암시되는 행운과 서사적 사건이 전혀 반대로 전개되는 반어적 상황을 통해 작품의 비극적 정서를 심화하는 효과를 거두고 있다.

보충 자료

| 이 소설에 나타난 반어의 복합성 |

전체 이야기 측면의 반어	'김 첨지'에게는 운수 좋은 날, 즉 뜻밖에 수입이 좋은 날이었는데, 그날이 바로 아내가 죽은 날이 됨.
제목의 반어	실제로는 가장 불행한 날이지만, 작가는 그 반대의 뜻을 가진 '운수 좋은 날'로 제목을 붙임.
인물의 태도 측면의 반어	'김 첨지'의 속마음은 아내에 대한 연민과 걱정으로 가득하지만, 겉 태도는 욕을 하며 쌀쌀맞게 대함.

토닥토닥 실력 쌓기 01 동백꽃 ❶ 036~037쪽

• **작품 설명**: 이 소설은 1930년대 농촌 마을을 배경으로 하여 서로 다른 집안 배경을 가지고 있는 사춘기 소년과 소녀의 풋풋한 사랑을 해학적으로 그리고 있는 작품이다. 어수룩하고 순박한 '나'가 곧 서술자인, 1인칭 주인공 시점으로 사건이 전개되고 있다. '점순'은 '나'를 좋아하는 마음에 '나'에게 감자를 주며 환심을 사려고 하거나 닭싸움으로 '나'의 관심을 끌려고 하지만, 눈치 없는 '나'는 '점순'의 마음을 전혀 알아채지 못하여 흥미와 긴장을 유발한다. 또한 서술자의 이러한 특성이 오히려 산골 마을 젊은 남녀의 순박한 사랑이라는 주제를 효과적으로 드러낸다.

• **핵심 보기**

서술자 '나'(1인칭 주인공 시점)
어수룩하고, 아직 사랑의 감정에 눈뜨지 못할 정도로 순박하여 '점순'의 심리와 의도를 제대로 파악하지 못함.

↓

'나'가 서술한 사건	
현재	오늘도 '점순'이 닭싸움을 붙이며 '나'를 괴롭힘.
과거	• 나흘 전 '나'가 '점순'이 건넨 감자를 거절한 후로 '점순'이 '나'를 괴롭히기 시작함. • '나'는 닭싸움에 이기기 위해 '나'의 수탉에게 고추장을 먹여 보지만 소용이 없음.
현재	• 닭싸움으로 빈사지경에 이른 수탉을 본 '나'는 화가 나서 '점순'네 수탉을 때려죽임. • '나'와 '점순'이 화해하며 노란 동백꽃 속으로 파묻힘.

↓

서술자를 '나'로 설정한 효과
• 독자도 아는 '점순'의 마음을 당사자인 '나'가 알아채지 못한 채로 사건을 전달하여 웃음을 줌. • 눈치 없는 '나'의 시각으로 사건이 전개되어 사춘기 소년과 소녀 사이의 풋풋한 사랑이라는 주제가 효과적으로 드러남.

소주제 발단 닭싸움

1 ④ 2 ③ 3 ②

1 이 글은 1930년대 농촌 산골 마을을 배경으로 삼고 있지만, 당시 농촌 마을 사람들의 피폐한 삶을 드러내고 있지는 않다.

오답 풀이 ❶ 비속어 '대강이, 주둥이, 계집애' 등과 (다)의 대화에 나타난 사투리를 통해 현장감과 생동감을 느낄 수 있다.
❷ 인물의 행동과 대화를 통해 '나'는 무뚝뚝하고 순박한 성격임을 알 수 있고, '점순'은 적극적이고 활달한 성격임을 알 수 있다.
❸ 강원도 방언 등 토속적 어휘에서 이 소설의 배경인 강원도 농촌 마을의 향토적 분위기가 잘 드러난다.
❺ (가)~(나)는 현재이고 (다)~(라)는 과거(나흘 전)로, 시간의 흐름을 거슬러 사건이 전개되는 역순행적 구성을 따르고 있다.

2 이 소설은 작품 속 주인공인 '나'가 자신의 이야기를 직접 서술하는 1인칭 주인공 시점을 취하고 있다. 따라서 주인공인 '나'의 생각과 심리가 구체적으로 드러나고 있다.

오답 풀이 ❶ 서술자 '나'는 자신의 심리만 자세히 전할 뿐, '점순'의 심리를 파악하지 못하고 있다.
❷ 3인칭 관찰자 시점에 대한 설명이다.
❹ 서술자 '나'는 주인공이자 중심인물로, 자신이 겪은 사건을 구체적으로 드러내고 있다.
❺ 전지적 작가 시점에 대한 설명이다.

3 '나'에게 따끈한 감자를 가져다주고 싶은 '점순'의 애틋한 마음이 드러나는 것으로 보아, 감자 세 알은 '나'를 향한 '점순'의 적극적인 애정 표현을 드러내는 소재이다.

토닥토닥 실력 쌓기 01 동백꽃 ❷ 038~039쪽

소주제 전개 1 감자 전개 2 점순

1 ④ 2 ③ 3 ④

1 이 글에서 서술자 '나'는 어수룩하고 눈치가 없어 '점순'의 말과 행동에 담긴 의도를 제대로 파악하지 못한 채 사건을 전달하여 독자의 웃음을 유발한다. 서술자가 '나'일 경우 '점순'의 속마음은 정확하게 알 수 없으므로 '점순'의 내적 갈등을 구체적으로 드러내기는 어렵다. 이 작품은 인물의 내적 갈등보다는 외적 갈등이 두드러지게 나타나 있다.

오답 풀이 ❶, ❺ 눈치 없고 어수룩한 '나'를 통해 상황이 전달되면서 사춘기 소년과 소녀 사이의 순박하고 풋풋한 사랑이라는 주제가 효과적으로 드러난다.
❷ 독자도 아는 '점순'의 마음을 정작 당사자인 '나'가 모르는 채로 사건을 전달하면서 웃음을 유발하여 해학적인 분위기가 두드러지게 나타난다.
❸ 서술자 '나'는 '점순'의 속마음과 행동의 의도를 제대로 파악하지 못하고 있다. 따라서 독자는 '나'가 모르는 '점순'의 속마음을 상상하며 읽을 수 있다.

2 '나'는 닭싸움을 붙이는 '점순'의 의도를 전혀 이해하지 못하고 있으므로 '나'가 '점순'에게 느끼는 미묘한 감정을 보여 주고 있다는 것은 적절하지 않은 설명이다.

오답 풀이 ❶ '점순'은 '나'가 '점순'이 준 감자를 거절한 뒤부터 닭싸움을 붙여 '나'를 괴롭히기 시작한다. 이를 통해 '나'와 '점순'의 갈등이 드러나고 심화된다.
❷ '점순'은 닭싸움을 통해 '나'를 좋아하는 마음을 '나'를 괴롭히는 행동으로 표현하고 있다. 닭싸움은 '점순'이 '나'에 대한 애정을 반어적으로 드러내는 표현 방식으로 볼 수 있다.
❹ '점순'은 자신의 마음을 몰라주는 '나'에게 화가 나고, '나'의 관심을 끌고 싶은 마음에 닭싸움을 붙이고 있다.
❺ '점순'은 '나'에 대한 애정과 관심을 '나'에게 감자를 건네주는 것으로 표현하지만, 이를 거절당하자 복수하기 위해 '나'의 닭을 괴롭힌다.

3 (마)에서 '점순'은 마름의 딸이고, '나'의 집은 '점순'네를 통해 땅을 빌려 농사를 짓는 소작인의 신분이기 때문에 마름인 '점순'네의 눈치를 보며 살고 있다는 것을 알 수 있다. '점순'에게 잘못하면 땅이 떨어지고 집도 내쫓길 수 있다는 생각에 '나'는 '점순'의 횡포에도 제대로 항의를 못하고 있다.

실력 쌓기 01 동백꽃 ❸ 040~041쪽

소주제 위기 고추장

1 ⑤ 2 ② 3 ④ 4 순진하고 어수룩하다.

1 〈보기〉는 전지적 작가 시점의 특징으로, 작품 밖의 서술자가 신과 같은 입장에서 사건과 인물의 심리까지 모두 꿰뚫어 보고 구체적으로 전달하므로 작가의 의도나 주제를 직접 전달할 수 있다. 하지만 독자도 아는 '점순'의 마음을 알아채지 못하는 '나'가 서술자일 때보다 해학적 분위기가 줄어들고, 독자의 상상력이 제한될 수 있다.

오답 풀이 ❶ 1인칭 주인공 시점의 효과이다.
❷ 1인칭 시점에 대한 설명이다.
❸ 3인칭 관찰자 시점에 대한 설명이다.
❹ 전지적 작가 시점은 서술자가 사건의 속사정과 인물의 심리까지 구체적으로 서술하기 때문에 독자의 상상력이 제한될 수 있다.

2 (자)에서 '나'는 닭에게 고추장을 먹이면 '점순'네 닭을 이길 수 있을 것이라고 기대를 하고, 실제로 닭싸움에서 '나'의 닭이 '점순'네 수탉을 공격하자 기뻐한다. 그러나 (차)에서 금세 상황이 역전되어 '점순'네 수탉에게 '나'의 수탉이 공격을 당해지게 되자 실망하고 만다.

3 '나'는 '점순'이 자신의 닭을 괴롭히는 이유와 '점순'의 속마음을 모르고, '나'의 닭에게 고추장을 먹여 '점순'네 닭과의 싸움에서 이기고자 한다. 그러나 '점순'네 닭이 한 번 쪼인 앙갚음으로 연거푸 '나'의 닭을 공격하여 닭싸움에서 이기자 '점순'은 상황이 역전된 것에 대한 통쾌함을 드러내어 '나'를 약 올리고 '나'의 관심을 끌고자 일부러 크게 웃는다.

4 '나'는 쌈닭에게 고추장을 먹이면 기운이 뻗친다는 말을 믿고 닭에게 고추장만 먹이면 닭싸움에서 이길 수 있다고 생각한다. 또한 고추장을 먹인 자신의 닭이 싸움에서 지자 고추장을 적게 먹여서 그런 것이라고 착각한다. 이러한 모습에서 '나'가 순진하고 어수룩한 성격임을 알 수 있다.

실력 쌓기 01 동백꽃 ❹ 042~043쪽

소주제 절정 때려죽임 결말 동백꽃

1 ③ 2 ⑤ 3 노란 동백꽃

1 '점순'이 울고 있는 '나'에게 "그럼 너 이담부텀 안 그럴 터냐?"라고 말한 의도는 앞으로 자신의 호의를 거부하지 말라는 것이지만, '나'는 '점순'이 한 말의 의미를 이해하지 못한 채 무턱대고 다음부터 그러지 않겠다고 한다. 따라서 '나'가 '점순'에게 진심으로 용서를 구하고 있다고 볼 수 없으며 '점순'이 '나'와의 화해를 이끌고 있다고 볼 수 있다.

오답 풀이 ❶ '나'는 '점순'네 닭을 때려죽인 후 '점순'네에 미움을 사서 소작하는 땅을 빼앗길까 봐 두려워서 울음을 놓았다.
❷ '점순'은 '나'가 울음을 보이자 자신의 마음을 몰라주는 '나'에 대한 원망의 감정을 누그러뜨리고 있다.
❹ '나'는 '점순'이 "그럼 너 이담부텀 안 그럴 터냐?"라고 한 말의 의미를 이해하지 못하고 있고, '점순'이 닭을 죽인 사실을 이르지 않겠다고 하자 갑자기 달라진 상황에 어리둥절해하고 있다.

❺ '점순'과 '나'가 노란 동백꽃 속으로 파묻힌 것은 '점순'이 '나'의 어깨를 밀어서 쓰러뜨렸기 때문이다. 이처럼 '점순'은 '나'에 대한 애정을 적극적으로 표현하고 있다.

2 [A]의 서술자를 '점순'으로 바꾼다면 '점순'이 주인공 '나'로 등장하고, [A]의 '나'는 이름이 주어진 인물로 바뀌게 된다. '점순'의 시점으로 서술하면 '점순' 자신의 심리는 직접 서술할 수 있지만, 다른 인물에 대해서는 겉으로 드러나는 행동만 서술할 수 있을 뿐 심리는 서술할 수 없다. 따라서 ⑤는 '점순'의 시점이 아니라 전지적 작가 시점에서 서술한 내용으로 볼 수 있다.

3 '노란 동백꽃'은 서정적이고 낭만적인 분위기를 형성하며, '나'와 '점순' 사이에 절정으로 무르익어 가던 갈등이 해소되었음을 드러낸다. 또한 '나'가 '점순'에게서 느낀 미묘한 감정을 감각적으로 표현하여 두 사람 사이에 사랑이 싹트게 되었음을 암시한다.

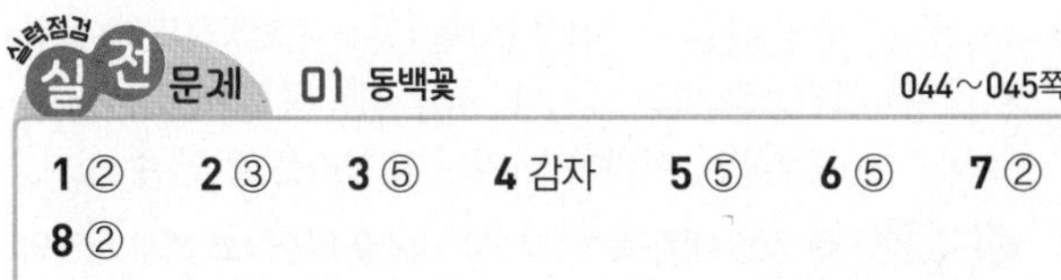

실력점검 **실전 문제** 01 동백꽃 044~045쪽

1 ② **2** ③ **3** ⑤ **4** 감자 **5** ⑤ **6** ⑤ **7** ② **8** ②

1 (가)에서는 '나'가 겪는 '오늘'의 사건이 전개되고 있고, (나)에서는 '나흘 전'의 사건이 전개되고 있다. 이를 통해 이 글은 시간의 흐름을 거슬러 사건이 전개되는 역순행적 구성을 따른다고 볼 수 있다.

2 이 글은 작품 속 주인공인 '나'가 자신의 이야기를 서술하는 1인칭 주인공 시점으로 전개된다. 따라서 '나'의 생각과 심리가 구체적으로 드러나 있다.

오답 풀이 ❶ 3인칭 관찰자 시점에 대한 설명이다.
❷ 이 글에서는 서술자가 '나' 한 명이다. 두 명의 서술자가 교차하며 이야기를 전달하는 작품의 예로는 성석제의 「내가 그린 히말라야시다 그림」이 있다.
❹ 1인칭 관찰자 시점에 대한 설명이다. 이 글은 소설 속 주인공인 '나'가 자신의 이야기를 전달하고 있다.
❺ 전지적 작가 시점에 대한 설명이다.

3 이 글에서 '점순'은 감자를 건네면서 '나'에게 적극적으로 호감을 드러내고 있지만, 어수룩하고 둔한 '나'는 '점순'의 마음과 행동의 의도를 이해하지 못한다. 따라서 '나'가 신분 차이를 의식하기 때문에 '점순'의 마음을 알면서도 모르는 척 하는 것은 아니다.

오답 풀이 ❶ (마)에서 '그렇잖아도 즈이는 마름이고 우리는 그 손에서 배재를 얻어 땅을 부치므로 일상 굽실거린다.'를 통해 '나'가 가난한 소작농의 아들임을 알 수 있다.
❷ '점순'이 맛있는 봄 감자를 '나'에게 주면서 '나'에게 이성적 호감과 관심을 표현하고 있다.
❸ '나'에게 관심을 보이는 '점순'의 마음을 눈치채지 못하는 '나'의 모습에서 '나'가 순박하고 어수룩한 성격임을 알 수 있다.
❹ '점순'은 감자를 주며 '나'에게 호감을 표현하지만 '나'가 호의를 거절하고 자신의 마음을 몰라주자 무안함과 야속함을 느낀다.

4 '점순'은 '나'의 관심을 끌고 '나'에 대한 호감을 표현하기 위해 '나'에게 감자를 준다. 하지만 '점순'은 '나'를 좋아하는 마음을 어떻게 표현해야 할지도 모르고 또 직접 드러내기에도 부끄러운 나머지 "느 집엔 이거 없지?"라고 생색을 낸다. 이에 기분이 상한 '나'는 '점순'의 마음을 알아채지 못하고 이를 거절하면서 두 사람 사이의 갈등이 시작된다.

5 이 글의 서술자 '나'는 어수룩하고 눈치가 없어 '점순'의 이성적인 관심을 알아채지 못하고, '점순'의 말과 행동에 담긴 의도를 제대로 파악하지 못하고 있다. 자신을 좋아하는 '점순'의 마음을 알아채지 못하는 어수룩하고 눈치 없는 '나'를 서술자로 설정함으로써 웃음을 유발하고 독자에게 재미를 느끼게 한다.

6 (다)에서 '점순'이 왜 남의 닭을 때려죽인 것인지 물었을 때 '나'는 당당한 척 일어나지만 이내 마름네 집 닭을 죽인 상황을 깨닫게 되면서 땅을 뺏기고 집에서 내쫓길지도 모른다는 생각에 두려움을 느끼게 된다. 따라서 피지배 계층의 저항 정신이 느껴진다는 감상은 적절하지 않다.

오답 풀이 ❶ '점순'은 자신의 마음을 몰라주는 '나'에 대한 원망 때문에 '나'가 없는 사이에 또다시 닭싸움을 시키고 있다. 이 모습을 통해 '점순'이 집요한 성격임을 알 수 있다.
❷ '점순'은 '나'를 약 올리고 '나'의 관심을 끌기 위해서 닭싸움을 붙여 놓고 태연하게 호드기를 불고 있는 것이다.
❸ '나'는 아직 사랑의 감정에 눈뜨지 못했고 소작인과 마름이라는 집안 관계 때문에 소극적으로 행동한다. 하지만 '점순'은 자신의 감정을 적극적으로 표현한다. 이 모습은 닭싸움에서도 반영이 되는데, '나'의 닭은 약해서 '점순'의 닭에게 계속해서 당하기만 한다.
❹ (나)에서 닭싸움 이후 '점순'에 대한 '나'의 인상이 호감에서 미움으로 변했음을 알 수 있다.

7 '점순'은 '나'가 앞으로 자신의 호의를 거절하지 말고 자신의 마음을 알아달라는 의미에서 '나'에게 ㉠, ㉡과 같은 말을 한 것이다.

8 '노란 동백꽃'은 향토적이고 서정적인 분위기를 만들어 주고, '나'와 '점순'의 갈등이 해소되면서 두 사람 사이에 풋풋한 감정이 생겼음을 암시하는 소재이다. 하지만 '나'와 '점순'의 처지가 다르다는 것을 보여 주는 역할은 하지 않는다.

오답 풀이 ❶ 동백꽃으로 인한 시각적, 후각적 효과를 바탕으로 낭만적이고 서정적인 분위기를 조성하고, 산골에 피어 있는 동백꽃의 모습을 통해 향토적인 분위기를 조성한다.
❸ '나'와 '점순'이 노란 동백꽃 속으로 쓰러지면서 그동안의 갈등이 해소되고, 화해의 분위기를 형성하고 있다.
❹ '나'가 동백꽃 속에 파묻히자 땅에 꺼지는 듯 정신이 아찔해짐을 느끼는 모습에서 '나'에게 '점순'에 대한 미묘한 감정이 생겼음을 암시하고 있다.
❺ (라)의 '알싸한 그리고 향긋한 그 냄새에 ~ 온 정신이 고만 아찔하였다.'에서 '나'와 '점순' 사이에 생겨난 풋풋한 감정을 감각적으로 표현하고 있다.

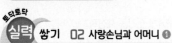

실력 쌓기 02 사랑손님과 어머니 ❶ 046~047쪽

• **작품 설명**: 이 소설은 여섯 살 난 '옥희'의 시선을 통해 '사랑손님'과 '어머니'의 가슴 아픈 사랑과 이별을 서정적으로 그려 낸 작품이다. 이 소설은 시간의 흐름에 따라 전개되는 순행적이고 단순한 구성 방식을 취하며, 어린아이가 화자로서 주인공인 '어머니'와 '아저씨'를 관찰하고 이를 구어체와 경어체의 문장을 통해 이야기하듯 서술하고 있는 점이 특징적이다. 전통적인 윤리관 속에서 갈등을 느끼며 전개되는 남녀 사이의 연정을 어린 '옥희'의 눈을 통해 전달함으로써 자칫 통속적으로 보일 수 있는 어른들의 사랑을 순수하고 아름답게 승화시키고 있다.

• **핵심 보기**

'나' = 서술자이자 관찰자(1인칭 관찰자 시점)
• 순수하고 천진난만한 여섯 살 여자아이임. • 자신이 보고 느낀 것만 서술함. • 어른들의 심리를 이해하지 못함.

↓

'나'는 알 수 없는, 주인공의 성격과 심리	
'어머니'	전통적·보수적 윤리 의식의 소유자로 모성애가 강함. '아저씨'를 향한 애정이 있지만 이별을 선택함.

'아저씨'	다정하고 친절함. '옥희 어머니'에게 사랑을 느끼지만 그녀를 향한 애정 표현에 있어서는 소극적임.

↓

서술자를 '나'로 내세운 효과
• 어린아이 특유의 천진난만한 말투로 독자의 웃음을 자아냄. • 어른들의 사랑 이야기를 순수하고 아름답게 전달함. • 어린아이라 눈치채지 못한 내용을 독자가 상상하며 읽을 수 있음.

소주제 발단 사랑방

1 ① 2 ③ 3 ③ 4 달걀

1 이 글은 어린아이를 서술자로 하여 구어체와 경어체의 문장을 사용하여 이야기하듯 서술하고 있다.

오답 풀이 ❷ 이 글의 서술자와 인물들은 사투리와 비속어를 사용하고 있지 않다.
❸ 주인공이 과거에 자신이 들은 이야기를 전달하고 있는 부분은 나타나 있지 않다.
❹ 이 글에는 어른들의 속물적인 모습도, 우회적인 비판의 방식도 드러나지 않는다.
❺ 이 글은 인물들의 말과 행동을 중심으로 사건이 전개되며, 사건의 긴장감을 긴박하게 드러내고 있지 않다.

2 이 글은 순수하고 천진난만한 여섯 살 어린아이를 서술자로 설정하여 어른들의 말과 행동을 관찰하여 전하므로 '나' 이외의 인물들의 마음을 정확히 파악하지 못한다.

오답 풀이 ㄴ. 전지적 작가 시점은 작품 밖 서술자가 모든 것을 알고 서술하기 때문에 등장인물의 내면 심리를 직접적으로 전달한다.
ㄷ. 1인칭 주인공 시점은 작품 속 주인공인 '나'가 자신이 겪은 일을 직접 서술한다.

3 '어머니'는 사랑손님이 있는 방을 출입할 사람은 '외삼촌'밖에 없다고 하고, '외삼촌'은 요새 세상에 남녀가 내외하지 않아도 된다고 하고 있다. 이를 통해 '어머니'가 보수적이고 봉건적인 사고방식을 가지고 있음을 알 수 있고, '외삼촌'은 진보적이고 개방적인 사고방식을 가지고 있음을 알 수 있다.

4 달걀을 좋아하는 '나'(옥희)에게 '아저씨'가 달걀을 주면서 서로 친해진다. 또한 '어머니'는 '아저씨'가 달걀을 좋아한다는 '나'의 말을 들은 이후 달걀을 많이씩 사며 '아저씨'에 대한 관심을 드러낸다.

실력 쌓기 02 사랑손님과 어머니 ❷ 048~049쪽

소주제 전개 아빠 위기 꽃

1 ① 2 ⑤ 3 ④

1 (바)에서 '아저씨'는 예배당에 와서 눈 감고 기도하지 않고 여기저기 두리번거린다. '아저씨'가 예배당에 간 이유는 '옥희 어머니'를 보기 위해서이지, 성실하고 독실한 기독교인이기 때문은 아니다.

2 <보기>는 1인칭 관찰자 시점인 [A]를 1인칭 주인공(사랑손님인 '아저씨') 시점으로 바꾼 것이다. 서술자를 '옥희'에서 '아저씨'로 바꾸어 설정하면, 독자가 '아저씨'의 심리를 잘 알 수 있다.

오답 풀이 ❶ 서술자를 '옥희'에서 '아저씨'로 바꾼다고 해서 사건의 극적 반전을 유도할 수 있는 것은 아니다.
❷ 서술자가 '아저씨'로 바뀌면 '옥희'의 내면이 아니라 '아저씨'의 내면을 자세하게 드러낼 수 있게 된다.
❸ '아저씨'도 작품 속 인물이므로, 서술자는 여전히 작품 안에 위치한다.
❹ '아저씨'가 서술자라도 모든 사건을 분석하여 설명할 수는 없다. 이는 전지적 작가 시점의 서술자에 해당하는 설명이다.

3 '어머니'는 '옥희'가 준 꽃을 받고 얼굴이 빨갛게 되고 손가락이 파르르 떨리며 목소리도 몹시 떨린다. 이를 통해 꽃은 '어머니'의 내적 갈등을 심화시키는 계기를 마련한다고 볼 수 있다. 그리고 이 내적 갈등은 '어머니'가 '아저씨'에 대한 사랑을 느끼는 동시에, 봉건적인 사회의 시선을 의식하는 데에서 빚어진 것이다.

실력 쌓기 02 사랑손님과 어머니 ❸ 050~051쪽

소주제 절정 풍금 결말 추억

1 ② 2 ④ 3 ④ 4 풍금, 꽃, 달걀

1 이 글의 주인공인 '어머니'와 '아저씨'는 갈등과 대립의 구도에 놓여 있는 것이 아니다. 따라서 서술자가 인물 간의 갈등을 해소하는 매개자 역할을 한다고 볼 수 없다.

2 (자)에서 '어머니'가 재가를 할 경우 듣게 될 말들로 미루어 짐작해 볼 때, 당시 사회에서는 과부가 재혼하는 것을 부정적으로 여겼음을 알 수 있다.

3 '나'는 '아저씨'와 '어머니'의 이별의 상황을 알지 못한 채 기차를 보고선 마냥 기뻐하고 있다. 이처럼 어린 서술자는 어른들의 상황이나 처지, 심리를 이해하지 못하는 한계가 있다. 그러나 이러한 한계로 독자는 오히려 재미를 느끼며 상상력을 발휘할 수 있다.

4 '어머니'는 떠나는 '아저씨'를 멀리서 배웅하고선 집에 돌아와 풍금 뚜껑을 닫고, '아저씨'가 준 것으로 알고 있는 꽃을 '나'를 시켜 버리라고 한다. 또한 '아저씨'가 좋아하는 달걀을 더 이상 사지 않는다.

문제 02 사랑손님과 어머니 052~053쪽

1 ④, ⑤　2 ③　3 ⑤　4 전지적 작가　5 ④　6 ③　7 ⑤

1 이 글은 인물들의 말과 행동을 중심으로 사건이 전개되며, (가)에서는 '나'(옥희), (나)에서는 '아저씨'에 대한 서술자의 요약적 제시가 나타나 있다.

오답 풀이 ❶ 이 작품의 서술자 '나'는 '금년 여섯 살 난' 여자아이로, 주인공인 '어머니'와 '아저씨'의 말과 행동을 관찰하여 이야기하고 있다. 그러므로 서술자와 주인공이 일치하지 않는다.
❷ 이 작품은 1인칭 관찰자 시점으로, 서술자 외의 다른 인물들의 심리는 그들의 말과 행동을 통해 간접적으로 제시되어 있다.
❸ 이 작품의 서술자는 어린아이답게 일상적인 대화에서 주로 쓰는 말투를 사용하여 독자에게 친근감을 주고 있다.

2 (마)에서 '나'는 '그런 거짓말이 어디서 그렇게 툭 튀어나왔는지 나도 모르지요.'라고 서술하고 있다. 이를 통해 '나'가 평소에도 '어머니'에게 거짓말을 즐겨 한다는 것을 짐작하기는 어렵다.

오답 풀이 ❶ '아저씨'는 (다)에서 '어머니'를 닮은 '나'를 귀여워하고 (라)에서 '어머니'를 보기 위해 일부러 예배를 간다. '어머니'는 (마)에서 '아저씨'가 주었다고 거짓말을 한 꽃을 '나'에게서 받고 떨고 있다. 이를 통해 '어머니'와 '아저씨'는 서로에게 관심이 있는 것을 알 수 있다.
❷ '아저씨'는 (다)와 (라)에서 '어머니'에게 관심이 있으면서도 직접적으로 내색하지 않는 모습을 보인다. 이를 통해 '아저씨'가 애정 표현에 있어 소극적이라는 것을 알 수 있다.
❹ (나)에 '아저씨'가 '나'의 동리에 학교 교사로 오게 되었고, '아저씨'에게 하숙비를 받으면 '나'의 집 형편에 도움이 된다는 것을 통해 '아저씨'가 '나'의 집에서 하숙하게 된 필연성이 나타난다.
❺ (나)에서 '나'가 '어른들이 저희끼리 말하는 것을 들으니까, 그 아저씨는 돌아가신 우리 아버지와 어렸을 적 친구라고요.'라고 소개하고 있다.

3 예배당의 '남자석'은 1930년대 남녀가 내외하던 보수적인 시대 상황을 잘 보여 준다.

4 〈보기〉는 1인칭 관찰자 시점의 글을 전지적 작가 시점으로 바꾼 것이다. 전지적 작가 시점은 작품 밖에 있는 서술자가 신과 같은 입장에서 모든 사건과 인물의 심리를 분석하여 설명할 수 있다.

5 어린아이인 서술자는 다른 인물, 특히 어른들의 미묘한 감정과 심리 변화를 정확하게 파악하지 못하기 때문에 인물 간의 갈등 또한 구체적으로 전달할 수 없다.

6 (나)에서 '어머니'는 여성의 재가를 부정적으로 여기는 당시의 봉건적 가치관을 이겨 내지 못하고 '아저씨'와 이별하려 한다. 그러나 또다시 이별하게 될지도 몰라 불안해하는 태도는 나타나 있지 않다.

7 '어머니'는 하얀 손수건 안에 종이를 넣어 '아저씨'의 마음을 받아들일 수 없음을 전했을 것이다. 따라서 그 종이에는 '아저씨'의 사랑을 거절할 수밖에 없는 '어머니'의 결심을 담은 내용이 적혀 있을 것이며, '아저씨'가 결국 편지의 내용에 수긍하며 떠나게 된다.

쌓기 03 흑설 공주 ❶ 054~055쪽

• **작품 설명**: 이 소설은 널리 알려진 동화 「백설 공주」를 작가의 상상과 가치를 더해 내용과 주제를 바꾼 작품으로, 아름다움의 기준에 관한 작가 자신의 생각을 드러내고 있다. 작가는 원작 「백설 공주」의 인물 구성, 인물의 성격, 이야기 요소 등을 변형하여 재구성함으로써 보편적 아름다움에 관한 편견을 비판적으로 바라보기를 유도하고 있다. 또한, 아름다움의 절대적 기준이 있는 것이 아니라 사람에게는 저마다 가지고 있는 아름다움이 있다는 것, 그리고 그 아름다움을 스스로 발견하는 것이 중요하다는 것을 전달하려고 한 것이다.

• **핵심 보기**

원작 「백설 공주」		재구성작 「흑설 공주」
흰 피부를 가진 '공주'의 외모를 질투한 '새 왕비'에 의해 '공주'가 죽고, 이웃 나라 '왕자'가 '공주'를 살림.	➜	검은 피부의 '공주'를 '새 왕비'가 독을 바른 책을 이용하여 죽이고, '나무꾼'에 의해 '공주'가 깨어남. 이후 자신의 아름다움을 깨닫고 사람들에게 자신의 깨달음을 알려 줌.

↓

작가의 의도
작가는 인물 구성과 이야기 요소를 재구성하여 외모만 중요한 것이 아니고 사람에게는 각자의 아름다움이 있다는 것을 전달하고자 함.

소주제 발단 흑설 공주

1 ③　2 ⑤　3 ④　4 하얀 망토

1 이 글은 널리 알려진 동화 「백설 공주」를 원작으로 하여 작가의 상상력을 더해 내용과 주제를 바꾸어 재구성한 작품이다.

오답 풀이 ❶ 작가가 아름다움에 관한 자기 생각을 드러내고 있으므로 객관적인 시각이 더해졌다고 볼 수는 없다.
❷ 주인공의 이름과 특성뿐만 아니라 이야기 요소도 변형하여 재구성했다.
❹ 시대적 배경은 원작과 동일하다.
❺ 원작 「백설 공주」와 재구성한 작품 「흑설 공주」는 둘 다 동화이고, 서술자가 모든 것을 아는 입장에서 서술하고 있는 전지적 작가 시점이다.

2 원작과 달리 이 글에서는 검은 눈처럼 아름다운 아이를 낳고 싶다는 바람대로 피부가 새까만 아이가 태어났다. 하지만 공주가 태어난 지 얼마 되지 않아 왕비가 병에 걸려 죽음에 이르게 되었다는 것은 원작과 공통된 내용이다.

오답 풀이 ❶ (가)에서 "이 검은 눈처럼 아름다운 아기를 낳았으면!"을 통해 '왕비'가 검은 눈처럼 아름다운 아기를 낳고 싶어 했음을 알 수 있다. 그리고 (나)에서 "오, 정말로 검은 눈처럼 아름다운 아기가 태어났구나."를 통해 '왕비'의 바람대로 피부가 검은 아이가 태어났음을 알 수 있다.
❷ 원작과 달리 (가)에서 창밖에 검은 눈이 내리고 있는 장면이 새롭게 나타나 있다.
❸ 원작에서 공주는 모두에게 사랑받지만, 이 글에서 공주는 검은 피부 때문에 사람들에게 손가락질을 받아 눈에 띄는 것을 꺼려했다.
❹ 이 글에서 공주가 사람들에게 사랑받지 못하고, 눈에 띄지 않는 곳만 찾아다니다 책을 좋아하게 된 내용이 새롭게 나타나 있다.

3 사람들은 하얀 피부만이 아름답다고 생각하는 편견이 있어서 '흑설 공주'의 피부가 까맣다는 이유로 '흑설 공주'를 이상한 눈으로 바라보고 무시하였다.

4 '흑설 공주'는 하얀 망토를 언제나 품속에 넣고 다니는데, 이는 자신을 유일하게 사랑해 준 어머니가 남긴 유품이다. '흑설 공주'는 어머니가 남긴 망토에서 위로를 받고, 모두에게 미움을 받는 괴로움을 달래고 있다.

실력 쌓기 03 흑설 공주 ❷ 056~057쪽

소주제 절정 왕비

1 ④ 2 ⑤ 3 ② 4 ③

1 원작을 창조적으로 재구성하는 과정에서 작가의 관점이 반영되므로, 원작에 나타난 주제나 관점과는 달라질 수 있다. 이 글에서는 원작과 다르게 검은 피부의 '흑설 공주'를 주인공으로 설정함으로써 아름다움의 기준에 대한 작가의 새로운 관점이 반영되어 있다.

오답 풀이 ❶ 이 글은 널리 알려진 동화인 「백설 공주」를 원작으로 하기 때문에 원작과 비교하여 공통점과 변화된 부분을 파악함으로써 즐거움과 재미를 느낄 수 있다.
❷ 이 작품은 '공주'가 흰 피부가 아니라 검은 피부를 가졌다는 점과 '새 왕비'가 독이 든 사과가 아니라 독과 해독제가 함께 발라진 책으로 '공주'를 죽이려 했다는 점 등 원작의 인물 구성과 이야기 요소를 변형하였다.
❸ 이 작품은 원작의 내용을 재구성한 것이기 때문에 '새 왕비'가 '공주'가 가장 아름답다는 거울의 말에 질투를 느끼고 독을 사용하여 '공주'를 죽이려고 하는 점 등 원작과 다르지 않은 요소도 많다.
❺ 문학 작품을 재구성하는 과정은 단순히 원작의 일부를 변형하는 것이 아니라 작품을 비판적으로 이해하고 그로부터 생겨난 새로운 생각과 느낌을 담는 창조적인 과정이다.

보충 자료

| 원작을 재구성하는 방법 |

내용 바꾸기	줄거리 바꾸기, 인물의 성격 변화, 새로운 인물의 삽입 등 작품의 내용을 바꿈. 예 비극적 결말로 끝난 「백설 공주」
형식 바꾸기	작품의 서술 방식, 시점 등 형식을 달리함. 예 1인칭 주인공 시점의 「백설 공주」
맥락 바꾸기	작품 속의 사회·문화적 배경을 바꿈. 예 현대판 「백설 공주」

2 원작에서는 '새 왕비'가 노파로 변장하여 독이 든 사과를 건네 '공주'를 죽이려고 하지만, 이 글에서는 '새 왕비'가 장사꾼 영감으로 변장하여 독 사과 대신 독과 해독제가 함께 발라진 책을 통해 '공주'를 죽이려고 한다.

오답 풀이 ㄱ. 이 글과 원작 모두 공주의 생모인 '왕비'가 죽고 난 뒤 왕은 '새 왕비'를 맞아들인다. 또한 '새 왕비'가 거울에게 이 세상에서 가장 아름다운 사람이 누군지 물어보는데 거울이 공주가 가장 아름답다고 대답하자 질투심과 분노를 느끼는 점은 이 글과 원작의 공통점이다.
ㄴ. 이 글과 원작 모두 거울로부터 '공주'가 가장 아름답다는 말을 들은 '새 왕비'가 '사냥꾼'에게 공주를 죽이도록 시키지만, '사냥꾼'이 '공주'의 처지를 동정하여 '공주'는 목숨을 구한다.

3 거울이 세상에서 가장 아름다운 사람을 '흑설 공주'라고 하자, '흑설 공주'가 살아 있다는 사실에 분노하고, '새 왕비'는 '공주'만 사라지면 자신이 가장 아름다운 사람이 될 수 있다고 생각했기 때문에 '흑설 공주'를 직접 없애려고 한다.

4 '새 왕비'는 '흑설 공주'가 가장 좋아하는 것이 책이라는 것을 알고 책을 이용하여 공주를 해치려고 한다. 책장에 독만 바르는 것이 아니라 해독제까지 바른다는 점에서 책의 해독제로 인해 '흑설 공주'가 다시 살아나게 될 것임을 암시한다.

실력 쌓기 03 흑설 공주 ❸ 058~059쪽

소주제 결말 나무꾼

1 ④ 2 ⑤ 3 ④ 4 '흑설 공주'가 자기도 아름다운 사람이라는 것을 깨달았기 때문이다.

1 이 글은 '흑설 공주'가 자신의 아름다움을 깨닫고 사람들에게 누구나 각각 다른 아름다움을 가지고 있음을 알려 주며, 왕궁의 모든 사람이 아름다운 사람이 되었다는 내용으로 끝맺고 있다는 점에서 원작의 결말과 다르다. 이와 같은 결말을 통해 작가는 아름다움의 기준은 절대적인 것이 아니며, 각자 가지고 있는 아름다움을 스스로 찾아내야 한다는 말을 전달하려고 한 것이다.

2 이 글에서 '흑설 공주'를 살린 사람은 '나무꾼'이고, 원작에서 공주를 살린 사람은 왕자이다. 둘 모두 공주가 깨어난 후 공주와 결혼하는 사이가 되므로 '공주가 깨어난 후 어떤 사이가 됐나?'에 대한 답변이 같다.

오답 풀이 ❶ 원작은 왕자이지만 이 글에서는 평범한 '나무꾼'으로, 왕족과 평민이라는 계층의 차이가 있다.
❷ 원작에서는 왕자의 입맞춤으로 공주가 살아나지만, 이 글에서는 '나무꾼'이 슬픔의 눈물을 흘려 책장에 묻어 있던 해독제가 '공주'의 입안으로 녹아 들어가서 공주가 살아난다.
❸ 이 글에서 '흑설 공주'와 '나무꾼'은 책 읽는 것을 좋아하는 것이 비슷하다. 하지만 원작에서는 왕자와 공주의 비슷한 취미가 나타나지 않는다.
❹ 원작에서는 왕자가 공주의 미모에 첫눈에 반하지만, 이 글에서 '나무꾼'은 오래전부터 '흑설 공주'를 사모했었다.

3 '나무꾼'의 진심이 담긴 슬픔의 눈물에 의해 공주가 다시 살아난다. 이를 통해 나무꾼과 같은 평범한 사람이더라도 사랑하는 이의 죽음을 진정으로 슬퍼하며 흘린 눈물이 더 소중하다는 점을 일깨우고 있다.

4 '흑설 공주'는 '나무꾼'의 눈 속에 비친 자신의 모습을 보고 스스로 아름답다고 느낀다. 공주가 스스로를 사랑하고 자신감을 갖게 되자 다른 사람의 눈에도 아름답게 보이게 된 것이다.

실력점검 실전 문제 03 흑설 공주 060~061쪽

1 ① 2 ② 3 ① 4 ② 5 ③ 6 ② 7 ③
8 사람에게는 각자의 아름다움이 있고, 그 아름다움을 스스로 발견해야 한다.

1 이 글은 원작에 작가의 상상력과 가치관을 더해 새롭게 재구성한 작품이지 상반된 독자층을 고려하여 재구성한 것은 아니다.

2 (다)에서 '흑설 공주'는 사람들의 미움을 받는 데 길이 들어 늘 고개를 숙이고 다니는 위축된 모습을 보이고 있다.

오답 풀이 ❶ '왕비'가 검은 눈처럼 아름다운 아기를 낳고 싶다는 바람대로 검은 눈처럼 새까만 공주가 태어난다는 점에서 '왕비'의 바람은 '흑설 공주'의 탄생을 암시한다.
❸ (라)에서 '새 왕비'는 '흑설 공주'가 가장 아름답다는 거울의 말을 듣고 자신보다 아름다운 사람은 없어야 한다는 생각에 '흑설 공주'를 죽이려고 한다. 이러한 모습에서 '새 왕비'가 질투심이 많고 외면적 아름다움만 추구한다는 것을 알 수 있다.
❹ '흑설 공주'가 '왕비'가 떠 준 하얀 망토만 언제나 품속에 넣고 다니는 것을 통해 하얀 망토는 어머니의 유품이자 '흑설 공주'에게 위안을 주는 소재임을 알 수 있다.
❺ 원작과 달리 책에 독만 바른 것이 아니라 해독제도 바른 것은 해독제를 통해 '흑설 공주'가 다시 살아날 수 있음을 암시한다.

3 작가는 하얀색 피부만이 아름답다는 기존의 생각을 비판적으로 바라보면서 아름다움의 기준이 한 가지가 아니므로 검은색 피부도 아름다울 수 있고, 아름다움이 외면에 의해서만 결정되는 것은 아님을 말하고 있다. 따라서 이 글은 아름다움을 한 가지 기준으로만 판단해서는 안 된다는 것을 전달하기 위해 주인공을 검은색 피부를 가진 아름다운 공주로 변형하여 재구성한 것이다.

4 '새 왕비'가 자신보다 아름다운 '공주'를 두고 볼 수 없어(ⓑ) 일곱 난쟁이의 집을 직접 찾아가는(ⓒ) 것은 이 글과 원작의 공통된 내용이다.

오답 풀이 ⓐ 원작에는 아버지가 딸을 사랑하지 않는다는 내용은 나타나지 않는다.
ⓓ 원작에는 '공주'가 책을 좋아한다는 내용은 나타나지 않는다.
ⓔ 원작은 '새 왕비'가 사과에 독을 바르지만, 이 글은 책에 독을 바른다는 점에서 차이가 있다.

5 이 글을 통해 작가는 외모가 중요한 것이 아니며 사람에게는 각자의 아름다움이 있다는 것을 전달하고 있다. ③은 자신의 모습을 있는 그대로 사랑하는 사람으로 작가의 생각에 부합하는 사람이다. 나머지는 외면에만 집착하여 자신이 지닌 고유의 아름다움을 들여다보지 못하는 사람들에 해당한다.

6 원작은 공주의 미모에 반한 왕자가 공주를 살리지만, 이 글에서는 오래전부터 '공주'의 내면의 아름다움을 알고 사모해 온 평범한 '나무꾼'이 진심이 담긴 슬픔의 눈물로 '공주'를 살리는 것으로 재구성되었다. 이를 통해 '나무꾼'처럼 평범한 사람이라 하더라도 사랑하는 이의 죽음을 진정으로 슬퍼하며 흘린 눈물이 더 소중하다는 점을 전달하고자 한 것이다.

오답 풀이 ❶ '나무꾼'이 '공주'에게 첫눈에 반한 것이 아니라 오래전부터 '공주'를 사모해 왔다고 설정한 것에서, 외면적 아름다움을 중시하는 원작을 향한 작가의 비판적인 관점이 드러난다.
❸ '나무꾼'이 책을 많이 읽었기 때문에 '공주'를 살리는 방법을 알고 있었던 것이 아니라, '공주'의 죽음을 진심으로 슬퍼하는 마음 때문에 '공주'를 살릴 수 있었던 것이다.
❹ '나무꾼'과 '흑설 공주'는 혼자 있기를 좋아하고 책을 좋아한다는 공통점이 있다.
❺ 특별한 인물인 '왕자'가 아니라 평범한 인물인 '나무꾼'을 등장시킨 것은 평범한 인물을 통해 진실된 마음의 중요성을 더 강조하기 위해서라고 볼 수 있다.

7 거울은 원작에서나 재구성된 작품에서나 아름다움을 판단하여 갈등의 실마리를 제공하는 소재이다. 하지만 재구성된 작품의 결말 부분에서 거울은 아름다움의 판단 기준을 스스로 바꾸게 된다. 이러한 거울의 변화는 아름다움의 기준이 상대적이라는 작가의 주제 의식을 드러낸다.

보충 자료

| 원작과 재구성된 작품에서 '거울'의 역할 비교 |

	원작	재구성된 작품
공통점	아름다움을 판단하여 말해 주는 마법의 거울로, 갈등의 실마리를 제시함.	
차이점	'새 왕비'가 '백설 공주'에게 독이 든 사과를 먹인 사건 이후로는 후반부까지 등장하지 않음.	아름다움의 판단 기준을 스스로 바꾸며, 결말까지 등장하여 많은 사람들의 아름다움을 칭찬함.

8 '흑설 공주'가 모든 사람이 지닌 각각의 아름다움을 깨달을 수 있도록 도운 결과, 아름답지 않은 사람이 하나도 없게 된다. 이를 통해 작가는 아름다움은 한 가지 기준으로 정할 수 없고, 누구나 각기 다른 아름다움을 갖고 있음을 전달하고자 했다.

실력 쌓기 04 이상한 선생님 ❶ 062~063쪽

• **작품 설명**: 이 소설은 해방 전후의 혼란한 사회 상황 속에서 기회주의적으로 행동하는 인물을 비판하는 작품이다. 판단이 미숙한 어린아이를 서술자로 설정하여 주인공 '박 선생님'을 관찰하고 있는 점이 특징적이다. '박 선생님'은 해방 전에는 일제에 동조하였다가 해방 후에는 일본에 잘 보일 필요가 없기 때문에 영향력이 점차 커져 가던 미국을 찬양한다. 이를 통해 '박 선생님'이 시대적 상황에 따라 강한 쪽에 붙어 이익을 얻으려는 기회주의자임을 알 수 있다. '나'는 '박 선생님'의 외모와 행동을 과장하고 희화화하여 우회적으로 풍자함으로써 부정적인 인물을 효과적으로 비판하고 있다.

• **핵심 보기**

'박 선생님'		'강 선생님'
키가 작아 '뼘생', '뼘박', 머리가 커서 '대갈장군'이라 불리며, 사납게 생김.	외모	키가 크고, 몸집도 크고, 얼굴도 너부룻하며, 온순하게 생김.
일제에 동조하여 학생들에게 일본 말만 쓸 것을 강요함.	일본 말 사용 태도	수업 시간 외 평상시에는 의도적으로 일본 말 대신 조선말을 씀.
초상난 집처럼 근심에 싸여 기가 죽어 있음.	해방에 대한 반응	평소와 다르게 들이 날뛰면서 기뻐함.
미국 말을 공부하여 미국에 협력하고 미국을 찬양함.	해방 후 모습	미국을 추종하는 '박 선생님'과 대립하다 파면을 당함.

↓

풍자를 통한 효과

• '박 선생님'의 외모를 우스꽝스럽게 묘사하고, 행동과 말을 과장하거나 왜곡하여 독자의 웃음을 유발함.
• 인물의 부정적이고 기회주의적인 모습을 부각하여 비판적으로 바라볼 수 있게 함.

소주제 **발단** 외모

1 ② **2** ④ **3** ② **4** ① **5** 이상한 선생님

1 이 작품은 '나'가 주인공인 '박 선생님'의 모습과 행동을 관찰하여 전달하는 1인칭 관찰자 시점이다.

오답 풀이 ❶ 1인칭 주인공 시점에 해당한다.
❸ '나'는 주인공 '박 선생님'의 겉으로 보이는 모습만 관찰할 뿐 심리를 꿰뚫어 보지는 못한다.
❹ 전지적 작가 시점에 해당한다.
❺ 작가 관찰자 시점에 해당한다.

2 '강 선생님'은 마음이 넓고 여유로우며 순한 사람으로, '박 선생님'을 장난으로 먼저 건드리는 것일 뿐 긍정적인 인물로 그려진다.

오답 풀이 ❶ (가)에서 일본 정치 때에 혈서로 지원병을 지원했다는 내용을 통해 친일적인 태도를 보이는 인물임을 알 수 있다.
❷ (다)에서 '강 선생님'이 장난을 걸면 '박 선생님'이 얼굴을 바싹 대들고 사나움이 졸졸 흐른다는 내용을 통해 여유가 없고 화를 잘 내는 사나운 성격의 인물임을 알 수 있다.
❸ '나'는 '박 선생님'이 키가 작아서 '뼘박, 뼘생'이라는 별명과, 머리가 커서 '대갈장군'이라는 별명을 갖고 있다는 것을 소개한다.
❺ '박 선생님'은 왜소하고 옹졸하지만 이와 대조적으로 '강 선생님'은 키와 몸집이 크고 온순하다.

3 (가)에서는 '박 선생님'의 외양을 과장하고 우스꽝스럽게 나타내는 풍자의 표현 방식을 사용함으로써 웃음을 유발하고 있다.

4 '박 선생님'과 '강 선생님'이 만나기만 하면 싸우는 모습은 '개와 원숭이의 사이라는 뜻으로 사이가 나쁜 두 관계를 비유적으로 이르는 말'인 견원지간(犬猿之間)과 어울린다.

오답 풀이 ❷ 호형호제(呼兄呼弟): 서로 형이니 아우니 하고 부른다는 뜻으로, 매우 가까운 친구로 지냄을 이르는 말이다.
❸ 청출어람(青出於藍): 쪽에서 뽑아낸 푸른 물감이 쪽보다 더 푸르다는 뜻으로, 제자나 후배가 스승이나 선배보다 나음을 비유적으로 이르는 말이다.
❹ 죽마고우(竹馬故友): 대말을 타고 놀던 벗이라는 뜻으로, 어릴 때부터 같이 놀며 자란 벗을 이르는 말이다.
❺ 동고동락(同苦同樂): 괴로움도 즐거움도 함께한다는 말이다.

5 이 글의 서술자 '나'는 '박 선생님'의 외모부터 성격까지 부정적으로 묘사하며 처음부터 그를 '이상한 선생님'이라고 평가하고 있다.

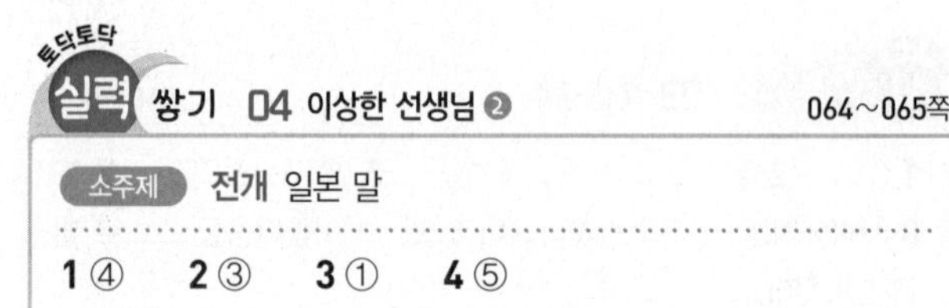

실력 쌓기 04 이상한 선생님 ❷ 064~065쪽

소주제 **전개** 일본 말

1 ④ **2** ③ **3** ① **4** ⑤

1 (라)에 당시 조선 사람들의 조선말 사용 태도가 드러나는데, 관료나 특별한 위치에 있는 사람들 외에 보통 사람들은 어른이나 아이 할 것 없이 평상시에는 조선말로 이야기했음을 알 수 있다.

오답 풀이 ❶ 일제 강점기에 일본은 조선말을 사용하지 못하게 하여 민족정신을 말살하려고 했다. (라)에서 일본 말을 '국어'라고 가르치면서 조선말을 쓰지 못하게 하였음을 알 수 있다.
❷ (라)~(마)를 통해 학교에서 학생들에게 일본 말로만 말을 하게 하고 조선말은 쓰지 못하게 하였음을 알 수 있다.
❸ (마)에서 조선말을 쓰는 학생들에게 교장 선생님과 일본인 교사들이 혼을 내고, '박 선생님'이 엄한 벌을 주는 모습이 그려지는데, 이처럼 학교 안팎에서 조선말을 사용하는 학생을 혼내는 선생님이 많았다.
❺ (라)에서 순사, 면 서기, 송 주사, 군이나 도에서 연설하러 온 사람 등 관료나 특별한 위치에 있는 사람들은 조선 사람끼리 만나도 척척 일본 말로 인사를 하고 이야기를 했다는 내용이 제시되어 있다.

2 '박 선생님'은 일본의 조선어 말살 정책에 적극적으로 동조하여 평상시에도 일본 말만 사용하고, 조선말을 사용하는 학생들에게 엄한 벌을 주는 인물이다.

오답 풀이 ❶ (사)에 '박 선생님'이 일본은 결단코 전쟁에 지지 않고 천황 폐하의 위엄을 전 세계에 드날릴 날이 머지않았다고 하루에도 몇 번씩 말을 해 왔다고 나와 있다. 이를 통해 '박 선생님'이 일본을 맹신하고 추종한다는 것을 알 수 있다.
❷ (바)를 통해 '강 선생님'이 조선어를 쓰는 학생들을 나무라지 않고, 학생들이 일본 말을 해도 '강 선생님'은 조선말을 했다는 것을 알 수 있다.

❹ '강 선생님'은 의도적으로 일본 말 대신 조선말을 사용하는데, 이는 일제에 대한 반감과 저항 의식이 있기 때문이다.

❺ '박 선생님'은 조선말을 사용하는 학생에게 벌을 주고 일본 말만 사용하게 하지만, '강 선생님'은 조선말을 사용하는 학생들을 나무라지 않고 자신도 의도적으로 조선말을 사용한다. 이러한 모습에서 일본 말 사용에 대한 대조적인 태도를 엿볼 수 있다.

3 일본 말만 쓰고 학생들에게도 일본 말 사용을 강요하거나, 학생들끼리 싸운 행동을 지적하기보다는 조선말을 쓴 것을 혼내는 극단적인 모습을 풍자하여 '박 선생님'의 친일적 태도를 비판하고 있다.

4 '강 선생님'은 '박 선생님'과 달리 의도적으로 일본 말 대신에 조선말을 사용한다. 이는 일본의 조선어 말살 정책에 동조하지 않고, 자기 나름대로 일제에 저항하기 위한 행동으로 볼 수 있다.

쌓기 04 이상한 선생님 ❸ 066~067쪽

소주제 위기 조선

1 ④ 2 ② 3 ② 4 해방(독립)

1 (차)에서 '강 선생님'은 "자네나 나나, 그동안 지은 죄를 우리 조선 동포 앞에 속죄해야 할 때가 아닌가?"라고 말하는데, 이는 '강 선생님'이 '박 선생님'처럼 일제에 동조하지는 않았지만 선생님으로서 죄책감을 느끼고 있음을 알 수 있다.

오답 풀이 ❶ (차)에서 '강 선생님'은 같이 건국에 도움이 될 일을 하자고 말하고 있다.

❷ (아)에서 '대석 언니'는 일본이 항복했기 때문에 두려워하지 않고 일본 말로 일본 천황을 욕하고 있다.

❸ (차)에서 '박 선생님'은 독립된 조국을 위해 태극기를 그리자는 '강 선생님'의 제안에 따라 태극기를 그리기 시작하였다.

❺ (아)에서 '나'는 '박 선생님'과 일본인 선생님들이 직원실에 모여 앉아 기가 죽고 맥이 빠져 있는 것을 보고 일본의 항복을 체감하고 있다.

2 '강 선생님'은 일본이 패망했는데도 미련을 버리지 못하는 '박 선생님'의 친일적인 태도를 비판하기 위해 일본이 패망하고 조선이 해방된 사실에 대해 자세히 알아봐야 한다는 '박 선생님'을 꾸짖었다.

3 맹목적으로 찬양하던 일본이 패망하자 그동안 친일적인 행동을 해 온 '박 선생님'은 자신의 과거 때문에 친일 행적을 지적하는 '강 선생님'의 말에 아무런 대꾸도 못했다.

4 (자)에서 '강 선생님'은 조선이 해방되었다는 소식에 조선이 독립한 기쁨으로 평소와 다르게 들이 날뛰면서 덤빈다. 반면 '박 선생님'은 일본의 패망과 조선의 독립을 받아들이지 못하고 풀이 죽어 '강 선생님'과는 대조적인 태도를 보인다.

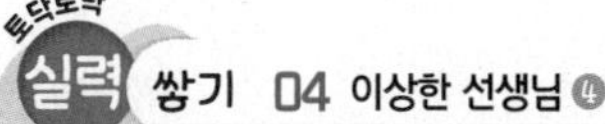
쌓기 04 이상한 선생님 ❹ 068~069쪽

소주제 절정 미국 결말 이상한

1 ② 2 ⑤ 3 ⑤ 4 박 선생님, 두꺼비

1 이 글의 서술자 '나'는 순진하고 세상 물정을 모르는 어린아이로, '박 선생님'이 왜 해방 전에는 일본을 찬양했다가 해방 후에는 미국을 찬양하는지 이해하지 못하고 이상하게 여기고 있다. 이와 같이 순진한 어린아이의 눈에 비친 '박 선생님'의 모습을 통해 '박 선생님'의 부정적인 면모를 부각함으로써 풍자의 효과를 높이고 있다.

오답 풀이 ❶ '나'는 세상 물정을 모르는, 천진난만한 어린아이이기 때문에 혼란한 사회 상황을 오히려 객관적으로 냉철하게 전달할 수 없다.

❸ 판단이 미숙한 어린아이인 '나'의 눈에 비친 '박 선생님'의 모습을 과장하거나 왜곡하여 표현함으로써 '박 선생님'에 대한 풍자의 효과를 높이기 위한 것이지 세상 물정 몰랐던 어린 시절을 돌아보게 하기 위한 것이 아니다.

❹ '나'는 '박 선생님'이 미국을 칭찬하는 이유를 이해하지 못하고 있다. 따라서 '나'는 '박 선생님'의 속마음을 알지 못하며, 직접적으로 비판하고 있지 않다.

❺ '나'는 '박 선생님'을 '이상한 선생님'으로 판단하고 있고, '나'의 눈에 비친 '박 선생님'의 부정적인 모습을 있는 그대로 전달하고 있기 때문에 독자는 '박 선생님'을 부정적인 인물로 판단 내릴 가능성이 높다.

2 '박 선생님'은 광복 이후 미국의 영향력이 점차 커지자 일제 강점기에 일본을 찬양했던 것처럼, 광복 후에는 미국을 찬양하고 있다. 그러나 미국에 협력하지 않으려 하는 학생들과 싸우는 모습은 나타나지 않는다.

3 이 글에서 '박 선생님'은 해방 전에는 일본을 찬양했다가 해방 후에는 미국을 찬양하는 모습을 보인다. 작가는 이러한 부정적인 인물의 모습을 우스꽝스럽게 표현하는 방법인 풍자를 통해 기회주의적 처세를 비판하고 있다.

오답 풀이 ❶ 기회주의자에 대한 연민을 드러내는 것이 아니라 비판하고 있다.

❷ 이 글의 주된 표현 방법은 비유가 아니라 풍자이며, 경고의 의도로도 보기 어렵다.

❸ 희화화된 대상인 '박 선생님'은 시대적 아픔을 극복해 가는 인물이 아니라 시류에 따라 강한 쪽에 붙어 이익을 얻으려 하는 기회주의자이다.

❹ 풍자는 직접 공격하는 표현 방법이 아니라 부정적인 대상을 희화화하여 우회적으로 비판하는 표현 방법이다.

4 이 글의 풍자의 대상은 시류에 따라 힘 있는 나라에 붙어 이랬다저랬다 하는 '박 선생님'이고, 〈보기〉의 풍자의 대상은 힘없는 '파리'를 괴롭히면서 자신보다 더 큰 힘을 가진 '백송골' 앞에서 굽실거리는 '두꺼비'이다. 두 대상 모두 당시 사회에서 강자의 권력에 편승하여 이익을 추구하며 작가가 희화화를 통해 비꼬는, 비판의 대상이다.

실전 문제 04 이상한 선생님 070~071쪽

1 ③ 2 ④ 3 ① 4 '박 선생님'은 일본을 찬양했으나 일본이 전쟁에 지고 항복을 한 후로 일본을 적대시한다. 5 ④ 6 ③ 7 ③ 8 ⑤ 9 기회주의적인 태도

1 이 글은 일제 강점기부터 해방 전후를 배경으로 하고, 순진한 어린아이인 '나'의 시선을 통해 '박 선생님'의 외모와 행동을 우스꽝스럽게 표현함으로써 기회주의적인 인물을 비판하고 있다. 지식인으로 대표되는 '박 선생님'의 부정적인 모습을 풍자하는 것이지 전쟁의 참상과 일본의 몰락을 그리고 있지는 않다.

오답 풀이 ① 이 글은 작품 속에 등장하는 '나'가 주인공인 '박 선생님'의 모습을 관찰하여 서술하고 있는 1인칭 관찰자 시점의 소설이다.
② 일제 강점기부터 일본의 패망과 조선의 해방 전후에 이르기까지를 시간적 배경으로 하고 있다.
④ 주인공인 '박 선생님'은 대조적인 인물인 '강 선생님'과 비교되면서 외모나 성격, 일본에 대한 태도 등 부정적인 모습이 강조되고 있다.
⑤ 키가 작고 머리가 큰 외모와 조선말을 쓰는 학생을 혼내는 행동 등 '박 선생님'의 외모와 행동을 과장하고 희화화하여 표현하고 있다.

2 이 글에서 부정적 인물인 '박 선생님'은 외모도 부정적으로 묘사되고, 긍정적 인물인 '강 선생님'은 외모도 긍정적으로 묘사된다. 즉 인물의 부정적 특성을 더 강조하기 위해 외모도 과장되게 부정적으로 묘사한 것이다.

오답 풀이 ① '박 선생님'의 별명인 '뼘생', '뼘박'은 키가 작은 것에서 비롯된 별명이고, '대갈장군'은 큰 머리에서 비롯된 별명이다.
② '강 선생님'은 해방 소식을 듣고 평소와 다르게 들이 날뛰면서 매우 기뻐하고 있고, 태극기를 만들어서 독립 만세를 외치고자 한다.
③ '박 선생님'의 모습과 행동을 우스꽝스럽게 표현하여 그의 부정적인 모습을 부각하고 '박 선생님'을 비판적으로 바라볼 수 있게 한다.
⑤ (다)에서 학생들이 싸운 것을 혼내는 것이 아니라 조선말을 사용한 것에 화내는 모습에서 '박 선생님'의 친일적 태도를 알 수 있다.

3 일제 강점기에 혈서로 일본에 지원병으로 지원했던 일, 친구끼리 싸운 것을 혼내는 것이 아니라 조선말을 쓴 것에 대해서만 혼내는 모습, 일본을 맹신하며 추종했던 모습 모두 '박 선생님'의 친일적인 태도를 보여 주는 것이다.

4 '박 선생님'은 일제 강점기에는 일본 편에 서서 조선말을 쓰는 학생을 때리고, 학생들에게 일본이 결코 전쟁에 지지 않고 이길 것이라고 말하는 등 일본을 맹신하고 추종하는 모습을 보였으나 일본이 패망하자 태도를 바꿔 일본을 적대시한다.

5 이 글의 서술자는 순진한 어린아이로, 주인공 '박 선생님'의 말과 행동을 관찰할 뿐 심리까지 꿰뚫어 보지는 못한다.

오답 풀이 ① 작품 속 등장인물인 '나'가 주인공의 행동과 사건을 관찰하여 서술하고 있다.
②, ⑤ '나'는 광복 이후 미국의 영향력이 커진 상황 등의 세상 물정을 모르고, '박 선생님'이 일본을 찬양했다가 해방 후에 미국을 찬양하는 것을 이해하지 못해 웃음을 유발한다.
③ 어린아이의 순수한 시각으로 '박 선생님'의 행동이 우스꽝스럽게 표현되어 '박 선생님'의 부정적인 면이 부각되고 있다. .

6 '박 선생님'은 해방 후 미국의 영향력이 점점 커지는 상황을 알고 시대 변화에 재빠르게 대처하여 미국에 협력하면서 자신의 이익을 챙기는 모습을 보이고 있다.

오답 풀이 ① '박 선생님'은 해방 전에는 일본을 찬양했지만, 해방 후에는 미국을 찬양한다.
② '나'는 해방 전후로 이랬다저랬다 하는 '박 선생님'의 모습을 이해하지 못하고 이상하게 생각하고 있다.
④ (나)에 '강 선생님'이 빨갱이라는 '박 선생님'의 모함 때문에 파면을 당했다는 소문이 나와 있다.
⑤ (다)에서 '박 선생님'은 미국을 찬양하면서 학생들에게 미국을 고맙게 여기고 미국이 시키는 대로 순종해야 한다고 가르치고 있다.

7 해방 이후 미국의 영향력이 커지자 미국 말을 배워 통역을 해 주며 미국 양복을 얻어 입고, 미국 통조림과 과자를 얻어먹는 모습에서 미국에 붙어 개인적 이익을 취하려 했음을 짐작할 수 있다.

8 '박 선생님'은 미국에 일본 천황보다 훌륭한 '돌멩이'라는 양반이 있다고 말한다. 이는 친일에서 친미로 돌아선 '박 선생님'의 부정적인 행동을 우스꽝스럽게 표현한 것이다.

9 작가는 일제 강점기에는 일본을 찬양하고, 해방 후 미국의 힘이 커지자 미국을 찬양하며 이익을 챙기는 '박 선생님'의 모습을 통해 기회주의적 인간을 비판하고 있다.

실력 쌓기 05 양반전 ❶ 072~073쪽

• **작품 설명**: 이 소설은 신분제가 점차 붕괴되어 가고 있는 조선 후기를 배경으로 하여 부당한 특권을 가지고 횡포를 부리는, 양반답지 못한 양반을 풍자하고 있는 작품이다. '양반'은 어질고 독서를 좋아하는 선비지만 자기 가족을 부양할 능력도 현실에 대한 적응 능력도 없이 무위도식할 뿐이다. '양반의 아내'는 '양반'의 경제적 무능력함과 비생산성을 조롱하고 비판하고 있으며, 작가는 이러한 '양반'을 선망의 대상으로 삼고 신분 상승을 노리는 평민 '부자' 또한 비판의 대상으로 보고 있다.

• **핵심 보기**

양반 매매 증서의 내용	
1차 증서	• 양반으로서 지켜야 할 덕목과 행실을 나열함. • 체면과 허례허식에 얽매여 있는 양반의 모습이 나타남.
2차 증서	• 무위도식하며 비생산적인 양반의 모습을 나열함. • 부당한 특권을 남용하는 양반의 모습이 나타남. • 아래 계층에 횡포를 부리는 양반의 모습이 나타남.

↓

풍자 대상	• 비생산적이고 무능한 양반 • 허례허식에 얽매여 있고 백성들에게 횡포를 부리는 양반

↓

작가의 의도	풍자를 통해 양반의 경제적 무능과 허례허식, 백성에 대한 횡포를 신랄하게 비판함.

소주제 **발단** 양반 **전개1** 부자

1 ⑤ 2 ③ 3 ② 4 ③ 5 양반은 한 푼어치도 안 되는구려!

1 돈으로 신분을 사고팔았던 것으로 보아 당시 신분 질서가 흔들리던 사회였음을 알 수 있다.

오답 풀이 ❶ (가)에서 '양반'이 관아에서 빌린 환자를 갚지 못하는 모습을 통해 당시 경제적으로 몰락한 양반이 나타났음을 알 수 있다.
❷ (나)에서 '양반'의 환자를 대신 갚아 주고 양반 신분을 사는 '부자'를 통해 당시 경제력을 바탕으로 한 새로운 계층이 등장했음을 알 수 있다.
❸ (나)에서 양반은 가난해도 존경을 받지만 평민들은 양반보다 부자라고 해도 평민이어서 양반에게 수모를 당했음을 짐작할 수 있다.
❹ (다)에서 양반 신분을 팔고 평민이 된 '양반'이 벙거지를 쓰고 잠방이를 입은 모습이나 자신을 '소인'이라고 칭하는 모습에서 신분에 따라 옷차림이나 호칭이 달랐음을 알 수 있다.

2 글만 읽고 빌린 환자는 갚지 못해 울기만 하는 '양반'의 모습을 통해 현실 문제에 대처하지 못하고 비생산적이며 경제적으로 무능한 양반을 풍자하고 있다.

3 (가)에서 '양반'이 어질고 책 읽기를 좋아하지만 환자를 갚을 방법을 몰라 밤낮으로 우는 모습을 통해 현실 문제 대응에 소극적임을 알 수 있다. 또한 '양반의 아내'는 "평생 당신은 책 읽기를 좋아하더니만 환자 갚는 데는 아무 소용도 없구려."라고 말하면서 양반의 경제적 무능력을 비판하고 있다.

오답 풀이 ㄴ. '군수'는 '양반'이 '부자'에게 신분을 판 것을 몰랐기 때문에 평민처럼 행동을 하는 '양반'을 보고 깜짝 놀라 왜 스스로를 욕되이 낮추는지 물어보았다. 따라서 '군수'는 '양반'의 겸손함에 놀라워한 것이 아니라 양반인데 평민처럼 행동하는 것에 놀라워한 것이다.
ㄹ. '부자'는 환자를 못 갚는 '양반'의 처지를 딱하게 여겨서 신분을 산 것이 아니라 부자이지만 평민이라서 천한 대접을 받고 양반에게 수모를 당하며 사는 자신의 처지에 불만을 품고 양반 신분을 산 것이다.

4 고귀하고 이름 높던 '양반'이 신분을 팔아 평민의 복장을 하고 자신을 낮추는 모습으로 우스꽝스럽게 묘사되어 웃음을 주고, 양반에 대한 비판적인 의식을 갖게 한다.

5 '양반의 아내'는 "양반은 한 푼어치도 안 되는구려!"라고 말하면서 비생산적이고 현실 문제 해결 능력이 없는 '양반'을 비난하고 조롱하고 있다. 이는 작가의 비판적인 의식을 대변한 것으로 볼 수 있다.

토닥토닥 실력 쌓기 05 양반전 ❷ 074~075쪽

소주제 **전개 2** 매매 **절정 1** 규범

1 ④ **2** ③ **3** ① **4** 사사로이 거래를 하면서 증서를 만들어 두지 않으면 훗날 소송의 빌미가 될 수 있다는 군수의 제안 때문이다.

1 이 글은 현실의 부정적인 대상이나 모순을 넌지시 비판함으로써 웃음을 유발하는 표현 방법인 풍자를 사용하여 양반의 부정적인 모습을 비판하고 있다.

오답 풀이 ❶ 풍자는 대상에 대한 연민이 아닌 공격성을 지니고 있다.
❷ 해학에 대한 설명으로, 풍자는 부정적인 대상에 대한 냉소와 공격성을 담고 있다.
❸ 대상의 부조리한 면을 간접적으로 은근히 비판한다.
❺ 대상의 부정적인 면을 효과적으로 부각시킨다.

2 첫 번째 매매 증서에는 양반으로서 지켜야 할 덕목과 생활 태도, 의무 등 과하게 절제된 삶을 살아야 하는 양반의 모습을 담고 있다. 따라서 증서의 제목을 붙인다면 '양반으로서 지켜야 할 의무와 규범'이 적절하다.

3 '언제나 오경이면 일어나 ~ 《동래박의》를 얼음에 박 밀 듯 줄줄 외워야 한다.'를 통해 양반 계층이 실생활과 관련 없는 옛 책들을 외우듯이 지속적으로 읽는다는 것을 알 수 있다.

오답 풀이 ❷ '굶주림을 참고 추위를 견디며 ~ 걸음은 느릿느릿 걸어야 한다.' 부분에서 허례허식에 얽매여 있는 모습이 드러난다.
❸ 증서에 담긴 양반이 지켜야 할 규범은 공허한 관념과 겉치레에 지나지 않는다.
❹ '아무리 더워도 버선을 벗지 말고, ~ 담배를 빨지 말아야 한다.' 부분에서 체통을 지나치게 중시하고 사소한 행동조차 격식에 따르는 모습이 드러난다.
❺ '손으로 돈을 만지지 말고 쌀값을 묻지 말아야 한다.'를 통해 현실적 문제(돈과 관련된 일)에 관심을 두지 않는 모습을 알 수 있다.

4 (라)에서 '군수'는 증서를 만들어 두지 않으면 훗날 소송의 빌미가 될 수 있기 때문에 '양반'과 '부자'의 신분 거래를 공증하기 위한 증거 문서를 작성하자고 한다.

쌓기 05 양반전 ❸ 076~077쪽

소주제 **절정 2** 권리 **결말** 양반

1 ③ **2** ④ **3** ① **4** ② **5** 도둑놈

1 작가는 무위도식하고 부정부패한 당대의 양반답지 못한 양반을 비판함과 동시에 실사구시를 중시하지만 평민이 부를 가졌다고 해서 모두 양반이 될 수 없다는 점도 꼬집고 있다. 이는 양반 제도 자체를 부정한 것이 아니라, 진정한 양반의 자세와 문화에 대해 양반 계층 스스로 반성하자는 의도로 볼 수 있다.

2 이 글은 풍자를 통해 양반을 조롱하고 희화화하여 웃음을 유발하면서 양반의 부정적인 모습을 비판하고 있다. 이와 같은 표현 방법을 통해 직접 비판하기 어려운 대상을 은근히 폭로하여 인상 깊게 표현함으로써 더욱 효과적으로 비판할 수 있다. 또한 대상의 부정적인 면이 재미를 주는 동시에 이면의 현실이나 작가의 의도를 꿰뚫어 볼 수 있는 통찰력을 갖게 한다.

오답 풀이 ㄱ. 양반의 삶이 힘들다는 것을 드러내는 것이 아니라 양반의 위선적인 모습을 조롱하는 것이다.
ㄷ. 모순된 표현은 역설에 대한 설명이다. 또한 양반의 부정적인 측면을 간접적으로 비판하고 있다.

3 두 번째 매매 증서에는 부당한 특권을 행사하는 양반의 부도덕한 모습이 나타난다. 도덕적 삶을 강요하는 양반들의 모습이 아니라 무위도식하며 향락에 빠져 있는 양반들의 모습이 드러나 있다.

오답 풀이 ❷ 권력을 세습하여 양반의 지위를 유지하는 것을 풍자하고 있다.
❸ 농사도 짓지 않고 장사도 하지 않으며 벼슬에 오르면 더욱 무위도식하는 양반을 풍자하고 있다.
❹ 양반이 문과의 과거 합격 증서를 얻으면 권력을 이용하여 부당한 이익을 취하는 모습을 풍자하고 있다.
❺ 이웃집 소를 빼어다가 자기 논을 먼저 갈고, 백성들을 끌어다가 자기 밭에 김을 매게 하거나 폭력을 가하는 등 양반이 횡포를 저지르는 모습을 풍자하고 있다.

4 두 번째 매매 증서에는 부당한 특권을 누리며 백성을 괴롭히는 양반의 모습이 나타난다. 이 내용을 들은 '부자'는 온갖 특권을 누리는 양반의 삶을 부당하다고 생각하여 양반이 되기를 포기한다. 이는 '부자'가 양반이 되는 것을 은근히 방해한 '군수'의 의도대로 돌아간 것이다.

5 (아)에서 부자가 "장차 나를 도둑놈으로 만들 셈입니까?"라고 말하는 부분은 부당한 특권을 누리며 백성들에게 횡포를 부리는 양반에 대한 신랄한 풍자가 절정에 달한 부분이다. '도둑놈'이라는 말을 통해 양반에 대한 작가의 신랄한 비판을 드러내고 있다.

실력점검 실전 문제 05 양반전 078~079쪽

1 ③ 2 ② 3 ④ 4 ② 5 ② 6 ④ 7 ⑤
8 ③ 9 신분을 이용하여 백성들에게 횡포를 부리는 양반을 풍자한다.

1 이 글은 양반으로서의 본분을 잊지 않고 실생활에 관심을 갖는 삶을 지향하는 것이지, 자연과 함께하는 삶을 지향하는 내용은 나타나지 않는다.

오답 풀이 ❶ 돈으로 신분을 사고파는 모습을 통해 신분 질서가 혼란한 사회상을 반영하였음을 알 수 있다.
❷ (가)에서 '양반의 아내'가 "양반은 한 푼어치도 안 되는구려!"라고 말한 내용을 통해 무능력한 양반에 대한 작가의 비판적인 의식을 대변하고 있다.
❹ 현실적인 문제에 대처하는 능력이 없고 경제적으로 몰락한 양반의 모습을 보여 주고 있다.
❺ 이 글은 연암 박지원이 쓴 한문 소설로, 그가 쓴 소설은 이전의 관념적이고 허구적인 학문을 비판하고 실용성을 중시하는 실학사상을 바탕으로 하고 있다.

2 이 글에 쓰인 주된 표현 방법은 대상의 부정적인 측면을 비꼬거나 조롱하거나 우스꽝스럽게 그려 대상을 간접적으로 비판하는 풍자이다.

오답 풀이 ㄷ. 풍자는 사회나 인물의 결함을 조롱하거나 비꼬면서 대상을 간접적으로 비판하는 것이다. 직접적인 비판이나 폭로는 나타나지 않는다.
ㄹ. 의도와 반대로 표현하여 부정적 측면을 강조하는 표현 방법은 반어이다.

3 '양반의 아내'는 무능하고 비생산적인 '양반'을 직설적으로 비판하는 모습만 보일 뿐 '양반' 대신 나서서 문제를 해결하는 것은 아니다.

4 양반은 가난해도 존귀한 대접을 받고, 자신은 부자라도 천한 대접을 받으며 수모를 겪는 것이 못마땅했기 때문에 '부자'는 사회적으로 천한 대접을 받지 않고 양반의 특권을 누리고 싶어서 양반 신분을 사려고 한 것이다.

5 이 글의 작가는 돈을 주고 양반 신분을 사고파는 과정에서 작성하는 양반 신분 매매 증서의 내용을 통해 무능하고 비생산적이며, 부당한 특권을 가지고 횡포를 저지르는 양반의 부정적인 모습을 비판하고 있다. 즉, 이 글을 통해 작가는 몰락하는 양반의 부정적인 모습을 풍자의 방식으로 비판하고자 한 것이다.

6 첫 번째 매매 증서에는 양반이 지켜야 할 의무, 생활 태도 등의 규범이 나타나 있고, 두 번째 매매 증서에는 양반이 누릴 수 있는 특권이 나타나 있다.

7 부당하게 재물을 모으는 모습은 (다)에서 '문과 홍패가 이 척에 불과하지만 그 안에 온갖 물건이 구비되어 있으니, 이것이 곧 돈 자루다.'에 나타난다. ㉤은 백성에 대한 양반의 수탈과 횡포를 나타낸 것이다.

오답 풀이 ❶ '소리를 길게 뽑아 노비를 부르고, 걸음은 느릿느릿 걸어야 한다.'는 겉치레와 품위를 중시하여 허세를 부리는 모습이다.
❷ '손으로 돈을 만지지 말고 쌀값을 묻지 말아야 한다.'는 돈과 관련된 일을 하는 것을 천하게 여겼던 당시 양반들의 생각이 드러나 있는 모습이다.
❸ '아무리 더워도 버선을 벗지 말고, 맨상투로 식사를 해서는 안 된다.'는 체면을 지나치게 중시하고 사소한 행동조차 격식에 따르는 모습이다.
❹ '양반은 농사도 짓지 않고 장사도 하지 않지만'은 무위도식하는 양반의 모습이다.

8 '부자'는 이득이 없기 때문에 양반 신분을 포기한 것이 아니라 양반이 누리는 갖가지 특권이 부당하고, 백성을 착취하는 파렴치한 모습이 도둑놈과 다를 바 없다고 생각하여 양반이 되기를 포기한 것이다.

오답 풀이 ❶ '도둑놈'이라는 말에 양반이 부도덕한 존재라는 인식이 담겨 있다.
❷ 두 번째 매매 증서에는 양반이 누리는 특권과 그 특권을 이용하여 백성을 괴롭히는 모습이 나와 있다. '부자'는 양반이 누리는 특권이 부당하다고 생각하여 도둑놈과 다를 바 없다고 생각한 것이다.
❹ '부자'는 두 번째 매매 증서 내용을 통해 양반의 부도덕한 모습을 알게 되어 양반 신분을 포기하게 된다.
❺ '도둑놈'이라는 말은 부패한 양반에 대한 신랄한 비판이 절정에 달한 표현이다.

9 (라)에는 양반들이 자신의 신분을 이용하여 백성들을 괴롭히는 부도덕한 모습이 나타난다.

 극

차근차근 개념 이해 080~081쪽

1 ○ 2 × 3 상연 4 시나리오 5 서술자 6 ×

바로바로 개념 적용 들판에서 082~083쪽

- **작품 설명**: 이 희곡은 형제간의 갈등과 화해의 과정이 잘 그려진 작품으로 들판에서 평화롭게 그림을 그리고 있는 형제 앞에 '측량 기사'가 등장하며 극이 시작된다. '측량 기사'와 '조수들'의 계략에 속아서 형제끼리 벽을 치고 총을 겨누며 다투게 되지만, 요란한 천둥소리와 쏟아지는 비를 맞으며 '형'과 '아우' 모두 심리적 변화를 겪게 된다. 그리고 민들레꽃을 보면서 서로 우애를 다짐했던 옛날을 회상하고 마침내 화해에 이르게 된다. 이 글은 벽, 전망대, 총, 민들레 등과 같은 소재를 사용하여 분단 현실을 상징적으로 표현하고 있으며, 형제간의 갈등과 해소 과정을 통해 남북의 분단 현실을 되돌아보게 한다는 점에서 의의가 있다.
- **핵심 보기**

소재	역할	상징적 의미
말뚝과 밧줄	'형'과 '아우'를 갈라놓아 형제간 갈등을 불러일으키는 계기가 됨.	• 형제의 대립과 갈등을 상징함. • 남북한의 군사적 경계선이었던 삼팔선을 상징하기도 함.
벽	'측량 기사'의 교묘한 술책에 의해 설치된 것으로 형제간의 오해와 의심이 깊어지게 됨.	• 서로에 대한 불신과 오해, 소통의 단절을 상징함. • 남북 분단으로 왕래가 차단된 휴전선을 상징하기도 함.
전망대	상대를 감시하기 위한 도구로 형제간의 갈등을 고조시킴.	형제간의 의심과 불신을 상징함.
총	형제간의 갈등을 극단적으로 몰아감.	대립과 긴장, 갈등의 정점을 상징함.
민들레꽃	형제간의 우애의 증표로 갈등 해소의 매개물임.	형제간의 우애, 화해와 평화를 소망하는 마음을 상징함.

↓

희곡은 현재 무대 위에서 일어나는 사건을 극적 대립과 갈등을 통해 압축적으로 담은 문학으로, 이 희곡에서 소재는 이러한 희곡의 특징을 잘 보여 줌. 특히, 사건 전개 과정과 갈등의 변화, 상징적 주제를 부각함.

지문 체크 1 민들레꽃 2 × 3 측량 기사 4 벽 5 ○ 6 ○ 7 우애

이 글의 갈래상 특징 1 ③

이 글을 상연할 때 유의할 점 2 ②

1 이 글은 무대 상연을 목적으로 하는 희곡으로, 무대에서 상연되기 때문에 시간적·공간적 배경의 전환이나 등장하는 인물의 수에 제약을 받게 된다.

2 '조수들'과 '측량 기사'는 '형'에게 위기감과 적대감을 불러일으키는 말을 하며, '형'의 불안 심리를 자극하고 있다. 방백은 무대의 상대역에게 들리지 않고 관객만 들을 수 있는 말이다.

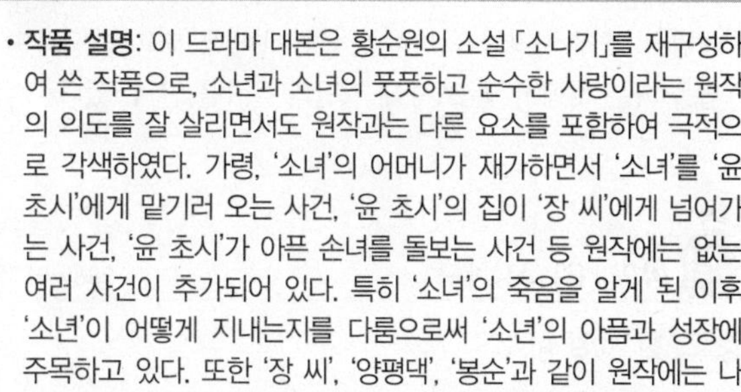

토닥토닥 실력 쌓기 01 소나기 ❶ 084~085쪽

- **작품 설명**: 이 드라마 대본은 황순원의 소설 「소나기」를 재구성하여 쓴 작품으로, 소년과 소녀의 풋풋하고 순수한 사랑이라는 원작의 의도를 잘 살리면서도 원작과는 다른 요소를 포함하여 극적으로 각색하였다. 가령, '소녀'의 어머니가 재가하면서 '소녀'를 '윤 초시'에게 맡기려 오는 사건, '윤 초시'의 집이 '장 씨'에게 넘어가는 사건, '윤 초시'가 아픈 손녀를 돌보는 사건 등 원작에는 없는 여러 사건이 추가되어 있다. 특히 '소녀'의 죽음을 알게 된 이후 '소년'이 어떻게 지내는지를 다룸으로써 '소년'의 아픔과 성장에 주목하고 있다. 또한 '장 씨', '양평댁', '봉순'과 같이 원작에는 나오지 않는 여러 인물도 추가되어 극에 재미와 긴장감을 불어넣고 있다.
- **핵심 보기**

	원작	재구성된 작품
갈래	소설	드라마 대본(시나리오)
인물	'소년'과 '소녀'를 중심으로 하여 이야기가 전개됨.	• '소년'과 '소녀' 외에 '장 씨', '봉순', '양평댁' 등이 추가됨. • '윤 초시'와 '소녀 부모님'의 비중이 커짐.
사건	'소년'이 '소녀'의 죽음을 아는 것으로 끝남.	'소년'이 '소녀'의 죽음을 안 이후의 장면을 비롯하여 새로운 장면들이 추가됨.
배경	• 시간적 배경: 가을 • 공간적 배경: 개울가, 산, '소년'의 집 등	• 시간적 배경: 가을~겨울 • 공간적 배경: 읍내 의원, 학교, 찻집 등 다양한 공간적 배경이 추가됨.

소주제 절정 병

1 ⑤ 2 ④ 3 〈S# 79〉

1 이 대본은 원작의 의도를 잘 살리면서도 원작에 없는 다양한 인물과 사건 등을 추가해, 갈등 상황이나 인물의 성격이 분명하게 드러나도록 각색하였다.

오답 풀이 ❶ 이 글의 갈래는 드라마 대본(시나리오)으로, 소설과 같이 갈등과 대립의 문학에 속한다.
❷ 드라마 대본은 인물의 대사와 행동을 통해 사건이 전개된다.
❸, ❹ 이 글은 소설 「소나기」를 드라마 대본으로 재구성한 것으로, 각색 과정에서 원작에 나오지 않는 인물, 사건, 배경이 새로 추가되었다.

2 아픈 손녀를 업고 가며 병을 낫게 해 준다고 말하는 '윤 초시'의 모습에서 원작에는 구체적으로 드러나지 않은 '윤 초시'와 '소녀'의 애틋한 관계가 드러난다.

오답 풀이 ❶ "난 할아버지가 울 엄마 미워하는 줄 알았거든요."라는 '소녀'의 말에서 '소녀'의 엄마와 '윤 초시' 사이에 갈등이 있었음을 짐작할 수 있을 뿐, '소녀'와 '윤 초시'가 갈등을 겪었다는 것이 아니다.
❷ '소녀'네 집안 형편이 어려워졌음은 〈S# 73〉 이후의 장면인 〈S# 79〉에서 극적으로 제시되어 있다.
❸ 병약했던 '소녀'가 소나기를 맞고 병색이 더 짙어진 것이지만, 이 내용이 〈S# 73〉에 나오지는 않는다.
❺ 〈S# 73〉에서는 '소녀'가 병을 치료할 시기를 놓쳤다는 내용이 언급되어 있지 않다.

3 원작과 다르게 이 글에서는 '장 씨'가 '윤 초시'네 집을 사고, '윤 초시'가 쓰러지는 장면이 추가된다. 대청마루에 대자로 누

워 보는 게 소원이었다는 '장 씨'의 말에서 그가 어렸을 때부터 이 집을 사고 싶어 했음이 드러난다. '장 씨'와 '윤 초시'의 대립은 극에 긴장감을 더하며, '장 씨'에게 모욕을 당하면서 집을 파는 것에서 '윤 초시'네 집안의 몰락을 알 수 있다.

실력 쌓기 01 소나기 ❷ 086~087쪽

소주제 하강 이별

1 ④ 2 ④ 3 ② 4 Ⓐ: 조약돌, Ⓑ: 대추

1 〈S# 90〉에 '소녀'가 직접 등장한 것이 아니라, '소년'이 도라지를 보며 앞서 '소녀'가 꽃묶음을 안고 즐거워했던 모습을 떠올린 것이다.

2 '소녀'가 비 오는 날 '소년'과 함께했던 시간들을 좋은 추억으로 간직하고 있으며, '소년'에 대한 호감을 갖고 있음을 드러내는 말이다.

오답 풀이 ❶ '소나기'는 짧지만 강렬한 '소년'과 '소녀'의 사랑을 떠올리게 하는 소재로, 우울한 분위기를 조성하지는 않는다.
❷, ❸ '소녀'는 소나기를 맞은 이후로 아팠음에도 비를 좋아하게 되었다고 말하고 있다.
❺ '소녀'가 '소년'에게 호의를 보답하려고 비가 좋아졌다고 한 것이 아니라, 비가 오면 '소년'과 소나기를 맞았던 즐거운 추억이 떠올라 기분이 좋음을 드러내기 위해서 비가 좋아졌다고 말한 것이다.

3 소설에서는 인물의 행동을 서술자가 서술하는데, 드라마 대본에서는 지시문으로 표현한다. ⓑ는 인물의 동작을 나타내는 지시문에 해당한다.

4 〈S# 83〉에 '소년'과 '소녀'가 조약돌을 놓으며 소원을 비는 모습이 나타나며, '소녀'가 '소년'에게 손수건에 곱게 싼 대추를 건네는 것은 '소녀'가 '소년'을 생각하는 마음을 보여 준다.

토닥토닥 실력 쌓기 01 소나기 ❸ 088~089쪽

소주제 대단원 죽음

1 ⑤ 2 ① 3 ② 4 ④

1 〈S# 95〉에서는 원작 소설에는 나타나지 않는, '소녀'의 죽음을 알고 충격을 받은 '소년'의 반응이 드러난다. 나머지는 원작의 내용과 같다.

2 원작과 달리 '소년'이 힘들어하는 모습을 추가함으로써 '소녀'의 죽음을 인정하고 싶어 하지 않는 '소년'의 절망, 슬픔, 상실감을 드러낸다.

오답 풀이 ❸은 원작 소설의 결말이 주는 효과이다.

3 원경은 대상을 먼 곳에 두고 찍는 것을 말한다. 따라서 커다란 나무와 그 나무 아래 작은 '소년'이 대비됨으로써 '소년'의 외로움이 더 효과적으로 부각된다.

4 '소녀'를 그리워하다 실수로 떨어뜨린 하얀 조약돌을 꺼내지 않고 물속에 그대로 두는 장면은 '소년'이 '소녀'의 죽음으로 인한 슬픔을 이겨 내며 조금 더 성숙했음을 의미한다.

실력점검 실전 문제 01 소나기 090~091쪽

1 ② 2 ② 3 ② 4 ④ 5 ② 6 ⑤ 7 ⑤
8 '소년'의 아픔과 성장을 보여 주려 했다.

1 이 글은 소설을 원작으로 하여 이를 재구성한 드라마 대본이다. 재구성된 작품을 원작 소설의 인물, 사건, 배경과 비교하며 읽으면 각 작품에서 얻을 수 있는 감동이나 가치를 느껴 보는 재미가 있다.

오답 풀이 ㄴ. 소설을 읽는 방법에 해당한다.
ㄹ. 희곡을 읽는 태도에 해당한다. 이 글은 드라마 상영을 목적으로 하는 시나리오이다.

2 이 글은 원작의 의도를 잘 살리면서도 원작에 없는 다양한 인물과 사건 등을 추가하여 '소년'과 '소녀'의 순수한 사랑을 더 극적으로 보여 준다.

3 뒤에 이어지는 '장 씨'의 대사 '서울 가서 병 낫거들랑…….'을 통해 '소녀'가 서울에 가서 병을 치료해야 하기 때문에 집을 팔아야 하는 상황임을 알 수 있다.

4 '소년'과 서로의 추억을 떠올리며 마음을 나누는 장면에서 비는 소원이므로 이사 간 곳에서 새로운 친구를 사귀게 해 달라는 소원은 적절하지 않다.

5 이 글은 드라마 대본으로, 소설과 마찬가지로 인물, 사건, 배경을 중심으로 하여 구성된다. 인물, 사건보다 배경이 더 중요시되는 것은 아니다.

오답 풀이 ❶ 드라마 대본에서는 번호를 붙여 장면을 구분하며, 각 장면 번호 뒤에 공간적 배경을 제시한다.
❸ (다)의 '원경으로 잡아 커다란 나무 아래 아주 작고 외롭게 보이는 소년.'과 (라)의 '동그마니 앉아 있는 소년의 뒷모습 길게 보이며 끝.'과 같이 카메라 기법에 대한 설명이 나타난다.
❹ 소설에서 인물이 나눈 대화가 드라마 대본에서는 대사로 나타난다.
❺ (가)에 화면과 화면 사이에 다른 화면을 끼워 넣는다는 뜻의 '인서트'라는 용어가 쓰인 것처럼 대본에서는 영상 편집을 고려한 전문 용어가 쓰인다.

6 '인서트'는 화면과 화면 사이에 다른 화면을 끼워 넣는 기법으로, 행복한 '소녀'의 모습과 이미 져 버린 도라지꽃을 대비해 '소년'의 불길한 예감을 강조하려 한 것이다.

7 ⓐ에서 '소년'은 '소녀'의 죽음을 전해 듣고 충격을 받았다. ⓑ에서 '소년'은 '소녀'의 죽음에 절망하고 슬퍼하고 있다. ⓒ에서 '소년'은 '소녀'에 대한 그리움 때문에 예전에 '소녀'가 했던 행동을 따라하고 있다.

8 (다)에서는 '소녀'의 죽음 이후 '소년'이 겪는 아픔을, (라)에서는 이를 극복해 가는 '소년'의 성장을 드러낸다.

4 수필

차근차근 개념 이해 092쪽

1 자유로운 2 ○ 3 ×

바로바로 개념 적용 나의 모국어는 침묵 093쪽

• **작품 설명**: 이 수필은 글쓴이가 인디언을 만났던 경험을 바탕으로 하여 침묵에 담긴 의미를 깨달은 내용을 담고 있다. 글쓴이는 처음에 인디언들이 자신을 불청객으로 여겨 침묵으로 응대한다고 생각했지만, 대화를 시작하기 전 한동안 침묵으로 상대를 느끼는 것이 인디언 부족의 전통임을 알게 되었다. 이후 인디언에게 침묵은 존재의 평화로움에서 저절로 나오는 것이라는 사실을 깨닫고 자신의 언어 습관을 되돌아보게 된다. 특히 역설 표현이 나타난 인디언의 말("우리의 모국어는 침묵입니다.")을 인용하여 침묵의 의미 – 침묵이 가장 훌륭한 의사소통일 수도 있다 – 에 대한 강한 인상을 주고 있다.

• **핵심 보기**

'나'의 경험		그에 따른 깨달음
인디언 축제에서 인디언들과 만났으나 인디언들이 아무런 반응을 보이지 않은 일	→	자기 앞에 있는 존재를 가장 잘 느끼는 방법은 말이 아닌 침묵을 통한 것임.
인디언 흉내를 내자 괴팍하고 거만한 사람이라는 평을 들은 일	→	침묵은 흉내가 아니라 존재의 평화로움에서 저절로 나오는 것임.
인디언에게 '너무 많이 말해'라는 이름을 얻은 일	→	살면서 쓸데없는 말을 너무 많이 하며 살고 있음.

↓

"우리의 모국어는 침묵입니다." (역설 표현)
모국어, 즉 말은 의사소통을 위한 수단인데 침묵은 아무 말도 없는 상태임. 따라서 이러한 역설적 표현을 사용함으로써 말보다 침묵으로 상대방을 더 잘 느낄 수 있다는 점을 인상적으로 드러냄.

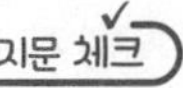

1 × 2 ○ 3 ○

글쓴이의 경험을 통한 깨달음과 표현 방법 1 ⑤

1 이 글은 표면적으로는 모순되지만 그 안에 진리를 포함하고 있는 역설 표현을 제목에서부터 사용하여 강한 인상을 주고 주제를 강조하고 있다.

오답 풀이 ❶ 이 글의 글쓴이는 인디언 부족과의 만남을 통해 얻은 생각을 독백체의 형식으로 표현하고 있다.
❷ 인디언 축제에 참가한 글쓴이는 인디언들이 침묵으로 자신을 응대하자 어리둥절하였지만, 훗날 그들이 대화를 시작하기 전에 침묵으로 상대방을 느낀다는 것을 알게 되었다.
❸ 이 글은 일상생활 속 느낌이나 생각을 자유롭게 쓴 경수필로, 글쓴이 또한 자신의 체험과 깨달음을 친근한 어투로 전달하고 있다.
❹ 글쓴이는 인디언들에게서 '너무 많이 말해'라는 인디언식 이름을 얻었는데, 이를 통해 글쓴이는 인디언과 비교하면 말이 많은 사람임을 알 수 있다. 독자 또한 이 글을 읽으며 살면서 쓸데없는 말을 너무 많이 하며 살고 있는 것은 아닌지 성찰할 수 있다.

01 열보다 큰 아홉 094~095쪽

• **작품 설명**: 이 수필은 우리 조상들이 아홉이라는 숫자를 왜 사랑해 왔는지 말하면서 꽉 차지 않은, 미래의 꿈과 가능성의 수인 아홉을 청소년에 대응시키고 있다. 역설, 관용 표현 등 다양한 표현 방식을 사용하여 숫자 열과 아홉을 비교, 대조함으로써 청소년이 어떤 존재인지를 설득력 있게 전달하고 있다. 즉, 아홉이 그 부족함 때문에 열보다 큰 수로 여겨진 것처럼, 청소년도 완전하지 않기에 이미 완성된 존재인 어른보다 더 큰 존재이자, 발전 가능성이 무궁무진한 존재라는 점을 전하고 있는 것이다. 이를 통해 자신의 부족함 때문에 괴로워하고 존재에 대한 불안함에 시달리는 청소년들을 위로하고, 격려하고 있다.

• **핵심 보기**

열	아홉
이미 이룰 것을 이룩한 완전한 수, 성공을 한 수	완전에 거의 다다른 수, 하나만 보태면 완전에 이르게 되는 수, 아쉬움을 느끼게 하는 수
조금도 여유가 없는 꽉 찬 수, 그다음이 없이 아주 끝나 버린 수	다음다음을 바라볼 수 있는, 미래의 꿈과 가능성의 수
부족한 것 없이 모든 것을 이룬 어른과 같은 수	앞으로 무엇이든 할 수 있는 청소년과 같은 수

↓

열보다 큰 아홉 (역설 표현)

↓

글쓴이가 아홉을 청소년과 같다고 한 까닭
아홉은 미래의 꿈과 가능성의 수이기 때문에 열보다 더 사랑받아 왔으며, 청소년은 아홉이라는 숫자처럼 아직 완벽하지는 않지만 무엇이든 할 수 있는 미래의 가능성을 가지고 있는 존재이기 때문임.

소주제 **처음** 아홉 **가운데** 미래 **끝** 청소년

1 ① 2 ② 3 ④ 4 ④

1 이 글에서 아홉이 열보다 적거나 작은 수가 아님을 예를 들어 설명하고는 있지만 여러 가지 일화를 나열하고 있지는 않다.

오답 풀이 ❷ '열보다 큰 아홉'이라는 역설적 표현을 제목으로 하여 내보임으로써 글쓴이가 말하고자 하는 바를 강조하고 있다.
❸ 숫자 '열'과 숫자 '아홉'에 담긴 의미를 대조적으로 제시하고 있다.
❹ '아홉'의 의미를 보여 주기 위해 '구만리장천, 구곡간장, 구절양장, 구중궁궐, 구사일생'과 같은 관용어와, '모든 기록은 깨어지기 위해서 있다.'라는 명언을 예로 활용하고 있다.
❺ '아홉은 정녕 열보다 적거나 작은 수일까요? 그렇지 않습니다.' 등의 문답법을 활용하여 독자의 주의를 집중시키고 있다.

2 이 글에서 열이란 수는 이미 이룰 것을 이룩한 완전한 수, 성공을 한 수, 조금의 여유도 없는 꽉 찬 수이다. 반면 아홉은 완전에 거의 다다른 수, 거기에 하나만 보태면 완전에 이르게 되는 수, 그래서 매우 아쉬움을 느끼게 하는 수이자 미래의 꿈과 가능성의 수이다. 이처럼 우리 조상들은 열보다 큰 아홉에 더 의미를 부여하며 아홉이라는 숫자를 사랑해 온 것이다.

3 이 글의 글쓴이는 우리 조상들이 아홉이라는 숫자에 어떤 뜻을 부여해 왔는지 이야기하면서, 꽉 차지 않은 가능성의 수인 아홉을 청소년에 대응시키고 있다. 청소년 시기는 아홉이라는 숫자처럼 아직 완결된 것이 아니므로 미래를 향한 가능성이 열려 있는 시기임을 일깨우고자 이 글을 쓴 것이다.

4 '삼순구식(三旬九食)'은 삼십 일 동안 아홉 끼니밖에 먹지 못한다는 뜻으로, 집안이 굶주릴 정도로 가난함을 이르는 말이다. 이는 완전에 이른 열이란 수에 비해 완전하지 않지만 무한한 가능성을 지닌 아홉이라는 수가 결코 열보다 적거나 작지 않다는 의미와 상통하지 않는다.

오답 풀이 ❶ '구절양장(九折羊腸)'은 아홉 번 꼬부라진 양의 창자라는 뜻으로, 꼬불꼬불하며 험한 산길을 이르는 말이다.
❷ '구곡간장(九曲肝腸)'은 굽이굽이 서린 창자라는 뜻으로, 깊은 마음속 또는 시름이 쌓인 마음속을 비유적으로 이르는 말이다.
❸ '구중궁궐(九重宮闕)'은 겹겹이 문으로 막은 깊은 궁궐이라는 뜻으로, 임금이 있는 대궐 안을 이르는 말이다.
❺ '구사일생(九死一生)'은 아홉 번 죽을 뻔하다 한 번 살아난다는 뜻으로, 죽을 고비를 여러 차례 넘기고 겨우 살아남을 이르는 말이다.

토닥토닥 실력 쌓기 02 흙을 밟고 싶다 ❶ 096~097쪽

• **작품 설명**: 이 수필은 흙(자연)을 멀리하는 오늘날의 도시 사람들의 모습과 대조하여 흙의 소중함과 가치를 일깨우고 있다. 글쓴이는 아파트 정원에서 흙을 갖고 놀던 아이가 엄마에게 혼나는 모습을 보고 안타까움을 느끼고는, 증조할머니와 함께 지내며 흙 놀이를 즐겼던 자신의 어린 시절을 회상한다. 그리고 편리함을 추구하며 흙과 멀어지고 이웃과도 왕래하지 않는 오늘날의 생활을 염려한다. 그러면서 글쓴이는 흙을 긍정적으로 바라보는 관점을 바탕으로 하여 생명의 모태인 흙을 가까이함으로써 삭막하게 메마른 정서를 깨우칠 수 있다고 말하고 있다.

• **핵심 보기**

글쓴이, 글쓴이의 증조할머니		아이 엄마
•흙을 만지며 자유롭게 노는 것을 긍정적으로 바라봄. •생명의 근원인 흙을 통해 자연을 배울 수 있다고 여김.	↔	•흙을 만지며 노는 것을 부정적으로 바라봄. •흙을 몸에 묻으면 안 되는 더러운 것으로 여김.

↓

관점 비교를 통해 얻는 효과
글쓴이가 흙을 바라보는 관점을 도시에 사는 아이 엄마의 관점과 비교함으로써 글쓴이가 지향하는 삶의 태도와 인생관, 세계관을 파악할 수 있음.

소주제 **처음** 아이 엄마

1 ② 2 ③ 3 ② 4 ⑤ 5 안타까움, 씁쓸함

1 이 글은 글쓴이의 경험과 이를 통해 깨달은 점, 느낀 점을 솔직하게 쓴 수필로, 글쓴이의 주관적 태도가 드러난다.

오답 풀이 ❶ 글쓴이는 흙장난을 하고 있는 동네 꼬마들을 보았던 경험을 구체적으로 제시하였다.
❸ '아이 엄마'로 대표되는 도시인, 기성세대가 흙(자연)을 몸에 묻으면 안 되는 더러운 것으로 여기고 있음을 알 수 있다.
❹ 글쓴이는 동네 꼬마들이 아파트 화단의 흙을 가지고 놀고 있는 모습을 흐뭇하게 바라보고, 이를 야단치는 엄마의 모습을 안타깝게 여기는 등 자신이 느낀 감정을 솔직하게 드러내고 있다.
❺ 글쓴이가 흙을 긍정적으로 바라보는 관점과 태도를 통해 흙과 자연을 생명의 경이로움을 느낄 수 있는 대상으로 인식하고 있음을 알 수 있다.

2 (나)에서 곱슬머리 소년의 엄마는 아이가 흙을 만지며 노는 것을 부정적으로 바라보며, 흙을 몸에 묻으면 안 되는 더러운 것으로 여긴다.

3 글쓴이는 기성세대의 고집이 아이들의 감성을 짓누른다고 생각하고 부정적으로 바라본다.

4 '풀 한 포기 자라지 않은 아파트 놀이터'는 생명력이 없는 공간으로, 흙장난을 할 수 있는 생명력이 넘치는 공간과는 대조적인 장소이다.

5 글쓴이는 (다)에서 흙장난을 하는 아이를 야단친 뒤 데려가는 아이 엄마의 모습을 보고 안타까움을 느꼈으며, (라)에서 기성세대의 고집이 아이들의 감성을 짓누른다는 생각에 씁쓸해졌다.

토닥토닥 실력 쌓기 02 흙을 밟고 싶다 ❷ 098~099쪽

소주제 **가운데** 은덕 **끝** 흙, 이웃

1 ④ 2 ③ 3 ② 4 ② 5 비판적, 부정적

1 글쓴이 자신의 어린 시절의 경험과 생각을 통해 증조할머니가 지닌 흙에 대한 긍정적 태도를 보여 주고 있다. 글쓴이는 이를 통해 생활의 편리함과 문명의 이기에 적응하여 흙과 자연의 소중함을 잊고 살아가는 요즘 사람들의 모습을 돌아볼 기회를 주고 있다.

2 '증조할머니'는 흙을 인간에게 은덕을 베풀어 주는 생명의 고향으로 여겼다. 그리고 문명의 이기에 적응하지 못한 '나'를 위해 흙장난을 실컷 하도록 두었으며, 땅의 소중함을 몸소 보여 주었다.

오답 풀이 ❶, ❹ '증조할머니'가 '나'의 상처에 흙을 뿌려 치료를 대신하는 것은 흙이 사람을 치료하는 이로운 기운과 영험함을 지니고 있다고 믿기 때문이다.
❷ '증조할머니'가 집안에 평안을 기원하는 제를 지낼 때 흙을 그릇에 담아 뒤뜰에 뿌린 것은 흙이 사람을 이롭게 한다는 믿음 때문이었다.
❺ '증조할머니'는 땅이 아무런 조건 없이 인간에게 베풀기만 하는 존재라고 생각하며, 조상이 물려준 땅에 집을 짓고 편안히 사는 것 또한 땅의 은덕이라고 여긴다.

3 글쓴이는 흙을 긍정적으로 바라보는 관점을 바탕으로 흙의 소중함과 가치를 전한다. 특히, 이 글의 끝부분에서 정서가 메말라가는 현대 사회에서 자연을 가까이함으로써 무디어진 심성을 일깨우고 건강한 삶을 살 수 있다고 전하고 있다.

4 ㉠, ㉡, ㉣은 모두 흙을 가까이하는 삶과 관련이 있으므로 글쓴이가 긍정적으로 생각하는 대상이나, ㉢, ㉤은 현대인들을 삭막하게 만드는 도시 문명과 관련된 소재들로 글쓴이가 부정적으로 생각하는 대상이다.

5 흙을 멀리하고 문명의 이기에 젖어 점점 삭막해지는 요즘 도시 사람들의 삶을 부정적으로 바라보고 비판하고 있다.

쌓기 03 맛있는 책, 일생의 보약 ❶ 100~101쪽

• **작품 설명**: 이 수필은 소설가인 글쓴이가 중학교 3학년 시절 도서반에서 박지원의 고전 소설을 읽은 경험을 솔직하게 담고 있다. 글쓴이는 학창 시절의 읽기 경험이 자신의 삶에 어떠한 영향을 미쳤는지 구체적으로 보여 주며 독자에게 읽기의 중요성을 역설하고 있다. 특히 고전(박지원의 소설)과 무협지의 비교를 통해 고전의 가치를 깨우쳐 주고 책 읽기의 가치와 중요성을 효과적으로 전달하고 있다.

• **핵심 보기**

글쓴이의 읽기 경험
특별 활동 시간에 박지원이 쓴 책을 읽음. → 고전을 읽는 즐거움을 느낌.
• 무협지와 달리 읽을수록 새로운 맛이 우러나옴. • 문장이 단단하고 품위 있으며 아름다움. • 정신세계가 더 넓어지고 수준이 높아지는 듯함. • 글을 쓴 사람의 숨결이 전해짐. • 우리 조상이 쓴 것이라는 뿌듯함을 느낌.

글쓴이가 생각하는 읽기의 가치
• 인간의 지극한 정신문화를 체험할 수 있음. • 인간다운 삶을 살고 드높은 가치를 추구하는 길을 보여 줌. • 인간만이 알고 있는, 진정한 인간으로 나아가는 통로임.

소주제 **처음** 도서반

1 ④ **2** ⑤ **3** ④ **4** ⑤ **5** 보약

1 이 글은 소설가인 글쓴이가 중학교 3학년 시절 도서반에서 박지원의 고전 소설을 읽은 경험을 떠올려 진솔하게 쓴 수필이다.

오답 풀이 ❶ 중학교 3학년 때 특별 활동으로 도서반을 선택하여 박지원의 고전을 읽게 되었지만, 특별 활동의 중요성에 대해 말하고 있지는 않다.
❷ 학창 시절의 읽기 경험을 중심으로 서술하고 있을 뿐 학창 시절에 대한 그리움은 나타나 있지 않다.
❸ 도서반 담당 선생님이 마음에 드는 책을 골라 읽으라고 하여 한자로 제목이 씌어 있는 책을 골랐다는 내용이 있을 뿐, 마음에 드는 책을 선정하는 방법에 대한 조언은 나타나 있지 않다.
❺ 글쓴이의 경험담에서 극한의 어려움을 이겨 냈다는 내용은 나타나 있지 않다.

2 글쓴이는 도서반에서 우연히 꺼내 든 한자 제목의 고전, 박지원의 소설 읽기를 통해 무협지와는 다른 매력을 맛보았다. 그리고 정신세계가 보약을 먹은 듯이 한층 더 넓어지고 수준이 높아지는 듯한 느낌이 들었다고 하였다.

3 글쓴이는 평소 무협지를 즐겨 읽었기 때문에 무협지에서 익숙하게 본 '한문 문장을 번역한 예스러운 문체'는 별 거부감이 없었다고 하였다.

4 (나)에서 도서반 담당 선생님은 자기 마음에 드는 책을 골라서 읽기만 하면 된다고 말하고 있다. 따라서 선생님은 구체적인 독서 활동을 권한 것이 아니라, 마음에 드는 책을 골라 흥미를 잃지 않고 읽기를, 또 학생들 스스로 독서의 즐거움을 느끼기를 원한 것으로 보인다.

5 글쓴이는 박지원의 소설을 읽고 자신의 정신세계가 마치 보약을 먹은 듯이 한층 더 넓어지고 수준이 높아지는 듯한 느낌이 들었다고 했으며, 제목 또한 '맛있는 책, 일생의 보약'이라는 표현을 사용하였다. 이는 글쓴이의 읽기 경험을 바탕으로 '책'을 '보약'에 빗대어 표현한 것이다.

토닥토닥 실력 쌓기 03 맛있는 책, 일생의 보약 ❷ 102~103쪽

소주제 **가운데** 고전 소설 **끝** 책

1 ③ **2** ④ **3** ⑤ **4** ④ **5** 내가 지금 소설을 쓰고 있는 것은 바로 그 책 때문이라고 생각한다.

1 글쓴이는 특별 활동 시간에 박지원의 소설을 읽으며 몇백 년 전 글을 쓴 사람의 숨결이 느껴지는 경험을 처음 해 보았으며, 고전의 재미를 느꼈다. 또한 고전을 읽으면 자기 피와 살이 된다고 하였고, 자신이 재미있게 읽은 최초의 고전이 우리의 조상이 쓴 것이라는 것에 뿌듯함을 느꼈다. 그러나 책을 읽고 함께 나누는 재미에 대한 언급은 하지 않았다.

2 글쓴이는 이 세상에 인간으로 나서 인간으로 살면서 인간다운 삶을 살고 드높은 가치를 추구하는 길을 책이 보여 준다고 말하고 있다.

오답 풀이 ❶ 글쓴이는 자신의 읽기 경험이 진로를 결정하는 데 도움을 주었다고 했지만 진로에 대한 자부심을 갖게 하였다는 언급은 하지 않았다.
❷ 글쓴이는 읽기가 인간의 지극한 정신문화를 알고 경험하게 한다 했을 뿐, 정신문화라는 것이 단지 지적 호기심에 한해서라는 언급은 하지 않았다.
❸ 글쓴이는 읽기가 인간다운 삶을 살고 진정한 인간으로 나아가는 통로의 역할을 한다고 했을 뿐, 위로나 평안을 가져다주는 방편이라는 언급은 하지 않았다.
❺ 읽기가 건전한 여가 생활을 위한 하나의 방법이 될 수 있지만 글쓴이는 이에 대한 언급은 하지 않았다.

3 읽기의 생활화는 일 년에 한 번 특별한 날을 정해 책을 몰아 읽는 것이 아니라 일상생활 속에서 독서를 자신의 삶의 일부분으로 받아들이면서 습관화하는 것을 의미한다. 따라서 ⑤는 읽기를 생활화할 수 있는 방법으로 보기 어렵다.

4 글쓴이는 학창 시절 특별 활동 시간에 읽었던 책이 자신의 일생을 바꾸었다고 말하며 누구에게나 그런 일이 일어날 수 있다고 하였으므로, '그런 일'은 책이 인간의 삶에 결정적 영향을 끼치는 일을 의미한다.

5 글쓴이는 특별 활동 도서반 시간을 통해 박지원이 쓴 고전 소설을 접하게 되었고, 이 일로 고전을 읽는 즐거움을 알게 되었다. 이와 같은 읽기 경험은 글쓴이가 자신의 진로를 소설가로 선택하는 데 영향을 주었다. 이로 보아 좋은 책은 독자가 자신의 진로에 대해 생각해 보는 계기를 마련해 주어 인생의 전환점이 될 수도 있다.

Ⅱ 읽기

1 설명하는 글

차근차근 개념 이해 106쪽

1 비교, 대조 **2** 인과 **3** ×

바로바로 개념 적용 중학생도 세금을 내나요 107쪽

• **지문 설명**: 이 글은 중학생을 예상 독자로, 세금을 설명 대상으로 설정하여 직접세와 간접세의 특징과 장단점을 비롯한 세금에 대한 다양한 정보를 제공하는, 설명하는 글이다. 세금의 종류를 직접세와 간접세로 분류하여 체계적으로 제시하고 있으며, 직접세와 간접세의 장단점을 대조하여 대상의 특징을 밝히고 있다. 또한 구체적인 사례를 들어 중학생도 세금에 관심을 가져야 하는 이유를 설명하고 있다.

• **핵심 보기**

글의 구조	중심 내용	설명 방법
처음	국민의 의무를 강조한 케네디 대통령의 일화 소개	인용
가운데 1	직접세와 간접세의 특징과 종류	구분, 정의, 열거, 예시
가운데 2	직접세와 간접세의 장단점	대조, 인과, 예시
끝	중학생들이 세금에 대해 관심을 가져야 하는 이유	

지문 체크 **1** × **2** 인용 **3** ×

이 글에 사용된 설명 방법 **1** ④

1 이 글은 직접세와 간접세의 특징과 종류, 장단점 등에 대해 설명하며 중학생도 세금에 관심을 가져야 함을 전하는 글이다. 직접세의 장점을 인과에 따라 설명하고 있지만, 간접세의 장점을 인과에 따라 설명하고 있지는 않다.

오답 풀이 ① (다)에서 직접세의 개념을 정의의 방법으로 설명하고 있다.
② (다)에서 직접세의 종류를 열거의 방법으로 설명하고 있다.
③ (다)에서 간접세의 종류를 예시의 방법으로 설명하고 있다.
⑤ (라)~(마)에서 직접세와 간접세의 장단점을 대조 및 인과의 방법으로 설명하고 있다.

토닥토닥 실력 쌓기 01 지혜가 담긴 음식, 발효 식품 ❶ 108~109쪽

• **지문 설명**: 이 글은 다양한 설명 방법을 사용하여 발효의 개념과 발효 식품의 우수성을 설명한 글이다. 처음 부분에서는 다양한 나라의 발효 식품을 예로 들어 흥미를 유발하고, 가운데 부분에서는 우리나라의 전통 발효 식품인 김치, 간장, 된장을 구체적으로 설명하고 있다. 그리고 끝 부분에서는 이러한 발효 식품의 우수성을 요약정리하고, 앞으로 우리나라의 전통 발효 식품을 발전시켜 나갈 것을 제안하고 있다.

• **핵심 보기**

글 전체에서 설명하는 대상		
우리나라 전통 발효 식품		

↓

주된 설명 방법		
(가): 예시	(나): 예시	(다): 정의, 비교, 대조
(라)~(바): 예시	(사)~(아): 예시	(자)~(차): 예시

↓

글을 쓴 목적
우리나라 전통 발효 식품의 우수성을 알리고 그 효용 가치를 강조하기 위함.

소주제 처음 발효

1 ⑤ **2** ⑤ **3** ⑤ **4** ④ **5** 인과

1 이 글은 발효가 무엇인지, 발효 식품이 왜 우수한지 우리나라의 전통 발효 식품을 예로 들어 설명하고 있다. 맛있는 김치를 담그는 전통 방식에 대한 설명은 제시되어 있지 않다.

오답 풀이 ① (다)의 첫 문장에서 발효의 개념을 설명하고 있다.
② (바)에서 건강을 지키는 데 도움을 주는 김치의 우수성을 설명하고 있다.
③ (다)에서 발효와 부패의 공통점을 비교하고, 그 차이점을 대조하고 있다.
④ (라)에서 발효를 거쳐 만드는 전통 음식 중 김치부터 예를 들어 설명을 하고 있으며, 이어지는 예로 된장과 간장 또한 설명하고 있다.

2 (가)와 (나)는 설명하는 글의 처음 부분으로, 처음 부분에서는 대개 설명 대상을 밝히고, 앞으로 전개될 내용을 소개한다. 발효 과정에 대한 구체적인 설명은 가운데 부분에 제시되어 있다.

오답 풀이 ①, ② 이 글의 처음 부분에서는 설명 대상(발효 식품)을 밝히고 앞으로 전개될 내용(발효의 개념과 발효 식품의 우수성)을 소개하고 있다.
③ (가)의 '이 음식들의 공통점은 무엇일까?', (나)의 '발효란 무엇일까? 그리고 발효 식품은 왜 건강에 좋을까?'와 같은 질문을 통해 화제에 집중하도록 하고 있다.
④ 이 글의 처음 부분에서는 세계적으로 인정받는 발효 식품의 예를 다양하게 들어 독자의 흥미를 유발하고 있다.

3 (다)에는 발효의 개념을 밝히고 있으며, 발효와 부패의 공통점을 비교하고 차이점을 대조하여 설명하고 있다.

오답 풀이 ㄱ은 예시, ㄴ은 분석, ㄷ은 정의, ㄹ은 비교·대조의 설명 방법이다.

4 김치의 발효 과정에서 함께 성장하고 증식하는 젖산균은 우리 몸에 좋은 성분을 생산하는 유용한 물질이다. 젖산균이 포도당을 분해하면서 만들어 낸 젖산은 유해균이 증식하는 것을 억제하고, 김치가 잘 썩지 않게 하는 역할을 한다.

5 김치를 오래 두고 먹을 수 있는 까닭이 젖산의 특성 때문임을 설명하고 있으므로, ㉠은 인과가 쓰인 부분이다.

실력 쌓기 01 지혜가 담긴 음식, 발효 식품 ❷ 110~111쪽

소주제 가운데 우수성 끝 발전

1 ⑤ 2 ② 3 ③ 4 구체적인 예(사례)를 들어

1 (차)에서 된장은 필수 아미노산이 풍부한 식품이기 때문에 아미노산이 적은 쌀밥을 주로 먹는 우리에게 꼭 필요한 식품이라고 하였다.

2 글쓴이는 발효의 개념을 설명하고 우리나라 전통 발효 식품의 우수성을 알리기 위해 이 글을 썼다.

오답 풀이 ❶ 발효의 개념과 특징을 설명하기 위해 발효와 부패의 차이점을 언급하였지만 이는 중심 내용이 아니다.
❸ 이 글의 끝부분에서 우리나라의 발효 식품을 발전시킬 방법을 생각해 보기를 제안하고 있다.
❹ 이 글에서 사라져 가는 전통 발효 식품에 대한 안타까움은 나타나지 않는다. 우리나라 전통 발효 식품의 효용 가치를 강조할 뿐이다.
❺ 발효를 거쳐 만들어지는 식품인 간장과 된장을 만드는 과정이 제시되어 있지만 이는 결국 간장과 된장의 우수성을 말하기 위한 것일 뿐 현대인에게 가르침을 주기 위해서라는 내용은 언급되어 있지 않다.

3 (사)는 간장을 만드는 방법을, (자)는 된장을 만드는 방법을 단계별로 나누어 그 과정을 순차적으로 설명하였다.

오답 풀이 ❶ 인과, ❷ 분류, ❹ 분석, ❺ 인용에 관한 설명이다.

4 이 글은 우리나라 전통 발효 식품의 우수성을 알리기 위해 구체적인 식품을 예로 들어 설명하고 있다. (라)~(차)는 바로 우리나라 전통 발효 식품 중 김치, 간장, 된장을 설명하는 예시 문단이다. 예시는 설명 대상에 대한 구체적인 예를 들어 설명하는 방법이며 이 글의 중심 내용을 효과적으로 설명할 수 있는 방법이다.

실력 쌓기 02 우리는 왜 간지럼을 느낄까 ❶ 112~113쪽

- **지문 설명**: 이 글은 다양한 설명 방법을 사용하여 간지럼을 타는 이유를 알기 쉽게 설명한 글이다. 간지럼을 가려움과 대조하여 그 특성을 명료하게 제시하고 있으며, 간지럼을 타게 된 이유를 인간의 진화와 연관 지어 설명하고 있다. 또한 남이 나를 간질이는 것은 간지럼을 타고 내가 나를 간질일 때는 간지럼을 타지 않는다는 사실을 대조하여, 간지럼이 예측 불가능성과 밀접한 관련이 있다는 결론을 이끌어 내고 있다. 끝으로 간지럼 연구가 지닌 의의를 밝히며 간지럼 연구가 활발해진 이유를 구체적으로 설명하고 있다.
- **핵심 보기**

처음	설명 대상(간지럼) 소개
↓	
가운데 1	가려움과 간지럼을 구분하고 차이를 대조하여 제시함.
가운데 2	간지럼을 타게 된 이유를 인과를 통해 제시함.
가운데 3	간지럼과 예측 불가능성의 관계를 대조, 인과를 통해 제시함.
↓	
끝	간지럼 연구의 의의

소주제 처음 간지럼 가운데 1 가려움

1 ⑤ 2 ③ 3 ② 4 ① 5 대조, 가려움과 간지럼의 차이

1 이 글은 정보 전달을 목적으로 하는 설명하는 글이며, ⑤는 주장이 담긴 글을 읽을 때에 적합한 읽기 방법이다.

2 글쓴이는 간지럼이라는 자극만으로 사람이 웃는 것과 관련된 궁금증을 제시하며 독자에게 질문을 던져 독자의 호기심을 유발하고 있다.

오답 풀이 ❶ (가)에 정의의 설명 방법은 쓰이지 않았다.
❷ 간지럼이라는 자극만으로도 사람이 웃는 것과 관련된 궁금증을 질문의 형식으로 제기하여 흥미를 유발하고 있다.
❹ (가)에 인용의 설명 방법은 쓰이지 않았다.
❺ 오래된 수수께끼인 간지럼의 이유에 대한 의문을 제기하고 있다.

3 (나)는 간지러운 느낌을 '외부 자극에 의한 가려움'과 '웃음이 나는 간지럼'으로 구분하여 설명하고 있다.

오답 풀이 ❶ 둘 이상의 대상을 견주어 차이점을 중심으로 설명하는 '대조'의 설명 방법이 쓰였다.
❸ 둘 이상의 대상을 견주어 공통점이나 유사점을 중심으로 설명하는 '비교'의 설명 방법이 쓰였다.
❹ 대상의 개념이나 뜻을 풀이하여 밝히며 설명하는 '정의'의 설명 방법이 쓰였다.
❺ 원인과 결과에 따라 설명하는 '인과'의 설명 방법이 쓰였다.

4 아주 약한 움직임으로 발생하는 것은 간지럼이 아니라, '외부 자극에 의한 가려움'이며, 이것이 느껴지면 '벅벅' 긁거나 문지르고 싶어진다.

5 이 글은 간지럼을 느끼는 이유에 대해 설명하는 글로, (다)~(라)에서는 가려움과 간지럼의 차이를 대조의 방법을 통해 명확히 알려 주고 있다.

실력 쌓기 02 우리는 왜 간지럼을 느낄까 ❷ 114~115쪽

소주제 가운데 2 이유 가운데 3 예측 끝 연구

1 ⑤ 2 ⑤ 3 ③ 4 예측, 행동, 피드백의 특성을 보여 주는 구체적인 사례가 생략되었기 때문이다.

1 내가 나를 간질일 때는 간지럼을 타지 않는다는 영국의 뇌 반응 실험과 예측이 가능할 때 간지럼을 타지 않는다는 로봇을 대상으로 한 실험을 바탕으로, 간지럼이 예측 불가능성과 밀접한 관련이 있다는 점을 드러내고 있다.

2 (사)~(아)에서는 내가 나를 간질일 때와 남이 나를 간질일 때의 차이를 대조의 방법으로 분명하게 설명하였고, 내가 나를 간질일 때 웃음이 나지 않는 이유를 인과의 방법으로 제시하여 간지럼과 예측 불가능성의 관계를 쉽게 이해할 수 있도록 하였다.

3 (바)에서 진화적으로 간지럼을 타게 된 이유를 두 가지로 설명하고 있다. 첫 번째 가벼운 접촉을 통해서 부모 자식 혹은 형제간에 유대감을 증진한다는 것과 두 번째 신체적으로 취약한 부분의 방어 능력을 학습하게 한다는 것이다.

오답 풀이 ㄴ은 가려움을 느끼는 이유이다. 가벼운 자극이라도 문지르거나 긁는 반응을 해야 곤충이나 기생충같이 몸에 해로운 것을 일차적으로 막을 수 있기 때문이다.
ㄷ과 같이 가려움이 간지럼으로 진화했다는 설명은 제시되지 않았다. 단지 간지럼을 타게 된 이유를 인간의 진화적 측면에서 설명하고 있을 뿐이다.

4 ㉡에서는 공을 던지는 구체적인 사례를 보여 주는 예시의 방법을 사용하여 사람에게 자연스러운 행위인 '예측, 행동, 피드백'의 특성을 이해하기 쉽게 설명하고 있다.

2 주장하는 글

차근차근 개념 이해 116쪽

1 근거 2 × 3 ○

바로바로 개념 적용 벽화 마을의 명암 117쪽

• **지문 설명**: 이 글은 벽화 마을을 둘러싸고 발생하는 여러 문제의 근본적인 원인을 파헤치며 벽화 마을 조성에 대한 비판적 입장을 취하고 있다. 관광객으로 인한 소음, 쓰레기 무단 투기, 주민 사생활 침해, 흉물로 변한 일부 조형물, 경제적 이득을 두고 벌어진 주민 간의 갈등 등 여러 가지 문제를 제기하고 있으며, 마을의 특성과 동떨어진 벽화 마을 조성을 중단해야 한다고 주장하고 있다.

• **핵심 보기**

문제 상황	• 관광객으로 인한 소음, 쓰레기 무단 투기, 주민 사생활 침해 • 관리 부족으로 인해 흉물로 변한 일부 조형물 • 경제적 이득을 본 주민과 그렇지 않은 주민 간의 갈등
원인 분석	'일단 조성하고 보자'는 식의 근시안적 발상으로 마을을 조성했기 때문
↓	
주장	마을의 특성과 동떨어진 벽화 마을 조성을 중단해야 한다.

지문 체크 1 ○ 2 ○ 3 ×

문제 상황에 대한 글쓴이의 주장 1 ②

1 글쓴이는 벽화 마을의 순기능과 역기능을 함께 언급하고 있다.

오답 풀이 ① 글쓴이는 벽화 마을의 조성으로 인한 마을 주민들의 불편과 갈등에 대한 문제를 제기하고 있다.
③ 글쓴이는 문제 상황과 그 원인을 근거로 제시하고, 겉만 번지르르한 벽화 마을 조성 중단을 촉구해야 한다는 주장을 하고 있다.
④ 벽화 마을 조성 과정에서 마을 주민들의 요구와 마을의 특성을 고려하지 않았다는 점을 문제의 근본적 원인으로 제시하고 있다.
⑤ 주장하는 글을 읽을 때 글쓴이가 주장하는 바에 자신의 생각이나 근거를 밝혀 동의하거나 동의하지 않을 수 있다.

토닥토닥 실력 쌓기 01 착한 소비, 내 지갑 속의 투표용지 ❶ 118~119쪽

• **지문 설명**: 이 글은 사회 곳곳에서 나타나는 착한 소비의 움직임을 다양한 언어 표현뿐만 아니라 그래프와 같은 시각 자료를 활용하여 보여 주고 있으며, 착한 소비가 우리 사회에 미치는 효과와 영향을 강조하고 있다. 글쓴이는 경제적 어려움이 커지는 상황에서도 의미 있는 소비를 하려는 사람이 더욱 많아지는 낯선 현상을 이타심이라는 인간 본성이 발현된 것으로 보고 있다. 또한 착한 소비를 기업과 사회, 그리고 세상의 미래가 달린 '투표용지'에 비유하여 착한 소비의 실천을 통해 세상의 미래를 바꿀 수 있음을 인상적으로 드러내고 있다.

• **핵심 보기**

자신의 것을 나누고자 하는 사람들의 행동

• 익명의 사람들이 달콤 창고를 통해 서로를 위로하며 마음을 나눔.
• 경제가 나빠져도 공정 무역 매출액은 오히려 증가 추세를 보임.
• 일대일 기부 방식을 도입한 사진관에 손님이 늘어남.
• 정기적으로 기부에 참여하는 가게가 매년 급격하게 늘어남.
→ 그래프를 통해 수치의 증가·감소 추세나 수치 간의 관계를 한눈에 알아볼 수 있게 함.

경제가 어려울수록 착한 소비가 확산하는 이유

그동안의 이기적 선택에 따른 반성과 이타심이라는 인간 본성이 발현되었기 때문임.

착한 소비의 중요성

우리가 어디에, 어떻게 소비하느냐에 따라 기업, 사회, 세상의 미래가 달라질 수 있음.
→ 점층적 표현을 통해 착한 소비가 미치는 효과를 강조함.

소주제 서론 나누려는

1 ④ 2 ① 3 ⑤ 4 달콤 창고, (세계, 국내) 공정 무역 매출액

1 (라)의 '어떻게 일면식도 ~ 건넬 수 있을까?', (마)의 '생활이 넉넉해지기는커녕 ~ 나누려고 할까?'에 의문형 문장이 나타나 있는데, 이러한 표현 방법은 착한 소비의 움직임과 관련하여 독자의 주의를 환기하고 관심을 유발하기 위한 것이다.

오답 풀이 ① '착한 소비, 내 지갑 속의 투표용지'라는 제목에 비유적 표현을 사용하여 착한 소비의 영향력과 중요성을 이해하기 쉽고 인상적으로 전달하고 있다.
② 달콤 창고의 실제 모습을 묘사하며 글을 시작함으로써 독자의 관심과 흥미를 유발하고 있다.
③ 글에 포함된 매체 자료의 출처를 모두 제시하고 있어 글 내용에 대한 신뢰감을 주고 있다.
⑤ 그래프와 같은 시각 자료를 활용하여 국민이 느끼는 경제적 고통이 해가 갈수록 커지는 데 반해 착한 소비가 오히려 늘어나고 있음을 효과적으로 드러내고 있다.

2 〈자료 1〉은 체감 경제 고통 지수, 즉 국민이 실제로 느끼는 경제적 고통이 해가 갈수록 큰 폭으로 증가하고 있음을 보여 준다.

3 이기기 위해 남을 밟고 올라서야 하는 무한 경쟁의 시대에 달콤 창고의 모습은 자신의 이익을 위해서가 아니라 다른 사람

을 위하는 이타적 행동이기 때문에 이해하기 힘든 '낯선 흐름'이라 한 것이다.

4 얼굴도 모르는 사람들을 위해 간식을 나누고, 경제적으로 어려울 때 오히려 공정 무역 매출액이 늘어난 것을 통해 자신이 가진 것을 나누고 싶어 하는 마음이 잘 드러난다.

토닥토닥 **실력 쌓기 01 착한 소비, 내 지갑 속의 투표용지 ❷** 120~121쪽

소주제 본론 1 착한 소비 본론 2 기업 본론 3 이타심 결론 투표용지

1 ④ **2** ⑤ **3** ⑤ **4** ③

1 글쓴이는 (자)에서 기업이 착한 가치를 내세우며 경영을 하는 것이 이미지 마케팅이라 할지라도, 기업이 선하게 행동하도록 만든 것 자체가 한 단계 나아간 것이라는 의견을 드러내고 있다.

오답 풀이 ❶ (차)에서 '호모 에코노미쿠스'라는 용어를 통해 그동안 경제학이 인간의 이기적 본성을 부각해 왔음을 압축적으로 표현했다.
❷ (마)~(사)에서 수치가 증가하거나 하락하는 추세를 그래프를 통해 한눈에 파악할 수 있도록 제시했다. 그중 특히 (사)에서 착한 소비에 참여하는 가게가 급증했음을 알 수 있다.
❸ 제목에서 비유적 표현을 사용하여 독자의 관심을 끌고 착한 소비의 영향력과 중요성을 인상적으로 전달했다.
❺ 점층적 표현을 활용하면 표현 대상을 강하고 분명하게 나타내어 독자가 그 대상을 인상 깊게 기억할 수 있다. (타)에서 점층적 표현을 통해 착한 소비가 미치는 효과와 영향을 강조했다.

2 ①~④는 모두 이타적 행동과 관련된 내용으로, 착한 소비의 예로 볼 수 있다. ⑤는 이기심을 바탕으로 한 경쟁에 해당한다.

3 〈자료 4〉는 그래프이고, 〈보기〉의 자료는 표이다. 〈보기〉의 표는 연도별 전국 기부 가게의 수와 증가량을 정확하게 알 수 있지만, 그래프로 제시할 때에 비해 전국 기부 가게의 수가 증가하는 추세를 한눈에 알아보기 어렵다. 반면 〈자료 4〉와 같이 그래프로 제시하면 전국 기부 가게의 수가 매년 급격하게 증가하는 추세를 한눈에 파악할 수 있다.

4 착한 소비를 빗댄 대상인 '투표용지'는 개인의 사회적 영향력을 효과적으로 드러낸다. 착한 소비가 기업, 사회, 세상의 미래를 바꿀 수 있는 힘을 가진 실천 행위임을 이해하기 쉽고 인상적으로 전달하고자 한 것이다.

실력 쌓기 02 느림의 가치를 재발견하자 122~123쪽

• **지문 설명**: 이 글은 오늘날 우리 사회의 빨리빨리 문화가 가져온 부작용을 제시하며 보다 인간다운 삶을 영위하기 위해 '느림'의 삶을 실천해 볼 것을 주장하는 글이다. '빠름'과 대조되는 '느림'은 속도에 빠져든 사회를 치유하기 위해 꼭 필요한 요소로, 기본과 원칙에 충실하게 하며, 우리를 보다 인간답게 만든다. 또한 남들과 더불어 사는 것을 가능하게 하고, 개인의 인간적인 삶뿐 아니라 지구의 지속적 발전을 위해 실천해야 할 과제로 제시하고 있다.

• **핵심 보기**

빨리빨리의 문화		'느림'의 삶
• 고속 성장을 가능하게 함. • 부실 공사로 인해 건축물이 붕괴됨. • 교통사고 사망률이 높음. • 경쟁으로 인한 과도한 스트레스를 유발함.	↔	• 기본과 원칙에 충실하게 함. • 보다 인간답게 만들어 줌. • 경쟁적인 삶에서 벗어나 남들과 더불어 사는 것을 가능하게 함. • 개인의 인간적인 삶과 지구의 지속적 발전을 가능하게 함.

↓

글쓴이는 빨리빨리의 문화가 확산되면서 발생한 부정적 상황을 제시하며, 인간다운 삶을 영위하기 위해 '느림'의 가치를 인식하고, '느림'의 문화를 실천해야 한다고 역설함.

소주제 서론 빨리빨리 본론 느림 결론 실천

1 ④ **2** ③ **3** ② **4** 빨리빨리의 문화

1 이 글은 주장하는 글로, '느림'을 실천하는 삶과 그 가치에 대한 글쓴이의 견해가 논리적으로 담겨 있다.

오답 풀이 ❶ '느림'의 가치와 필요성 중 하나가 지구 환경의 지속적 발전을 위함이었을 뿐, 그에 대한 다양한 방안을 모색하고 있지는 않다.
❷ '느림'과 '빠름'을 대조하여 '느림'의 가치를 강조하고 있을 뿐, 그 두 가지 삶의 방식의 조화를 언급하고 있지는 않다.
❸ (다)에 느리게 사는 삶을 실천하는 사람들의 모습이 제시되어 있을 뿐, 글쓴이의 '느림'의 실천 사례나 그로 인한 변화는 제시되어 있지 않다.
❺ 삶에 대한 사람들의 생각 변화가 아니라, 글쓴이 자신이 생각하는 오늘날 우리 사회의 문제점과 그에 대한 대안을 제시하고 있다.

2 빨리빨리의 문화가 우리 사회의 고속 성장을 가능하게 했지만 그로 인한 부작용들이 발생하게 되었다고 서론에 제시되어 있다. '느림'은 빠름에 반대되는 개념으로, 속도에 빠져든 사회를 치유하기 위해 꼭 필요한 요소이자 인간적인 삶을 위해 또 지구의 지속적 발전을 위해 반드시 실천해야 하는 과제이다.

3 〈보기〉에 제시된 사람들은 느리게 사는 것의 중요성을 인식하지 못한 채 빨리빨리의 문화 속에서 살아가고 있는 사람들이다. 이들은 일을 빨리하면 시간이 남고, 그 남는 시간을 다른 데 쓸 수 있을 것이라 생각하지만 대부분은 여전히 바쁜 생활에서 벗어나지 못한다. 따라서 이 글을 읽고 느리게 사는 삶의 가치를 알게 된 독자가 조언할 수 있는 말은 일을 빨리 마치고 여유 시간을 활용하라는 것이 아니라, 빨리빨리의 문화에서 벗어나 인간답게 사는 삶, '느림'의 삶을 누려 보라는 것이다.

오답 풀이 ❶, ❺ 이 글의 결론에 해당하는 (바)에 제시된 내용이다.
❸, ❹ 이 글의 본론 마지막 문단에 해당하는 (마)에 제시된 내용이다.

4 글쓴이는 빨리빨리의 문화가 우리 사회의 고속 성장을 가능하게 하였지만, 그로 인해 부실 공사로 인한 건축물 붕괴, 높은 교통사고 사망률, 또 경쟁으로 인한 스트레스 등의 부작용이 확산되었다고 하였다.

Ⅲ 듣기·말하기

1 대화

차근차근 개념 이해 126~127쪽

1 ○　2 ○　3 목적　4 공감적　5 ×　6 ○

바로바로 개념 적용 아빠와 아들의 대화 / 달리는 차은 128~129쪽

◆ 아빠와 아들의 대화

• **작품 설명**: 이 소설은 열두 살 소년의 성장 과정을 그린 작품이다. 주인공 '로버트'는 이웃 아저씨에게 새끼 돼지를 받아 정성스레 돌보지만, '아버지'가 사료비를 감당할 수 없어 돼지를 잡아 버린다. '로버트'는 '아버지'를 원망하지만 돼지를 잡고 슬퍼하는 '아버지'의 모습을 보며 그 마음을 이해하게 되고, '아버지'의 죽음 이후 어른이 되어 간다. 교과서 수록 부분은 울타리를 세우는 일에 대해 '아빠'와 대화를 하면서 '아들'의 생각이 바뀌어 가는 과정 즉, 두 인물의 협력적인 듣기·말하기 과정이 잘 드러나 있다.

• **핵심 보기**

대화 전		대화 중			대화 후
		'아빠'	'아들'		
울타리를 세우는 것에 대해 '아빠'와 '아들'이 의견 차이를 보임.	➜	'아들'의 눈높이에 맞게 쉬운 예를 들어 울타리의 의미를 설명해 줌.	자신과 다른 의견에 귀 기울이고, 동의하는 부분은 맞장구를 침.	➜	울타리를 세우는 것에 대해 '아빠'와 '아들'의 의견이 일치됨.

◆ 달리는 차은

• **작품 설명**: 이 시나리오는 다문화 가정에서 일어나는 갈등과 화해가 잘 드러나는 작품이다. 육상 선수가 되고 싶은 '차은'은 이를 반대하는 '아버지'와 갈등을 겪는 상황에서 '차은'의 '엄마'가 필리핀 출신임을 알게 된 친구들에게도 놀림을 받는다. 이에 가출을 한 '차은'을 '엄마'가 찾아내어 함께 시간을 보내면서 둘의 갈등이 해소된다. 교과서에 수록된 부분은 '차은'과 '엄마'가 갈등을 겪는 부분으로, 두 사람의 대화가 원활하게 이루어지기 위한 올바른 듣기·말하기 태도를 생각해 보게 한다.

• **핵심 보기**

대화의 문제점	'차은'	'엄마'의 성의를 무시하고 자신의 기분에만 집중해 '엄마'에게 화를 냄.
	'엄마'	'차은'의 감정을 고려하지 않고 운동화 이야기만 함.

➜

해결 방법	• 상대가 자신의 마음을 알아주기만 바라지 말고, 속마음을 솔직히 얘기하면서 문제를 함께 해결하려는 자세를 가져야 함. • 상대의 상황과 심정을 배려하여 말하여야 함.

지문 체크　1 ○　2 ×　3 ×　4 운동화　5 ×　6 ×

협력적 듣기·말하기 태도의 중요성　1 ④

협력적 듣기·말하기의 방법　2 ⑤

1 아빠는 울새와 여우를 예로 들어 울타리의 의미를 아들의 눈높이에 맞게 설명해 주고 있다.

2 이 대화에서는 각자 상대의 상황과 심정을 헤아리기보다는 자신의 입장에서만 말했기 때문에 대화가 원활하게 이루어지지 않고 있는 것이다.

토닥토닥 실력 쌓기 01 '황희 정승'의 일화 / 선생님과 학생의 대화 130~131쪽

◆ '황희 정승'의 일화

• **지문 설명**: 이 만화는 조선 세종 때의 명신인 '황희 정승'의 일화를 바탕으로 하여 구성한 것으로, 상대의 처지와 심정을 헤아리는 '황희 정승'의 인품이 잘 드러난다. 제사를 지낼 것인지 여부를 묻는 두 사람에게 각각 다른 대답을 해 준 '황희 정승'의 모습을 통해, 공감적 듣기가 무엇인지 생각해 볼 수 있다.

• **핵심 보기**

'황희 정승'이, 제사 지내기를 원하는 사람에게	'황희 정승'이, 제사 지내기를 원하지 않는 사람에게
제사를 지내야 한다고 답함.	제사를 안 지내야 한다고 답함.

➜

상대방의 처지와 심정을 헤아려 그에 맞게 대답을 해 줌.

◆ 선생님과 학생의 대화

• **지문 설명**: 좋아하는 친구가 자신의 마음을 알아주지 않아 속상한 '민정'과 '민정'의 고민을 들어 주려는 '선생님'의 대화이다. 상대의 고민을 공감하며 들어 주며 스스로 문제를 해결해 나가도록 돕는 태도의 중요성을 알 수 있다.

• **핵심 보기**

	방법	예
소극적 들어 주기	대화 상대와 눈을 맞추면서 고개를 끄덕이거나, 적절하게 맞장구치기	• (민정이의 눈을 부드럽게 바라보며) • 응, 계속 이야기해 봐.
적극적 들어 주기	상대의 말을 요약정리하기	그러니까 네가 용기 내서 마음을 표현했는데, 도현이가 반응이 없어서 속상한가 보구나.
	상대가 객관적인 관점에서 문제에 접근하고, 스스로 해결할 수 있도록 돕기	그런데 민정아, 혹시 도현이가 어떤 성격인지 생각해 봤니?

1 ②　2 ③　3 ④　4 ㉢, ㉣

1 공감적 듣기는 상대의 문제점을 분석하는 것이 아니라, 상대의 생각이나 감정을 깊이 있게 이해하는 것이 목적이다.

2 상대가 자신의 문제에 객관적으로 접근하고, 스스로 문제를 해결할 수 있도록 돕는 것이 공감적 듣기이다.

3 '황희 정승'은 사람들의 질문 속에서 각자가 원하는 바를 파악했기에 제사를 지내기를 원하는 사람과 제사를 지내기를 원하지 않는 사람 각각의 처지와 심정을 헤아려 상대에 따라 다르게 답한 것이다.

4 ㉢처럼 상대의 말을 요약정리하거나, ㉣처럼 상대가 객관적인 관점에서 문제를 바라볼 수 있도록 돕는 것은 공감적 듣기 방법 중 적극적 들어 주기에 해당한다.

오답 풀이 ㉠처럼 상대를 바라보며 눈을 맞추거나, ㉡처럼 상대가 이야기를 이어 갈 수 있도록 돕는 것은 공감적 듣기 방법 중 소극적 들어 주기에 해당한다.

2 연설/발표

개념 이해 132쪽

1 연설 2 × 3 ○

개념 적용 세상의 모든 어버이께 133쪽

• **지문 설명**: 이 글은 1992년 브라질 리우에서 열린 유엔 환경 개발 회의에서 당시 12세였던 세번 컬리스 스즈키가 발표한 연설문이다. 연설자가 어린아이임을 강조하며 '세상의 모든 어버이'를 연설 대상으로 정하여, 어버이의 입장에서 지구의 환경을 지키고 전쟁과 빈곤이 없는 세상을 만들어 달라는 간절한 호소를 전하고 있다.

• **핵심 보기**

말하기 태도		듣기 태도
• 연설의 목적, 연설 대상, 장소와 상황 등을 고려해 말하는 이의 입장을 분명하게 드러냄. • 듣는 이의 지식과 수준, 감정과 태도를 고려해 듣는 이의 반응을 살피며 말하기 방식이나 태도를 조정함.	상호 작용	• 자신의 경험과 배경지식 등을 활용해 말하는 이의 의도, 전하고자 하는 내용 등을 파악함. • 말하는 이에게 적절한 반응을 보임. • 궁금한 점은 메모해 두고 연설 후 질문함.

지문 체크 1 어른들 2 × 3 ×

공적인 상황에서의 듣기·말하기 1 ①

1 연설은 공적인 자리에서 다수의 청중을 대상으로 하는 공식적인 말하기로, 특정 주제에 대해 연설자가 청중에게 일방적으로 전달하는 것이지 자유롭게 대화하는 것이 아니다.

실력 쌓기 01 기아 문제의 심각성과 해결 방법 ① 134~135쪽

• **지문 설명**: 이 글은 ○○ 모둠에서 기아 문제의 심각성과 해결 방법에 대한 발표를 하기 위해 작성한 발표문이다. 기아 문제의 원인을 다양한 측면에서 분석하여 제시하였고, 권위 있는 기관의 통계 자료를 적절하게 인용하였다.

• **핵심 보기**

활용한 자료	핵심 정보	그 효과
세계 기아 실태 지도	기아에 시달리고 있는 사람들의 분포와 비율	세계 기아 인구의 분포와 비율을 한눈에 파악하도록 하여, 기아 문제의 심각성을 분명하게 드러냄.
전 세계 평균 식품 에너지 공급 충분성 그래프	전 세계 평균 식품 에너지 공급 충분성 지수	식량이 충분한데도 기아 문제가 해결되지 않는 원인을 생각해 보게 하여, 이어질 내용에 집중하게 함.
사막화가 진행된 호수 사진	사막화에 따른 문제	사막화가 진행된 지역의 모습을 시각적으로 확인하도록 하여, 사막화 현상에 대해 쉽게 이해하게 함.
만 원의 기적 캠페인 영상	구호 단체에서 펼치고 있는 기부 활동	듣는 이가 참여할 수 있는 구호 단체의 활동을 소개함으로써, 문제 해결에 동참하도록 유도함.

소주제 도입 동기 전개1 기아

1 ④ 2 ④ 3 ② 4 발표 내용에 대한 신뢰성을 높일 수 있기 때문

1 책 내용을 바탕으로 세계 기아 문제의 심각성을 알리고 함께 이 문제를 해결하는 데 동참을 권유하고자 하는 것이지, 책을 읽은 감상을 발표하는 것은 아니다.

2 ㉠은 세계 기아 인구의 분포와 비율을 한눈에 파악하도록 돕는 자료로, 세계 각 지역의 기아 인구를 연 단위로 비교하는 내용은 도출할 수 없다.

3 전 세계 평균 식품 에너지 공급 충분성 지수가 높아지는 그래프(ㄹ)를 통해 전 세계 식품 에너지 공급량을 한눈에 알 수 있을 뿐만 아니라(ㄱ), 그럼에도 기아 문제가 해결되지 않는 것에 대한 궁금증을 유발한다(ㄷ).

오답 풀이 ㄴ. 식품 충분성 지수가 오히려 최근 더 높아지고 있음을 보여 주므로, 식량이 부족한 것을 최근 기아 문제의 원인으로 꼽기는 어렵다.
ㅁ. 식품 에너지 공급량의 국가별 수치는 나타나지 않는다.

4 권위 있는 기관의 자료를 제시함으로써 발표 내용의 신뢰성을 높일 수 있다.

실력 쌓기 01 기아 문제의 심각성과 해결 방법 ② 136~137쪽

소주제 전개2 원인 전개3 해결 정리 요약정리

1 ④ 2 ②, ④ 3 ⑤ 4 ㉠: 이해를 도움, ㉡: 동참하도록 유도함

1 (차)에서 기부에 동참하기, 기아 문제의 심각성 알리기, 기아 관련 정책이나 소식에 관심을 기울이기 등 학생들이 할 수 있는 기아 문제 해결 방법을 제시하고 있다.

2 이 발표는 기아 문제의 심각성과 원인을 먼저 살펴본 다음, 구체적으로 그 해결 방법을 제시하면서 내용을 마무리하고 있다. 이러한 조직 방법은 듣는 이가 문제에 대한 경각심과 문제 해결에 동참해야 하는 필요성을 느끼게 하는 효과를 준다.

3 이 발표에서는 질문, 사례, 인용구, 다양한 자료 등을 활용해 기아 문제의 심각성을 드러내고, 듣는 이가 문제 해결에 동참할 것을 촉구하고 있다. 그러나 이 과정에서 문제 상황을 드러내는 다양한 비유는 사용하지 않았다.

4 (사)의 사막화가 진행된 호수 사진은 사막화가 진행된 지역의 모습을 보여 줌으로써 사막화 현상에 대해 쉽게 이해할 수 있도록 한다. (자)의 만 원의 기적 캠페인 영상은 청중이 직접 참여할 수 있는 구호 단체의 활동을 소개함으로써 문제 해결에 동참할 것을 권유한다.

방송 보도/강연

차근차근 개념 이해 138쪽

1 ○　2 강연　3 매체 자료

바로바로 개념 적용 목뼈 휘는 '거북목 증후군' 질환 급증 139쪽

• **지문 설명**: 이 글은 스마트폰 사용 급증이 거북목 증후군을 유발할 수 있다는 내용을 보도한 텔레비전 뉴스이다. 적절한 매체 자료를 활용하여 중심 내용을 효과적으로 전하고 있으며, 거북목 증후군의 위험성과 예방 방법 등에 대한 정보도 함께 제공하고 있다.

• **핵심 보기**

활용한 매체 자료	그 효과
스마트폰 보급률과 거북목 증후군 진료 인원의 추이를 보여 주는 그래프	스마트폰 보급률이 높아지면서 거북목 증후군 진료 인원이 늘었음을 한눈에 파악할 수 있도록 해 줌.

지문 체크　1 ○　2 ×　3 스트레칭

방송 보도에 사용된 매체 자료의 효과　1 ④

1 스마트폰의 보급률이 높아지면서 거북목 증후군 환자의 수도 늘었음을 전하는 뉴스이지, 스마트폰의 교체 주기와 거북목 증후군의 상관관계를 찾는 내용은 나타나지 않는다.

토닥토닥 실력 쌓기 01 만약 지진이 일어난다면? ❶ 140~141쪽

• **지문 설명**: 이 글은 소방서에 근무하는 강연자가 중학교 2학년 학생을 대상으로 하여 지진과 관련된 다양한 정보를 알려 주는 내용의 강연문이다. 강연자는 청소년의 수준을 고려하여 영화 포스터, 동영상, 사진, 그림, 표 등의 다양한 매체 자료를 적절하게 활용함으로써 듣는 이의 이해를 돕고 있다.

• **핵심 보기**

활용한 매체 자료	그 효과
영화 「샌 안드레아스」 포스터	• 강연 주제에 대한 청중의 관심을 유발함. • 앞으로 전개될 내용을 짐작하게 함.
지진의 발생 과정을 보여 주는 동영상	• 강연 중에 제시되어 분위기를 환기함. • 지진 발생 과정을 쉽게 이해하게 함.
네팔과 일본의 지진 피해 사진	지진 피해의 심각성을 실감 나게 전달함.
세계의 지진대를 나타낸 그림	• 지진이 자주 발생하는 지역을 한눈에 파악할 수 있게 함. • '불의 고리'가 가리키는 바를 쉽게 이해하게 함.
장소에 따른 지진 대처법을 안내한 표	각 상황에 적합한 대처법을 명확히 구별할 수 있게 해 주고, 그 내용을 다시 한번 확인할 수 있게 함.

소주제　처음 자기소개

1 ③　2 ③　3 ②　4 지진에 대한 다양한 정보와 지진이 일어났을 때의 대처 방안

1 듣는 이에게 질문을 던지는 것은 듣는 이의 주의를 환기하고 관심을 이끌어 내기 위한 행동이다.

오답 풀이 ❶, ❷ (가)의 '행복 중학교 2학년 3반 학생 여러분 ~ ○○○ 소방서에 근무하는 △△△입니다.'에서 강연자와 듣는 이, 인사말, 자기소개가 나타난다.
❹ (가)의 '화면을 볼까요? ~ 포스터인데요'에서 매체를 활용하여 듣는 이의 관심을 유발하고 있다.
❺ (다)의 '혹시 2015년에 네팔에서 ~ 알 수 있지요.'에서 듣는 이가 알 만한 사건을 소개함으로써 듣는 이의 주의를 집중시키고, 지진 피해의 심각성을 강조하고 있다.

2 (나)에서 활용한 동영상 자료는 지진의 발생 과정 및 원인을 실감 나게 보여 줌으로써 듣는 이의 이해를 돕는 역할을 한다. 그러나 직접 동영상으로 보여 주는 것이므로 학생들의 상상력을 자극하지는 않는다.

3 지진 피해를 크게 입은 나라의 사진을 사례로 보여 주어, 듣는 이가 지진 피해의 심각성을 실감 나게 느끼게 하려는 것이다.

4 (가)에서 지진에 대한 다양한 정보와 지진이 일어났을 때의 대처 방안을 알려 주는 것이 강연의 목적임을 밝히고 있다.

토닥토닥 실력 쌓기 01 만약 지진이 일어난다면? ❷ 142~143쪽

소주제　가운데 대처법　끝 감사

1 ①　2 ①　3 ④　4 글로 읽는 것보다 쉽게 이해할 수 있다.

1 매체 자료는 강연 중 적절한 부분에 사용해야지, 자료의 중요도를 따져 그 순서대로 제시하는 것이 아니다.

2 (라)에서 활용한 매체는 지진이 자주 발생하는 지역을 보여 주는 그림이다. 이 그림을 통해 지진이 자주 발생하는 지역을 한눈에 파악할 수 있고(ㄱ), '불의 고리'가 무엇을 가리키는지 쉽게 이해할 수 있다(ㄴ).

오답 풀이 ㄷ. 이 그림에서 우리나라는 지진 발생 지역에서 살짝 벗어나 있어 안전지대라고 생각하기 쉬우나, 뒤이은 진술에서 실제로는 그렇지 않다고 경각심을 일깨우고 있다.
ㄹ. 환태평양 조산대에서 지진이 자주 발생하는 이유는 이 그림을 통해서는 알 수 없다.

3 (바)는 강연 내용을 마무리하며 당부와 감사 인사를 전하는 부분으로, 새로운 과제를 제시하고 있지는 않다.

오답 풀이 ❶ '제가 준비한 내용은 여기까지입니다.'
❷ '고맙습니다.'
❸ '오늘 강연 내용을 ~ 대처할 수 있을 것입니다.'
❺ '지진이 무엇인지 ~ 유익한 시간이었나요?'

4 (마)에서 사용한 매체 자료는 표이고, 〈보기〉의 매체 자료는 그림이다. (마)의 표는 장소에 따른 대처 방법을 비교해 보기 쉽다는 장점이 있고, 〈보기〉의 그림은 지진이 일어나면 어떻게 해야 하는지 글로 읽는 것보다 쉽게 이해할 수 있다는 장점이 있다.

Ⅳ 쓰기

1 설명하는 글 쓰기

차근차근 **개념 이해** 146쪽

1 독자 **2** × **3** 특성, 방법

토닥토닥 **실력 쌓기** 147~148쪽

1 ② **2** ⑤ **3** ① **4** 줄다리기에 관한 여러 정보를 알리기(설명하기) 위해서 **5** ③ **6** ③ **7** ④ **8** ⑤

1 ②는 '열거'의 설명 방법이 어울린다. '구분'은 전체를 일정한 기준에 따라 나누어 설명하는 방법이다.

2 (나)에는 대상의 뜻을 밝히며 설명하는 '정의'의 설명 방법이, (다)에는 줄다리기를 함으로써 얻을 수 있는 가치를 나열한 후에 원인과 결과를 밝혀 설명하는 '인과'의 설명 방법이 쓰였다.

오답 풀이 ㄱ. 분석 ㄴ. 예시 ㄷ. 비교

3 줄의 구조를 머리, 몸줄, 곁줄로 나누어 분석하고 있으며, 줄다리기의 줄을 지네에 비유하고 있다. 따라서 분석과 비유의 방법을 사용하여 설명하고 있다.

4 줄다리기에 관한 여러 정보를 찾아보고 친구들에게 알려 주려는 것으로 보아, 줄다리기에 관한 여러 정보를 설명하는 것이 목적임을 알 수 있다.

5 글의 주제와 관련된 자료라도, 내용 선정 과정을 거치며 글쓰기에 필요한 자료만 선택한다.

6 설명하는 글을 쓸 때는 대상의 특성에 맞는 설명 방법을 찾아 쓰는 것에 주안점을 두어야 하므로, 글 속에서 중복된 설명 방법이 쓰일 수 있다.

7 귀지가 어떤 역할을 하는지 구체적인 예를 들어 설명하는 것이 읽는 이의 이해에 도움이 되므로 ㉣에 들어갈 적절한 설명 방법은 '예시'이다.

오답 풀이 ❶ ㉠: 대상의 개념을 밝히는 설명 방법인 '정의'가 적절하다.
❷ ㉡: 하나의 대상을 가지고 구조를 살피는 설명 방법인 '분석'이 적절하다.
❸ ㉢: 원인과 결과를 중심으로 설명하는 방법인 '인과'가 적절하다.
❺ ㉤: 원인과 결과를 중심으로 설명하는 방법인 '인과'가 적절하다.

8 귀의 구조에 관한 내용을 담고 있는 것은 ⓐ와 마찬가지이나 '외이', '중이', '내이'를 쉬운 표현으로 바꾸고 내용이 자연스럽게 연결되도록 문장을 다듬었다.

2 다양한 표현 활용하여 글 쓰기

차근차근 **개념 이해** 149쪽

1 속담, 명언 **2** × **3** ○

토닥토닥 **실력 쌓기** 150~152쪽

◆ **아끼다가 똥 될지라도**

- **작품 설명**: 이 수필은 학교 선생님인 글쓴이가 학생들과 있었던 정겨운 일상을 따스한 시선으로 그려 내고 있다. 글쓴이는 자기 아이에게 들은 "아끼다 똥 된다."라는 속담을 중심으로 그와 관련된 자신의 경험을 나열하고 있다. 글쓴이는 자신의 어린 시절과 달리, 요즘 아이들이 무언가를 아껴 쓸 만큼 소중하게 여겨 본 적이 없는 것을 아쉬워하며 '아끼다가 똥 될지라도' 모든 것을 귀하게 여기는 삶의 태도를 강조하고 있다.
- **핵심 보기**

이 글에 쓰인 다양한 표현	관용 표현	• 배꼽을 쥐다: 웃음을 참지 못하여 배를 움켜잡고 크게 웃다. • 시간 가는 줄 모르다: 몹시 바삐 진행되거나 어떤 일에 몰두하여 시간이 어떻게 지났는지 알지 못하다. • 침을 삼키다: 음식 따위를 몹시 먹고 싶어 하다.
	속담	• 아끼다 똥 된다: 물건을 너무 아끼기만 하다가는 잃어버리거나 못 쓰게 됨을 비유적으로 이르는 말이다.

1 ③ **2** ② **3** ① **4** 등잔 밑이 어둡다 **5** ③ **6** ③ **7** ④ **8** ④ **9** ② **10** ④ **11** ③ **12** 침을 삼킨다 / 침을 흘린다

1 ㉠은 게으른 사람이 일하기 싫어 한 번에 많이 해치우려고 하거나, 능력도 없으면서 일에 대한 욕심이 지나치게 많음을 빈정대어 이르는 말이다.

2 (가)에 쓰인 표현들은 예로부터 전하여 오는 조상들의 지혜, 교훈이나 풍자가 담긴 쉽고 짧은 말을 가리키는 속담에 해당한다. 속담은 교훈이나 풍자를 위해 어떤 사실을 비유의 방법으로 서술한다. 따라서 의미를 직설적으로 전달하는 것이 아니라 빗대어 돌려 전달하는 것이다.

오답 풀이 ❶ 속담을 글에서 적절히 활용하면 인상 깊게 표현할 수 있고 딱딱한 느낌을 줄일 수 있으며, 읽는 이의 기억에 오래 남는 글을 쓸 수 있다.
❸ 속담을 활용하면 상황을 길게 설명할 필요 없이 간결하게 전달할 수 있다.
❹ 속담은 그것을 사용하는 많은 사람을 거치며 사회의 공감을 얻을 수 있는 표현으로 다듬어져 왔다. 따라서 속담은 많은 사람의 경험이 압축적으로 녹아 있는 친숙한 표현이라 할 수 있다.
❺ 속담은 글에 참신함과 재미를 더하여 읽는 이의 관심을 불러일으킬 수 있다.

3 '낫 놓고 기역 자도 모른다'는 글자를 하나도 모를 정도로 아주 무식하다는 뜻이다. 따라서 ㉮의 상황에 맞는 속담은 '돌다리도 두들겨 보고 건너라'이다.

4 휴대 전화를 가까이 두고도 찾지 못하는 상황이므로, '가까이에 있는 것을 도리어 알아보지 못하다'라는 뜻의 '등잔 밑이 어둡다'가 적절하다.

5 (가)에 제시된 글은 격언과 명언에 해당한다. 격언은 인생에 대한 교훈이나 경계 따위를 간결하게 표현한 짧은 글이며, 명언은 유명한 사람의 입에서 나와 널리 알려진 말로, 사리에 맞는 훌륭한 말이다. 격언과 명언 모두 삶의 올바른 이치, 교훈이나 가르침을 준다. ③은 속담에 대한 설명이다.

6 'ㄱ, ㅇ'은 '도전, 노력', 'ㄷ, ㅁ'은 '시간', 'ㄹ, ㅂ'은 '우정', 'ㄴ, ㅅ'은 '사랑'과 관련된 격언 또는 명언이다. ㉠과 같이 시간을 낭비하며 헛되이 보내는 사람에게 경각심을 주기 위해서는 시간의 중요성과 관련된 표현을 활용할 수 있다. 또 ㉡과 같이 목표를 향해 달려 나가기를 주저하는 사람에게 용기를 주기 위해서는 도전과 노력의 필요성을 알리는 표현을 활용할 수 있다.

7 관용 표현은 둘 이상의 낱말이 결합하여 원래의 뜻과는 다른 특별한 뜻으로 사용되는 관습적인 말이다. '파김치가 되다'는 '몹시 지쳐서 기운이 아주 느른하게 되다'라는 뜻을 지닌 관용 표현이고, '나 몰라라 하다'는 '어떤 일에 무관심한 태도로 상관하지도 아니하고 간섭하지도 아니하다'라는 뜻을 지닌 관용 표현이다. 관용 표현을 쓰면 상황을 간결하고 함축적으로 표현할 수 있다.

오답 풀이 준희: ⓐ는 관용 표현으로 둘 이상의 낱말이 한 덩어리처럼 굳어져 하나의 낱말처럼 쓰이기 때문에 그 표현을 마음대로 바꿀 수 없다.
형준 : ⓒ는 원래의 뜻대로 쓰는 표현이지만, ⓑ는 '앞으로 해야 할 일들이 많이 남아 있다'라는 의미의 관용 표현이다.

8 ④는 우리 팀이 공을 넣지 못하여 응원단이 안타까워하는 상황이므로 '매우 안타까워하거나 다급해하다'라는 의미의 '발을 구르다'가 어울린다. '발을 디디다'는 '단체에 들어가거나 일의 계통에 참여하다'라는 의미이다.

오답 풀이 ❶ 손을 내밀다: 친하려고 나서다.
❷ 눈을 속이다: 잠시 수단을 써서 보는 사람이 속아 넘어가게 하다.
❸ 김칫국부터 마신다: 해 줄 사람은 생각지도 않는데 미리부터 다 된 일로 여기고 행동한다.
❺ 머리를 굴리다: 머리를 써서 해결 방안을 생각해 내다.

9 이 글에서 유명한 사람의 입에서 나와 널리 알려진 훌륭한 말인 '명언'의 인용은 나타나지 않는다. 주로 속담과 관용 표현을 활용하여 쓴 글이다.

10 읽는 이에게 친숙한 속담을 재구성하여 표현하면 글을 읽는 재미를 더하고, 글쓴이의 생각을 강조하는 효과를 얻을 수 있다.

오답 풀이 ❶ 속담을 재구성한 제목과 속담의 문제점은 전혀 관련이 없다.
❷ 속담을 통해 글쓴이의 생각을 효과적으로 드러낼 수 있다.
❸ 속담을 활용하면 설명하기 복잡하거나 어려운 상황을 간결하게 표현할 수 있다.
❺ 이 글의 제목은 속담을 재구성한 표현으로, 이 글이 속담의 원래 뜻과 상반되는 내용을 담고 있음을 짐작할 수 있다.

11 '시간 가는 줄 모르다'는 '어떤 일에 몰두하여 시간이 어떻게 지났는지 알지 못하다'라는 뜻의 관용 표현이다.

12 (나)는 무엇이든 조금은 부족했을 때 그것을 하게 여기게 된다는 내용이다. ⓐ의 앞뒤를 고려하면 음식을 부족하게 가져갔을 때 그 음식을 더, 몹시 먹고 싶어 한다는 뜻의 '침을 삼키다'라는 관용 표현이 들어가는 것이 적절하다.

3 고쳐쓰기

차근차근 개념 이해 153쪽

1 × 2 문장 3 재구성, 대치

토닥토닥 실력 쌓기 154~155쪽

1 ④ 2 ③ 3 ② 4 '당시 나는 동생과 한방을 써서 조금 불편했다.'를 삭제한다. 5 ③ 6 ④ 7 ① 8 읽는 이의 관심과 흥미를 불러일으킬 수 있다.

1 '그 후로'를 기점으로 앞부분은 민들레와의 추억을 회상하는 장면이고, 뒷부분은 현재의 시간으로 돌아와 강아지를 발견한 뒤의 이야기를 들려주는 장면이기 때문에 '그 후로'부터 문단을 나누는 것이 자연스럽다.

2 (나)에서는 병아리와의 첫 만남을, (다)에서는 마당에서 지내는 민들레를 방 안으로 데리고 온 일을 담고 있다. 따라서 병아리를 처음 데리고 와 이름을 지어 준 이야기인 〈보기〉는 (나)와 (다) 사이에 들어가야 한다.

3 병아리가 매력적이어서 병아리를 한참이나 바라본 것이므로 '그래서'를 써야 한다.

4 '나는 비가 오면 ~ 데리고 올 것이다.'처럼 시제에 어긋난 표현을 고치는 것은 문장 수준에서 고쳐 쓰는 것이다. (다)의 마지막 문장은 앞의 내용과 이어지지 않으므로 삭제해야 한다.

5 고쳐쓰기는 글을 쓰는 마지막 단계에서만 이루어지는 활동이 아니다. 글쓰기의 모든 과정에서 글의 내용을 수정·보완하며 고쳐 쓰는 것이 바람직하다.

6 (나)에서 '과자 회사가 어찌나 고맙던지.'라는 문장은 과자의 양이 터무니없이 적어서 황당한 마음을 반어적으로 표현한 문장이므로 삭제할 필요가 없다.

7 ㉠은 '적은 지가'의 띄어쓰기가 적절하지 않으므로 '적은지가'로 고쳐야 하며 이는 낱말 수준의 고쳐쓰기에 해당한다.

오답 풀이 ❷, ❸은 문단 수준의 고쳐쓰기, ❹는 문장 수준의 고쳐쓰기, ❺는 글 수준의 고쳐쓰기에 해당한다.

8 '과자 양이 적어 실망한 일'보다 '공기 반 과자 반'이라는 제목이 독자의 흥미를 더 이끌어 낼 수 있다.

V 문법

1 단어의 정확한 발음과 표기

차근차근 개념 이해 158~159쪽

1 표준어 2 × 3 × 4 ○ 5 옫, 오단, 오슬
6 닐리리 7 ○ 8 ○ 9 아니, 아니하다 10 되는
11 됐습니다

기초 튼튼 학습 활동 문제 160~161쪽

1 (1) [박], [안], [낟], [박], [삽], [밤], [낟], [낟], [달], [강], [낟], [낟깨], [낟따], [부억], [히읃], [숩] (2) ㄱ, ㄷ, ㄹ, ㅂ
2 (1) [입]-㉠-ⓐ (2) [이플]-㉣-ⓑ (3) [이바래]-㉢-ⓐ (4) [입싸귀]-㉡-ⓐ 3 (1) 우리에, 우리의 / 히망 (2) 회의에, 회의의, 회이에, 회이의 4 (1) [나는 기를 걷따가 본 꼬치/꼬체 이르미 궁금핻따] (2) 나는, 본 / 길을, 걷다가, 꽃의, 이름이, 궁금했다 (3) 의사소통 5 (1) 아니 (2) 아니하 6 (1) 돼요 (2) 보아야, 봐야 (3) 배요 (4) 될

시험에는 이렇게 1 ④ 2 ② 3 ④ 4 ③ 5 ④
6 '됬어' → '되었어' 또는 '됐어'

1 닺[닫], 잣[잗], 낫[낟], 삽[삽], 히읗[히읃]으로 발음하므로 받침소리가 나머지와 다른 하나는 '삽[삽]'이다.

2 받침 뒤에 모음으로 시작하면서 실질적인 의미가 없는 말이 올 경우에는 받침소리를 제 소릿값으로 뒤 음절 첫소리로 옮겨 발음해야 한다. 따라서 '잎으로'는 [이프로]로 발음한다.

오답 풀이 ❶ '옷은'은 [오슨]으로 발음해야 한다.
❸ '담임'은 [다밈]으로 발음해야 한다.
❹ '옷 안에'는 [오다네]로 발음해야 한다.
❺ '무릎을'은 [무르플]로 발음해야 한다.

3 단어의 첫음절인 '의'는 [의]로만 발음하고, 첫음절 이외의 '의'는 [의] 또는 [이]로 발음한다. 조사 '의'는 [의]로 발음하는 것이 원칙이지만 [에]로 발음하는 것을 허용한다. 따라서 ④ [민주주이의 이의]는 단어의 첫음절인 '의'를 [이]로 발음하였으므로 올바르지 못하다.

4 '낳기를'은 '병이나 상처 따위가 고쳐져 본래대로 되다.'라는 의미의 '낫기를'로 써야 바른 표기이다.

5 '않-'은 '아니하-'의 준말이므로 '나는 이제 자전거를 타지 않겠다.'는 올바른 표기이다.

오답 풀이 ❶, ❺ '안'은 '아니'의 준말로 부사이다. '잠이 안 와서 책을 읽었다.', '아침밥을 안 먹으면 집중력이 떨어진대.'라고 써야 한다.
❷, ❸ '않다'는 '아니하다'의 준말로 동사나 형용사로 쓰인다. '비가 오지 않아 걱정이야.', '나는 그 말을 하지 않았어.'라고 써야 한다.

6 '됬어'는 '되-' 뒤에 '-어'가 붙은 '되었어'의 줄임 표현이기 때문에 '시냇물이 얼어서 얼음이 되었어.' 또는 '시냇물이 얼어서 얼음이 됐어.'라고 써야 맞는 표기이다.

토닥토닥 실력 쌓기 162~165쪽

1 ④ 2 ② 3 ② 4 ㉠: 널, ㉡: 넙쭈칸 5 ③
6 ⑤ 7 ④ 8 ④ 9 ③ 10 ⑤ 11 ②
12 읽지 13 ② 14 ③ 15 [무니] 16 ④
17 ⑤ 18 ② 19 다쳐서 → 닫혀서 20 ③ 21 ②
22 ④ 23 낳으세요, 낫으세요 → 나으세요 24 ② 25 ③
26 ① 27 ④ 28 ③

1 '빛'과 '빗'의 발음은 모두 [빋]으로 똑같지만 뒤에 '이, 을' 등과 같은 모음이 올 때에는 발음이 달라진다. 대화에서 남학생이 '빛을'을 [비츨]이 아닌 [비슬]로 발음하여 여학생과의 의사소통이 제대로 이루어지지 않고 있다. 남학생이 발음한 [비슬]은 '빗을'의 올바른 발음이다.

2 '옷'은 이어지는 말이 없을 경우나 이어지는 말이 자음으로 시작할 때에는, 받침 'ㅅ'을 대표음으로 바꾸어 [옫]으로 발음한다(㉠, ㉣). 뒤에 오는 말이 모음이고 실질적인 의미가 있는 경우에는 'ㅅ'을 대표음 'ㄷ'으로 바꾸어 뒤 음절의 첫소리로 발음한다(㉢). '옷이[오시]', '옷을[오슬]'처럼 받침 뒤에 모음으로 시작하면서 실질적인 의미가 없는 말이 이어져야 제 소릿값으로 발음될 수 있다.

3 접미사 '-이'는 모음으로 시작하면서 실질적인 의미가 없는 말이므로 받침 'ㅅ'을 다음 음절의 첫소리로 옮겨 [따뜨시]로 발음해야 한다.

오답 풀이 ❶ '곁을'은 받침 뒤에 모음으로 시작하면서 실질적인 의미가 없는 조사 '을'이 이어지므로 받침 'ㅌ'을 뒤 음절의 첫소리로 옮겨 [겨틀]로 발음해야 한다.
❸ '값을'은 받침 'ㅄ' 뒤에 오는 말이 모음으로 시작하고 실질적인 의미를 지니지 않으므로 겹받침이 앞말의 받침과 뒷말의 첫소리로 나뉜다. 따라서 '값을'은 [갑슬]이 되었다가 된소리화가 일어나서 [갑쓸]로 발음된다.
❹ '잃고'는 받침 'ㅀ' 뒤에 'ㄱ'이 결합하여 [ㅋ]으로 발음되므로 [일코]가 된다.
❺ '밭을'은 '곁을'과 같은 이유로 [바틀]이라고 발음하지만, '밭이'는 [바치]로 발음한다. 우리말에서 앞말의 받침이 'ㄷ' 또는 'ㅌ'이고, 뒷말이 'ㅣ' 모음으로 시작하면서 실질적인 의미가 없을 때, 'ㄷ'과 'ㅌ'을 각각 'ㅈ'과 'ㅊ'으로 바꾸어 발음하기 때문에 '밭이'는 [바치]로 발음한다.

4 겹받침 'ㄼ'은 어말 또는 자음 앞에서 [ㄹ]로 발음한다. 따라서 '넓다'는 [널따]로 발음한다. 다만 파생어나 합성어의 경우에 '넓'으로 표기된 것은 [넙]으로 발음한다. '넓적하다[넙쩌카다], 넓죽하다[넙쭈카다], 넓둥글다[넙뚱글다]' 등이 그 예이다.

보충 자료

| 겹받침 'ㄼ'의 발음 |

1. 'ㄼ'은 어말 또는 자음 앞에서 [ㄹ]로 발음한다.
   예 여덟[여덜], 넓다[널따]
2. 예외적으로 '밟-'은 자음 앞에서 [밥]으로 발음하고, '넓-'은 다음과 같은 파생어나 합성어의 경우에 [넙]으로 발음한다.

'밟-'	밟다[밥:따], 밟소[밥:쏘], 밟지[밥:찌], 밟는[밥:는 → 밤:는], 밟게[밥:께], 밟고[밥:꼬]
'넓-'	넓-적하다[넙쩌카다], 넓-죽하다[넙쭈카다], 넓-둥글다[넙뚱글다]

5 겹받침이 모음으로 시작된 조사나 어미, 접미사와 결합하는 경우에는, 앞엣것은 남고 뒤엣것만을 뒤 음절 첫소리로 옮겨 발음한다. 따라서 '흙을'은 [흘글]로 발음해야 한다.

6 '덕분에'는 받침 'ㄱ' 뒤에 연결되는 'ㅂ'은 된소리로 발음하고, 받침 'ㄴ'은 뒤 음절로 옮겨 발음하여 [덕뿌네]가 된다. '이렇게'는 받침 'ㅎ' 뒤에 'ㄱ'이 결합하는 경우이므로 뒤 음절 첫소리와 합쳐서 'ㅋ'으로 발음하여 [이러케]가 된다.

보충 자료

| 된소리와 관련된 표준 발음법 |

제23항 받침 'ㄱ(ㄲ, ㅋ, ㄳ, ㄺ), ㄷ(ㅅ, ㅆ, ㅈ, ㅊ, ㅌ), ㅂ(ㅍ, ㄼ, ㄿ, ㅄ)' 뒤에 연결되는 'ㄱ, ㄷ, ㅂ, ㅅ, ㅈ'은 된소리로 발음한다.
예 국밥[국빱], 뻗대다[뻗때다], 덮개[덥깨]

7 겹받침이 단어의 끝이나 자음 앞에서는 앞엣것이나 뒤엣것 중 하나로 발음되는데 '얹다[언따]', '짧다[짤따]', '핥다[할따]', '없다[업:따]'는 겹받침 중 앞엣것으로 발음하고, '읊다[읍따]'는 겹받침 중 뒤엣것의 대표음으로 발음한다.

8 '여섯째'는 'ㅅ'을 대표음 'ㄷ'으로 바꾸어 [여섣째]로 발음하는 것이 올바르다.

오답 풀이 ❶ '꺾지'에서 받침 'ㄲ'은 대표음 'ㄱ'으로 바뀌고, 뒤에 연결되는 'ㅈ'은 된소리로 발음되므로 [꺽찌]로 발음하는 것이 올바르다.
❷ '짧다'에서 'ㄼ'은 일반적으로 첫 번째 받침이 대표음으로 소리 나는 겹받침이다.
❸ '재미있다'에서 'ㅆ'은 대표음 'ㄷ'으로 바뀌고, 뒤에 연결되는 'ㄷ'은 된소리로 발음되므로 [재미읻따]로 발음하는 것이 올바르다.
❺ 겹받침 'ㄺ'은 두 번째 받침이 대표음으로 소리 나는 것이 일반적이지만, 예외적으로 '읽고'와 같이 용언의 어간 말음 'ㄺ'은 'ㄱ' 앞에서 [ㄹ]로 발음한다.

9 홑받침 뒤에 모음으로 시작하면서 실질적인 의미가 없는 말이 이어질 경우에는, 받침소리를 제 소릿값으로 뒤 음절 첫소리로 옮겨 발음한다. 따라서 '볕을'은 [벼틀]이 올바른 발음이다.

10 '일정한 값에 해당하는 분량이나 가치'를 뜻하는 '값어치'는 [가버치]로 발음한다. 이는 표준 발음법 제15항의 붙임에 해당하는 예로 '닭 앞에[다가페]', '값어치[가버치]'와 같은 겹받침의 경우에는, 그중 하나만을 옮겨 발음한다고 언급되어 있다.

오답 풀이 ❶ '앉아서'는 겹받침 중 두 번째 받침 'ㅈ'을 뒤 음절의 첫소리로 옮겨 발음하여 [안자서]가 된다.
❷ '몫을'은 두 번째 받침 'ㅅ'을 뒤 음절의 첫소리로 옮겨 발음하되, 된소리로 발음한다 하였으므로 [목쓸]이 된다.
❸ '넓이'는 두 번째 받침 'ㅂ'을 뒤 음절의 첫소리로 옮겨 발음하여 [널비]가 된다.
❹ '닭이'는 두 번째 받침 'ㄱ'을 뒤 음절의 첫소리로 옮겨 발음하여 [달기]가 된다.

11 '겉옷'은 'ㅌ' 받침 뒤에 모음으로 시작되는 실질 형태소가 연결되는 경우이므로 받침 'ㅌ'을 대표음 'ㄷ'으로 바꾸어 뒤 음절 첫소리로 옮겨서 [거돋]이라고 발음한다.

보충 자료

| '꽃 위'와 '밭 아래'의 발음 |

표준 발음법 제15항에 예로 제시된 '꽃 위', '밭 아래'와 같이 둘 이상의 단어를 읽을 때, [꼬뒤], [바다래]처럼 둘 이상의 단어를 이어서 한 마디로 발음할 수도 있고, [꼳 위], [받 아래]처럼 단어마다 끊어서 발음할 수도 있다. 표준 발음법에서는 두 발음을 모두 인정하고 있지만, 실제 발화에서는 단어를 이어서 한 마디로 발음하는 것이 일반적일 것이다.

12 받침 'ㄳ'은 앞 자음이 소리 나는 겹받침이므로 '외곬'은 [외골]로, 받침 'ㄺ'은 뒤 자음이 소리 나는 겹받침이므로 '읽지'는 [익찌]로 발음한다. 그리고 겹받침 뒤에 모음으로 시작하면서 실질적인 의미가 없는 말이 이어지는 경우에는, 겹받침 중 앞엣것은 남고 뒤엣것은 뒤 음절의 첫소리로 옮겨 발음한다. 따라서 '닮은'은 [달믄]으로, '늙어'는 [늘거]로, '젊으니'는 [절므니]로 발음한다.

13 '밝아'의 겹받침 'ㄺ'은 모음으로 시작되는 조사나 어미, 접미사와 결합하는 경우에는 [ㄹ]로 발음하고, 'ㄱ'은 뒤 음절의 첫소리로 옮겨 발음한다.

14 'ㅎ' 뒤에 모음으로 시작된 어미나 접미사가 결합하는 경우에는 'ㅎ'을 발음하지 않는다.

오답 풀이 ❶, ❷, ❹ 'ㅎ(ㄶ, ㅀ)' 뒤에 'ㄱ, ㄷ, ㅈ'이 결합하는 경우, 뒤 음절 첫소리와 합쳐서 [ㅋ, ㅌ, ㅊ]으로 발음한다. 따라서 '옳지'는 [올치]로, '사이좋게'는 [사이조케]로, '괜찮다'는 [괜찬타]로 발음하는 것이 올바르다.
❺ 'ㅎ' 뒤에 'ㄴ'이 결합하는 경우에는 [ㄴ]으로 발음한다. 따라서 '털어놓는'은 [터러논는]으로 발음하는 것이 올바르다.

보충 자료

| 'ㅎ'의 발음과 관련된 표준 발음법 |

제12항 받침 'ㅎ'의 발음은 다음과 같다.

1. 'ㅎ(ㄶ, ㅀ)' 뒤에 'ㄱ, ㄷ, ㅈ'이 결합되는 경우에는, 뒤 음절 첫소리와 합쳐서 [ㅋ, ㅌ, ㅊ]으로 발음한다.
   예 놓고[노코], 않던[안턴], 닳지[달치]
2. 'ㅎ(ㄶ, ㅀ)' 뒤에 'ㅅ'이 결합되는 경우에는, 'ㅅ'을 [ㅆ]으로 발음한다.
   예 닿소[다:쏘], 많소[만:쏘], 싫소[실쏘]
3. 'ㅎ' 뒤에 'ㄴ'이 결합되는 경우에는, [ㄴ]으로 발음한다.
   예 놓는[논는], 쌓네[싼네]
4. 'ㅎ(ㄶ, ㅀ)' 뒤에 모음으로 시작된 어미나 접미사가 결합되는 경우에는, 'ㅎ'을 발음하지 않는다.
   예 낳아[나아], 않은[아는], 싫어도[시러도]

15 '무늬'에서 'ㅢ'는 자음 'ㄴ'을 첫소리로 가지고 있는 음절의 이중 모음이므로 [ㅣ]로 발음하는 것이 올바르다. 따라서 '무늬'의 발음은 [무니]가 맞다.

16 첫소리가 자음인 음절의 모음 'ㅢ'는 [ㅣ]로 발음해야 하므로 '흰'은 [힌]으로 발음해야 한다. 단어의 첫음절의 '의'는 [의]로 발음해야 하므로 '의사'는 [의사]로, '의상'은 [의상]으로 발음한다. 단어의 첫음절 이외의 '의'는 [ㅢ]나 [ㅣ]로 발음할 수 있고, 조사 '의'는 [ㅢ]나 [ㅔ]로 발음할 수 있으므로 '주의'는 [주의/주이]로, '친구의'는 [친구의/친구에]로 발음한다.

17 우리말에는 발음과 표기가 일치하는 단어와 일치하지 않는 단어가 있다. 즉 표준어를 소리 나는 대로 적되, 단어의 의미를 쉽게 파악하기 위해 원래 형태를 밝혀 적어야 한다.

18 '달갈말이'의 바른 표기는 '달걀말이'이므로 '달걀마리'로 고친 것은 적절하지 못하다.

19 '다쳐서'는 신체에 상처를 입었다는 의미이므로, 문구점의 영업시간이 끝났다는 의미를 전달할 때는 '닫혀서'라고 표기해야 한다.

20 '되-' 뒤에 '-어'가 붙었을 때는 줄여서 '돼'로 쓴다. 따라서 '됬습니다'는 틀린 표기이며, '되었습니다' 혹은 이를 줄인 형태인 '됐습니다'로 써야 맞는 표기이다.

21 '안'은 '아니'가 줄어든 말이고, '않'은 '아니하-'가 줄어든 말이므로, '않 좋아하는데'는 '안 좋아하는데'로 고쳐야 한다.

오답 풀이 ❶ '덜렁거리다'와 '덜렁대다' 모두 표준어이다.
❸ '왜 그런지 모르게'의 뜻을 가진 말은 '왠지'가 맞다. '웬'은 '어찌 된' 또는 '어떠한'의 뜻이다.
❹ '헛디뎌'의 발음은 [헏디뎌]가 맞지만 소리 나는 대로 적지 않고 원형을 밝혀 적어야 한다.
❺ '옷이나 천 따위의 주름이나 구김을 펴고 줄을 세우기 위하여 다리미나 인두로 문지르다'는 의미는 '다리다'가 맞다. '액체 따위를 끓여서 진하게 만들다'는 의미가 '달이다'이다.

22 'ㅚ' 뒤에 '-어, -었-'이 어울려 'ㅙ, ㅙㅆ'으로 될 때에는 준 대로 적는다. '쐬었다'의 준말 표기는 '쐈다'이다.

23 과로로 쓰러진 사람이 회복하기를 바라는 상황이므로 '병이나 상처 따위가 고쳐져 본래대로 되다.'라는 뜻인 '낫다'를 써야 한다. '낳다'는 '배 속의 아이, 새끼, 알을 몸 밖으로 내놓다.'라는 뜻이다. 그리고 어간 끝에 'ㅅ' 받침을 가진 용언 중 어미의 모음 앞에서 'ㅅ'이 줄어지는 경우가 있는데, '낫다'도 이에 해당한다. 따라서 '낫다'는 '나아, 나으니, 나았다'와 같이 활용하므로, '낫으세요'가 아니라 '나으세요'라고 표기해야 한다.

보충 자료

| '낫다'와 '낳다'의 표기가 헷갈리는 이유 |

'낫다'와 '낳다'에 '-아, -으면'가 붙을 때 '낫다'는 'ㅅ'이 탈락하면서 소리대로 '나아, 나으면'이라고 적고, '낳다'는 'ㅎ'을 밝혀 '낳아, 낳으면'이라고 적는다. 그런데 '낳아, 낳으면'을 읽을 때는 [나아], [나으면]이라고 발음한다. 이처럼 '낫다'와 '낳다'가 활용할 때 발음이 같아지기 때문에 표기의 혼동이 생기는 것이다.

24 '얼마쯤씩 있다가 가끔'을 뜻하는 부사 '이따금'은 발음과 표기가 일치한다.

오답 풀이 ❶ '풀잎'은 받침 'ㅍ'이 대표음 'ㅂ'으로 교체되어 [풀입], 고유어 사이에 'ㄴ'음이 들어가 [풀닙], 앞 받침의 'ㄹ' 소리를 닮아가는 현상에 따라 [풀립]으로 발음한다. 따라서 표기와 발음이 일치하지 않는다.
❸ '밤낮'은 받침 'ㅈ'이 대표음 'ㄷ'으로 교체되어 [밤낟]으로 발음되므로 표기와 발음이 일치하지 않는다.
❹ '별빛'은 받침 'ㅊ'이 대표음 'ㄷ'으로 교체되고 된소리화가 적용되어 [별:삗]으로 발음되므로 표기와 발음이 일치하지 않는다.
❺ '납작하더니'는 받침 'ㅂ' 뒤에 이어지는 'ㅈ'이 된소리로 발음되고, 받침 'ㄱ'과 이어지는 'ㅎ' 소리가 합쳐져 [납짜카더니]로 발음되므로 표기와 발음이 일치하지 않는다.

25 '부치다'는 '인편이나 체신, 운송 수단을 통해 보내다.'의 뜻을 지니고 있으므로, '외국으로 짐을 부치다.'가 올바르다.

오답 풀이 ❶ '물체와 물체가 서로 바짝 가까이하게 하다.'의 뜻으로 '책상을 벽에 붙이다.'가 올바르다.
❷ '맞닿아 떨어지지 아니하게 하다.'의 뜻으로 '봉투에 우표를 붙이다.'가 올바르다.
❹ '이름이 생기게 하다.'의 뜻으로 '친구에게 별명을 붙이다.'가 올바르다.
❺ '어떤 감정이나 감각이 생겨나게 하다.'의 뜻으로 '피아노 연주에 취미를 붙이다.'가 올바르다.

26 '어떻게'는 '의견, 성질, 형편, 상태 등이 어찌 되어 있다.'의 의미를 나타내는 '어떻다'를 부사형으로 바꾼 것이고, '어떡해'는 '어떻게 해'가 줄어든 말이다. 그러므로 '너 어떻게 학교에 왔어? 오늘도 늦으면 어떡해?'는 바르게 표기된 문장이다.

오답 풀이 ❷ '볕이나 습기를 받아 색이 변하다.'는 의미의 표현은 '바래다'이고, '생각이나 바람대로 어떤 일이나 상태가 이루어지거나 그렇게 되었으면 하고 생각하다.'는 의미의 표현은 '바라다'이다.
❸ '문제의 답이 틀리지 않게 하다.'는 의미의 표현은 '맞히다'이고, '둘 이상의 일정한 대상들을 나란히 놓고 비교하여 살피다.'는 의미의 표현은 '맞추다'이다.
❹ '지식이나 기능, 이치 등을 깨닫게 하거나 익히게 하다.'는 의미의 표현은 '가르치다'이고, '손가락 등으로 어떤 방향이나 대상을 집어서 보이거나 말하거나 알리다.'는 의미의 표현은 '가리키다'이다.
❺ '틀림없이 꼭'이라는 의미의 표현은 '반드시'이고, '작은 물체, 또는 생각이나 행동 등이 비뚤어지거나 기울거나 굽지 않고 바르게'라는 의미의 표현은 '반듯이'이다.

27 오이소박이는 오이를 갈라 소를 박은 김치로 '박다'와 의미적으로 밀접한 관련이 있어 '-박이'가 붙는다.

오답 풀이 ❶ 조사 '의'는 체언 뒤에 붙어 그 체언이 관형사 구실을 하도록 할 때 쓰고, 조사 '에'는 체언 뒤에 붙어 그 체언이 부사어임을 나타낼 때 쓴다. 따라서 '음식의 맛이 좋기로'가 올바른 표기이다.
❷ 쇠고기를 삶아서 알맞게 뜯어 넣고, 얼큰하게 갖은양념을 하여 끓인 국을 이르는 말은 '육개장'이다.
❸ 뚝배기나 작은 냄비에 국물을 바특하게 잡아 고기·채소·두부 따위를 넣고, 간장·된장·고추장·젓국 따위를 쳐서 갖은양념을 하여 끓인 반찬을 이르는 말은 '찌개'이다.
❺ '건들다'는 '건드리다'의 준말이므로 '건들지도' 또는 '건드리지도'가 올바른 표현이다.

보충 자료

| '-박이'와 '-배기' |

점이 박혀 있어 '점박이', 금니를 박았다는 뜻의 '금니박이', 차돌처럼 단단한 것이 박혀 있다는 뜻의 '차돌박이' 등은 '박다'의 의미와 관련이 있어 모두 '-박이'가 된다. 이와 달리 '한 살배기', '두 살배기'에서처럼 어린아이의 나이 뒤에 붙어 그 나이를 먹은 아이를 뜻할 때에는 '-박이'가 아니라 '-배기'가 맞다.

28 '아를 나아 줄 꺼시고'에서 '나아'는 받침 'ㅎ' 뒤에 모음으로 시작된 어미나 접미사가 결합하는 경우 'ㅎ'을 발음하지 않기 때문에 [나아]로 발음하였으나, 표기할 때는 '알을 낳아 줄 것이고'로 해야 한다.

쏙쏙 문법 정리 166쪽

❶ ㄷ ❷ 집 ❸ 널따 ❹ ㅣ ❺ ㅔ ❻ 지퍼

2 담화의 개념과 특성

차근차근 개념 이해 167~168쪽

1 담화 2 맥락 3 상황 4 × 5 ○ 6 ○ 7 ○
8 × 9 문화 10 ○ 11 통일 12 ○

기초 튼튼 학습 활동 문제 169쪽

1 (1) 지영이와 ○○ 복지관 담당자 (2) 봉사 활동 날짜와 시간을 정함으로써 봉사 활동을 예약함. (3) 시간: 학교를 마친 후 집에 가는 길(하굣길) / 공간: ○○ 복지관 2 (가): 노약자에게 자리를 양보하자. (나): 떠들거나 소음을 만들지 말고 조용히 하자. (다): 장애인이 사용할 수 있도록 주차 공간을 비워 두자. 3 세대, 문화, 지역

시험에는 이렇게 1 ④ 2 ③ 3 ③

1 담화의 구성 요소는 담화 참여자인 말하는 이(글쓴이), 듣는 이(읽는 이), 맥락(상황 맥락과 사회·문화적 맥락), 전달하고자 하는 내용이다.

2 축구를 하자고 제안하는 말에 발을 다쳤다고 대답한 상황이므로, '발을 다쳤어.'는 축구를 함께할 수 없다는 거절의 의미로 해석할 수 있다.

3 이 담화는 손자가 말한 '킹왕짱'이라는 표현을 할머니가 알아듣지 못하여 의사소통이 제대로 되지 않고 있는 상황이다. 이는 할머니와 손자의 세대가 달라 의사소통에 장애가 발생한 상황으로 볼 수 있다.

토닥토닥 실력 쌓기 170~172쪽

1 ③ 2 ② 3 ④ 4 ⑤ 5 ⑤ 6 ④ 7 ④
8 ⑤ 9 ④ 10 지우개 좀 빌려줄래? 11 ② 12 ①
13 ④ 14 ④ 15 ④

1 같은 표현이라 할지라도 언제, 어디에서 말하느냐에 따라 그 의미는 달라질 수 있다.

오답 풀이 ❶ 구체적인 의사소통 상황에서 생각이 문장 단위로 표현된 것을 발화라고 하고, 이 발화나 발화가 연속된 덩어리를 담화라고 한다.
❷ 담화는 내용이 하나의 주제로 통일되어야 한다는 특성을 지니고 있다.
❹ 담화를 이루는 문장들은 적절한 접속이나 지시어 등으로 긴밀하게 연결되어야 한다는 특성을 지니고 있다.
❺ 담화를 구성하는 요소로는 '말하는 이와 듣는 이, 발화 내용, 담화가 이루어지는 상황'이 있다.

2 담화 상황으로 볼 때 10시쯤 보건실에서 이루어진 담화이다. 그리고 상황 맥락을 고려할 때 말하는 이인 보건 선생님이 듣는 이인 남학생에게 아픈 데가 어디인지 묻고자 하는 의도로 한 말이다.

3 담화에 영향을 주는 요소에는 말하는 이(글쓴이), 듣는 이(읽는 이), 맥락 등이 있으며, 이 요소에 따라 담화의 의미가 달라질 수 있다. (가)와 (나)의 담화 상황으로 볼 때 담화 참여자들이 속한 문화로 인해 담화의 의미가 달라졌다고 볼 수 없다.

4 담화가 이루어지는 시간과 공간, 어떤 대상과 관련한 대화인지 상황 맥락을 알지 못해 의미를 이해하기 어렵다. 남매가 현관에서 우산에 대해 이야기하고 있다고 가정하면 의미 파악이 쉬워진다.

오답 풀이 ❶ 어떤 물건을 쓰는 것에 관하여 이야기를 나누고 있으므로 그 내용에 통일성은 갖추고 있다.
❷ 담화의 참여자는 오빠와 동생임이 드러난다.
❸ 오빠의 발화 중 '그냥 나랑 같이 쓸까?'는 어떤 물건(우산)을 같이 쓰면 어떻겠는지 동생에게 물어보려는 의도로 한 말이고, '같이 쓰려면 조금 작을 수도 있겠다.'는 생각보다 우산이 작으므로 같이 쓰기보다는 각자 쓰는 것이 더 나을 수 있다는 의도로 한 말이다.
❹ 오빠와 동생은 신조어나 줄임말을 사용하고 있지 않다.

5 위층 사람과 아래층 사람은 모두 층간 소음에 대해 각자 자신의 주장만 하고 있을 뿐, 서로의 처지가 어떠한지에 대한 관심은 없다.

보충 자료

| 소설의 뒷부분에서 알 수 있는 맥락의 중요성 |

결국 아래층 사람이 위층으로 올라가 보았는데, 위층 사람은 휠체어를 타고 생활하다 보니 소음이 발생할 수밖에 없는 처지였다. 이와 같이 대화를 나눌 때 상황 맥락을 고려하여 말하면 의사소통 과정에서 발생할 수 있는 오해와 갈등을 줄일 수 있다.

6 (가)에서 식당 주인은 음식의 맛이나 접대 태도에 만족했는지 묻고자 하는 상황이다.

7 '복스럽다'는 말을 세대에 따라 다르게 이해하는 데서 의사소통에 문제가 생긴 담화이다. 할머니는 애정을 담아 '복이 있어 보여 보기 좋다'는 뜻으로 말한 것이지, '뚱뚱하다'는 말을 돌려서 표현한 것은 아니다.

8 담화 상황이 친구들이 싸우고 있는 모습을 바라보며 "잘한다."라고 한 것이라면 질책의 의미인 반어적 표현으로 이해할 수 있다.

오답 풀이 ❶, ❷, ❹ 이와 같은 담화 상황에서 "잘한다."라고 한 것은 반어적 의미로 질책이나 비난하는 의도이다.
❸ 축구 경기에서 골을 넣은 친구에게 "잘한다."라고 한 것은 비난이 아닌 칭찬의 의도가 적절하다.

9 우리나라 사람들은 친근감의 표현으로 상대를 부를 때 '이모'라는 호칭을 사용하기도 하는데, 외국인은 이런 언어문화를 알지 못해 의사소통에 어려움을 겪을 수 있다. 이와 같이 국가나 종교 등이 달라 발생하는 문화의 차이 때문에 담화의 표현 방법이나 내용이 달라질 수 있는 것이다.

10 상황 맥락을 고려하였을 때, 희연이 지우개가 필요한 상황에서 하는 말이므로 '지우개 있어?'는 단순한 물음이 아니라 빌려줄 수 있냐는 부탁의 의미로 해석할 수 있다.

11 승재는 지우개가 필요해서 '지우개 있어?'라고 물어본 희연의 의도를 고려하지 못했다.

12 고모는 '싸게'라는 말을 '빨리, 서둘러서'라는 의미로 사용했지만, 주연은 '값이 저렴하게'라는 의미로 이해하였다. 이는 고모가 사용한 지역 방언의 의미를 주연이 잘못 이해한 상황으로, 지역에 따라 담화의 의미가 다르게 해석되기도 한다는 것을 보여 주는 대화이다.

13 이 담화에서는 손자의 말을 할아버지가 알아듣지 못하여 의사소통에 장애가 발생하고 있는 상황을 보여 준다. 손자 세대가 사용하는 '공구(공동으로 구매)', '만찢남(만화를 찢고 나온 듯한 멋있는 남자)'과 같은 줄임말을 할아버지가 이해하지 못하는 것은 세대에 따라 언어 사용 방식에 차이가 있기 때문이다.

14 도서관에서 '양심을 지키세요.'라는 문구는 '책을 깨끗이 읽으세요.'나 '책을 찢지 마세요.'라는 의미로 이해하는 것이 적절하다.

15 특정한 역사를 배경으로 한 담화는 관련된 역사적 상황을 알고 그 정서를 공유하고 있을 때, 원활한 의사소통이 이루어질 수 있다.

쏙쏙 문법 정리 173쪽

❶ 문장 ❷ 담화 ❸ 맥락 ❹ 의미 ❺ 어른 ❻ 문화

3 한글의 창제 원리

차근차근 개념 이해 174~175쪽

1 한자 2 ○ 3 자주 4 발음 5 ㅇ 6 가획 7 × 8 ㅏ, ㅓ 9 재출자 10 ○ 11 모아쓰기 12 ○

기초 튼튼 학습 활동 문제 176~177쪽

1 ㄱ-ⓒ, ㄴ-ⓐ, ㄷ-ⓑ 2 ㄴ, 입/입술, ㅇ, 발음 기관 모양을 본떠서 3 (1) ㅌ, ㅈ (2) 가획의 원리(자음의 기본자에 획을 더하여 다른 자음자를 만듦.) 4 (1) 하늘, ㅡ, 사람 (2) 합성의 원리(모음의 기본자끼리 합하여 다른 모음자를 만듦.) 5 (1) 함께하는 우리 (2) 단어나 문장의 뜻을 빠르게 이해할 수 있다. / 적은 수의 자음자와 모음자로 무수히 많은 글자를 만들 수 있다. 6 (1) 한글 모음은 한 가지 소리로만 발음되지만, 알파벳 모음은 단어에 따라 다양한 소리로 발음된다. (2) 소리가 비슷함. / 모양이 각기 다름.

시험에는 이렇게 1 ① 2 ② 3 ② 4 ③ 5 모아쓰기 6 ①

1 한글의 창제 정신 중 우리나라 말이 중국과 달라 한자와 서로 통하지 않으므로 한자가 아닌 우리만의 문자가 필요하다는 내용은 자주 정신에 해당한다.

2 'ㄴ'은 혓소리로 혀끝이 윗잇몸에 닿는 모양을 본떠 만든 글자이다.

3 'ㅂ'은 기본자 'ㅁ'에 획을 더하여 만든 가획자이다.

4 'ㅏ, ㅓ, ㅗ, ㅜ'는 기본자 'ㅣ, ㅡ'와 '•'를 한 번 합성하여 만든 글자이고, 'ㅡ'는 기본자로 땅의 평평한 모양을 본떠서 만든 글자이다.

5 한글은 소리 낼 때를 고려하여 음절 단위로 모아쓰도록 규정하고 있다. 모아쓰기를 하면 적은 수의 글자로 무수히 많은 글자를 만들 수 있고 읽기가 편하며 뜻을 빠르게 이해할 수 있다.

6 한글의 자음자는 '상형의 원리' 외에도 '가획의 원리'에 따라 만들어져서 글자 모양이 비슷하면 발음도 비슷하여 누구나 쉽게 읽을 수 있다. 즉, 한글은 발음의 특성까지도 글자의 모양에 반영한 과학적이고 체계적인 글자의 모양이다.

오답 풀이 ❷ 하나의 글자가 다양한 소리를 내는 것은 영어 알파벳의 특성이다. 또한 하나의 글자가 하나의 소리를 낸다는 것은 자음자가 아닌 모음자에서 드러나는 한글의 특성이다.
❸ 발음 기관을 본떠 만들었다는 것은 상형의 원리에 해당한다.
❹ 자음자와 모음자의 수가 비슷하기 때문에 컴퓨터 자판의 왼쪽과 오른쪽에 자음자와 모음자를 적절히 배치할 수 있다.

⑤ 한글이 다른 문자를 모방하지 않은 독창적인 문자라는 특성은 한글의 창제 정신 중 자주 정신에 대한 설명이다.

토닥토닥 **실력 쌓기** 178~181쪽

1 ③	2 ③	3 애민 정신	4 ③	5 ②	6 ④
7 ③	8 ④	9 ①	10 ①, ⑤	11 ④	12 ③
13 ㉠: ㅓ, ㉡: ㅘ, ㉢: ㅣ			14 ⑤	15 ②	16 ③
17 하나의 글자는 하나의 소리를 낸다.				18 ③	19 ①
20 ①	21 ④	22 ⑤	23 ②		

1 '伐木禁止'라고 쓰인 한자를 읽지 못해 벌을 받는 백성의 모습을 통해 당시 백성들은 한자를 읽지 못해 억울한 일을 당하기도 하였음을 알 수 있다.

2 한글은 세종 대왕이 기존의 문자를 응용한 것이 아니라 새로 만들어 낸 독창적인 문자이다.

오답 풀이 ①, ② '어리석은 백성이 말하고자 하는 바가 있어도 끝내 제 뜻을 펴지 못하는 사람이 많으니라. 내가 이것을 가엾게 생각하여 새로 스물여덟 글자를 만드니'라는 부분을 통해 알 수 있다.
④ '우리나라 말이 중국과 달라 한자와 서로 통하지 아니하여서'라는 부분을 통해 알 수 있다.
⑤ '모든 사람으로 하여금 쉽게 익혀서, 날마다 쓰는 데 편하게 하고자 할 따름이다.'를 통해 알 수 있다.

3 한글 창제에는 중국과 우리나라의 언어생활 차이를 인식한 자주 정신, ㉠과 같이 문자 생활을 영위하지 못하는 백성들을 가엾게 여기는 애민 정신, 사용하기 쉽고 편리한 문자를 만들겠다는 실용 정신이 담겨 있다.

4 『훈민정음해례본』에서는 "정음 28글자는 각각 그 모양을 본떠 만들었다."라고 했다는 부분이 언급되고 있으므로 한글의 창제 원리가 나와 있다는 반응은 적절하다.

오답 풀이 ① 한글 자음자는 발음 기관을 상형하여 만든 세계 유일의 소리글자라고 하였다. 한글이 유일한 상형 문자는 아니다.
② 자음의 기본자는 'ㄱ, ㄴ, ㅁ, ㅅ, ㅇ'이다.
④ 정음 28글자 중 자음과 모음의 기본자만 상형의 원리로 만들었다.
⑤ 발음 기관을 상형해서 만든 글자는 자음자이며, 모음자는 하늘과 땅, 사람의 모양을 본떠 만들었다.

보충 자료

| 훈민정음해례본 |

1446년에 반포된 '훈민정음'의 한문 해설서로, 다음과 같이 구성되어 있다.
(1) **본문(예의)**
- 어제 서문: 창제 배경과 목적
- 예의: 정음 28자의 모양, 발음과 사용법

(2) **해례**
- 제자해: 제자 원리, 자모음 체계 등에 대한 설명
- 초성해 / 중성해 / 종성해에 대한 설명
- 합자해: 초성, 중성, 종성 자가 합해진 표기
- 용자례: 글자의 실제 용례

(3) **정인지 서문**: 창제 목적과 특징, 창제자, 창제 시기 등

5 'ㆍ'는 하늘의 둥근 모양을 본떠 만들었고, 지금은 쓰이지 않는 글자이다.

오답 풀이 ① 'ㆅ'은 자음자 'ㅎ'을 옆으로 나란히 쓰는 방법으로 만든 글자이다.
③ 'ㅡ'는 땅의 평평한 모양을 본떠 만든 모음의 기본자이다.
④ 'ㅣ'는 사람이 서 있는 모양을 본떠 만든 모음의 기본자이다.
⑤ 'ㆆ'은 'ㅇ'에 획을 더해 만든 가획자이다.

6 'ㅅ[치음(齒音)]'은 이 모양을 본떠 만든 기본자이다.

오답 풀이 ① 혀뿌리가 목구멍을 막는 모양을 본뜬 글자는 'ㄱ'이다.
② 혀끝이 윗잇몸에 닿는 모양을 본뜬 글자는 'ㄴ'이다.
③ 입 모양을 본뜬 글자는 'ㅁ'이다.
⑤ 목구멍의 모양을 본뜬 글자는 'ㅇ'이다.

7 한글은 기본자에 가획을 하거나 기본자끼리 합성하는 방식으로 만들어져 외워야 할 글자 수가 적다. 그리고 'ㄱ－ㅋ'처럼 비슷한 소리를 내는 문자는 그 모양도 비슷하게 만들어져 배우기가 쉽다.

8 가획의 원리에 의하면 기본자 'ㅁ'에 획을 더하여 'ㅁ－ㅂ－ㅍ'의 형태로 만들어진다.

오답 풀이 ① 'ㄱ－ㅋ'의 형태로 가획된다.
② 'ㄴ－ㄷ－ㅌ'의 형태로 가획된다. 'ㄸ'은 자음자 둘을 옆으로 나란히 쓰는 방법으로 만든 글자이다.
③ 'ㅅ－ㅈ－ㅊ'의 형태로 가획된다.
⑤ 'ㅇ－ㆆ－ㅎ'의 형태로 가획된다.

9 기본자 'ㄷ'에 획을 하나 더하면 'ㅌ'이 되는 것을 통해 획을 더할 때 소리의 세기도 거세진다는 것을 알 수 있다. 따라서 '덜썩'보다 '털썩'이 더 거센 느낌이 드는 말이다.

10 이체자인 'ㄹ, ㅿ, ㆁ'은 각각 기본자 'ㄴ, ㅅ, ㅇ'에 획을 더하여 만들었지만, 다른 가획자와는 달리 기본자보다 소리가 세지는 것은 아니다.

오답 풀이 ② 'ㅿ(반치음)'과 'ㆁ(옛이응)'은 오늘날에는 사용하지 않지만, 'ㄹ'은 사용하고 있다.
③ 'ㄹ, ㅿ, ㆁ'은 다른 가획자와는 달리, 기본자에 비해 소리가 더 세진다는 특성은 없다.
④ 'ㄹ, ㅿ, ㆁ'은 기본자 'ㄴ, ㅅ, ㅇ'에 획을 더하여 만든 글자이므로 '상형의 원리'가 아니라 '가획의 원리'에 따라 만든 글자이다.

보충 자료

| 이체자 'ㄹ, ㅿ, ㆁ'의 특성 |

'ㄹ, ㅿ(반치음), ㆁ(옛이응)'은 '이체자'라고 부르며, 자음의 기본자인 'ㄴ, ㅅ, ㅇ'에 각각 획을 더하여 만들었다고 볼 수 있다. 따라서 자형상으로는 가획한 것이므로 'ㄹ, ㅿ, ㆁ'을 가획자로 보는 것이 요즘 정설이다. 하지만 다른 가획자와는 달리 가획할수록 소리가 점점 세진다는 의미는 없다.

11 ㄱ과 ㄷ의 자음자들은 모두 현대 국어에서는 사용되지 않는 글자들이지만, ㄴ의 자음자들은 현대 국어에서 사용되고 있는 글자들이다. ㄱ~ㄷ의 글자들을 만든 방법으로 더 많은 글자를 만들 수 있으므로, 한글은 필요에 따라 얼마든지 더 많은 글자를 만들어 쓸 수 있는 문자라고 할 수 있다.

12 'ㅑ, ㅕ, ㅛ, ㅠ'는 초출자 'ㅏ, ㅓ, ㅗ, ㅜ'와 'ㆍ'를 합성하여 만든 재출자이다.

오답 풀이 ❶ 상형의 원리로 만든 글자는 발음 기관의 모양을 본떠 만든 자음 기본자와 하늘, 땅, 사람의 모양을 본떠 만든 모음 기본자이다.
❷ 하늘, 땅, 사람이 서 있는 모양을 본떠 만든 글자는 'ㆍ, ㅡ, ㅣ'이다.
❹ 모음자 'ㅣ'와 'ㅡ'에 'ㆍ'를 합성하여 만든 초출자는 'ㅏ, ㅓ, ㅗ, ㅜ'이다.
❺ 재출자는 모음의 기본자에 획을 더하는 방식으로 만든 것이 아니라, 초출자에 'ㆍ'를 합성하여 만든 것이다.

13 'ㅗ'와 'ㅏ'를 더하면 'ㅘ'가 되고, 'ㅜ'와 'ㅓ'를 더하면 'ㅝ'가 된다. 'ㆍ, ㅡ, ㅗ, ㅏ, ㅜ, ㅓ'에 'ㅣ'를 더하면 'ㆎ, ㅢ, ㅚ, ㅐ, ㅟ, ㅔ'가 된다.

14 'ㅜ'와 'ㆍ'를 합성하면 재출자 'ㅠ'가 만들어진다.

15 모음의 기본자는 'ㆍ, ㅡ, ㅣ'이고, 기본자 'ㅡ'와 'ㅣ'에 'ㆍ'를 한 번 합성하여 만든 글자가 초출자 'ㅗ, ㅜ, ㅏ, ㅓ'이다. 이 초출자에 'ㆍ'를 한 번 더 합성하여 만든 글자가 재출자 'ㅛ, ㅠ, ㅑ, ㅕ'이다. 이와 같은 재출자가 모음으로 쓰인 글자는 '양말'이다.

16 모아쓰기는 한글 자모를 가로세로로 묶어 쓰는 표기 방식이다. 이는 읽기의 편의성과 관련이 있는 것으로 각각의 음운이 소리를 내는 발음과는 상관이 없다.

17 〈보기〉에서 영어 알파벳 'a'가 세 가지로 소리 나는 것과 달리 한글 'ㅏ'는 하나의 소리를 내며, 문자와 소리가 일대일로 대응한다.

18 왼손은 자음자를, 오른손은 모음자를 입력하게 되어 있어서 주로 왼손과 오른손을 번갈아 가며 글자를 입력할 수 있기 때문에 입력 속도가 빠르다.

오답 풀이 ❶ 자판의 자음자와 모음자의 배열 방식은 많이 사용하는 것을 가운데 줄에 배치하였다.
❷ 자음자의 수는 14개, 모음자의 수는 10개이다.
❹ 자판에서 초출자와 재출자를 다른 줄에 구분하여 배열하지는 않았다.
❺ 자음자 중에서 가획의 원리에 따라 만들어진 가획자를 옆에 배치하지는 않았다.

19 한글은 문자와 소리의 일치성이 높아 컴퓨터 자판을 누르면 별도의 변환 과정이 없이 그대로 입력되므로 가나나 한자를 자판에 입력할 때에 비해 속도가 빠르다. 따라서 정보화·세계화 시대에 적합한 언어라는 장점이 있다.

20 〈보기〉의 활동은 한글을 세계에 홍보하는 것과 관련이 있으므로, 이와 유사한 실천 방안은 블로그에 한글을 소재로 한 예술 작품을 영어로 소개하여 한글을 외국인에게 알리는 것이다.

21 'ㅑ'라는 재출자를 입력하기 위해 (가)에서는 'ㅣ'와 'ㆍ'와 'ㆍ'를 눌러야 하고, (나)에서는 'ㅏ'와 '획 추가' 자판을 누르면 된다. 따라서 (가)와 (나)에서 재출자를 입력하기 위해서 누르는 자판의 수는 같지 않다.

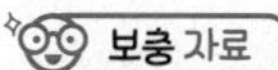

| (가)와 (나) 휴대 전화 자판의 차이 |

(가) 천지인 자판	• 모음 최소형 자판 • 모음의 기본 글자를 합하여 다른 모음자를 만드는 합성의 원리가 적용됨.
(나) 나랏글 자판	• 자음 최소형 자판 • 자음의 기본 글자에 획을 더하여 다른 자음자를 만드는 가획의 원리가 적용됨.

22 한글은 8개의 기본자를 바탕으로 10개 내외의 휴대 전화 자판 안에 배열된 자음자와 모음자를 조합하여 많은 글자를 입력할 수 있기 때문에 다른 문자에 비해 경제적이다.

23 '꽃병'에서 'ㄲ'은 '쌍자음' 자판을 눌러야 하고, 'ㅊ, ㅂ, ㅕ'는 '획 추가' 자판을 눌러야 입력할 수 있다.

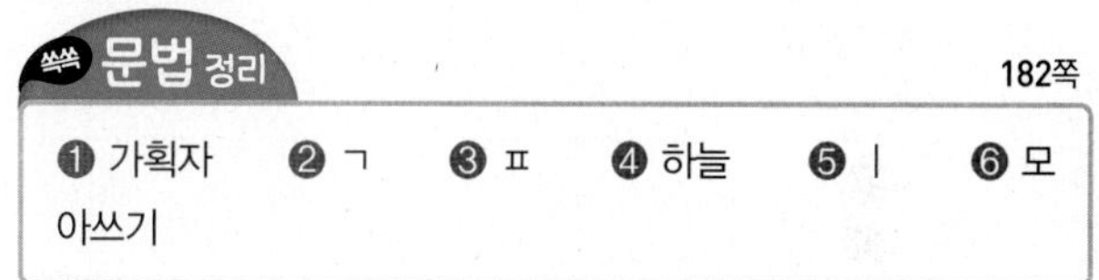

쏙쏙 문법 정리 182쪽

❶ 가획자 ❷ ㄱ ❸ ㅍ ❹ 하늘 ❺ ㅣ ❻ 모아쓰기

MEMO